Buch

Ben Du Toit, der Held von André Brinks mitreißendem Roman über Südafrika, führt mit seiner Familie ein beschauliches Leben in Johannesburg. Er ist Lehrer an einem College. Auf diese Welt fällt ein Schatten, als der Sohn des schwarzen Putzmannes Gordon an Bens Schule während der Soweto-Unruhen unter mysteriösen Umständen umkommt. Ben unterstützt Gordon bei dessen Bemühungen, den Fall aufzuklären. Doch Gordon erleidet bald das Schicksal seines Sohnes, und Ben sieht bei seiner ursprünglich naiven Kampagne, Verfahrensfehler aufzudecken, mit zunehmendem Entsetzen, daß er es nicht mit stümperhaften Bürokraten zu tun hat, sondern mit arroganten Killern, die sich durch einen ins Monströse pervertierten Patriotismus im Recht glauben und dieses Recht auch durchsetzen. In einer sich dramatisch zuspitzenden Handlung schildert Brink, wie Ben täglich die Gefährlichkeit seiner Gegner zu spüren bekommt. Er lebt unter dem wachsenden Druck von Angst und Bedrohung, fühlt sich eingekreist von Feindseligkeit und Gemeinheit. Doch unterstützt von einer Journalistin, die er liebt, und einem schwarzen Taxifahrer, in dem er einen zuverlässigen Freund findet, kämpft Ben wie besessen weiter und läßt sich von Verzweiflung und Enttäuschung nicht unterkriegen. Er gerät in einen ihn und alles um ihn herum zerstörenden Sog. Dennoch gibt es für Ben nur eins: zu beweisen, daß die Polizei seine schwarzen Freunde ermordet hat.

Autor

André Brink, 1935 als Sohn einer Burenfamilie geboren, lebt als Professor für Afrikaans in Grahamstown in der östlichen Kap-Provinz. Wegen seiner kritischen Einstellung zur Apartheidpolitik ist der international bekannte Schriftsteller immer wieder Repressalien des Regimes ausgesetzt und darf seine Bücher nicht in Südafrika publizieren.

Bereits erschienen:

Die Nilpferd-Peitsche. Roman (8857)
Die Pestmauer. Roman (8955)

ANDRÉ BRINK

WEISSE ZEIT DER DÜRRE

Roman

GOLDMANN VERLAG

Aus dem Englischen übertragen von Werner Peterich
Titel der Originalausgabe: A dry white season
Originalverlag: Faber & Faber, London

Der Goldmann Verlag
ist ein Unternehmen der Verlagsgruppe Bertelsmann

Made in Germany · 3/88 · 4. Auflage
Genehmigte Taschenbuchausgabe
© der Originalausgabe 1979 by André Brink
© der deutschsprachigen Ausgabe
1984 by Verlag Kiepenheuer & Witsch, Köln
Umschlagentwurf: Design Team München
Umschlagfoto: Süddeutscher Verlag, Bilderdienst
Satz: IBV Satz- und Datentechnik GmbH, Berlin
Druck: Elsnerdruck, Berlin
Verlagsnummer: 8381
UK · Herstellung: Sebastian Strohmaier/Voi
ISBN 3-442-08381-8

Für ALTA,

die mich in meiner Zeit der Dürre
am Leben hielt

es ist eine weiße zeit der dürre
dunkle blätter halten sich nicht, ihr kurzes leben verdorrt,
und gebrochnen herzens schweben sie sanft auf die erde
hernieder,
sie bluten nicht einmal.
es ist eine weiße zeit der dürre, bruder,
nur die bäume kennen den schmerz, denn noch stehn sie
aufrecht,
trocken wie stahl, ihre zweige trocken wie draht,
ja, es ist eine weiße zeit der dürre,
doch jahreszeiten kommen und gehn.

MONGANE WALLY SEROTE

Vorwort

Früher hatte ich ihn immer für einen ganz gewöhnlichen, gutmütigen, harmlosen Mann gehalten, den nichts Besonderes auszeichnete. Für jemanden, an den Freunde, die zusammen studiert haben, sich bei einem zufälligen Wiedersehen nach vielen Jahren mit einem »Ben Du Toit?« zu erinnern versuchen, dem dann eine spöttische Pause folgt, ehe sie halbherzig fortfahren: »O ja, natürlich. Netter Kerl. Was ist aus ihm geworden?« Jedenfalls wäre es mir im Traum nicht eingefallen, daß ihm *dies* widerfahren könnte.

Vielleicht ist das der Grund, warum ich nun doch über ihn schreiben muß. Immerhin war ich – zumindest vor ein paar Jahren – überzeugt gewesen, ihn recht gut zu kennen. Und folglich war es ziemlich verwirrend, plötzlich zu entdecken, daß ich keine Ahnung gehabt hatte, wer er wirklich gewesen war. Oder klingt das jetzt melodramatisch? Es ist nicht leicht, sich von Dingen frei zu machen, die man sich in einem halben, dem Schreiben von romantischen Romanen gewidmeten Leben angewöhnt hat. »Zärtliche Liebesgeschichten über Mord und Vergewaltigung.« Aber im Ernst. Sein Tod hat alles in Frage gestellt, was ich jemals von ihm gedacht oder für ihn empfunden habe.

Der Bericht in der Zeitung war ziemlich nichtssagend – Seite vier der Abendausgabe, Spalte drei. Johannesburger Lehrer bei Unfall getötet. Fahrer beging Fahrerflucht. Mr. Ben Du Toit (53) wurde gestern abend gegen elf Uhr auf dem Weg vom Briefkasten, usw. Hinterließ eine Frau, Susan, zwei Töchter und einen halbwüchsigen Sohn.

Das hätte mir sonst kaum mehr als ein Achselzucken oder Kopfschütteln abgenötigt. Doch als ich die Notiz las, war ich bereits im Besitz der Papiere, die er mir aufgebürdet hatte. Außerdem kam heute morgen, eine Woche nach der Beerdigung, auch noch der Brief. Und so sitze ich jetzt da, die Abfälle aus dem Leben eines anderen Menschen vor mir auf dem Schreibtisch: die Tagebücher, Notizen, das zusammenhanglose Geschreibsel, bezahlte und unbezahlte alte Rechnungen, die Fotos, alles wahllos zusammengerafft und an mich abgeschickt. Nicht sonderlich anders hatte er mich während unserer Studentenzeit mit Material für meine Zeitschriftenartikel versorgt und zehn Prozent vom Honorar für jeden Artikel kassiert, der gedruckt worden war. Für so was hatte er schon immer eine Nase; nur – selbst darüber zu schreiben, die Mühe hat er sich nie gemacht. Mangelndes Interesse? Oder, wie Susan an jenem Abend andeutete, mangelnder Ehrgeiz? Oder hatten wir alle nicht kapiert, worum es ging?

Wenn ich mich in seine Lage versetze, erscheint mir das Ganze sogar noch unerklärlicher. Warum sollte er ausgerechnet auf mich verfallen, seine Geschichte zu schreiben? Es sei denn, dies ließe darauf schließen, wie groß seine Verzweiflung wirklich war. Daß wir im Studentenwohnheim Zimmergenossen gewesen waren, reicht als Erklärung bestimmt nicht aus. Ich hatte damals Freunde, die mir wesentlich näherstanden, als er es jemals getan hat. Und was ihn angeht, so konnte man sich häufig des Eindrucks nicht erwehren, daß er überhaupt nicht das Bedürfnis nach tiefer gehenden persönlichen Beziehungen hatte. Er war auf andere nicht angewiesen. Nach dem Examen vergingen mehrere Jahre, ehe unsere Wege sich wieder kreuzten. Er wurde Lehrer, während ich zum Funk ging und später in die Redaktion einer Illustrierten in Kapstadt eintrat. Zwar schrieben wir uns von Zeit zu Zeit, doch nur selten. Einmal verbrachte ich zwei Wochen bei ihm und Susan in Johannesburg. Doch als ich dann selbst in den Norden kam und das Romanressort bei einer Frauenzeitschrift übernahm, hörten wir eigentlich immer weniger voneinander. Nicht, daß es zu einer bewußten Entfremdung gekommen wäre; wir hatten nur nichts Gemeinsames mehr, das uns verbunden hätte oder über das wir hätten reden können. Das heißt: bis zu jenem Tag kaum zwei Wochen vor seinem Tod, als er mich wie aus heiterem Himmel im Büro anrief und erklärte, er müsse mit mir »reden«.

Obwohl ich mich damit mehr oder weniger längst wie mit einem Berufsrisiko abgefunden habe, fällt es mir immer noch schwer, mir meinen Groll darüber nicht anmerken zu lassen, daß Leute ausgerechnet auf mich verfallen, um mir ihre Lebensgeschichte zu erzählen, bloß weil ich nun mal Schriftsteller bin und populäre Romane schreibe. Hartgesottene junge Kraftprotze, die nach ein paar Bier plötzlich rührselig werden, einem den Arm um die Schulter legen und vertraulich sagen: »Himmel, Mann, es wird Zeit, daß du mal was über einen Kerl wie mich schreibst.« Mittelalterliche Damen, die einen mit ihren blaßrosa Leidenschaften oder Sorgen belemmern und überzeugt sind, daß man Verständnis für das hat, wofür ihre Männer nun mal keines haben. Junge Frauen, die sich bei Partys an einen hängen und einen mit ihrer eigentümlichen Mischung aus Schamlosigkeit und Verletzlichkeit entwaffnen; später, wenn Slips hoch- oder Reißverschlüsse zugezogen werden, folgt dann die ebenso beiläufige wie unvermeidliche Frage: »Jetzt wirst du mich wohl in einem Buch verarbeiten, oder?« Benutze ich sie – oder benutzen sie mich? Nicht ich bin es, für den sie sich interessieren, sondern mein »Name«, an den sie sich in der Hoffnung auf ein kleines bißchen Unsterblichkeit klammern. Nur wird man dieser Dinge allmählich überdrüssig, und zuletzt kann man sie einfach nicht mehr ertragen – was denn einigermaßen beschreibt, wie öde mein Leben als Schriftsteller in der Mitte meiner Karriere ist. Diese Dinge haben zu der umfassenden Apathie beigetragen, die mich nun seit Monaten lähmt. Ich habe auch früher schon Durststrecken erlebt, aber es ist mir immer gelungen, mich aus ihnen rauszuschreiben. Doch mit der Dürre, die sich im Moment vor mir auftut, ist das alles nicht zu vergleichen. Dabei habe ich mehr Material als genug, um eine ganze Reihe von Schnulzen zu schreiben; es liegt nicht an mangelnden Einfällen, daß ich den *Ladies' Club of the Month* enttäuschen mußte. Aber nach zwanzig Romanen dieser Strickart hat irgend etwas in mir aufgegeben. Ich bin über fünfzig. Ich bin nicht mehr unsterblich. Es verlangt mich nicht danach, von ein paar tausend Hausfrauen und Tipsen betrauert zu werden – möge meine Chauvi-Seele in Frieden ruhen! Nur – was sonst? Man kann einem alten Gaul keine neuen Kunststücke beibringen.

War das einer der Gründe, warum ich Ben und der ungeordneten Dokumentation seines Lebens einfach nicht widerstehen konnte? Weil er mich in einem verwundbaren Augenblick erwischte?

Als er mich anrief, wußte ich sofort, daß etwas nicht stimmte. Denn es war Freitag morgen, und eigentlich hätte er in der Schule sein müssen.

»Können wir uns in der Stadt treffen?« fragte er ungeduldig, noch ehe ich mich von der Überraschung über seinen Anruf erholt hatte. »Es ist ziemlich dringend. Ich rufe vom Bahnhof aus an.«

»Willst du irgendwohin?«

»Nein, durchaus nicht.« Genauso gereizt wie zuvor. »Hast du Zeit für mich?«

»Selbstverständlich. Aber warum kommst du nicht zu mir ins Büro?«

»Das ist schwierig. Kann ich im Moment nicht erklären. Können wir uns in einer Stunde vor der Buchhandlung Bakker treffen?«

»Wenn du unbedingt willst. Aber…«

»Bis dann also.«

»Wiedersehen, Ben.« Doch er hatte bereits eingehängt.

Eine Weile war ich verwirrt, auch ein wenig verärgert darüber, von der Redaktion in Aukland Park bis in die Innenstadt fahren zu sollen. Freitags einen Parkplatz finden! Trotzdem reizte es mich; schließlich hatten wir uns sehr lange nicht gesehen. Und da für die Ausgabe dieser Woche schon vor zwei Tagen Redaktionsschluß gewesen war, war im Büro wirklich nicht viel zu tun.

Er wartete schon vor der Buchhandlung, als ich kam. Zuerst erkannte ich ihn gar nicht, so alt und dünn war er geworden. Zwar war er von jeher hager gewesen, doch an diesem Vormittag sah er wie eine leibhaftige Vogelscheuche aus, zumal in diesem schlotternden grauen Mantel, der ihm ein paar Nummern zu groß zu sein schien.

»Ben! Mein Gott…!«

»Freut mich, daß du kommen konntest.«

»Arbeitest du heute denn nicht?«

»Nein.«

»Aber die Ferien sind doch schon vorbei, oder?«

»Ja. Was spielt das für eine Rolle? Gehen wir, ja?«

»Wohin?«

»Irgendwohin.« Er sah sich um. Sein Gesicht war bleich und schmal. Er stemmte sich gegen den trockenen kalten Wind, nahm meinen Arm und ging los.

»Bist du auf der Flucht vor der Polizei?« fragte ich leichthin.

Seine Reaktion überraschte mich. »Um Gottes willen, Mann, es ist keine Zeit zum Witzemachen!« sagte er, um gleich darauf gereizt hinzuzufügen: »Warum sagst du es nicht, wenn du lieber nicht mit mir reden willst?«

Ich blieb stehen. »Was ist denn bloß in dich gefahren, Ben?«

»Bleib nicht stehen!« Ohne auf mich zu warten, ging er mit weit ausgreifenden Schritten weiter, und erst als er durch die Verkehrsampel an der Ecke zum Stehenbleiben gezwungen wurde, holte ich ihn wieder ein.

»Warum trinken wir nicht irgendwo eine Tasse Kaffee?« schlug ich vor.

»Nein, nein. Lieber nicht.« Wieder blickte er über die Schulter – ungeduldig? verängstigt? – und begann schon die Straße zu überqueren, noch ehe die Ampel auf Grün umgesprungen war.

»Wohin gehst du?« fragte ich.

»Nirgendwohin. Nur um den Block. Ich möchte, daß du mich anhörst. Du mußt mir helfen.«

»Aber was ist denn bloß los, Ben?«

»Hat gar keinen Sinn, dich damit zu belasten. Ich will von dir nur wissen, ob ich dir ein paar Sachen schicken kann, die du für mich aufhebst.«

»Heiße Ware?« fragte ich frotzelnd.

»Sei doch nicht albern! Es ist nichts Ungesetzliches dabei, du brauchst keine Angst zu haben. Es ist nur, daß ich…« Schweigend eilte er eine kurze Strecke weiter, dann sah er sich wieder um. »Ich will nicht, daß sie das Zeug bei mir finden.«

»Wer sind *sie*?«

Er blieb stehen. Er war immer noch erregt. »Hör zu, ich würde dir ja gern alles erzählen, was in den letzten Monaten passiert ist. Aber ich habe wirklich keine Zeit. Willst du mir helfen?«

»Was soll ich denn für dich aufheben?«

»Papiere und so. Ich hab alles aufgeschrieben. Manche Sachen wohl ziemlich überstürzt und, wie ich annehme, ein bißchen verwirrt. Aber es steht alles drin. Selbstverständlich kannst du's lesen. Du mußt mir nur versprechen, es für dich zu behalten.«

»Aber…«

»Komm!« Mit einem ziemlich verängstigten Blick über die Schulter setzte er sich wieder in Bewegung. »Ich muß einfach sicher sein, daß sich jemand darum kümmert. Daß jemand darüber Bescheid weiß. Vielleicht passiert ja gar nichts. Dann komme ich eines Tages und hole es mir wieder ab. Aber wenn mir etwas zustößt…« Er machte eine ruckartige Bewegung mit der Schulter, als wollte er seinen Mantel daran hindern herunterzurutschen. »Ich überlass' das ganz deiner Entscheidung.« Zum erstenmal lachte er, wenn man diesen mißtönenden Laut Lachen nennen will. »Weißt du noch? Auf der Universität habe ich dir immer Handlungsgerüste für deine Geschichten gebracht. Und du hast immer von dem großen Roman gesprochen, den du eines Tages schreiben würdest, stimmt's nicht? Und jetzt möchte ich mein ganzes Zeug bei dir abladen. Vielleicht hast du sogar Lust, einen Scheißroman draus zu machen. Hauptsache, das Ganze ist hiermit nicht zu Ende, verstehst du?«

»Nein, tut mir leid, ich verstehe überhaupt nichts. Soll ich deine Biographie schreiben?«

»Ich möchte, daß du meine Tagebücher und Notizen aufhebst und notfalls Gebrauch von ihnen machst.«

»Woher soll ich wissen, ob es notwendig ist oder nicht?«

»Das wirst du schon merken, keine Sorge.« Ein blasses Lächeln zuckte um seinen verkniffenen Mund. Ein unnatürliches Funkeln in den grauen Augen, blieb er nochmals stehen. »Alles haben sie mir genommen. Oder fast alles. Viel ist jedenfalls nicht übriggeblieben. Aber das bekommen sie nicht. Hörst du mich? Wenn sie das bekämen, hätte alles überhaupt keinen Sinn gehabt!« Wir ließen uns mit der Menge treiben. »Das ist es ja gerade, was sie wollen«, fuhr er nach einer Weile fort. »Sie möchten jede Spur von mir auslöschen, als ob es mich nie gegeben hätte. Und das lasse ich nicht zu!«

»Was hast du getan, Ben?«

»Nichts. Du kannst mir glauben. Überhaupt nichts. Aber ich kann jetzt nicht mehr sehr viel länger weitermachen, und ich nehme an, das wissen sie auch. Ich verlange nichts weiter von dir, als meine Papiere aufzubewahren.«

»Aber wenn die ganze Sache wirklich so harmlos ist...«

»Kehrst du dich jetzt auch noch gegen mich?«

Seine ganze Haltung hatte etwas Paranoides, als ob er nicht mehr mit beiden Beinen fest auf dem Boden stünde, als ob er in diesem Augenblick nicht wirklich in dieser Straße und in dieser Stadt wäre, als ob er sich meiner Anwesenheit nicht wirklich bewußt wäre. Ja, als ob er selbst ein Fremder wäre, dessen leichte und oberflächliche Ähnlichkeit mit dem Ben Du Toit, den ich einst gekannt hatte, reiner Zufall war.

»Natürlich hebe ich deine Sachen für dich auf«, sagte ich, so wie man ein Kind tröstet oder ihm gut zuredet. »Warum bringst du sie nicht heute abend zu mir nach Hause? Dann können wir uns doch in aller Ruhe bei einem Glas Wein unterhalten.«

Er sah mich womöglich noch verstörter an als zuvor. »Nein, nein, das geht nicht. Ich werde dafür sorgen, daß du sie bekommst. Ich will dir keine Probleme aufhalsen.«

»Na schön«, seufzte ich resigniert. Ich kannte sie schließlich, diese Geschichten, die so auf die Tränendrüsen gehen. »Ich seh' sie mir an und geb' dir dann Bescheid.«

»Du sollst mir ja gar nicht Bescheid geben. Behalt das Zeug nur, wie ich dir gesagt habe. Und wenn was passiert...«

»Nichts wird passieren, Ben.« Davon ließ ich mich nicht abbringen, jedenfalls nicht so ohne weiteres. »Du bist bloß überreizt. Du mußt nur mal richtig Ferien machen und ausspannen.«

Zwei Wochen später war er tot.

Doch da hatte ich bereits ein umfangreiches, in Pretoria aufgegebenes Paket erhalten. Und nach unserem Treffen an jenem Vormittag war ich neugierig, mehr über die ganze verwirrende Angelegenheit zu erfahren. Gleichzeitig gelang es mir nicht, ein gewisses Ressentiment, ja fast ein Gefühl des Ekels zu unterdrücken. Nicht vor dem unmöglichen Wust von Aufzeichnungen, die ich erhalten hatte, sondern vor der Peinlichkeit, mich durch sie hindurcharbeiten zu müssen. Es war schon schlimm genug, sich auf die Lebensgeschichten von Wildfremden einlassen zu müssen, doch blieb man dabei wenigstens objektiv, unbeteiligt, ein mehr oder weniger gleichgültiger Zuschauer. Bei einem Bekannten war das etwas anderes: zu privat, zu bestürzend. Ich erwartete, ihm wie so vielen anderen sagen zu müssen: »Tut mir leid, altes Haus, aber ich kann dieser Geschichte beim besten Willen nichts abgewinnen.« Nur, daß das bei ihm alles andere als einfach sein würde. Und das um so mehr, wenn ich bedachte, in welch einem nervlichen Zustand er war. Doch wie dem auch sei, er hatte mir versichert, er erwarte von mir nichts weiter, als daß ich die Dinge sicher aufbewahrte.

Ich blieb an diesem Abend zu Hause und versuchte, auf dem Teppich eine gewisse Ordnung in das Durcheinander zu bringen. Die schwarzen Merkhefte, die Kladden, die aus Zeitschriften herausgerissenen Zettel und Blätter, die vollgetippten Seiten, Briefe, Zeitungsausschnitte. Ziellos fing ich an, darin zu schmökern, mich in merkwürdige Passagen festzulesen. Eine Reihe von Namen tauchte immer wieder auf, und ein paar davon – Jonathan Ngubene, Gordon Ngubene – kamen mir irgendwie bekannt vor, doch erst nachdem ich die Zeitungsausschnitte durchgesehen hatte, fiel mir alles wieder ein. Selbst da vermochte ich immer noch nicht zu sehen, was Ben mit ihnen zu tun gehabt hatte. Es brachte mich sogar ziemlich durcheinander. In meinen Romanen geht es um Liebe und Abenteuer, und sie spielen nach Möglichkeit entweder im alten Kap-Milieu oder auf weit entfernten romantischen Schauplätzen; Politik ist nicht meine Sache. Und wenn Ben sich darauf eingelassen hatte, war das für mich noch lange kein Grund, mich ebenfalls hineinziehen zu lassen.

Als ich mißmutig dabei war, die Stöße von Papieren wieder in dem ziemlich ramponierten Karton zu verstauen, in dem sie gekommen waren, bemerkte ich ein paar Fotos, die aus einem großen braunen Umschlag herausgefallen waren, den ich bisher noch nicht untersucht hatte. Eines war recht klein, kaum größer als ein Paßbild. Eine junge Frau. Langes schwarzes, mit einem Band zusammengefaßtes Haar, große dunkle Augen, kleine Nase und ziemlich fülliger Mund. Nicht schön in dem Sinn der Heldinnen, die durch meine Bücher schreiten. Trotzdem hatte sie etwas, das mich anrührte. Die Art, wie sie offen in die Kamera blickte. Ein ungebärdiger, beunruhigender und alles andere als entgegenkommender Blick, der einen zu einem Zweikampf der Augen herausforderte. Dieser Blick war von einer Intensität, der die Sanftheit, die Weiblichkeit des kleinen ovalen Gesichts Lügen strafte: *Sieh mich an, wenn du willst; du wirst nichts finden, was ich nicht schon selbst entdeckt und womit ich mich nicht schon abgefunden hätte. Ich habe meine Tiefen ausgelotet; es steht dir frei, es auch zu versuchen, wenn du möchtest. Vorausgesetzt, du erwartest nicht, daß dir das irgendwelche Rechte über mich gibt.* – Etwas von dieser Art fand ich in dem Foto, gewohnt wie ich war, ›Charaktere‹ aufzubauen. Gleichzeitig kam mir das Gesicht beunruhigend bekannt vor. Wäre es mir in einem anderen Zusammenhang begegnet, hätte ich sie wahrscheinlich ohne weiteres erkannt, doch wie sollte ich sie unter Bens Papieren erwarten? Erst am nächsten Tag, als ich mich nochmals durch die Ausschnitte und Notizen hindurcharbeitete, erkannte ich dasselbe Gesicht auf einigen der Fotos in den Zeitungen wieder. Selbstverständlich: Melanie Bruwer. Über die in der Presse in der letzten Zeit so viel Aufsehenerregendes geschrieben worden war.

Beim zweiten Bild handelte es sich um ein zwanzig mal fünfundzwanzig großes Hochglanzfoto. Zuerst hielt ich es für eines jener pornographischen Bilder, die man im Ausland so leicht bekommt; und es interessierte mich nicht sonderlich. Wenn das Bens Art war, sich heimlich einen flüchtigen Reiz zu verschaffen, ging mich das nichts an und war durchaus harmlos. Keine sonderlich klare Aufnahme, als ob sie bei schlechtem Licht gemacht worden wäre. Der Hintergrund eine undeutliche und verschwommene Tapete; ein Nachttisch und ein zerwühltes Bett; ein Mann und eine junge Frau, nackt, dabei, sich zu streicheln und offenbar im Begriff zu koitieren. Schon wollte ich das Foto wieder in den braunen Umschlag zurückstecken, als irgend etwas mich veranlaßte, genauer hinzusehen.

Bei der Frau, dem dunkelhaarigen Mädchen, handelte es sich – das war trotz der groben Körnung zu erkennen – um eben jene Melanie Bruwer. Der Mann neben ihr war in mittleren Jahren, und dieser Mann war Ben.

Der Ben, den ich als Student gekannt hatte, war anders: zurückhaltend, ohne verschlossen zu sein; ziemlich ruhig, in Frieden mit der Welt und mit sich selbst; und – jawohl – unschuldig. Nicht, daß er prüde gewesen wäre oder etwas gegen Studentenstreiche gehabt hätte – nur den Anführer hatte er bei solchen Sachen nie gemacht. Nie habe ich ihn betrunken gesehen; dabei versuchte er keineswegs, den ›richtigen Jungs‹ aus dem Weg zu gehen. Vor allem aber war er ein harter Arbeiter, möglicherweise deshalb, weil er sich mit Stipendien und Darlehen durchs Studium bringen mußte und es sich nicht leisten konnte, seine Eltern zu enttäuschen. Ich erinnere mich, ihn einmal bei einem Rugbyspiel der Universitätsmannschaft mit dem Geschichtsbuch auf den Knien gesehen zu haben. Während des Spiels machte er beim Gesinge und Gejohle mit; doch während der Pause fuhr er fort zu lernen und nahm den Lärm um sich herum einfach nicht wahr. Selbst in einem Zimmer, das voll war von durcheinanderredenden zechenden Studenten, konnte er, wenn er sich vorgenommen hatte, irgend etwas zu Ende zu führen, unbeirrt weiterarbeiten. Obwohl kein großer Sportler, überraschte er beim Tennis manchmal mit seiner Schnelligkeit und Wendigkeit. Sollten Mannschaften aufgestellt werden, verlor er bei den Ausscheidungskämpfen jedesmal überzeugend. Man hatte den Eindruck, er täte das mit Absicht, um nicht an offiziellen Wettkämpfen teilnehmen zu müssen; denn bei reinen Freundschaftsspielen schlug er die regulären Mannschaftsspieler häufig; und bei den wenigen Malen, da er als Reservespieler gezwungen war, für jemand anders einzuspringen, überraschte er uns alle. Bei diesen Gelegenheiten, wenn für seine Mannschaft wirklich etwas auf dem Spiel stand, gab er auch noch die unwahrscheinlichsten Bälle zurück. Kam jedoch der Zeitpunkt, neue Mannschaften fürs nächste Jahr aufzustellen, gab Ben Du Toit sich nicht die geringste Mühe und schien frohgemut zu verlieren.

Seine Lieblingsbeschäftigung, bei der man ja ganz auf sich allein gestellt ist, war das Schachspiel. Es wäre zuviel gesagt, ihn einen brillanten Spieler zu nennen, doch ließ er sich beim Spiel durch nichts beirren und besiegte seine Gegner nicht selten einfach durch die Verbissenheit, mit der er seine Strategie verfolgte. In dem mehr im Licht der Öffentlichkeit stehenden Bereich der Studentenangelegenheiten fiel er selten auf, höchstens dadurch, daß er bei Massenveranstaltungen manchmal völlig unerwartet einen gewissen richtigen Riecher bewies. Nicht, daß er diese öffentlichen Auftritte gemocht hätte – so weigerte er sich standhaft, sich in den Allgemeinen Studentenausschuß wählen zu lassen –, aber wenn er sich einmal dazu aufschwang, etwas zu sagen, tat er das mit einer solchen Überzeugung und so viel Aufrichtigkeit, daß jeder hinhörte. Und in den letzten Semestern kamen auch viele Studenten – und Studentinnen – mit ihren persönlichen Problemen zu ihm. Ich weiß noch, wie ich neidisch dachte: Himmel, Kumpel, du hast ja keine Ahnung, was für einen Schlag du bei diesen Schnepfen hast. Wir anderen, allesamt Experten darin, mit Großspurigkeit und Angeben Eindruck auf die Damen zu machen, haben ja nicht die geringste Chance, gegen dein bedächtiges, immer halb Entschuldigung heischendes Lächeln anzukommen – und doch scheinst du dir darüber nicht im geringsten im klaren zu sein. Statt zuzupacken, sitzt du da wie ein täppischer junger Hund und läßt alle guten Gelegenheiten vorübergehen, ja, erkennst diese ›Gelegenheiten‹ nicht einmal.

Nur einmal fiel mir, soweit ich mich erinnere, etwas anderes bei ihm auf, das sich normalerweise hinter seiner Haltung gelassener Zurückhaltung verbarg. Dazu kam es während unseres dritten Studienjahrs im Fach Geschichte, in dem wir damals von einer Aushilfskraft unterrichtet wurden, da unser Professor sein Freisemester hatte und im Ausland war. Wir konnten das Schulmeisterliche dieses Ersatzmannes nicht ertragen, und so wurde die Disziplin bald zum Problem. An dem Tag, um den es hier geht, erwischte er mich dabei, wie ich ein Papierkügelchen abschoß, wurde fuchsteufelswild und schickte mich hinaus. Damit hätte es sich normalerweise gehabt, hätte Ben es sich nicht in den Kopf gesetzt, seine gewöhnliche Lethargie fahren zu lassen und sich darüber zu beschweren, daß ich als einziger bestraft würde, wo doch die ganze Klasse gleichermaßen schuldig gewesen sei.

Als der Lektor nicht nachgeben wollte, verfaßte Ben einen Einspruch und verbrachte das Wochenende damit, die Unterschriften sämtlicher Kommilitonen zu sammeln; sollte der betreffende Lektor sich nicht entschuldigen, wurde mit einem Vorlesungsboykott gedroht. Das Ultimatum wurde überreicht, der Lektor las es, wurde weiß und zerriß es. Worauf Ben den angedrohten Auszug anführte. In unserer Zeit der Demos und studentischer Macht mag sein Tun lächerlich unbedeutend erscheinen; aber damals, mitten im Krieg, stellte es eine Sensation dar.

Noch vor Ende der Woche wurden Ben und der Aushilfslektor vor den Abteilungsleiter zitiert. Was bei diesem Treffen geschah, sollte erst viel später über einen anderen Angehörigen des Lehrkörpers durchsickern, denn Ben selbst gab nur eine sehr summarische Darstellung von allem.

Der Professor, ein gütiger, allseits beliebter und geachteter alter Herr, brachte sein Bedauern über die ganze unselige Affäre zum Ausdruck und erklärte, er sei bereit, das Ganze als ein Mißverständnis zu betrachten, vorausgesetzt, Ben entschuldige sich für sein heftiges Vorgehen. Ben seinerseits brachte höflich zum Ausdruck, daß er zwar den guten Willen des Professors zu schätzen wisse, jedoch darauf bestehen müsse, daß der Lektor sich zu entschuldigen habe; denn dieser, so sagte er, habe die Studenten durch sein ungerechtes Verhalten sowie durch seine wirkungslosen Unterrichtsmethoden beleidigt.

Dies wiederum brachte den Lektor dazu, abermals aus der Haut zu fahren und sich wütend über die Studenten im allgemeinen und Ben im besonderen auszulassen. Ben reagierte gelassen und wies darauf hin, dieser Ausbruch sei typisch für das Verhalten, gegen das die Studenten protestiert hätten. Als die ganze Angelegenheit immer hoffnungsloser und vertrackter wurde, reichte der Lektor seine Entlassung ein und ging. Der Professor bestrafte die Klasse dadurch, daß er einen Test schreiben ließ (bei dem Ben übrigens die dritt- oder viertbeste Note bekam), und die Verwaltung löste ihren Teil des Problems dadurch, daß sie Ben für den Rest des Semesters von der Hochschule relegierte.

Das traf ihn vermutlich härter, als es irgendeinen von uns anderen getroffen hätte, denn seine Eltern waren arm, und die Unterstützung, die er bekam, reichte nur, wenn er im Studentenheim wohnte; folglich mußte er irgendwie Geld auftreiben, um sich ein Zimmer in der Stadt zu nehmen. Ich glaube, wir hatten wohl alle wegen des Ausgangs der ganzen Angelegenheit ein bißchen ein schlechtes Gewissen, doch war man allgemein der Meinung, daß er es sich schließlich selbst zuzuschreiben hätte. Auf jeden Fall hörte niemand jemals auch nur die geringste Klage von ihm. Und soweit ich weiß, ließ er sich auf keine weiteren unüberlegten Abenteuer dieser Art ein. Er versank geradezu mühelos unter der ungetrübten Oberfläche seiner ruhigen Existenz.

In der Abendzeitung erschien eine kurze Notiz über die Beerdigung. Ich hatte vorgehabt hinzugehen, doch irgendwie ergab es sich dann nicht. Ich mußte an diesem Morgen in die Stadt fahren, um mich zum Lunch mit einer Schriftstellerin zu treffen, die auf der Durchreise in der Stadt war, und ich hatte gehofft, die Beerdigung als Vorwand benutzen zu können, sie bald loszuwerden; es handelte sich um eine jener Damen, die mit Vorliebe Sahnetorte essen und fliederfarbene Hüte tragen, über Blut, Tränen und ledige Mütter schreiben und unserem Blatt Zehntausende von Leserinnen garantieren. Was erklärt, warum ich nicht gerade bester Stimmung war, als ich mich – schon mit viertelstündiger Verspätung – vom Parkplatz zu Fuß zum Carlton Centre aufmachte. Niedergeschlagen und ganz in meinen Gedanken versunken, achtete ich nicht weiter auf meine Umgebung, doch in der Nähe des Obersten Gerichtshofs wurde mir etwas Ungewöhnliches bewußt, und ich blieb stehen, um mich umzusehen. Was war los? Ich brauchte eine Weile, ehe mir aufging, was es war: die Stille. Der übliche Mittagslärm der Stadt rings um mich her war verstummt. Überall waren die Leute stehengeblieben. Der Verkehr war zum Stillstand gekommen. Das Herz der City schien von einem Krampf befallen, als ob eine gewaltige unsichtbare Hand in ihren Brustkorb hineingelangt hätte, um das Herz mit ihrem Würgegriff zu packen. Und was man hörte, glich nichts so sehr wie dem dumpfen Herzschlag, einem leisen Rauschen, zu leise fast fürs Ohr, so daß es auf Blut und Knochen angewiesen war, um im Körper überhaupt bemerkt zu werden. Wie ein unterirdisches Beben, aber anders als die Sprengungen in den Minen, die man in Johannesburg jeden Tag erlebt.

Nach einiger Zeit wurden wir uns auch einer Bewegung bewußt. Vom Bahnhof her kam eine Mauer von Menschen herauf und schob das Schweigen vor sich her: eine dumpfe, unwiderstehliche Phalanx von Schwarzen. Kein Geschrei, überhaupt kein Geräusch. Aber die vordersten Reihen marschierten mit erhobenen geballten Fäusten, die wie Äste aus einer trägen Flutwelle herausragten.

Aus den Straßen, wo wir standen, schlossen sich unzählige andere Schwarze der heranbrandenden Menge an, genauso schweigend wie der Rest und wie von einem riesigen Magneten angezogen. Wir Weißen – plötzlich sehr isoliert auf dem Platz zwischen den abweisenden Betonbauten – fingen an, die schützende Nähe von Mauern und Pfeilern zu suchen. Kein Mensch sprach oder machte eine jähe Geste. Das ganze Geschehen war verhalten wie bei einem Playback im Fernsehen.

Erst später ging mir auf, daß an diesem Tag das Urteil in einem der zahlreichen Terroristenprozesse der letzten Monate gesprochen werden sollte und diese Menschenmenge von Soweto her unterwegs war, um bei der Urteilsverkündung dabeizusein.

Sie sollten es jedoch nicht schaffen. Während wir noch dastanden, heulten plötzlich Polizeisirenen los, und aus allen Richtungen kamen Panzerfahrzeuge und Mannschaftswagen angefahren. Das plötzliche Sirenengeheul riß uns schockartig aus unserer Trance. Von einem Augenblick auf den anderen brauste der Lärm wie eine Flutwelle über die Innenstadt dahin. Ich hatte mich jedoch inzwischen vom Ort des Geschehens entfernt.

Immerhin verschaffte mir dieser Zwischenfall eine glaubhafte Erklärung, warum ich zu spät im Carlton Centre eintraf; trotzdem schob ich die Beerdigung auch jetzt noch als Entschuldigung dafür vor, mich vorzeitig von meiner fliederfarbenen Dame abzusetzen. Nur mochte ich inzwischen nicht mehr daran teilnehmen; ich konnte es einfach nicht über mich bringen.

In der CNA-Buchhandlung in der Commissioner Street kaufte ich eine Kondolenzkarte, die ich noch im Laden unterschrieb und auf dem Weg zurück zu meinem Auto in der Jeppe Street einsteckte. Danach fuhr ich direkt nach Hause – im Büro wurde ich sowieso nicht zurückerwartet – und fing an, mich wie unter Zwang nochmals durch Bens Papiere durchzuarbeiten.

Bis jetzt habe ich noch keine Dankeskarte von Susan erhalten. Natürlich habe ich meine Adresse nicht auf der Beileidskarte angegeben, und vielleicht weiß sie nicht, wo sie mich erreichen kann. Vielleicht ist das auch besser so, für uns alle.

Da gab es welche, die fanden, Susan sei nicht die richtige Art Frau für Ben; dem kann ich nicht zustimmen. Er hat immer jemanden gebraucht, der ihn antrieb, um zu verhindern, daß er in irgendwelchen ausgefahrenen Geleisen steckenblieb, jemand, der Ziele für ihn definierte und ihm die Energie und den Schwung gab, sie zu erreichen. Wäre Susan nicht gewesen, hätte er seine Tage vielleicht in irgendeinem kleinen, vergessenen Ort beschlossen, wo er sich ruhig damit zufriedengegeben hätte, einer Generation von Schulkindern nach der anderen Geschichte und Geographie beizubringen oder seine Freizeit damit zuzubringen, den Kindern der Armen zu helfen, weiterzukommen und es ›zu etwas zu bringen‹. Wie sich herausstellte, schaffte er es zumindest, an eine der besten Buren-Schulen der Stadt zu kommen. Ob er in einer anderen Umgebung oder unter anderen Verhältnissen glücklicher gewesen wäre – wer will das sagen? Wie soll ich entscheiden, was das Glück eines anderen Menschen ausmacht? Allerdings glaube ich wirklich, daß Susan es verstanden hat, mit ihm umzugehen und ihm seinen Willen zu lassen, wenn er einer seiner verrückten Vorstellungen folgte, und ihm Dampf zu machen, wenn es für ihn galt, etwas Konstruktives zu tun.

Wahrscheinlich hat sie das von ihrem Vater geerbt, der es vom Kleinstadt-Anwalt bis zum Parlamentsabgeordneten brachte. Ihre Mutter, glaube ich, war so etwas wie eine sentimentale Null, die ihrem Herrn und Meister folgte, wohin auch immer sein Ehrgeiz ihn führte. Die Tatsache, daß er es nie weiter gebracht hatte als bis zum Parlamentsabgeordneten, könnte zu Susans Entschlossenheit beigetragen haben. Festgefahren zwischen einem sehr ehrgeizigen Vater, der nicht begabt genug war, ganz bis nach oben zu kommen, und einem Mann, der zwar begabt, dafür aber nicht ehrgeizig war, wurde sie sich schon sehr früh klar darüber, wer die wichtigen Entscheidungen im Leben traf. Folglich kann ich in dieser Phase meines Bemühens, mir über meine spärlichen persönlichen Erinnerungen an Ben Rechenschaft abzulegen, Susan besser einordnen als ihn.

Da war etwas – ein Magnetfeld, so etwas wie Elektrizität – zwischen uns, als ich einmal vierzehn Tage bei ihnen verbrachte. Das war kurz bevor ich aus Kapstadt in den Norden zog, etwa zwölf Jahre nach ihrer Heirat. Selbstverständlich war ich ihr schon früher ein paarmal begegnet, allerdings nie lange genug, um sie wirklich kennenzulernen. Nicht, daß ich etwas Ungehöriges andeuten möchte, wenn ich von ›Magnetfeld‹ spreche. Wir waren beide viel zu sehr von unserer bürgerlichen Herkunft geprägt, um uns zu irgend etwas hinreißen zu lassen; außerdem respektierten wir beide (wenn auch, wie ich vermute, aus unterschiedlichen Gründen) Bens Position in der Mitte. Gleichzeitig läßt es sich nicht leugnen, daß man bisweilen jäh und auf sehr enervierende Weise einen Fremden als Gleichen ›erkennt‹, als einen Verbündeten, als einen Gefährten, als jemand, der für einen selbst wichtig ist. Das geschieht weder bewußt noch rational, sondern intuitiv, ist eine Reaktion aus dem Bauch heraus. Meinetwegen nenne man es einen lautlosen Hilferuf. So jedenfalls kam es mir vor, als ich Susan kennenlernte. Es sei denn, der phantasievolle Schriftsteller in mir hätte wieder die Oberhand gewonnen. Ich weiß es wirklich nicht. Ich bin diese Art von Bestandsaufnahme nicht gewohnt, und Erdichtetes stellt sich bei mir noch wesentlich natürlicher ein als die nackte, anstößige Wahrheit.

Sie erwies sich von Anfang an als die vollkommene Gastgeberin, unangreifbar hinter einer undurchdringlichen Mauer aus Zuvorkommenheit, Korrektheit und Freundlichkeit. Da sie ihrem Wesen nach nicht gut mit Dienstboten zurechtkam, machte sie alles im Haus selber, und ihre Gründlichkeit und ihr guter Geschmack offenbarten sich noch in den kleinsten Einzelheiten: dem aufgeschlagenen Bett abends, dem kleinen Eiskübel neben der Wasserkaraffe, dem kleinen Blumengesteck auf dem Tablett, auf dem sie mir morgens das Frühstück brachte. Selbst so früh am Tag war ihr Make-up bereits makellos; ihre Lippen ließen eine Andeutung von Feuchtigkeit erkennen, Lidschatten und Maskara brachten das intensive Blau ihrer Augen vorteilhaft zur Geltung, und ihr lockiges, blondes Haar war so frisiert, daß es kunstvoll den Anschein von Natürlichkeit erweckte. In den letzten Tagen meines Besuches bei ihnen wurde sie immer entspannter. Ben hatte die Angewohnheit, sich spätabends, kurz vorm Zubettgehen, noch in sein Arbeitszimmer zurückzuziehen, das er sich in den Räumen eingerichtet hatte, die hinten im Garten vermutlich als Dienstbotenquartier gedacht gewesen waren. Vielleicht schob er die Unterrichtsvorbereitungen für den nächsten Tag immer bis dahin auf, doch hatte ich das Gefühl, der eigentliche Grund dafür sei darin zu suchen, daß er eine kurze Zeit des Schweigens ganz für sich allein brauchte; Ganzsein und Selbstgenügsamkeit, wieder abgesichert und umgeben von seinen Büchern und den vertrauten Dingen, die sich über die Jahre bei ihm angesammelt hatten. Wenn er sich, wie gesagt, zurückgezogen hatte, brachte Susan mir für gewöhnlich noch eine letzte Tasse Kaffee auf mein Zimmer und ließ sich zwanglos auf dem Rand meines Bettes nieder, um noch ein wenig mit mir zu plaudern.

Am Freitag fand irgendeine Veranstaltung in der Schule statt, an der sie eigentlich hätten teilnehmen müssen, doch beim Mittagessen erwähnte Susan beiläufig, sie habe keine Lust zu »so was Langweiligem«; sie bliebe lieber daheim. »Schließlich«, fügte sie hinzu, »haben wir ja auch eine Verpflichtung unserem Gast gegenüber.«

»Er hätte bestimmt nichts dagegen, mal einen Abend allein zu Hause zu bleiben«, sagte Ben und sah mich an. »Er ist doch kein Fremder, den man unbedingt unterhalten müßte.«

»Ich bleibe gern hier«, sagte ich.

»Ich wäre trotzdem nicht gegangen, ob du nun hier bist oder nicht«, beharrte sie und ließ unter dem leicht gewollten Wohlklang ihrer Stimme einen eisernen Willen erkennen.

Folglich ging er allein hin, freilich nicht, ohne zuvor sein abendliches Ritual des Kinderzubettbringens hinter sich gebracht zu haben – zwei hübsche kleine blonde Mädchen, jedes auf seine Weise so schön wie die Mutter, die neunjährige Suzette und die – wenn ich mich recht erinnerte – fünfjährige Linda.

Obwohl ich wiederholt beteuert hatte, vollauf mit einem einfachen Abendbrot zufrieden zu sein, bereitete sie ein eindrucksvolles Essen vor und deckte den Tisch festlich mit Kristall und Kerzen und Silber, wie sie es gern hatte. Wir blieben stundenlang am Tisch sitzen. Ich schenkte die Gläser immer wieder voll und holte eine neue Flasche aus dem Schrank, nachdem die erste geleert war; hinterher gab es dann noch Likör. Ein- oder zweimal deckte sie die Hand über ihr Glas, wenn ich mit der Flasche kam, doch später machte sie sich nicht mehr diese Mühe. Sie hatte zweifellos zuviel getrunken. Einer der schmalen Träger ihres Kleides rutschte ihr von der gebräunten Schulter, doch sie machte keine Anstalten, ihn zurückzuschieben. Von Zeit zu Zeit fuhr sie sich mit den Fingern einer Hand durchs Haar, und so verlor ihre Frisur im Laufe des Abends ihre Strenge und wurde sanfter und weicher. In solchen Stunden fallen einem auch unbedeutendere Dinge auf: wie sinnlich ein Lippenstiftfleck auf einer weißen Damastserviette sein kann. Wie der Kerzenschein einen Ring zum Aufblitzen bringt, sobald die Hand eine Geste vollführt. Die geschwungene Linie des Halses und der nackten Schulter. Die Feuchtigkeit auf einer vollen Unterlippe. Wie ein Gespräch sich auf vielfältige Weise hinter der Beiläufigkeit der gesprochenen Worte weiterspinnt.

Ich kann wirklich nicht behaupten, ich wüßte noch genau, was wir sagten – immerhin ist das siebzehn Jahre her –, wohl aber erinnere ich mich an das vorherrschende Gefühl dabei und an die Richtung, die die Unterhaltung ganz allgemein nahm. Inzwischen war es sehr spät geworden. Der Wein hatte ihre Wangen zum Glühen gebracht.

»Weißt du eigentlich, daß ich dich beneide?« sagte ich leichthin, vertraulich. »Immer, wenn ich mal in einer richtigen Familie wie in eurer bin, kommen mir Zweifel über mein Junggesellendasein.«

»Alle glücklichen Familien gleichen sich.« Ein leichter, zynischer Zug legte sich um ihren Mund. »Unglückliche Familien hingegen sind jede auf ihre Art unglücklich.«

»Was willst du damit sagen?« fragte ich ein wenig irritiert.

»Hat Tolstoi das nicht gesagt?«

»O ja, selbstverständlich.«

»Das klingt nicht sehr überzeugt.«

»Ach, weißt du – nun ja, bei der Art von seichtem Zeugs, wie ich es schreibe, habe ich mit Tolstoi einfach nicht mehr viel zu tun.«

Sie zuckte mit den Achseln. Der schmale weiße Träger hing weiterhin schlaff über ihrem Oberarm.

»Spielt das eine Rolle?« fragte sie in einer momentanen Aufwallung leidenschaftlichen Gefühls. »Du kannst immerhin schreiben – ob's nun seichtes Zeug ist oder nicht. Auf irgendeine Weise gelingt es dir jedenfalls, dem, was du erlebst, Form zu verleihen. Aber was mache ich?«

Da haben wir's wieder, dachte ich. Die Geschichte meines Lebens.

»Worüber beschwerst du dich?« fragte ich. Offensichtlich stach mich der Hafer. »Du hast einen guten Mann, du hast zwei schöne Kinder und eine Menge Talent…«

Langsam und sehr tief holte sie Atem.

»Gott!«

Ich ließ die Augen nicht von ihrem Gesicht.

Lange saß sie regungslos da, ohne den Blick abzuwenden. Dann fragte sie mit einer Leidenschaft, die gerade eben hinter ihrer vollen Stimme spürbar wurde: »Ist das alles, was du mir sagen kannst? Ist das alles, worauf ich hoffen darf?«

Nach einer kleinen Pause: »In einem Jahr werde ich fünfunddreißig. Ist dir das klar?«

»Das ist doch jung. Für eine Frau das beste Alter.«

»Und wenn ich mich an die Bibel halten soll, hab' ich jetzt die Hälfte hinter mir. Und was habe ich vorzuweisen? Mein Gott! Jahrelang sagt man sich immer wieder: *Eines Tages… eines Tages… eines Tages*. Man hört andere über ›das Leben‹ reden. Man fängt selbst an, darüber zu reden. Man wartet darauf, daß es kommt. Und dann plötzlich geht dir auf: *Das hier* ist das ›eines Tages‹, auf das man immer gewartet hat. ›Eines Tages‹ – das ist jeder verdammte einzelne Tag, und daran wird sich nie was ändern.« Sie verfiel lange in nachdenkliches Schweigen, atmete tief. Sie nahm einen Schluck Likör und sagte dann, als wolle sie mich mit Absicht schockieren: »Weißt du, ich verstehe sehr gut, warum einige

Frauen Terroristinnen werden. Oder Huren. Einfach, um mal das Gefühl zu haben, wirklich lebendig zu sein, und zwar so, daß es einem durch und durch geht und es einem scheißegal ist, ob sich das schickt oder nicht.«

»Ist es wirklich so schlimm, Susan?«

Starren Blicks sah sie an mir vorbei, als sei gar nicht ich es, mit dem sie redete – und vielleicht war ich es auch nicht. »Als kleines Kind haben sie mich immer an der kurzen Leine gehalten. Behaupteten, ich wäre zu ungestüm, und ich müßte mich besser beherrschen. ›Mädchen tun dies nicht, Mädchen tun das nicht. Was sollen die Leute von dir denken?‹ Ich dachte, wenn ich erst mal groß bin, wird alles anders. Dann lernte ich Ben kennen. Wir unterrichteten beide in Lydenburg. Ich weiß nicht, aber ich glaube, eigentlich hatte er gar nicht so etwas Besonderes an sich. Aber du weißt ja: immer, wenn er still dasaß, während alle anderen sich den Mund fußlig redeten, versuchte ich mir auszumalen, was er wohl denken mochte. Das hob ihn von den anderen ab, machte ihn zu etwas Besonderem. Die Art, wie er mit den Kindern umging oder wie er bloß sanft lächelte, wenn alle anderen im Lehrerzimmer sich stritten und diskutierten... Auch hat er mir nie seine Überzeugungen aufzwingen wollen wie andere Männer. Ich dachte nun, das ist der Mann, auf den ich immer gewartet habe. Er schien Menschen zu verstehen, schien Verständnis für Frauen zu haben. Er würde mir gestatten, so zu leben, wie ich schon immer hatte leben wollen. Wahrscheinlich habe ich ihm damit unrecht getan. Habe mich bemüht, ihn so zu sehen, wie ich ihn haben wollte. Und dann...« Sie verstummte.

»Und dann?«

»Hast du was dagegen, wenn ich rauche?« fragte sie plötzlich. Das überraschte mich, weil ich bei anderen Gelegenheiten erlebt hatte, daß sie Ben höchst geringschätzig behandelt hatte, wenn er bei Tisch seine Pfeife herausgeholt hatte.

»Nur zu«, sagte ich. »Darf ich...?«

»Laß nur.« Sie erhob sich und trat an den Kaminsims, steckte sich eine Zigarette an und kam zu mir zurück. Als sie sich setzte, nahm sie den Faden überraschend wieder auf. »Es ist für eine Frau nicht leicht zuzugeben, mit einem Versager verheiratet zu sein.«

»Da tust du Ben jetzt aber, glaube ich, unrecht, Susan.«

Wortlos sah sie mich an, nahm noch einen Schluck Likör und schenkte ihr Glas dann wieder voll.

Nach einiger Zeit sagte sie: »Wer hat doch gesagt, daß Leute, die Angst vor der Einsamkeit haben, nicht heiraten sollten?«

»Das muß jemand gewesen sein, der sich die Finger verbrannt hat.« Ich bemühte mich absichtlich, das Ganze ins Scherzhafte zu ziehen, doch sie achtete nicht darauf.

»Jetzt sind es zwölf Jahre her, und ich kenne ihn immer noch nicht«, fuhr sie fort. Wieder hatte sie diesen leicht bitteren Zug um den Mund. »Und er mich auch nicht.« Und nach einer Weile: »Und das Schlimmste ist: Ich glaube, daß ich mich noch nicht mal selbst kenne. Ich habe die Beziehung zu mir selbst verloren.«

Erregt drückte sie die halbgerauchte Zigarette aus und stand wieder auf, als suche sie etwas; dann nahm sie noch eine Zigarette aus der Schachtel auf dem Kaminsims. Diesmal stand ich auf, um ihr Feuer zu geben. Ihre Hände zitterten, als ich sie streifte. Sie drehte sich zum Klavier um, klappte den Deckel auf und ließ die Finger über die Tasten gleiten, ohne sie herunterzudrücken; unerwartet blickte sie dann zu mir auf:

»Wenn ich wirklich gut hätte spielen können, wer weiß, ob dann nicht alles anders gekommen wäre. Aber ich bin eine Dilettantin. Ein bißchen Musik, ein bißchen Rundfunksprecherin, alle möglichen unwichtigen Sachen. Meinst du, ich sollte mich mit dem Gedanken abfinden, daß meine Töchter eines Tages durch mich etwas erreichen werden?«

»Weißt du eigentlich, wie schön du bist, Susan?«

Sie drehte sich um, lehnte sich zurück, die Ellbogen aufs Klavier gestützt, so daß ihre Brüste mir sanft aufreizend entgegengereckt waren. Den Träger ihres Kleides hatte sie immer noch nicht wieder hochgeschoben.

»Tugend soll dauerhafter sein als Schönheit«, sagte sie mit einer Heftigkeit, die mich überraschte. Dann, nachdem sie angespannt und kurz den Rauch inhaliert hatte: »Alles, was ich habe, ist die glückliche Familie, von der du gesprochen hast. Von morgens bis abends. Nicht einen Augenblick für mich.«

»Ben geht dir doch sehr zur Hand. Das ist mir aufgefallen. Besonders, wo es um die Kinder geht.«

»Ja, natürlich.« Sie kehrte an den Tisch zurück, und wir setzten uns wieder. »Warum«, fragte sie plötzlich, »warum läßt man zu, zu einem Haustier herabgewürdigt zu werden? Glaubst du denn etwa, ich möchte nicht auch etwas tun, etwas schaffen, schöpferisch sein?«

»Du hast bezaubernde Kinder, Susan. Du unterschätzt deine schöpferische Potenz.«

»Jede blöde Kuh kann Kinder kriegen.« Sie lehnte sich vor, und abermals war ich mir ihrer Brüste bewußt. »Hast du gewußt, daß ich eine Fehlgeburt gehabt habe?« fragte sie mich.

»Nein«, sagte ich.

»Zwei Jahre nach Suzette. Die Ärzte waren überzeugt, daß ich danach keine Kinder mehr bekommen könnte. Und da mußte ich mir beweisen, daß ich – nun ja – normal sei. Also bekam ich Linda. Es war die Hölle. Die ganzen neun Monate hindurch. Und da habe ich mich damit abgefunden, für den Rest meines Lebens verstümmelt zu sein.«

»Du siehst schöner aus denn je.«

»Woher willst du das wissen? Du hast mich damals doch gar nicht richtig gekannt.«

»Ich weiß es trotzdem.«

»Und in fünf Jahren bin ich vierzig. Bist du dir eigentlich darüber im klaren, was das bedeutet? Warum ist man nur dazu verdammt, in einem Körper zu wohnen?« Diesmal schwieg sie so lange, daß ich schon meinte, dies sei das Ende unseres Gesprächs. Wir tranken wieder, schweigend. Und als sie schließlich wieder sprach, tat sie es mit größerer Zurückhaltung. »Dieses Gefühl habe ich von jeher gehabt, seit ich anfing, mich zu ›entwickeln‹.« Sie sah mich geradeheraus an. »Es hat eine Zeit gegeben – ich muß damals fünfzehn oder sechzehn gewesen sein –, da glaubte ich an Selbstkasteiung wie eine mittelalterliche Nonne. Um mich von schlechten Begierden zu befreien. Da habe ich mir eine verknotete Schnur um den Leib gebunden und kratzende Unterwäsche getragen. Sogar mit Geißeln habe ich es versucht, wenn auch in sehr gemäßigter Form. In der Hoffnung, mich von meinem Körper frei zu machen.«

»Hat es dir in irgendeiner Weise geholfen?«

Sie stieß ein kurzes Lachen aus. »Jedenfalls trage ich die Schnur nicht mehr.«

»Wie wär's denn mit einem Keuschheitsgürtel?«

Abermals der gerade, unerbittliche Blick, aber keine Antwort. War das Trotz oder Aufforderung, Einverständnis oder Abwehr? Zwischen uns stand der Tisch mit den brennenden Kerzen und ihrem trügerischen Licht.

»Und Ben?« fragte ich mit Absicht.

»Was soll mit Ben sein?«

»Er liebt dich. Er braucht dich.«

»Ben braucht keinen anderen.«

»Er wollte, daß du heute abend mit ihm gingst.«

Wieder ein kurzes Aufwallen ihrer Leidenschaft. »Ich habe ihn dorthin gebracht, wo er heute ist. Möchte mal wissen, was aus ihm geworden wäre, wenn ich nicht gewesen wäre. Wahrscheinlich säße er immer noch in Krugersdorp und erbarmte sich der Armen. Missionar hätte er werden sollen. Es hängt an mir, die Familie in Gang zu halten.«

»Könnte es nicht sein, daß du es ein bißchen zu gewaltsam versuchst?«

»Was, meinst du, würde wohl geschehen, wenn ich die Zügel schleifen ließe? Geheiratet habe ich ihn, weil ich an ihn glaubte. Also, wie kann er da...« Sie unterbrach sich, um dann in gedämpftem Ton fortzufahren: »Ich glaube nicht, daß er mich wirklich braucht. Oder irgendeinen anderen Menschen. Was weiß ich denn schon über meinen eigenen Mann? Wenn ich nur wüßte...«

»Was?«

Ihre blauen Augen waren schwarz hinter dem Kerzenlicht. Wie abwesend spielte sie mit einer Hand an der Schulter herum, von der der Träger herabgerutscht war. Dann, während sie mich noch immer direkt anblickte, schob sie den Träger wieder hoch und stieß den Stuhl zurück. »Ich mach' uns jetzt noch einen Kaffee.«

»Für mich nicht.«

Sie blieb sehr lange fort, und als sie schließlich wieder erschien, war sie distanziert und förmlich. Wir nahmen auf zwei Sesseln Platz, tranken schweigend unseren Kaffee, und während wir noch so dasaßen, kam Ben nach Hause. Sie schenkte auch ihm eine Tasse ein, erkundigte sich aber nicht danach, wie sein Abend verlaufen sei. Später erhob er sich, um ins Bad zu gehen. Sie stellte die Tassen auf ein Tablett, hielt dann plötzlich inne und blickte mich an:

»Bitte verzeih, daß ich mich heute abend habe gehenlassen.«

»Aber Susan...«

»Vergiß, was ich gesagt habe. Ich habe zuviel getrunken. Sonst bin ich nicht so. Ich möchte nicht, daß du denkst, ich hätte was gegen Ben. Er ist ein guter Mann und ein guter Vater. Vielleicht habe ich ihn nicht verdient.«

Mit diesen Worten ging sie hinaus in die Küche. Am nächsten Tag ließ sie durch nichts erkennen, daß sie sich auch nur im geringsten an unser Gespräch erinnerte. Als ob alles gestrichen wäre, ausgelöscht, einfach so.

Ben ging unerschütterlich und gütig seinen Weg. Bei Tagesanbruch stand er auf und machte seinen Dauerlauf um den Block, duschte hinterher kalt, fuhr um halb acht in die Schule, war zum Mittagessen wieder da, korrigierte danach etwa eine Stunde Hefte oder bereitete sich auf den Unterricht vor und fuhr dann nochmals in die Schule, um Tennisunterricht zu geben oder sonst etwas zu machen; wenn er um fünf Uhr wieder daheim war, zog er sich in die Garage zurück und beschäftigte sich mit seinem Hobby, der Tischlerei, bis es Zeit war, die Kinder zu baden. Sonntags gingen sie alle zur Kirche: Susan im makellosen Kostüm, die Kinder in Rüschenkleidchen und weißen Hüten und mit so fest geflochtenen Zöpfen, daß man meinte, sie bekämen Schlitzaugen; Ben im schwarzen Gehrock – er war Diakon der Holländisch-Reformierten Kirche. Ein wohlgeordnetes Leben, in dem alles seine Zeit und seinen Ort hatte. Womit ich nicht sagen will, daß er sich geduckt oder sklavisch an einen festgelegten Plan hielt, sondern daß er aus dieser Routine ein Gefühl der Sicherheit zu gewinnen schien, auf das er nicht verzichten mochte.

Das, was er mein »ungeregeltes Dasein« nannte, amüsierte ihn – ich war in Johannesburg, um die Möglichkeiten zu erkunden, nach Norden zu ziehen, wo man mit schnellerem Vorankommen und Erfolg rechnen konnte –, und er nahm meinen Ehrgeiz mit einer gewissen Vorsicht auf.

»Aber du möchtest doch bestimmt auch weiterkommen, oder?« fragte ich ihn anzüglich eines Nachmittags, als ich zu ihm in die Garage gekommen war, wo er ein Puppenhaus für die Kinder baute.

»Das kommt drauf an, was du unter ›Weiterkommen‹ verstehst«, sagte er freundlich und hielt ein Stück Holz vors Auge, um zu prüfen, ob es glatt war. »Ich bin mathematischen Gemütern gegenüber, bei denen alles glatt von A nach B und dann nach C verläuft, eher skeptisch.«

»Möchtest du denn nicht auch mal Direktor werden oder Schulrat?«

»Nein. Ich habe was gegen Verwaltungsarbeit.«

»Erzähl mir nicht, du möchtest einfach nur das weitermachen, was du im Moment tust!«

»Warum nicht?«

»Als wir noch auf der Uni waren, hattest du so eindeutige Träume von einer ›glücklichen Gesellschaft‹, einem ›neuen Zeitalter‹. Was ist denn aus alledem geworden?«

Grinsend setzte er den Hobel wieder an. »Man kommt doch bald dahinter, daß es keinen Sinn hat zu versuchen, die Welt zu verbessern.«

»Und jetzt bist du glücklich, dich aus allem rauszuhalten?«

Er sah auf. Seine grauen Augen waren ernster als zuvor. »Ich weiß nicht, ob es darum geht, sich rauszuhalten. Nun ja, ich glaube, manche Menschen leben eben lieber zurückgezogen als andere. Statt zu versuchen, die Welt im Sturm zu nehmen, glaube ich, mehr zu erreichen, indem ich ohne Aufheben das tue, was meine Hände in meinem kleinen Umkreis zu tun finden. Mit Kindern zu arbeiten, ist eine dankbare Aufgabe.«

»Dann bist du also glücklich?«

»Glück ist ein gefährliches Wort.« Er zeichnete die Schwalbenschwänze ein, die er in sein Brett sägen wollte. »Sagen wir: Ich bin zufrieden.« Eine Weile arbeitete er konzentriert weiter. Dann setzte er noch hinzu: »Aber vielleicht stimmt auch das nicht. Wie soll ich's ausdrücken? Ich habe das Gefühl, daß jeder Mensch tief in seinem Inneren etwas hat, wofür er ›bestimmt‹ ist. Irgendwas, das nur er allein fertigbringt. Und dann geht es darum, herauszufinden, was genau es bei dir persönlich ist. Manche finden das schon recht früh im Leben. Andere sind verzweifelt immer auf der Suche danach. Und noch andere lernen, sich in Geduld zu fassen und auf den Tag vorzubereiten, an dem ihnen plötzlich aufgeht, was es ist. Wie ein Schauspieler, der auf sein Stichwort wartet. Oder erscheint dir das zu weit hergeholt?«

»Gehörst du zu denen?«

Er setzte das Stecheisen an, um den ersten Schwalbenschwanz herauszustechen. »Ich warte einfach ab.« Er schüttelte sich das Haar aus den Augen. »Hauptsache ist, man ist bereit, wenn der Augenblick kommt. Denn wenn man ihn verstreichen läßt – nun ja, dann ist er vorbei, nicht wahr?«

»Und bis dahin baust du Puppenhäuser.«

Er gluckste. »Zumindest verschafft es Befriedigung, etwas mit den Händen zu machen, zu sehen, wie ein gewöhnliches Stück Holz Form annimmt. Und dann die Gesichter der Kinder zu erleben, wenn es fertig ist« – das klang jetzt fast, als wollte er sich entschuldigen –, »hm, jedenfalls merkt man daran, daß es sich gelohnt hat.«

»Du hängst wirklich sehr an deinen Kindern, nicht wahr?«

»›An ihnen hängen‹ – das klingt mir zu bequem, zu sentimental.« Er nahm meine Frage offensichtlich ernster, als ich sie gemeint hatte. »Verstehst du, als Kind neigt man dazu, blind zu leben. Erst hinterher, wenn man selber Kinder hat, blickst du durch sie hindurch auf dich selbst zurück. Und dann geht dir zum erstenmal auf, was eigentlich mit dir passiert ist und warum es passiert ist.« Und dann gestand er mir, was er mir bis dahin verheimlicht hatte: »Deshalb hätte ich ja so gern einen Sohn, verstehst du, auch wenn das noch so selbstsüchtig aussieht. Ich habe das Gefühl, nicht wirklich mit all meinen früheren Existenzformen zu Rande kommen zu können, wenn ich sie nicht durch einen Sohn noch einmal durchlebe. Aber das kommt natürlich nicht in Frage.«

»Susan?«

Ein kurzer Seufzer. »Na ja, sie hatte es sehr, sehr schwer mit Linda, und ich kann nicht von ihr erwarten, daß sie das alles noch einmal durchmacht.«

Obwohl es irgendwie grausam war, mit meinen Fragen weiterzubohren, tat ich es doch. Warum? Weil seine Zufriedenheit und seine heitere Gelassenheit mir wie Kritik an meiner eigenen Rastlosigkeit vorkamen, wie eine Herausforderung an meine Art zu leben? Oder weil ich mich weigerte anzuerkennen, daß man wirklich so phlegmatisch sein und mit sich selbst in Frieden leben könne? Was es auch gewesen sein mag, jedenfalls fragte ich ihn in bewußt provozierendem Ton: »Meinst du, das ist das ›glücklich bis an ihr seliges Ende‹, über das ich in meinen Romanen schreibe?«

»Wahrscheinlich nicht.« Er machte keinerlei Versuch, mir auszuweichen. »Aber es hat doch keinen Zweck, über etwas zu schmollen, was man nicht hat, oder?« Mit einem kleinen Stück Sandpapier schliff er das Holz und sagte dann mit einem entschuldigenden Schmunzeln: »Ich weiß, daß Susan früher andere Pläne für mich hatte. Sie hängt ihren Träumen immer noch nach.«

»Hast du denn aufgegeben?«

»Selbstverständlich habe ich immer noch meine Träume. Nur habe ich den Vorteil, von klein auf gelernt zu haben, wegen verdammt harter Tatsachen Zugeständnisse zu machen.«

»Und das bedeutet?«

»Weißt du es denn nicht mehr? Ich bin sicher, daß ich es dir früher einmal erzählt habe.«

Es dämmerte mir wieder, und er ergänzte, was ich vergessen hatte. Sein Vater, der die Farm der Familie seiner Frau im Freistaat Oranje hatte übernehmen müssen. Nicht ohne einen gewissen bescheidenen Erfolg. Dann kam die große Dürre des Jahres ’33; Ben war damals neun oder zehn Jahre alt. Mit allen Schafen hatten sie nach Griqualand West trecken müssen, wo Berichten zufolge noch Weideland zu finden sein sollte. Ein fataler Fehler. Als die Trockenheit sie in dem gottverlassenen Distrikt von Danielskuil einholte, gab es keinen Ausweg mehr.

»Damals hatte ich selbst schon ein paar Schafe«, sagte Ben. »Nicht viele. Aber mein Vater hatte jedes Jahr ein paar Lämmer markiert, die mir gehören sollten. Und in diesem Jahr lammten meine Schafe zum erstenmal.« Er verstummte eine ganze Zeitlang. Und dann unversehens fragte er aufgebracht: »Hast du jemals einem neugeborenen Lamm den Hals durchgeschnitten? So ein kleines weißes Geschöpf, das sich in deinen Armen windet. So ein dünner kleiner Hals. Ein Hieb mit dem Messer. Jedes einzelne Lamm, das geboren wird, weil es für sie nichts zu fressen gibt und die Mutterschafe keine Milch haben. Zuletzt verschwindet sogar das Strauchwerk. Die Dornenbüsche werden schwarz. Der Boden verwandelt sich in Stein. Und Tag für Tag sengt die Sonne auf das herab, was noch bleibt. Sogar die großen Schafe müssen geschlachtet werden. Wenn du aufblickst, siehst du über dir die Geier. Weiß der Himmel, woher sie kommen, aber sie sind da. Und wohin du dich wendest – sie folgen dir. Du fängst an, nachts von ihnen zu träumen. Wenn du jemals eine solche Dürre mitgemacht hast, vergißt du sie nie mehr. Ein Glück nur, daß Ma und meine Schwester auf der Farm zurückgeblieben waren. Ich glaube, sie hätten es nicht ertragen. Wir waren allein: Pa und ich.« Seine Stimme bekam etwas Aggressives. »Als wir nach Danielskuil aufbrachen, hatten wir zweitausend Schafe. Als wir ein Jahr später zurückkehrten, waren uns noch fünfzig geblieben.«

»Da mußtet ihr also aufgeben?«

»Ja, das war das Ende. Pa mußte die Farm verkaufen. Ich werde nie den Tag vergessen, an dem er Ma das eröffnete. Er hatte das Haus in aller Herrgottsfrühe verlassen und keinem Menschen ein Wort gesagt. Wir sahen, wie er auf den trockenen Feldern hin und her ging – stundenlang, wie uns schien. Dann kam er zurück. Ma wartete auf dem Flur, als er – die Sonne hinter sich – von draußen hereinkam. Und auf der Treppe zum Haus – wie kommt es eigentlich, daß man sich an so was Lächerliches erinnert? –, also auf dem *stoep* stand unsere alte Dienerin Lizzie, die einen Nachttopf in der Hand hatte und auf dem Weg nach draußen war, um ihn zu leeren. Als sie hörte, wie Pa Ma sagte, wir müßten fort, ließ sie den Topf fallen. Sie hatte eine Heidenangst, denn Ma war damals höllisch schlecht gelaunt, aber an diesem Morgen schalt sie nicht einmal Lizzie.«

»Und dann?« sagte ich, als Ben innehielt.

Er blickte auf, als hätte er momentan vergessen, worüber wir geredet hatten. Dann sagte er lakonisch: »Dann verließen wir die Farm, und Pa fand Arbeit bei der Eisenbahn. Später wurde er Bahnhofsvorsteher. Wir Kinder fanden es herrlich, meine Schwester Louisa und ich. Die langen Bahnfahrten jede Weihnacht. Aber in Pa war jeder Funke erloschen. Und Ma machte es ihm auch nicht leichter. Sie stöhnte und beklagte sich unentwegt weiter und wurde von Jahr zu Jahr unleidlicher, bis sie schließlich starb. Pa konnte nicht ohne sie weiterleben, und so starb er auch.«

Er wandte mir den Rücken zu und fuhr mit seiner Arbeit fort. Mehr war wirklich nicht zu sagen.

Das einzige, woran ich mich erinnere, ist der letzte Abend während meines Besuchs bei ihnen. Ich blieb daheim, um Babysitter zu spielen: Susan probte ein Hörspiel für die South African Broadcasting Corporation, und Ben mußte zu irgendeiner Versammlung. Als er heimkam, zogen wir uns in sein Arbeitszimmer zurück, um eine Partie Schach zu spielen, die sich länger hinzog, als ich angenommen hatte. Es war daher schon recht spät, als ich ihn verließ, damit er seine gewohnte Pause des Alleinseins und der Stille genießen konnte. Als ich durch den Garten zur Küchentür ging, nieselte es leicht. Kaum wahrnehmbares Insektengesumm im Gras. Der Geruch frischer Erde. Als ich in mein Zimmer kam, wartete auf dem Nachttisch friedlich und mit dem unvermeidlichen kleinen Blumensträußchen verziert bereits das Tablett mit dem Kaffee. Ich war enttäuscht, denn ich hatte mich an den letzten abendlichen Plausch mit Susan gewöhnt. Wahrscheinlich war ich zu lange bei Ben geblieben.

Ich lag bereits im Bett, als sie doch noch kam. Ein kaum hörbares Pochen. Als ich – nicht ganz sicher, ob ich überhaupt etwas gehört hatte – rief, trat sie ein. Wie immer, ließ sie die Tür offen. Ein leichtes Sommerkleid. Das Haar locker gewellt auf den Schultern. Der Duft einer Frau, die sich in einem warmen Bad entspannt hat. Eine Szene wie aus einem meiner Bestseller.

Sie saß wie üblich am Fußende meines Bettes, während ich meinen Kaffee trank. Worüber wir uns unterhalten haben, weiß ich nicht mehr. Aber ich war mir sehr wohl der Intensität allein ihrer Anwesenheit bewußt, wie sie so dasaß.

Nachdem ich den Kaffee ausgetrunken hatte, stand sie auf, um mir die Tasse abzunehmen, lehnte sich dabei über mich. Ob mit Absicht oder nun wirklich rein zufällig – jedenfalls klaffte das Oberteil ihres Kleids auseinander und enthüllte flüchtig hinter dem glatten Stoff ihre Brüste, verletzlich und weiß im sanften Schatten, und die hellbraunen Höfe ihrer Brustwarzen.

Ich streckte die Hand aus und schloß die Finger um ihr Handgelenk.

Für einen Moment erstarrte sie und sah mich, während ich sie immer noch festhielt, gerade und unverwandt an. Was ich in ihren Augen sah, war Angst. Vor mir, vor sich selbst? Ein Ausdruck, den ich in einer meiner Liebesszenen mühelos hätte beschreiben können, den ich jedoch jetzt, da ich versuchen muß, wahrheitsgetreu zu beschreiben, was geschah, nur schwer zu definieren vermag. »Nackte Angst?«

Ich ließ ihren Arm fahren, und sie küßte mich kurz und nervös auf die Stirn, ehe sie hinausging und die Tür hinter sich schloß.

Der eigentliche Schock kam viel später. Genau gesagt, neun Monate später, als sie ihren Sohn Johan zur Welt brachte.

Im Gefüge unseres Lebens spielen diese beiden Wochen, die ich bei ihnen verbrachte, keine besondere Rolle – weder für uns alle drei, noch für jeden einzelnen von uns. Nur jetzt, da ich über Ben schreiben muß, gibt es so wenig, auf das ich bauen kann, daß mir gar nichts anderes übrigbleibt, als sie einigermaßen ausführlich zu erforschen. Ich bin mir nicht sicher, ob ich wirklich etwas gefunden habe; zumindest mußte ich es aber versuchen. Was alles andere betrifft, so bleibt mir nichts als dies Sammelsurium von Papieren, das er bei mir abgeladen hat. Diese Zeitungsausschnitte und Fotokopien, Tagebuchaufzeichnungen und flüchtig hingeworfene Notizen. Das Paßbild einer jungen Frau mit einem süßen, herausfordernden Gesicht. Das andere Foto. Namen. Gordon Ngubene. Jonathan Ngubene. Captain Stolz. Stanley Makhaya. Melanie Bruwer. Und die Möglichkeiten, die mir meine oft mißbrauchte Phantasie bietet. Ich muß ganz darin eintauchen, so wie Ben an jenem schicksalsvollen ersten Tag in sie eingedrungen ist. Nur, daß er nicht wußte und auch nicht wissen konnte, was noch kam; wohingegen mich zurückhält, was ich bereits weiß. Was für ihn noch unfertig war, steht mir vollständig vor Augen; was für ihn Leben war, ist für mich ein Romanstoff; Wissen aus erster Hand wird zu Wissen aus zweiter Hand. Ich muß versuchen, verworrene Geschehnisse zu rekonstruieren, die sich hinter geheimnisvollen Notizen verbergen; was unleserlich ist oder fehlt, muß ich mir ausdenken. Wo er andeutet, muß ich ausführlich werden: *Er sagt – er glaubt – er nimmt an – er erinnert sich daran, daß …* Mit meinem Rüstzeug von Wahrscheinlichkeiten und Erinnerungen und seinem Wust von Beweisen muß ich gegen die lähmenden Hindernisse von Bedenken und Verwirrung angehen und versuchen, zumindest den Anschein von Zutrauen und Gewißheit aufrechtzuerhalten. Diese Last muß ich mir aufbürden, dieses Risiko auf mich nehmen; dieser Herausforderung muß ich mich stellen. Ich muß versuchen, den ruhigen und ausgeglichenen Mann, den ich einst kannte, mit dem krankhaft-gehetzten Flüchtling in Einklang zu bringen, den ich an jenem Tag in der Stadt traf.

In gewisser Weise bin ich es ihm oder sogar Susan schuldig. Berichte wahrheitsgetreu über mich und die Sache, um die es mir geht! Gleichzeitig gilt es für mich, ihn so in den Griff zu bekommen, daß ich mich aus meiner eigenen sterilen Phase herausschreibe. Das ist eine vertrackte Sache und kommt noch erschwerend hinzu.

Vielleicht wäre es mir immer noch möglich gewesen, anzunehmen, daß er an jenem Abend absichtlich vor einen vorüberfahrenden Wagen gelaufen war, um dem Selbstmord den respektablen Anschein eines Unfalls zu verleihen. Aber irgend etwas fehlte. Noch konnte ich nicht mit dem Finger drauf zeigen; und doch wußte ich, daß irgend etwas keinen rechten Sinn gab. Inzwischen ist dieser letzte Brief eingetroffen, eine ganze Woche nach seiner Beerdigung, und damit ist alles wieder ins Gleichgewicht gekommen. Jetzt bleibt mir keine Wahl. Und es hat auch keinen Sinn, ihm die Schuld daran zu geben, denn er ist tot.

Eins

Eigentlich fing für Ben alles mit dem Tod von Gordon Ngubene an. Doch aus den Aufzeichnungen, die er hinterher machte, und aus den Zeitungsausschnitten wird klar, daß die Sache viel weiter zurückgeht. Mindestens bis zum Tod von Gordons Sohn Jonathan auf dem Höhepunkt der Jugendrevolte von Soweto. Und noch weiter zurück, bis zu dem Tag zwei Jahre davor – der in Bens Papieren durch eine flüchtig hingekritzelte Quittung ausgemacht werden kann –, dem Tag, an dem er anfing, einen Teil des Schulgelds für den fünfzehnjährigen Jonathan zu übernehmen.

Gordon war der schwarze Putzmann der Schule, in der Ben in der Oberstufe Geschichte und Geographie unterrichtete. In den älteren Tagebüchern wird gelegentlich ›Gordon N.‹ oder einfach ›Gordon‹ erwähnt; und von Zeit zu Zeit stößt man in Bens peniblen finanziellen Aufstellungen auf Eintragungen wie ›Gordon – R5.00; oder ›Rückzahlung von Gordon – R5.00‹ usw. Manchmal gab Ben ihm durch Mitteilung auf der Wandtafel besondere Anweisungen; bei anderen Gelegenheiten wandte er sich kleiner persönlicher Aufträge wegen an ihn. Einmal, als immer wieder Geld aus den Klassenzimmern verschwand und ein, zwei Lehrer sofort Gordon die Schuld dafür gaben, war es Ben, der den Putzmann unter seine Fittiche nahm und Ermittlungen anstellte, aus denen sich ergab, daß eine Gruppe von Jungen aus der Abschlußklasse die Schuldigen waren. Von diesem Tag an übernahm Gordon es, einmal die Woche Bens Auto zu waschen. Und als Susan nach der schweren Geburt von Linda eine Zeitlang ausfiel, war es Gordons Frau Emily, die bei der Hausarbeit aushalf.

Als sie sich besser kennenlernten, erfuhr Ben mehr über Gordons Herkunft. Gordon war als kleiner Junge zusammen mit seinen Eltern aus der Transkei gekommen; sein Vater hatte Arbeit in der City Deep Mine gefunden. Da er von klein auf Interesse am Lesen und Schreiben gezeigt hatte, war er zur Schule geschickt worden – kein billiges oder leichtes Unternehmen für einen Mann in der Stellung seines Vaters. Gordon machte stetige Fortschritte, bis er Stufe Zwei geschafft hatte; dann jedoch war sein Vater bei einem Steinschlag in der Mine umgekommen, und Gordon hatte die Schule verlassen und anfangen müssen zu arbeiten, um zum kärglichen Einkommen der Mutter als Hausmädchen beizusteuern. Eine Zeitlang arbeitete er als Haus-Boy für eine reiche jüdische Familie in Houghton; später fand er eine besser bezahlte Stellung als Bote bei einer Rechtsanwaltskanzlei in der Stadt und noch später als Gehilfe in einer Buchhandlung. Irgendwie schaffte er es, sich auch schulisch weiterzubilden, und der Leiter der Buchhandlung, der sich über sein Interesse freute, half ihm, seine Studien fortzusetzen. Auf diese Weise schaffte er schließlich die vierte Stufe.

Zu dieser Zeit kehrte Gordon in die Transkei zurück. Eine traumatische Erfahrung, wie sich herausstellte, denn in seiner Heimat gab es keine Arbeit für ihn, höchstens, daß er einem Großonkel ein bißchen bei der Farmarbeit zur Hand gehen konnte: Mais pflanzen, auf der Suche nach Hasen für den Kochtopf mit einem ausgemergelten Hund durchs Feld streifen und vor der Hütte in der Sonne sitzen. Er hatte die Stadt verlassen, weil er das Leben dort nicht mehr ertragen konnte; auf der Farm aber war es noch schlimmer. Nach den Jahren seines Fortseins hatte er etwas Unstetes und Gereiztes im Blut. Das ganze Geld, das er mitgebracht hatte, war für eine *lobola* – die Aussteuer für eine Frau – draufgegangen; kaum ein Jahr nach seiner Ankunft in der Transkei kehrte er an den einzigen Ort zurück, den er wirklich kannte: Johannesburg, Gouthini. Nach einer kurzen Spanne ohne geregelte Arbeit landete er in Bens Schule.

Seine Kinder wurden eines nach dem anderen geboren: in Alexandra, dann in Moroka und schließlich in Orlando. Der Älteste war Jonathan, sein Liebling. Gordon hatte von Anfang an klargestellt, daß er seinen Sohn in der Tradition seines Stammes erziehen wollte. Infolgedessen wurde Jonathan, als er vierzehn wurde, in die Transkei zurückgeschickt, wo er beschnitten werden und die Initiationsriten begangen werden sollten.

Ein Jahr später war Jonathan – oder Sipho, denn dies, sagte Gordon, sei sein ›richtiger‹ Name – wieder da, kein *kwedini* mehr, sondern ein Mann. Gordon hatte immer von diesem Tag gesprochen. Von jetzt an würden er und sein Sohn Verbündete sein, zwei Männer im Haus. Es mangelte nicht an Reibereien, denn Jonathan war offensichtlich recht eigenwillig; aber im großen und ganzen waren sie sich einig, daß Jonathan so lange wie möglich zur Schule gehen sollte. Und erst kurz nachdem er mit der sechsten Stufe fertig war und die höhere Schule nun eine teure Angelegenheit wurde, wandten sie sich hilfesuchend an Ben.

Ben zog bei Jonathans Schule und der Gemeinde, zu der die Familie gehörte, Erkundigungen ein, und da sich herausstellte, daß alle einer Meinung über die Intelligenz, die Ausdauer und die Zukunftsaussichten des Jungen waren, erbot er sich, so lange die Kosten für Schulgeld und Bücher zu übernehmen, wie Jonathan sich weiterhin gut machte. Er war ziemlich beeindruckt von ihm: Jonathan war ein schmächtiger, scheuer und höflicher Junge, stets sauber gekleidet, das Hemd blendend weiß wie die Zähne. Als Ausgleich für die finanzielle Unterstützung sorgte Gordon dafür, daß Jonathan zusagte, an Wochenenden in Bens Garten auszuhelfen.

Nach Ablauf des ersten Jahres gab es auf allen Seiten nur Lächeln, als Jonathan sein Zeugnis mit einem Durchschnitt von sechzig Punkten vorzeigte. Zur Belohnung für seine Leistung schenkte Ben ihm nicht nur einen alten Anzug, der seinem eigenen Sohn Johan gehört hatte – die beiden Jungen waren ungefähr gleichaltrig – sondern auch noch ein fast neues Paar Schuhe und zwei Rand in bar.

Doch im Laufe des zweiten Oberschuljahres fing Jonathan an, sich zu verändern. Wenn er sich auch weiterhin recht gut machte, schien er das Interesse verloren zu haben und schwänzte häufig die Schule; er kam auch am Wochenende nicht mehr, um die von ihm übernommene Gartenarbeit zu verrichten; er wurde mürrisch und widerspenstig und war Ben gegenüber ein paarmal ausgesprochen frech. Laut Gordon verbrachte er mehr Zeit draußen auf der Straße als daheim; was sollte da nur Gutes herauskommen?

Seine Befürchtungen erwiesen sich bald als berechtigt. Eines Tages kam es in einer Bierhalle zu einer Schlägerei. Eine Gang von *tsotsis* – Rowdys – griff eine Gruppe älterer Männer an, und als der Wirt versuchte, sie hinauszuwerfen, liefen sie im Lokal Amok und schlugen alles kurz und klein. Die Polizei kam in zwei Mannschaftswagen und griff sich an Halbwüchsigen, was ihr in der Umgebung der Bierhalle in die Hände geriet, darunter auch Jonathan.

Der Junge beteuerte hartnäckig, er habe mit der ganzen Sache nichts zu tun und sei nur zufällig in dem Augenblick dort aufgetaucht, als die

Schlägerei losging; die Zeugen der Polizei hingegen sagten aus, sie hätten ihn inmitten der Gang gesehen. Die Verhandlung war sehr kurz. Wegen eines Mißverständnisses nahm Gordon nicht daran teil: Man hatte ihm gesagt, sie werde nachmittags stattfinden, doch als er im Gerichtssaal erschien, war schon alles vorüber. Er versuchte, gegen das Urteil von sechs Stockschlägen zu protestieren, doch da war die Strafe bereits vollzogen worden.

Am nächsten Tag brachte er den Jungen zu Bens Haus; Jonathan hatte Schwierigkeiten zu gehen.

»Zieh die Hose runter und zeig's dem *Baas*«, befahl Gordon.

Jonathan wollte aufbegehren, doch da schnallte Gordon einfach den Gürtel auf, ließ die verschmutzten und blutbefleckten Shorts seines Sohnes heruntergleiten und zeigte Ben die sechs Striemen, die wie sechs Messerschnitte über das Gesäß gingen.

»Das ist es nicht, worüber ich mich beschwere, *Baas*«, sagte Gordon. »Wenn ich genau wüßte, daß er Unrecht getan hat, würde ich ihm dieselbe Tracht Prügel noch einmal geben. Aber er sagt, er ist unschuldig, und sie haben ihm nicht geglaubt.«

»Haben sie ihm denn nicht Zeit gelassen, seinen Fall vor Gericht darzulegen?«

»Was versteht er denn schon vom Gericht? Ehe er überhaupt wußte, wie ihm geschah, war schon alles vorbei.«

»Ich glaube, jetzt läßt sich nichts mehr daran ändern, Gordon«, sagte Ben betrübt. »Ich kann dir zwar einen Anwalt besorgen, um in die Berufung zu gehen, aber davon wird Jonathans Hintern nicht wieder heil.«

»Ich weiß.« Während Jonathan heftig an seinen Shorts herumzerrte, stand Gordon da und beobachtete ihn. Nach einer Weile sah er auf und erklärte fast in entschuldigendem Ton: »Der Hintern heilt schon wieder, *Baas*. Der macht mir weiter keine Sorgen. Aber die Narben sitzen *hier*.« Er legte mit kaum verhohlener Entrüstung die Hand auf die Brust. »Und ich glaube, die heilen nie!«

Er sollte recht behalten. Jonathan zeigte nicht mehr viel Interesse an der Schule. Laut Gordon hegte er einen tiefen Groll gegen die »Buren« und weigerte sich, Afrikaans zu lernen. Er fing an, über Dinge wie *Black Power* und den *African National Congress* zu reden, was seinen Vater beunruhigte und bedrückte. Am Ende des Schuljahres fiel Jonathan durch. Ihm schien das nicht im geringsten etwas auszumachen: tagelang, so berichtete Gordon, ließ er sich überhaupt nicht zu Hause blikken und weigerte sich, irgendwelche Fragen darüber zu beantworten, wo er sich herumtreibe. Ben hatte wenig Lust, ihn weiterhin bei seinem schulischen Fortkommen zu unterstützen, und betrachtete das jetzt als reine Geldverschwendung. Gordon jedoch bat eindringlich.

»*Baas*, wenn du jetzt aufhörst, ist es mit Jonathan aus. Nicht nur das, er wird auch noch die anderen Kinder in meinem Haus anstecken. Denn dies ist eine schlimme Krankheit, die nur durch die Schule geheilt werden kann.«

Zögernd erklärte Ben sich einverstanden, und zu seiner Überraschung begann das nächste Jahr ein wenig verheißungsvoller, als das vorhergehende geendet hatte. Jonathan war zu Hause zwar weiterhin verschlossen und schlecht gelaunt und neigte zu plötzlichen Ausbrüchen; aber immerhin kehrte er in die Schule zurück. Bis zum Mai, genauer gesagt, bis zum sechzehnten Mai, jenem Mittwoch, an dem es in Soweto zum Aufstand kam. Die Kinder, die sich in Massen auf den Schulhöfen versammelten wie Bienen, die drauf und dran sind zu schwärmen. Die Märsche. Die Polizei. Die Schüsse. Tote und Verwundete, die fortgeschafft wurden. Von diesem Tag an tauchte Jonathan daheim überhaupt kaum noch auf. Benommen vor Angst und Sorge ließ Emily die Kleinen nicht hinaus, horchte auf die Detonationen, die Sirenen, das Geratter der gepanzerten Fahrzeuge; nachts gingen Flaschenlager, Bierhallen, Verwaltungsgebäude und Schulen unter dem Jubel der Beteiligten in Flammen auf. In den Straßen die verkohlten Skelette von Bussen.

Es geschah im Juli, bei einer der Demonstrationen, die inzwischen fast schon zu einem täglichen Ritual geworden waren; Kinder und Jugendliche, die sich versammelten, um nach Johannesburg zu marschieren, Polizei, die in Panzerfahrzeugen herbeiraste, das lange Geknatter von Maschinenpistolen, ein Hagel von Steinen, Ziegeln und Flaschen. Ein Polizeifahrzeug wurde umgeworfen und in Brand gesteckt. Schüsse, Schreie, Hunde. Aus den Wolken aus Staub und Rauch kamen ein paar Kinder zum Haus der Ngubenes gerannt, um atemlos vor Aufregung zu berichten, sie hätten Jonathan unter den von der Polizei in die Zange Genommenen und Bestürmten gesehen. Was jedoch hinterher geschehen war, konnten sie nicht sagen.

Spätabends war er immer noch nicht heimgekommen.

Gordon suchte einen Freund auf, einen schwarzen Taxifahrer namens Stanley Makhaya, jemand, der über alles und jedes in den *townships* Be-

scheid wußte, und bat ihn, seine Kontaktpersonen nach Jonathan aus-
zuhorchen. Denn Stanley hatte Kontakte auf beiden Seiten des Zauns,
unter den Schlägern genauso wie in den feineren Verästelungen der Un-
terwelt. Was immer man in Soweto in Erfahrung bringen müsse, sagte
Gordon, Stanley Makhaya sei der Mann, der einem helfen könne.

Bis auf dies eine Mal, so schien es; denn nicht einmal Stanley konnte
etwas ausrichten. Die Polizei hatte an diesem bestimmten Tag so viele
Leute festgenommen, daß es eine Woche oder mehr dauern konnte, ehe
man eine Namensliste bekam.

Am nächsten Tag machten Gordon und Emily sich in aller Herrgottsfrühe in Stanleys großem weißen Dodge, seinem *etembalami*, zum Baragwanath Hospital auf. Eine große Menge anderer Leute war in gleicher Absicht gekommen, und sie mußten bis drei Uhr nachmittags warten, bis ein weißgekleideter Helfer zur Verfügung stand, sie in einen
kühlen, grüngekachelten Raum zu führen, wo Metallschubladen in den
Wänden aufgezogen wurden. Leichen von Kindern vor allem. Einige in
zerrissenen verdreckten Kleidern, andere nackt; manche verstümmelt,
andere ganz und dem Anschein nach unverletzt, als schliefen sie nur, bis
man den sauberen dunklen Einschuß an der Schläfe oder in der Brust
entdeckte und das bißchen geronnene Blut drum herum. Einige hatten
einen Anhänger, auf den ein Name gekritzelt war am Hals oder am
Handgelenk, am Unterarm oder am großen Zeh; doch die meisten waren noch namenlos. Jonathan war nicht darunter.

Zurück zur Polizei. Die Telefone funktionierten damals nicht in Soweto; der Busverkehr war eingestellt worden, und Züge fuhren auch
nicht. Wieder mußten sie sich an Stanley Makhaya wenden, damit er sie
mit seinem Taxi zum Polizeipräsidium am John Vorster Square brachte,
mochte die Fahrt auch noch so gefährlich sein. Ein ganzer Tag Warten,
bei dem nichts herauskam. Die Männer, die Dienst hatten, arbeiteten
unter Druck, und es war verständlich, daß sie abwehrend und kurz angebunden waren, wenn jemand sich nach Festgenommenen erkundigte.

Nachdem zwei weitere Tage vergangen waren, ohne daß sie irgend etwas von Jonathan gehört hatten, wandte Gordon sich hilfesuchend an
Ben. (Niemand hatte sich gewundert, daß Gordon in der letzten Zeit
nicht zur Arbeit erschienen war. Die schwarzen Arbeiter in den *townships* waren dermaßen eingeschüchtert, daß nur wenige es wagten, zu ihren Arbeitsplätzen in die Stadt zu fahren.)

Ben tat sein Bestes, um ihn aufzumuntern: »Wahrscheinlich ist er bei irgendwelchen Freunden untergekrochen, um sich zu verstecken. Wäre ihm was Ernstes zugestoßen, ich bin überzeugt, dann hättet ihr inzwischen davon erfahren.«

Doch Gordon wollte sich nicht überzeugen lassen. »Du mußt mit ihnen reden, *Baas*. Wenn ich frage, schicken sie mich nur weg. Aber wenn du hingehst, werden sie dir eine Antwort geben.«

Ben hielt es für ratsam, sich an einen Anwalt zu wenden, dessen Name in letzter Zeit in den Zeitungen immer wieder im Zusammenhang mit Dutzenden von Jugendlichen genannt worden war, die nach den Unruhen vor Gericht gestellt worden waren.

Am Telefon meldete sich eine Sekretärin. Mr. Levinson sei beschäftigt, erklärte sie mit Bedauern in der Stimme. Ob Ben mit einem Termin in drei Tagen einverstanden sei? Er ließ sich nicht abwimmeln und sagte, es sei dringend. Er brauche nur fünf Minuten, um dem Anwalt den Sachverhalt am Telefon darzulegen.

Levinson klang gereizt, willigte jedoch ein, sich ein paar Einzelheiten zu notieren. Ein paar Stunden später rief seine Sekretärin an und erklärte Ben, die Polizei habe keinerlei Auskunft geben können, doch gehe man der Sache nach. Sie gingen der Sache immer noch nach, als Ben drei Tage darauf in Levinsons Büro vorsprach.

»Aber das ist lächerlich!« ereiferte er sich. »Sie müssen doch die Namen von den Leuten kennen, die sie festgenommen haben.«

»Sie kennen sie nicht so gut wie ich, Mr. Coetzee«, sagte Levinson achselzuckend.

»Du Toit.«

»Ach, ja.« Er schob ein silbernes Zigarettenkästchen über seinen gewaltigen, mit Haufen von Papieren bedeckten Tisch. »Rauchen Sie?«

»Nein, danke.«

Ben wartete ungeduldig, während der Anwalt sich selbst eine Zigarette ansteckte und den Rauch genüßlich ausstieß. Ein großer, sportlicher, braungebrannter Mann, das glatte schwarze Haar pomadisiert, lange Koteletten, säuberlich geschnittener Schnurrbart – ein wiederauferstandener Clark Gable. Große, gepflegte Hände, zwei dicke goldene Ringe; Tigerauugen-Manschettenknöpfe. Er arbeitete zwar in Hemdsärmeln, aber die breite, leuchtendrote Krawatte und das frische gestreifte Hemd verliehen der bewußten Nonchalance, mit der er sich gab, eine gewisse Förmlichkeit. Es war ein schwieriges Gespräch, bei dem sie immer wieder unterbrochen wurden: durch das Telefon, die wohlmodulierte Stimme der Sekretärin über die Gegensprechanlage und ein ganzes Aufgebot an Assistenten – durch die Bank jung, blond, geschmeidig, kompetent und mit einer Haltung, als würden sie an einer Schönheitskonkurrenz teilnehmen –, die mit Akten unterm Arm kamen und gingen, mit Papieren raschelten oder dem Anwalt in vertraulichem Ton irgendwelche Mitteilungen zuflüsterten. Schließlich gelang es Ben jedoch, Levinson so weit zu bringen, daß er seinen telefonischen Nachfragen bei der Polizei ein schriftliches Auskunftsersuchen folgen ließ.

»Keine Sorge!« Mit einer kraftvollen Handbewegung, die an den Manager einer Fußballmannschaft erinnerte, der eine zuversichtliche Prognose für den nächsten Samstag stellt, sagte er: »Wir werden ihnen Zunder geben. Haben wir übrigens Ihre Adresse, wegen der Rechnung? Ich nehme an, die Kosten übernehmen Sie? Es sei denn« – er sah in seinen Notizen nach – »dieser Ngubene hat selbst Geld.«

»Nein, das übernehme ich.«

»Richtig. Wir bleiben also in Verbindung, Mr. Coetzee.«

»Du Toit.«

»Natürlich.« Mit festem, verschwörerischem Griff packte er Bens Hand und schüttelte sie, daß es aussah, als füttere eine Vogelmutter ihre Jungen. »Bis bald, also. Wiedersehen.«

Eine Woche später, nach einem weiteren Anruf kam dann ein Brief vom John Vorster Square: Ihre Nachfrage sei dem Polizei-Commissioner überstellt worden. Nachdem sie eine weitere Woche ohne jede Nachricht geblieben waren, schrieb Levinson direkt an den Commissioner. Diesmal traf die Antwort umgehend ein; es wurde Levinson geraten, sich direkt mit dem zuständigen Beamten am John Vorster Square in Verbindung zu setzen.

Auf den nächsten Brief bekamen sie keine Antwort. Doch als Levinson sich nochmals mit einem sarkastischen Anruf an den Square wandte, erhielt er von einem namenlosen Beamten am anderen Ende der Leitung die Auskunft, man wisse überhaupt nichts von einem Jonathan Ngubene.

Selbst dann gab Gordon die Hoffnung noch nicht auf. So viele junge Männer waren aus dem Land geflüchtet, um in Swaziland oder Botswana Asyl zu finden, daß auch Jonathan ohne weiteres darunter sein konnte. Es würde seinem Verhalten während der letzten Monate entsprechen. Sie mußten nur Geduld haben, bald würde ein Brief kommen. Unterdessen mußten sie sich um vier andere Kinder kümmern.

Doch die Ungewißheit, die Angst und der Argwohn blieben. Und so waren sie kaum überrascht, als etwa einen Monat nach Jonathans Verschwinden die junge schwarze Krankenschwester bei ihnen auftauchte.

Sie habe seit fast einer Woche versucht, sie zu finden, sagte sie. Sie sei Aushilfsschwester in der schwarzen Abteilung des General Hospital. Vor zehn Tagen sei ein etwa siebzehnjähriger schwarzer Junge in eine geschlossene Station eingeliefert worden; offenbar in ernstem Zustand, mit dick verbundenem Kopf und aufgetriebenem Leib. Manchmal könne man ihn stöhnen oder schreien hören. Doch vom gewöhnlichen Personal dürfe niemand zu ihm, und man habe Polizisten vor seiner Tür postiert. Einmal habe sie den Namen »Ngubene« gehört. Dann habe sie von Stanley – ja, sie kenne ihn; das tue doch jeder – habe sie also von Stanley erfahren, daß Gordon und Emily ihren Sohn suchten. Daher sei sie hergekommen.

In dieser Nacht machten sie kein Auge zu. Am nächsten Morgen gingen sie ins Krankenhaus, wo eine unwirsche Oberin leugnete, je einen Ngubene auf ihren Stationen gehabt zu haben; auch hätten nie Polizisten vor einem Krankenzimmer Wache gestanden. Ob sie jetzt bitte gehen würden, ihre Zeit sei kostbar.

Zurück zu Ben; wieder zu Dan Levinson.

Der Krankenhausverwalter: »Das ist absurd! Schließlich müßte ich davon wissen, wenn es je einen solchen Fall in meinem Krankenhaus gegeben hätte, oder? Ihr Leute macht immer nur Scherereien.«

Zwei Tage darauf erhielten sie wieder Besuch von der jungen Krankenschwester. Sie sei an die Luft gesetzt worden, berichtete sie ihnen. Irgendwelche Gründe habe ihr niemand angegeben. Dabei habe man sie erst vor wenigen Tagen ihrer Gewissenhaftigkeit wegen gelobt; jetzt brauche man sie plötzlich nicht mehr. Allerdings versicherte sie ihnen, der schwarze Junge sei nicht mehr da. Gestern abend sei sie um das Gebäude herumgegangen und an Leitungsrohren hinaufgeklettert, um durchs Fenster zu spähen; das Bett sei leer gewesen.

Wieder zwei Briefe von Dan Levinson an die Polizei; nicht einmal der Eingang wurde bestätigt.

Vielleicht, meinte Gordon verbissen, vielleicht sei wirklich alles nur ein Gerücht; vielleicht bekämen sie doch noch einen Brief aus Mbabane in Swaziland oder Gaberone in Botswana.

Zuletzt war es doch Stanley Makhaya, der die erste richtige Spur entdeckte. Er habe Verbindung zu einem Mann, der zur Putzkolonne am John Vorster Square gehöre, sagte er, und dieser Mann habe bestätigt, daß Jonathan in einer der Kellerzellen festgehalten werde. Mehr wolle der Mann nicht sagen. Nein, mit eigenen Augen gesehen habe er Jonathan nicht, aber er wisse genau, daß er da sei. Oder vielmehr: bis gestern morgen dort gewesen sei. Denn später habe er den Auftrag bekommen, die Zelle zu säubern, und er habe Blut vom Betonfußboden aufgewischt.

»Es ist zwecklos, noch einen Brief zu schreiben oder noch mal anzurufen«, sagte Ben, weiß vor Zorn, zu Levinson. »Diesmal müssen sie etwas *tun*. Und wenn es eine einstweilige Verfügung bedeutet.«

»Das überlassen Sie nur mir, Mr. Coetzee.«

»Du Toit.«

»Auf eine Gelegenheit wie diese habe ich nur gewartet«, sagte der Anwalt mit erfreutem Gesicht. »Jetzt können die mal was erleben! Wir werden alle Register ziehen. Wie wär's mit einem Hinweis an die Zeitungen?«

»Das würde nur alles komplizieren.«

»Na schön, wie Sie wollen.«

Doch noch ehe Levinson sich einen Plan für sein Vorgehen zurechtgelegt hatte, erhielt er einen Anruf vom Sonderdezernat; es geht um seinen Klienten Gordon Ngubene. Ob er so freundlich sein wolle, dem Mann beizubringen, daß sein Sohn Jonathan gestern abend eines natürlichen Todes gestorben sei?

2

Wieder zogen Gordon und Emily ihren Sonntagsstaat an, um zum John Vorster Square zu fahren – inzwischen verkehrten die Züge wieder –, um sich nach dem Leichnam zu erkundigen: Wo er sei, wann sie ihn bekommen könnten, um ihn zu beerdigen. Man hätte annehmen sollen, daß das eine simple und klare Angelegenheit war, doch die Nachfrage führte wieder in eine Sackgasse. Man schickte sie von einer Dienststelle zur anderen, vom Sonderdezernat zur Kripo, sagte ihnen, sie sollten warten, sagte ihnen, sie sollten wiederkommen.

Diesmal jedoch ließ Gordon sich bei all seiner altmodischen Höflichkeit nicht einfach abwimmeln. Er weigerte sich, sich von der Stelle zu rühren, bis man ihm eine Antwort auf seine Fragen gegeben hatte. Am späten Nachmittag empfing sie ein mitfühlender höherer Beamter. Er entschuldigte sich wegen der Verzögerung, doch seien da noch gewisse

Formalitäten, die erledigt werden müßten, sagte er. Und die Autopsie. Bis Montag werde jedoch alles erledigt sein.

Als man sie am Montag abermals mit leeren Händen heimschickte, wandten sie sich wieder an Ben; und mit ihm an den Anwalt.

Wie bei allen vorangegangenen Gelegenheiten beherrschte der großgewachsene Mann mit dem Clark Gable-Look mit beeindruckender Selbstsicherheit den gewaltigen, mit Schriftstücken, Telefonen, Akten, leeren Kaffeetassen und schönverzierten Aschenbechern bedeckten Schreibtisch. Seine Zähne blitzten im tiefgebräunten Gesicht.

»Nein, das geht zu weit«, rief er aus. Er zog eine eindrucksvolle und sorgfältig einstudierte Schau von Tüchtigkeit ab, als er augenblicklich im Polizeipräsidium anrief und den diensthabenden Beamten verlangte. Dieser versprach, sich zu erkundigen.

»Nun aber mal ein bißchen dalli, dalli«, sagte Dan Levinson aggressiv und zwinkerte seinem aufmerksamen Publikum zu. »Ich gebe Ihnen genau eine Stunde Zeit. Ich lass' mich nicht mehr von Ihnen an der Nase herumführen, verstanden?« Er drehte das Handgelenk, um auf die große goldene Uhr sehen zu können. »Wenn ich bis halb vier nichts von Ihnen gehört habe, rufe ich Pretoria an und informiere jede Zeitung im Land.« Dann knallte er den Hörer auf die Gabel und grinste sie noch einmal mit blitzenden Zähnen an. »Sie hätten sich schon längst an die Presse wenden sollen.«

»Wir wollen Jonathan Ngubene, Mr. Levinson«, sagte Ben ärgerlich, »und keine Publicity.«

»Aber ohne Publicity werden Sie nicht weit kommen, Mr. Coetzee. Sie können sich auf mich verlassen, ich weiß Bescheid.«

Tatsächlich rief das Sonderdezernat zu Bens Überraschung fünf nach halb drei zurück. Levinson sagte nicht viel; er hörte zu und war offensichtlich bestürzt über das, was ihm der Beamte am anderen Ende sagte. Nach dem Gespräch blieb er mit dem Hörer in der Hand sitzen und starrte ihn an, als erwarte er von ihm, daß er etwas unternähme.

»Nein, das ist doch!«

»Was hat er gesagt?«

Levinson sah auf und rieb sich mit einer Hand die Wange.

»Jonathan ist überhaupt nie in Gewahrsam gewesen. Wie sie sagen, wurde er am Tag der Unruhen erschossen, und da niemand sich meldete, um seinen Leichnam zu verlangen, wurde er schon vor einem Monat beerdigt.«

»Aber warum haben sie uns das nicht schon vorige Woche gesagt…?«

Levinson zuckte mit der Schulter und sah sie finster an, als hätten sie Schuld an der Wendung, die die Angelegenheit jetzt genommen hatte.

»Und was ist mit der Krankenschwester?« sagte Gordon. »Und dem Putzmann am Square? Die haben beide von Jonathan gesprochen.«

»Hören Sie!« Levinson drückte die Spitzen seiner kräftigen Finger gegeneinander. »Ich werde ihnen einen offiziellen Brief schreiben und einen Durchschlag des ärztlichen Berichts anfordern. Damit schaffen wir es.«

Doch in der schlichten Antwort der Polizei eine Woche später wurde die Angelegenheit mit der kurzen Feststellung abgeschlossen, leider stehe der ärztliche Bericht »nicht zur Verfügung«.

Es ist leicht, sich die Szene vorzustellen. Bens Garten in der Abenddämmerung. Johan und seine Freunde spritzen und toben im Swimmingpool des Nachbarn. Susan in der Küche bereitet das Abendessen vor: Sie mußten früh essen, denn sie wollte zu einer Versammlung. Ben an der Hintertür. Gordon steht da und drückt mit beiden Händen seinen alten Hut an die hagere Brust. Im grauen abgelegten Anzug, den Ben ihm vorige Weihnachten geschenkt hatte; ein weißes kragenloses Hemd.

»Mehr sag' ich ja gar nicht, *Baas*. Wenn ich es wäre – na schön. Oder Emily – egal. Wir sind nicht mehr jung. Aber er ist mein Kind, *Baas*. Jonathan ist mein Kind. Meine Zeit und deine Zeit geht vorüber, *Baas*. Aber die Zeit unserer Kinder kommt noch. Und wenn sie anfangen, unsere Kinder umzubringen, wofür haben wir dann gelebt?«

Ben war niedergeschlagen. Er hatte Kopfschmerzen. Und es fiel ihm nicht recht etwas ein, was er dazu sagen sollte.

»Was können wir tun, Gordon? Weder du noch ich können irgend etwas ändern.«

»*Baas*, als sie Jonathan damals die Prügelstrafe verabreichten, hast du auch gesagt, wir können nichts daran ändern. Wir könnten den Hintern nicht heilen. Aber wenn wir damals was unternommen hätten, wenn jemand gehört hätte, was wir zu sagen hatten, vielleicht hätten dann nicht Verbohrtheit, Wahnsinn und Mord Einzug in Jonathans Herz gehalten. Ich behaupte nicht, daß es so war, *Baas*. Ich sage, *vielleicht*. Wer will das wissen?«

»Ich weiß, was passiert ist, ist schrecklich, Gordon. Aber du hast doch noch andere Kinder, für die es sich zu leben lohnt. Und ich will auch gern helfen, wenn du sie auf die Schule schicken möchtest.«

»Wie ist Jonathan gestorben, *Baas*?«

»Das wissen wir nicht, Gordon.«

»Aber ich muß es wissen, *Baas*. Wie soll ich je wieder Frieden finden, wenn ich nicht weiß, wie er gestorben ist und wo sie ihn begraben haben?«

»Was nützt dir das, Gordon?«

»Nützen tut es nichts, *Baas*. Aber ein Mann muß über seine Kinder Bescheid wissen.« Er schwieg lange. Er weinte nicht, und doch liefen ihm die Tränen die dünnen Backen hinunter in den abgetragenen Kragen seiner grauen Jacke. »Ein Mann muß Bescheid wissen, denn wenn er das nicht tut, ist alles für ihn sinnlos.«

»Bitte, sei vorsichtig, Gordon. Tu nichts Unüberlegtes. Denk an deine Familie.«

Ruhig, eigensinnig wiederholte er, während die Jungen hinter der hohen weißen Mauer des Nachbarn jauchzten, als hätten sich die Worte in ihm festgesetzt: »Wenn ich es wäre, na schön. Aber er ist mein Kind, und ich muß es wissen. Gott ist heute mein Zeuge: Ich kann nicht aufhören, ehe ich nicht weiß, was mit ihm geschehen ist und wo sie ihn begraben haben. Sein Leichnam gehört mir. Es ist der Leichnam meines Sohnes.«

Ben stand immer noch an der Hintertür, als die Jungen, bunte Handtücher über den Schultern, vom Nachbarn zurückkehrten. Als Johan Gordon erkannte, grüßte er ihn fröhlich, doch der schwarze Mann schien ihn nicht zu bemerken.

3

Um seine ganze Zeit den Nachforschungen widmen zu können, die zu einer Besessenheit bei ihm geworden waren, gab Gordon seine Arbeit in der Schule auf. Hinter die Sache mit den Nachforschungen kam Ben erst viel später; zu spät.

Als erstes versuchte Gordon, möglichst viele aus der Menge aufzuspüren, die sich am Tage der Schießerei versammelt hatten. Das Problem war, daß nur ganz wenige sich an etwas Genaues an diesem chaotischen Tag erinnern konnten. Eine ganze Reihe Jugendlicher und Erwachsener bestätigte, Jonathan unter den Marschierenden gesehen zu haben; doch was nach der Schießerei geschehen war, darüber waren sie sich wesentlich weniger sicher.

Gordon ließ sich nicht entmutigen. Der erste Durchbruch kam, als ein Junge, der an diesem schicksalhaften Tag verwundet worden war, aus dem Krankenhaus entlassen wurde. Er war durch einen Schuß in die Augen erblindet, doch erinnerte er sich, daß Jonathan zusammen mit anderen in einen Polizeiwagen verfrachtet worden war.

Nach und nach spürte Gordon sie auf: einige, die gesehen hatten, wie Jonathan festgenommen und fortgebracht worden war; andere, die sogar zusammen mit ihm zum John Vorster Square gebracht worden waren. Doch von da an gingen die Berichte auseinander. Einige von den Festgenommenen waren nur für eine Nacht eingesperrt worden; andere waren nach Modder Bee, Pretoria und Krugersdorp gebracht worden; noch andere hatte man vor Gericht gestellt. Es war nicht leicht, Jonathans Spuren in dieser Menge zu verfolgen. Das einzige, was wirklich zweifelsfrei festgestellt werden konnte, war, daß Jonathan nicht am Tag des Aufruhrs erschossen worden war.

Gewissenhaft und emsig wie eine Ameise arbeitete sich Gordon voller Haß und Liebe durch diesen Ameisenhaufen an Beweisen. Er konnte nicht erklären, was er damit anfangen würde, wenn er alles zusammenhatte, was er brauchte. Emily sagte hinterher, sie habe ihm deshalb ständig zugesetzt, doch er habe nicht antworten können oder wollen. Beweise zu sammeln, schien zum Selbstzweck geworden zu sein.

Im Dezember wurde dann eine ganze Gruppe von Festgenommenen, die immer noch auf ihren Prozeß gewartet hatten, vom Sonderdezernat freigelassen. Zu ihnen gehörte ein junger Mann, Wellington Phetla, der eine Zeitlang zusammen mit Jonathan festgehalten worden war; und selbst nachdem sie getrennt worden waren, hatte man sie immer noch zusammen verhört. Laut Wellington hatte das Sonderdezernat versucht, ihnen das Geständnis abzupressen, daß sie bei den Unruhen als Anführer aufgetreten seien, mit Agenten vom *African National Congress* in Verbindung gestanden und Geld aus dem Ausland erhalten hätten.

Anfangs ließ Wellington sich nur widerstrebend herbei, überhaupt mit Gordon zu reden. Laut Emily wirkte er irgendwie verstört. Habe man mit ihm gesprochen, hätte er die ganze Zeit über wie verängstigt hierhin und dorthin gesehen, als fürchtete er, unverhofft überfallen zu werden. Außerdem war er ausgehungert wie ein Tier, das man lange in einen Käfig gesperrt hatte. Nach und nach wurde er jedoch normaler und legte die Angst ab. Zuletzt erlaubte er Gordon, aufzuschreiben, was er zu berichten hatte, vor allem folgendes:

a) daß man ihnen am zweiten Tag nach ihrer Festnahme alle Kleider fortgenommen hatte und sie von da an die ganze Zeit über nackt gewesen wären;

b) daß sie in diesem Zustand eines Nachmittags an »einen Ort außerhalb der Stadt« gebracht worden seien, wo sie von schwarzen Polizisten mit Schlagstöcken und Nilpferdpeitschen gezwungen worden wären, durch Stacheldrahtzäune zu kriechen;

c) daß Jonathan und er einmal über zwanzig Stunden hindurch ohne Unterbrechung von sich ablösenden Ermittlungsbeamten verhört worden seien und daß sie einen großen Teil dieser Zeit gezwungen worden seien, auf fast einen Meter auseinanderstehenden Blöcken zu stehen, und daß man ihnen halbe Ziegelsteine an die Geschlechtsteile gebunden habe;

d) daß er mit Jonathan mehrere Male habe niederknien müssen, worauf man ihnen Fahrradschläuche um die Hände gewunden und diese langsam aufgepumpt habe, so daß sie bewußtlos geworden seien;

e) daß er eines Tages, als man ihn allein in einem Dienstzimmer vernommen habe, gehört hätte, wie Leute Jonathan im Zimmer nebenan ständig angeschrien hätten; außerdem habe er das Geräusch von Schlägen gehört, und Jonathan habe geschrien und geschluchzt; gegen Abend habe es nebenan einen furchtbaren Lärm gegeben, als ob Tische und Stühle umgeworfen worden wären. Jonathans Schreie seien in ein leises Stöhnen übergegangen; dann sei es still geworden. Schließlich habe er eine Stimme gehört, die mehrere Male: »Jonathan! Jonathan! Jonathan!« gerufen habe; und am nächsten Tag habe ihm jemand erzählt, Jonathan sei ins Krankenhaus gebracht worden; danach habe er nie wieder etwas von ihm gehört.

Mit viel gutem Zureden und Bitten brachte Gordon Wellington Phetla dazu, daß er seine Aussage unter Eid vor einem schwarzen Anwalt wiederholte; gleichzeitig gab die junge Krankenschwester, die Stanley Makhaya zu ihnen geschickt hatte, eine eidesstattliche Erklärung ab. Der Putzmann freilich, der das Blut auf dem Fußboden von Jonathans Zelle entdeckt hatte, hatte zuviel Angst, als daß er irgend etwas schriftlich gemacht hätte.

Immerhin war es ein Anfang. Eines Tages, das glaubte Gordon, würde er die vollständige Geschichte dessen kennen, was Jonathan von dem Tag seiner Verhaftung an bis zu dem Mittwochmorgen geschehen war, an dem ihnen sein vorgeblich natürlicher Tod mitgeteilt worden war. Dann würde er auch das Grab seines Sohnes auffinden. Warum? Vielleicht hatte er vor, den Leichnam zu stehlen und ihn, wie es sich gehörte, in der *Umzi wabalele,* der Stadt der Toten, dem in der Nähe seines Hauses gelegenen Doornkop-Friedhof von Soweto zu bestatten.

Doch so weit kam es nie. Einen Tag nachdem Gordon die beiden von Wellington Phetla und der Krankenschwester unterschriebenen eidesstattlichen Erklärungen erhalten hatte, wurde er vom Sonderdezernat abgeholt. Zusammen mit ihm verschwanden spurlos die eidesstattlichen Erklärungen.

4

Der einzige Mensch, an den Emily sich um Hilfe wenden konnte, war Ben. Stanley Makhaya brachte sie in seinem großen weißen Dodge hin. Während der ersten vier Stunden, die Ben unterrichtete, wartete sie geduldig auf dem *stoep* draußen vor dem kleinen Büro der Sekretärin. Seit Beginn des neuen Schuljahrs waren kaum vierzehn Tage vergangen. Als es zur Teepause läutete, meldete die Sekretärin Ben verwirrt und leicht mißbilligend seine Besucherin, und während die anderen Lehrer sich zum Tee im Lehrerzimmer versammelten, ging er zu ihr hinaus.

»Was ist los, Emily? Was bringt dich her?«

»Es geht um Gordon, *Baas.*«

Im selben Augenblick, als sie das sagte, wußte er Bescheid. Aber es war wie vertrackt – er mußte es unbedingt von ihr hören, ehe er es glauben wollte.

»Was ist mit ihm? Ist ihm was passiert?«

»Das Sonderdezernat hat ihn geholt.«

»Wann?«

»Gestern nacht. Wann genau, weiß ich nicht. Ich hatte viel zuviel Angst, um auf den Wecker zu gucken.« Hilflos an den Fransen ihres schwarzen Schals herumfingernd, blickte sie zu ihm auf, eine große, unförmige Frau mit vorzeitig gealtertem Gesicht; aber sehr aufrecht und ohne Tränen.

Regungslos stand Ben da. Es gab nichts, um sie zu ermutigen oder zurückzuhalten.

»Wir haben schon geschlafen«, fuhr sie nach einiger Zeit, immer noch mit den Fransen beschäftigt, fort. »Sie klopften so laut, daß wir vor Angst ganz steif waren. Ehe Gordon aufmachen konnte, traten sie die Tür ein. Und dann war das ganze Haus plötzlich voll Polizei.«

»Was haben sie gesagt?«

»Sie sagten: ›Kaffer, du Gordon Ngubene?‹ Die Kinder wurden vom Lärm wach, und der Kleine fing an zu weinen. So was dürfen sie nicht vor den Kindern tun, *Baas*«, sagte sie mit erstickter Stimme. »Als sie wegfuhren, hat mein Sohn Richard sich ganz schlimm aufgeführt. Es ist mein Ältester, jetzt, wo Jonathan tot ist. Ich sag’ ihm, er soll still sein, aber er will nicht hören. Dazu ist er viel zu empört. *Baas*, ein Kind, das gesehen hat, wie die Polizei seinen Vater abführt, vergißt so was nie!«

Wie benommen und unfähig, etwas zu sagen, hörte Ben zu.

»Sie haben das ganze Haus auf den Kopf gestellt, *Baas*«, fuhr Emily wie unter Zwang fort. »Den Tisch, die Stühle, die Betten. Den Teppich aufgerollt, die Matratzen aufgeschlitzt, die Schubladen aus dem Schrank rausgezogen. Sogar in der Bibel haben sie nachgeguckt. Überall, überall. Und dann angefangen, Gordon zu schlagen und herumzustoßen und ihn zu fragen, wo er seine Sachen versteckt. Aber was läßt sich verstecken, frage ich dich, *Baas*? Dann haben sie ihn rausgescheucht und gesagt: ›Du kommst mit uns, Kaffer!‹«

»Ist das alles, was sie gesagt haben?«

»Das war alles, *Baas*. Ich bin mit ihnen raus, die beiden kleinsten Kinder auf dem Arm. Und als wir beim Wagen ankommen, sagt einer der Männer zu mir: ›Ja, sag ihm am besten Lebewohl. Du siehst ihn nicht wieder.‹ Es war ein langer dünner Mann mit weißem Haar. Ich erinnere mich nur zu gut an sein Gesicht. Mit einer Narbe auf der Backe hier.« Sie berührte das eigene Gesicht. »So haben sie Gordon fortgebracht. Die Nachbarn sind gekommen, um mir zu helfen, das Haus wieder in Ordnung zu bringen. Ich hab’ versucht, die Kinder wieder schlafen zu legen. Aber was wird jetzt aus ihm?«

Ungläubig schüttelte Ben den Kopf. »Das muß ein Irrtum sein, Emily«, sagte er. »Ich kenne Gordon genausogut wie du. Sie werden ihn wieder entlassen. Da bin ich mir ganz sicher, und zwar bald.«

»Aber es geht doch um die Papiere.«

»Was für Papiere?«

Zum erstenmal erfuhr Ben etwas über Gordons Nachforschungen im letzten Monat und von den eidesstattlichen Erklärungen über Jonathans Tod. Doch selbst da noch weigerte er sich, das als besonders gefährlich anzusehen: ein Irrtum der Verwaltung, ein unseliger Fehler, weiter bestimmt nichts. Sie brauchten gewiß nicht lange, um dahinterzukommen, daß Gordon ein Ehrenmann war. Er bemühte sich, Emily zu trösten, so gut es ging. Schweigend hörte sie ihm zu und sagte kein Wort; aber überzeugt schien sie nicht zu sein. Die Schulglocke läutete; die Pause war zu Ende.

Ben brachte sie noch um das Gebäude herum bis dorthin, wo Stanley Makhayas Auto wartete. Es war das erstemal, daß Ben ihn sah. Ein korpulenter Mann, über einsachtzig groß, mit einem gewaltigen Bauch, Stiernacken und mehrfachem Kinn, der einigen von den traditionellen Darstellungen des Zulu-Häuptlings Dingane aus dem 19. Jahrhundert ähnelte. Sehr schwarz. Die Handflächen hell. Ben fiel das auf, als Stanley die Hand ausstreckte und sagte:

»Wie steht's? Ist dies dein Bure, Emily? Dies der *Lanie*?«

»Das hier ist Stanley Makhaya«, sagte Emily zu Ben. »Er ist der Mann, der uns die ganze Zeit über geholfen hat.«

»Na, was sagst du, Mann?« fragte Stanley mit einem Lächeln auf dem breiten jovialen Gesicht, das irgendeine geheime, ständige Belustigung verriet. Jedesmal, wenn er lachte – dahinter kam Ben bald –, war es wie ein Vulkanausbruch.

Ben wiederholte, was er schon zu Emily gesagt hatte. Sie sollten sich keine allzu großen Sorgen machen; es handele sich um einen schrecklichen Irrtum, weiter nichts. In ein, zwei Tagen sei Gordon gewiß wieder zurück bei seiner Familie. Davon sei er absolut überzeugt.

Stanley achtete nicht darauf. »Na, was sagst du, Mann?« wiederholte er. »Ausgerechnet Gordon! Hat nie einer Fliege was zuleide getan, und jetzt sieh dir an, was sie mit ihm gemacht haben. Er war ein richtiger Familienvater, eine Schande! Und er hat immer gesagt...«

»Warum sprichst du so von ihm?« sagte Ben gereizt. »Ich sage euch, in ein paar Tagen ist er wieder zu Hause.«

Das breite Lächeln vertiefte sich. »*Lanie,* wenn bei uns jemand vom Sonderdezernat abgeholt wird, redet man fortan in der Vergangenheit von ihm, das ist alles.«

Er winkte noch ein letztes Mal mit der großen Hand und fuhr davon.

Als Ben um das Schulgebäude herumkam, sah er, daß der Schulleiter auf ihn wartete.

»Mr. Du Toit, haben Sie denn diese Stunde nicht in der ersten Klasse Unterricht?«

»Ja, tut mir leid, Sir. Aber ich mußte mich um ein paar Leute kümmern.«

Der Direktor war ebenfalls ein großer, massiger Mann, noch dicker als Stanley Makhaya, aufgeschwemmter und mit einem feinen Netz roter und blauer Äderchen auf Nase und Wangen. Sein Haar lichtete sich. Jedesmal, wenn er sich gezwungen sah, jemanden direkt anzusehen, zuckte ein kleiner Muskel nahe am Mundwinkel.

»Wer war das?«

»Emily Ngubene. Gordons Frau. Sie erinnern sich doch an Gordon, der hier gearbeitet hat.« Ben stieg die Treppe hinauf, um auf gleicher Ebene mit dem Schulleiter zu stehen. »Die Polizei hat ihn verhaftet.«

Mr. Cloetes Gesicht wurde noch röter. »Da sieht man's mal wieder, nicht wahr? Man kann heutzutage keinem mehr trauen. Gott sei Dank, daß wir ihn noch rechtzeitig losgeworden sind.«

»Sie kennen Gordon doch genausogut wie ich, Mr. Cloete. Es muß ein Irrtum gewesen sein.«

»Je weniger wir mit solchen Leuten zu tun haben, desto besser. Wir wollen doch schließlich nicht, daß der Name der Schule da hineingezogen wird, oder?«

»Aber Sir!« Fassungslos starrte Ben ihn an. »Ich versichere Ihnen, sie haben einen Fehler gemacht.«

»So einen Fehler macht die Polizei nicht. Wenn die jemanden verhaften, können Sie sicher sein, daß sie guten Grund dazu haben.« Er atmete schwer. »Ich hoffe, es wird nicht nötig sein, daß ich Ihnen nochmals wegen solchen Verhaltens Vorhaltungen machen muß. Ihre Klasse wartet.«

In den vier Wänden seines vollgestopften Arbeitszimmers an diesem Abend. Er hatte die große Lampe nicht angeknipst, sondern begnügte sich mit dem kleinen Lichtkreis seiner Leselampe auf dem Schreibtisch. Früher am Abend war ein Frühlingssturm über die Stadt hinweggegangen. Jetzt war von Donner nichts mehr zu hören. Ein schartiger Mond schimmerte durch Wolkenfetzen. Aus dem Rinnstein hörte man das leise Glucksen von Wasser. Aber im Raum hielt sich immer noch ein

Hauch von der Schwüle vor dem Sturm, stand fast körperlich im drük-kenden Dunkel.

Eine Weile versuchte Ben sich darauf zu konzentrieren, die Arbeiten der Neunten Klasse zu korrigieren. Die Jacke hatte er über einen Stuhl geworfen und sich das blaue Hemd aufgeknöpft; der rechte Ärmel wurde von einem Ärmelhalter hochgehalten. Jetzt lag der rote Kugelschreiber achtlos hingeworfen auf der obersten Arbeit, und Ben starrte auf die Bücherregale an der Wand gegenüber. Die schönen Bücher, deren Titel er genau nennen konnte, obwohl es zu dunkel war, etwas zu sehen. Vor dem offenen Fenster mit dem Stahlrahmen eine leichte Bewegung der Tüllgardine, die fast unmerklich das übliche Muster der Einbruchsicherung liebkoste.

In dieser Stille, in dem festumrissenen kleinen Lichtkreis kam ihm all das, was geschehen war, unwirklich, wenn nicht gar unmöglich vor. Stanleys breites Gesicht, das vor Schweiß schimmerte, das unterirdische Grollen seiner Stimme und seines Lachens, die Augen völlig unberührt von dem breiten Grinsen auf seinen Lippen. Diese Vertraulichkeit, der Ton spöttischer Geringschätzung: *Dies dein Bure? Dies der ›Lanie‹?* Emily auf dem hohen *stoep* des roten Backsteingebäudes. Das blaue Kopftuch, das bis auf den Boden gehende altmodische Chintzkleid, der schwarze Fransenschal. Ein ganzes Leben in der Stadt hatte sie nicht verändert. Sie gehörte immer noch ins Bergland der Transkei. Ob ihr Ältester sich wohl in das Unvermeidliche geschickt hatte und heute nacht besser schlief? Oder war er mit Freunden unterwegs, um Fensterscheiben einzuschlagen, Schulen anzuzünden und die Autos in die Luft zu jagen? Weil das mit seinem Vater geschehen war. Gordon mit dem ausgemergelten Körper, den tiefen Furchen neben dem Mund, dem dunklen Zucken seiner Augen, dem scheuen Lächeln. *Ja, Baas.* Den Hut mit beiden Händen an die Brust gedrückt. *Ich kann nicht aufhören, ehe ich nicht weiß, was mit ihm geschehen ist und wo sie ihn begraben haben. Sein Leichnam gehört mir.* Und dann gestern abend. *Man fängt einfach an, in der Vergangenheit von ihm zu reden.*

Susan kam so leise mit dem Tablett herein, daß sie es erst bemerkte, als sie es auf den Schreibtisch stellte. Sie hatte ein Bad genommen, und ihr Körper verströmte noch einen Hauch von der Sinnlichkeit des Nacktseins und des warmen Wassers. Ein lockerer geblümter Hausmantel. Das Haar offen und gebürstet; das leicht unnatürliche Blond verbarg die ersten Anzeichen von Grau.

»Bist du noch nicht fertig mit dem Korrigieren?«

»Ich kann mich heute abend nicht darauf konzentrieren.«

»Kommst du ins Bett?«

»Gleich.«

»Was ist denn, Ben?«

»Ach, diese Sache mit Gordon.«

»Warum nimmst du dir das so sehr zu Herzen? Du hast doch selbst gesagt, es ist alles nur ein Irrtum.«

»Ich weiß nicht. Ich bin vermutlich einfach müde. Jetzt, am Abend, sieht alles irgendwie ganz anders aus.«

»Wenn du erst mal richtig geschlafen hast, wirst du dich besser fühlen.«

»Ich hab' ja gesagt, ich komme gleich.«

»Es hat doch wirklich nichts mit dir zu tun, Ben. Das renkt sich schon wieder ein, weißt du.«

Er sah sie nicht an, sondern starrte auf den roten Kugelschreiber, der regungslos und drohend auf der unkorrigierten Arbeit lag.

»Man liest immer über solche Sachen«, sagte er abwesend. »Man hört so vieles. Doch es bleibt dabei Teil einer völlig anderen Welt. Man erwartet einfach nicht, daß es jemandem passiert, den man kennt.«

»Du kennst Gordon doch gar nicht wirklich gut. Er war doch nur ein Putzmann an deiner Schule.«

»Ich weiß. Aber was will man machen? Es geht einem einfach im Kopf herum. Wo mag er heute abend sein, während wir uns hier in diesem Zimmer unterhalten? Wo schläft er? Oder schläft er vielleicht gar nicht? Vielleicht steht er in irgendeinem Dienstzimmer unter einer nackten Glühbirne, die Füße auf Ziegelsteinen und ein Gewicht an den Eiern.«

»Nun werde nicht gleich obszön.«

»Tut mir leid.« Er seufzte.

»Die Phantasie geht mit dir durch. Warum kommst du nicht lieber mit mir ins Bett?«

Rasch hob er den Kopf; etwas in ihrer Stimme hatte seine Aufmerksamkeit erregt; er war sich der Wärme ihres Körpers bewußt, des warmen Bads, ihres Parfums. Hinter den lockeren Falten ihres Hausmantels das leise Versprechen ihrer Brüste und ihres Leibs. Es kam nicht häufig vor, daß sie das so offen erkennen ließ.

»Ich komme wirklich gleich.«

Sie schwieg eine Weile. Dann zog sie den Hausmantel fester um sich und band den Gürtel zu.

»Laß deinen Kaffee nicht kalt werden.«

»Nein. Danke, Susan.«

Nachdem sie hinausgegangen war, konnte er das sanfte Gluckern im Rinnstein wieder hören. Die kleinen und trauten schmatzenden Laute des Regens, der sich verzogen hatte.

Morgen würde er selbst zum John Vorster Square gehen, dachte er. Persönlich mit ihnen reden. In gewisser Weise war er Gordon das schuldig. Es war wenig genug. Eine kurze Unterredung, um ein Mißverständnis auszuräumen. Denn was anders konnte es sein als ein bedauernswerter Irrtum, der sich ausräumen ließ.

5

Das Gebäude am anderen Ende der Commissioner Street macht den merkwürdigen Eindruck, als gehörte es nicht hierher. Hier läßt man das Stadtzentrum hinter sich, hier zerfällt und verkommt die Stadt, blättern kaum noch lesbare Plakate für *Tigerbalsam* und chinesische Heilmittel von kahlen Mauern hinter gähnend-unbebauten Grundstücken voller Löcher und zerbrochener Flaschen; ein hohes, streng kubisches Gebäude ohne jede Rundung, aus Beton und Glas, blau, massiv; und doch hohl und durchsichtig genug, um einen unwirklichen Blick auf die Autos zu bieten, die auf der Hochstraße die M 1 überqueren. Polizisten, die betont lässig über den Bürgersteig schlendern. Zypressen und Aloen. Drinnen Krankenhausatmosphäre. Strenge Korridore; offenstehende Türen, durch die man in kleinen Büros Männer am Schreibtisch sitzen sieht; geschlossene Türen; kahle Wände. Hinten in der Tiefgarage der leere Aufzug ohne Knöpfe und Kontrollvorrichtungen, der, kaum daß man ihn betreten hat, zu irgendeinem vorherbestimmten Stockwerk hinaufsaust. Fernsehkameras, die jede deiner Bewegungen verfolgen. Im oberen Stockwerk der kugelsichere Glaskäfig, der dickliche Mann in Uniform, der dich argwöhnisch betrachtet, während du die geforderten Einzelheiten hinschreibst.

»Augenblick.«

Ein ungebührlich langer Augenblick. Dann wirst du aufgefordert, ihm durch ein klirrendes Eisentor zu folgen, das sorgfältig wieder hinter dir verschlossen wird und höchst wirksam jede Verbindung zur Außenwelt unterbricht.

»Colonel Viljoen. Hier ist der Gentleman.«

Hinter dem Tisch in der Büromitte ein Mann in mittleren Jahren, der seinen Stuhl zurückschiebt und sich erhebt, um dich zu begrüßen. »Treten Sie ein, Mr. Du Toit. Wie geht es Ihnen?« Freundliches gerötetes Gesicht; kurzgeschnittenes graues Haar.

»Darf ich Sie mit Lieutenant Venter bekannt machen?« Das ist der gutgebaute junge Bursche mit dem dunklen gelockten Haar am Fenster, der in einer Illustrierten blättert und dich mit jungenhaftem Grinsen begrüßt. Safari-Anzug. Lange, tiefgebräunte behaarte Beine. Ein Kamm, der oben aus dem hellblauen Strumpf hervorschaut.

Colonel Viljoen zeigt mit einer Gebärde auf die Person neben der Tür: »Captain Stolz!« Der Mann nickt, ohne die Miene zu verziehen. Groß, hager, karierte Sportjacke, olivgrünes Hemd und dazu passender Schlips, graue Flanellhose. Anders als sein Kollege, ist er nicht auf eine Illustrierte als Vorwand angewiesen, denn er lehnt an der Wand und spielt mit einer Orange, die er ohne Unterlaß hochwirft und wieder auffängt, hochwirft und wieder auffängt. Jedesmal, wenn sie in seiner weißen Hand landet, hält er kurz inne und drückt sie flüchtig, aber genießerisch, während er dir dabei, ohne deinem Blick auszuweichen, ins Gesicht sieht. Er bleibt, was dir unbehaglich ist, außerhalb deines Gesichtskreises, als du dich auf den Stuhl setzt, den der Colonel dir angeboten hat. Auf dem Tisch fällt dir das kleine gerahmte Foto einer Frau mit einem vergnügten formlosen Gesicht und zwei kleinen blonden Jungen mit fehlenden Vorderzähnen auf.

»Sieht aus, als hätten Sie Probleme.«

»Nein, eigentlich nicht, Colonel. Ich wollte Sie bloß mal aufsuchen, um herauszufinden – um über diesen Gordon Ngubene mit Ihnen zu reden, den Sie festgenommen haben. Gordon Ngubene.«

Der Colonel wirft einen Blick auf das Stück Papier vor ihm, das er sorgfältig mit der Handfläche glattstreicht. »Ich verstehe. Tja, wenn es etwas gibt, was wir tun können...«

»Ich dachte eher, ich könnte vielleicht in der Lage sein, Ihnen zu helfen. Ich meine, falls es ein Mißverständnis gegeben hat.«

»Wie kommen Sie darauf, daß ein Mißverständnis vorliegen könnte?«

»Weil ich Gordon gut genug kenne, um Ihnen zu versichern... Verstehen Sie, er ist einfach nicht der Mann, der sich irgendwie gegen das

Gesetz vergeht. Ein ehrlicher, anständiger Mann. Ein gottesfürchtiger Mann.«

»Sie würden sich wundern, wenn Sie wüßten, mit wie vielen ehrlichen, anständigen, gottesfürchtigen Leuten wir es zu tun haben, Mr. Du Toit.« Der Colonel lehnte sich behaglich zurück und balancierte auf den Hinterbeinen seines Stuhls. »Trotzdem freue ich mich selbstverständlich über Ihre Bereitschaft, uns zu helfen. Ich kann Ihnen versichern, daß er bei einer notwendigen Zusammenarbeit von seiner Seite in wenigen Tagen wieder bei seiner Familie sein wird.«

»Vielen Dank, Colonel.« Man würde das gern stillschweigend akzeptieren und sich erleichtert zeigen, doch sieht man sich genötigt, weiter in ihn zu dringen, weil man unbedingt glauben möchte, man könnte mit dem Mann, der einem da gegenübersitzt, offen reden. Er ist ein Familienmann wie du selbst, er hat Gutes und Schlechtes im Leben kennengelernt und könnte sogar ein paar Jahre älter sein als du; es würde dich nicht im geringsten wundern, wenn du ihm sonntags in der Kirche unter den Kirchenältesten wiederbegegnetest. »Hinter was sind Sie eigentlich her, Colonel? Ich muß gestehen, daß ich wie vor den Kopf geschlagen war, als ich von seiner Festnahme hörte.«

»Eine Routineuntersuchung, Mr. Du Toit. Sie haben doch gewiß Verständnis dafür, daß wir bei unserem Bemühen, wieder Ruhe und Ordnung in den *townships* herzustellen, nichts unversucht lassen dürfen.«

»Selbstverständlich. Wenn Sie mir nur sagen könnten…«

»Was keineswegs eine angenehme Aufgabe ist, das dürfen Sie mir glauben. Wir können keinen Finger rühren, ohne daß die Presse Zeter und Mordio schreit. Besonders die englischsprachige Presse. Es ist so leicht für sie zu kritisieren, wo sie doch nicht drinstecken, nicht wahr? Dabei wären sie die ersten, die aufschrien, wenn die Kommunisten die Macht übernähmen. Ich wünschte, ich könnte Ihnen ein paar von den Dingen erzählen, hinter die wir gekommen sind, seit die Krawalle angefangen haben. Wissen Sie eigentlich, was mit dem Land passieren könnte, wenn wir nicht jeder möglichen Spur nachgingen? Wir haben schließlich unsere Pflicht zu erfüllen, *allen* Bürgern gegenüber, Mr. Du Toit. Sie haben Ihren Job, wir unseren.«

»Das erkenne ich sehr wohl an, Colonel.« In einer solchen Situation beschleicht einen das merkwürdige Gefühl, selbst der Angeklagte zu sein; voller Unbehagen wird man sich der unheimlichen Untertöne all dessen bewußt, was man sagt. »Aber von Zeit zu Zeit braucht man die Gewißheit und die Zusicherung – und deswegen bin ich hergekommen –, daß Sie in Ihrer Suche nach Verbrechern nicht unwissentlich Unschuldige leiden lassen.«

Es herrscht Totenstille im Amtszimmer. Vorm Fenster Eisenstäbe. Das trifft einen wie ein Tiefschlag. Plötzlich geht dir auf, daß der freundliche Bursche mit dem gewellten Haar und dem Safari-Anzug seit deinem Eintreten keine einzige Seite seiner Illustrierten mehr umgeblättert hat. Es juckt dich am Hals, und du fragst dich, was eigentlich der Mann mit der karierten Jacke hinter dir macht. Du schaffst es einfach nicht, dich *nicht* umzusehen. Er steht immer noch in der Tür und lehnt sich gegen den Türrahmen; die Orange fliegt langsam in gleichmäßigem Rhythmus immer noch in die Höhe; seine Augen ungerührt und offen, als ob er keine Sekunde lang weggesehen hätte. Merkwürdig dunkle Augen für ein so bleiches Gesicht. Die dünne weiße Linie einer Narbe auf der Backe. Und dann weißt du es plötzlich. Du tust gut daran, dir seinen Namen einzuprägen. Captain Stolz. Seine Anwesenheit ist kein Zufall. Er hat eine Rolle zu spielen; du wirst ihm wiederbegegnen. Du weißt es einfach.

»Mr. Du Toit«, sagte Colonel Viljoen am Tisch. »Wo Sie schon mal hier sind – hätten Sie etwas dagegen, wenn ich Ihnen ein paar Fragen über Gordon Ngubene stelle?«

»Aber gern.«

»Wie lange kennen Sie ihn?«

»Ach, seit vielen Jahren. Fünfzehn oder sechzehn, glaube ich. Und in dieser ganzen Zeit…«

»Welche Arbeit hat er in Ihrer Schule verrichtet?«

»Angestellt war er als Putzmann. Da er aber lesen und schreiben konnte, half er auch im Lagerraum und so aus. Die Zuverlässigkeit in Person. Ich erinnere mich, als die Verwaltung ihm ein- oder zweimal zufällig zuviel bezahlte, brachte er den Rest sofort zurück.«

Der Colonel hat eine Akte aufgeschlagen und einen gelben Kugelschreiber zur Hand genommen, er malt ein paar Kringel auf das Papier, schreibt aber nichts hin.

»Haben Sie die anderen Mitglieder seiner Familie je kennengelernt?«

»Seine Frau hat uns manchmal besucht. Und sein ältester Sohn.«

Warum dieser plötzliche leichte Krampf im Kinn, während du diese Worte sagst? Warum dies Gefühl, belastende Informationen preiszugeben – und andere zu verschweigen? Du weißt: Hinter dir läßt der schlaksige Offizier dich nicht aus seinen starren, fiebrigen Augen, während die Orange hochgeworfen, aufgefangen, sanft gedrückt und wieder in die Höhe geworfen wird.

»Sie sprechen von Jonathan?«

»Ja.« Und du kannst nicht umhin, leicht boshaft hinzuzusetzen: »Derjenige, der vor einiger Zeit gestorben ist.«

»Was wissen Sie von Gordons Aktivitäten seit Jonathans Tod?«

»Nichts. Ich habe ihn nie wiedergesehen. Er hat seine Stellung an der Schule gekündigt.«

»Und doch meinen Sie, ihn gut genug zu kennen, um für ihn bürgen zu können?«

»Ja. Nach so vielen Jahren.«

»Hat er jemals über Jonathans Tod mit Ihnen gesprochen?«

Was sollst du antworten? Was erwartet er von dir? Nach einigem Zögern sagst du bündig: »Nein, niemals.«

»Sind Sie sich ganz sicher, Mr. Du Toit? Ich meine, wenn Sie ihn wirklich so gut gekannt haben...«

»Ich erinnere mich nicht. Ich habe Ihnen ja gesagt, er war ein frommer Mann.« – Warum die Vergangenheitsform, genauso wie Stanley? – »Ich bin überzeugt, er hätte sich letzten Endes damit abgefunden.«

»Soll das heißen, daß er sich zu Anfang nicht damit abgefunden hatte? Wie *war* er denn, Mr. Du Toit? Wütend? Rebellisch?«

»Colonel, wenn eines Ihrer Kinder plötzlich stürbe« – mit einer Kopfbewegung zeigst du auf das Foto auf dem Tisch – »und kein Mensch wäre bereit, Ihnen zu sagen, wie es geschehen ist, wären Sie da nicht auch völlig durcheinander?«

Unversehens ein Wechsel in der Fragestellung: »Was hat Sie denn ursprünglich an Gordon so angezogen, Mr. Du Toit?«

»Ach, nichts Besonderes.« Wieder unterdrückst du etwas, dessen du dir nicht bewußt bist. »Wir haben uns von Zeit zu Zeit etwas unterhalten. Manchmal, wenn er knapp bei Kasse war, habe ich ihm ein oder zwei Rand geliehen.«

»Und Sie haben Jonathans schulische Ausbildung bezahlt?«

»Ja. Er war ein vielversprechender Schüler. Ich dachte, es wäre besser, er ginge zur Schule, als daß er sich auf der Straße herumtrieb.«

»Was letztlich wohl vergebliche Liebesmüh war, oder?«

»Ja, das war es wohl.«

Die Art, wie der Beamte den Kopf schüttelt, hat etwas sehr Aufrichtiges und Vertrauenerweckendes. Dann sagt er: »Das ist etwas, was ich nie begreifen werde. Überlegen Sie doch mal, was die Regierung alles für sie tut – und sie haben nichts Besseres zu tun, als alles in Brand zu stekken und zu zerstören, was ihnen in die Finger kommt. Das ist der Dank. Dabei sind letzten Endes sie es, die darunter zu leiden haben.«

Halbherzig und niedergeschlagen zuckst du mit den Achseln.

»Kein weißes Kind würde sich so verhalten«, fährt er unerbittlich fort. »Meinen Sie nicht auch, Mr. Du Toit?«

»Ich weiß nicht. Kommt ganz drauf an, glaube ich.« Abermals ein Aufwallen von Groll, stärker diesmal. »Aber wenn man Sie vor die Wahl stellte, Colonel – würden Sie in diesem Land nicht auch lieber ein weißes Kind sein als ein schwarzes?«

Ist da der Schatten einer Bewegung hinter dir? Wieder kannst du der Versuchung nicht widerstehen, dich umzudrehen und zu sehen, daß Captain Stolz dich immer noch beobachtet, reglos bis auf das langsame, gezielte Jonglieren mit der Orange; als ob er in der Zwischenzeit nicht einmal mit der Wimper gezuckt hätte. Und als du den Kopf zurückdrehst, siehst du ein gewinnendes Lächeln auf dem Gesicht des stämmigen jungen Mannes mit der *Scope* auf dem Schoß.

»Ich denke, damit hätten wir's mehr oder weniger«, sagt Colonel Viljoen und legt den Kugelschreiber auf das linierte Blatt, das mit lauter säuberlichen Kringeln bedeckt ist. »Vielen Dank für Ihre Kooperationsbereitschaft, Mr. Du Toit.«

Frustriert und ein wenig belemmert stehst du auf; doch trotz allem erfüllt dich Hoffnung. »Kann ich denn davon ausgehen, daß Gordon bald freigelassen wird?«

»Sobald wir überzeugt sind, daß er unschuldig ist.« Er steht auf und reicht dir lächelnd die Hand. »Bitte, glauben Sie uns, wir wissen, was wir tun, Mr. Du Toit – auch zu Ihrem eigenen Besten, übrigens. Um dafür zu sorgen, daß Sie und Ihre Familie nachts friedlich schlafen können.«

Er begleitet dich bis an die Tür. Lieutenant Venter hebt herzlich grüßend die Hand; Captain Stolz nickt, ohne eine Miene zu verziehen.

»Dürfte ich Sie noch um einen letzten Gefallen bitten, Colonel?«

»Nur zu!«

»Gordons Frau und seine Kinder machen sich große Sorgen um ihn. Es würde alles ein wenig erleichtern, wenn man ihnen erlaubte, ihm etwas zu essen und Kleider zum Wechseln zu bringen, solange er noch hier ist.«

»Er bekommt bestimmt genug zu essen. Aber wenn sie wollen, können sie ihm ja von Zeit zu Zeit was zum Wechseln bringen…«

Er hebt die breiten Schultern. »Wir werden sehen, was sich machen läßt.«

»Vielen Dank, Colonel. Ich verlasse mich also auf Sie.«

»Finden Sie hinaus?«

»Ich glaube schon. Vielen Dank. Auf Wiedersehen.«

6

Zu Anfang begannen sich die Folgen von Bens Einsatz für Gordon kaum merklich auf den Rest der Familie auszuwirken.

Die beiden kleinen blonden Mädchen von vor einigen Jahren waren erwachsen geworden und hatten das Elternhaus verlassen. Suzette, von jeher »das Kind ihrer Mutter«, jemand, der sich bezaubernd und mühelos in Musik und Ballett und den tausend anderen Beschäftigungen auszeichnete, die Susan für sie ausgesucht hatte, muß damals fünf- oder sechsundzwanzig gewesen sein und war mit einem vielversprechenden und im Aufstieg begriffenen jungen Architekten aus Pretoria verheiratet, der anfing, sich von der Transvaaler Provinzialverwaltung Aufträge für einige ihrer spektakulären Projekte zu holen. Nach ihrem B. A. an der Universität von Pretoria hatte sie ein Diplom in Gebrauchsgraphik gemacht, war zwei Jahre für eine ausschließlich von Frauen betriebene Werbeagentur tätig gewesen und hatte dann eine Spitzenposition in der Redaktion einer neu gegründeten, auf Hochglanzpapier gedruckten Zeitschrift für Wohnkultur angenommen. Zu dieser Arbeit gehörten regelmäßige Dienstreisen, die meisten Reisen ins Ausland, was ihr nicht viel Zeit ließ, sich um ihren kleinen Jungen zu kümmern, den sie zwischen ihren anderen Tätigkeiten auch noch zur Welt gebracht hatte. Das wurmte und berührte Ben schmerzlich, und es muß ungefähr in diese Zeit gefallen sein, kurz nachdem Suzette von einer Reise die USA und nach Brasilien zurückgekehrt war, daß er das Thema ihr gegenüber einmal unverblümt zur Sprache brachte. Wie gewöhnlich tat sie es achselzuckend ab.

»Nur keine Sorge, Dad. Chris muß selbst zu so vielen Konferenzen,

Besprechungen und so, daß er kaum bemerkt, ob ich zu Hause bin oder nicht. Und um das Baby kümmert sich schon jemand; das bekommt alles, was es braucht.«

»Aber du hast gewisse Verpflichtungen übernommen, als du heiratetest, Suzette!«

Lächelnd zog sie ein spöttisches Gesicht und fuhr ihm liebevoll durch das sich lichtende Haar. »Du bist wirklich unverbesserlich, Dad.«

»Unterschätze deinen Vater nicht«, sagte Susan, die gerade in diesem Augenblick mit einem Teebrett in den Händen eintrat. »Gerade in letzter Zeit interessiert er sich für etwas, das weitab vom heimischen Herd liegt.«

»Und zwar?« fragte Suzette plötzlich interessiert.

»Er spielt den Fürsprecher für politische Häftlinge.« Susans Stimme klang kühl und hart; nicht absichtlich hämisch, wohl aber mit einer Glätte und Schärfe, die sie sich im Laufe vieler Jahre angeeignet hatte.

»Jetzt übertreibst du aber, Susan!« Er reagierte mit einer Heftigkeit, die eigentlich gar nicht nötig gewesen wäre. »Ich mache mir nur Sorgen um Gordon. Und du weißt ganz genau, warum.«

Suzette brach in Lachen aus, noch ehe er geendet hatte. »Willst du mir etwa weismachen, du verwandelst dich auf deine alten Tage noch in einen James Bond? Oder in ›den Heiligen‹?«

»Ich finde das durchaus nicht komisch, Suzette.«

»Oh, aber ich.« Wieder ein gezieltes Ihm-durchs-Haar-Fahren. »Die Rolle paßt nämlich nicht zu dir, Dad. Gib sie auf! Sei einfach weiter der liebe rechtschaffene Mann, den wir alle so liebgewonnen haben.«

Bei Linda hatte er es da leichter. Sie war immer »sein« Kind gewesen, und zwar schon von der Zeit an, da sie noch ein Baby gewesen und Susan zu krank gewesen war, um sich um sie zu kümmern. Linda war eine attraktive junge Frau geworden – sie war damals so an die einundzwanzig –, allerdings weniger auffallend schön als ihre Schwester. Sie war mehr in sich gekehrt und, seit sie während der Pubertät eine schwere Krankheit überlebt hatte, tief religiös. Ein angenehmer, vor allen Dingen wohlangepaßter Mensch, das, was man eine »unkomplizierte« Person nennt. In den Ferien oder an den Wochenenden, wenn sie von der Universität nach Hause kam, begleitete sie Ben oft frühmorgens beim Jogging oder auf seinen Spaziergängen spät am Nachmittag. Während ihres zweiten Studienjahres hatte sie Pieter Els kennengelernt, der wesentlich älter war als sie und Theologie studierte; bald danach wechselte sie die Fächer, gab den Gedanken an den Lehrerinnenberuf auf und wandte sich der Sozialarbeit zu, um besser imstande zu sein, Pieter eines Tages zu helfen. Ben wandte sich niemals offen gegen den freundlichen, irgendwie farblosen jungen Mann; dennoch fühlte er sich in Pieters Gegenwart Linda gegenüber gehemmter als sonst, gleichsam als hätte er schon im voraus etwas gegen die Vorstellung, sie zu verlieren. Pieter war entschlossen, Missionar zu werden. In den ersten ein, zwei Jahren nach seinem Studium arbeitete er unter den Ndebele in der Nähe von Pretoria, doch sein eigentliches Ideal war es, das Wort Gottes weiter weg im Inneren Afrikas oder im Fernen Osten zu verbreiten und in einer Welt, die rasch ihrem Ende entgegenging, Seelen zu retten. Nicht, daß Ben seinen Idealismus verachtete; er hielt ihn nur für etwas übertrieben und wand sich innerlich bei der Vorstellung von den unvermeidlichen Leiden und Entbehrungen, die er seiner Tochter bringen würde.

Anders als Suzette teilte Linda seine Sorgen um Gordon. Nicht, daß sie wirklich eingehend darüber diskutiert hätten – sie war sowieso meistens in Pretoria und kam nur gelegentlich mit oder ohne Verlobten übers Wochenende heim –, doch machte ihr Mitgefühl ihm Mut. Sie dachte vor allem erst einmal ans Praktische. Für sie war es wichtig, dafür zu sorgen, daß Emily und ihre Kinder keine Not litten, solange Gordon fort war; sie kümmerte sich um Essen, Kleidung und Miete. Und genauso wie Ben, nur mit womöglich noch größerer Entschiedenheit, war sie überzeugt, daß alles sich sehr bald aufklären würde.

»Schließlich *wissen* wir, daß er nichts Unrechtes getan hat«, sagte sie, als sie am ersten Wochenende nach Gordons Festnahme zusammen mit Ben einen Spaziergang zum Zoo Lake machten. »Das muß die Polizei früher oder später doch auch merken.«

»Ich weiß.« Obwohl er es nicht wollte, war er mißmutig. »Nur kommt es manchmal zu unglücklichen Verkettungen.«

»Es sind doch Menschen, Daddy. Genauso wie wir! Jeder kann mal einen Fehler machen.«

»Das ist richtig.«

»Du wirst sehen: Sie werden Gordon jetzt an einem der nächsten Tage freilassen. Und dann werden wir ihm eine schöne neue Arbeitsstelle besorgen.«

Ihr Pieter sah die Sache ein bißchen anders: »Das erste, wofür wir nach seiner Entlassung sorgen müssen, ist, daß er in die Holländisch Reformierte Kirche kommt. Diese Sekten sind doch nichts weiter als ein

Brutboden für alles mögliche Böse und führen ihre armen vertrauensseligen Mitglieder in die Irre. Wenn sie festeren Boden unter den Füßen haben, geraten sie auch nicht so leicht in Schwierigkeiten.«

»Ich glaube ehrlich nicht, daß die Kirche irgendwas mit ihren Problemen zu tun hat«, erklärte Ben schroff und sog danach vernehmlich an seiner längst erkalteten Pfeife.

Und dann war da noch Johan, der Sohn, den Ben sich immer gewünscht hatte und der so unerwartet und zu einem Zeitpunkt zur Welt gekommen war, da sie den Gedanken an noch mehr Kinder längst aufgegeben hatten. Doch während Ben den Jungen gern verwöhnte, war Susan stets unvernünftig streng mit ihm gewesen. – *Jetzt sei keine Memme! Jungen weinen nicht. Du bist genauso hoffnungslos wie dein Vater. Komm, du mußt lernen, hart zu sein!* – Ein lebhafter, gesunder Junge. Ein vielversprechender Schachspieler. Ein guter Sportler. Nur verkrampft. Wie ein junges Pferd, das sich anstrengt zu laufen und sich nur noch nicht darüber klar ist, in welche Richtung es vorwärts stürmen soll.

An diesem Freitag fuhren Ben und Johan von einer Sportveranstaltung nach Hause. Johan trommelte mit den Fingern auf das Handschuhfach und begleitete damit eine unhörbare Melodie, die ihm im Kopf herumging.

»Das war die beste Leistung beim Tausend-Meter-Lauf, die ich bisher bei dir erlebt habe«, sagte Ben begeistert. »Dem Kuhn bist du glatt zwanzig Meter voraus gewesen. Dabei hat er dich doch neulich noch geschlagen.«

»Mittwoch bin ich aber noch besser gewesen. Um eins Komma sieben Sekunden besser. Warum bist du da nicht gekommen, um mir zuzusehen?«

»Ich hatte in der Stadt zu tun.«

»Was denn?«

»Ich war bei der Polizei.«

»Wirklich?« Er sah Ben an. »Warum denn?«

»Um rauszufinden, was mit Gordon los ist.«

Johan horchte auf. »Haben Sie irgendwas von Jonathan gesagt?«

»Nein. Für meine Begriffe sieht das alles nicht gut aus.«

Eine Zeitlang sagte Johan nichts. »Verdammt!« rief er dann plötzlich. »Es ist so irre, wenn man darüber nachdenkt, oder? Ich meine: Er hat doch bei uns im Garten gearbeitet und überhaupt. Ich mochte ihn eigentlich sehr gern. Er hat mir diesen Go-Cart gebaut, weißt du noch?«

»Und jetzt haben sie Gordon auch noch.«

»Hast du sie überzeugen können?«

»Ich weiß nicht. Zumindest der Colonel war sehr verständnisvoll. Er hat mir versprochen, daß sie ihn so bald wie möglich laufenlassen würden.«

»Hast du Gordon gesehen?«

»Nein, natürlich nicht. Einen Häftling bekommt niemand zu sehen. Wenn sie dich erst mal haben ...« Er hielt an einer Kreuzung und wartete schweigend darauf, daß die Ampel umsprang. Erst nachdem er angefahren war, nahm er den Faden wieder auf: »Immerhin erlauben sie seiner Familie, ihm Kleider zum Wechseln zu bringen, wenn sie wollen.« Und nach einer Weile fügte er noch hinzu: »Mir wär's übrigens lieb, du würdest Mutter gegenüber nichts davon erwähnen, daß ich dagewesen bin. Könnte sein, daß ihr das mißfällt.«

Mit verschwörerischem Grinsen wandte Johan sich ihm zu. »Darauf kannst du dich verlassen.«

7

Tatsächlich war es das Arrangement mit den Kleidern, das in Gordons Fall zu einer neuen Entwicklung führte.

Etwa zehn Tage nachdem Ben der Familie hatte bestellen lassen, was Colonel Viljoen versprochen hatte, überbrachte ein Fremder Emily Neuigkeiten, die diese prompt an Ben weitergab. Der Mann, so stellte sich heraus, war wegen des Verdachts auf Raubüberfall ein paar Tage am John Vorster Square festgehalten worden; als sich herausstellte, daß eine Verwechslung vorlag, wurde er entlassen. Doch während seiner Haft, so sagte er, habe er Gordon kurz gesehen und sei entsetzt gewesen, in welch einem Zustand er sich befand: Er habe weder richtig gehen noch sprechen können, sein Gesicht sei verfärbt und geschwollen, das eine Ohr taub und der rechte Arm in einer Schlinge. Ob Ben nicht irgend etwas unternehmen könne?

Ben rief unverzüglich beim Sonderdezernat an und verlangte, Colonel Viljoen persönlich zu sprechen. Anfangs zeigte der Beamte sich sehr zuvorkommend, wurde jedoch zunehmend abweisender, als Ben wiederholte, was ihm berichtet worden war. Zum Schluß hatte er jedoch seine Freundlichkeit wiedergewonnen: »Mein Gott, Mr. Du Toit! Sie nehmen eine solche unglaubliche Geschichte doch wohl nicht ernst? Hören Sie, es ist unmöglich, daß jemand, der wegen einer ganz gewöhnlichen Anklage verhaftet wird, mit einem *unserer* Häftlinge in Verbindung treten kann. Ich kann Ihnen versichern, daß Gordon Ngubene sich bester Gesundheit erfreut.« Ein leichter, aber bedeutsamer Wechsel im Ton: »Ich habe ja Verständnis dafür, daß Sie einen solchen Anteil an der Sache nehmen, Mr. Du Toit, aber Sie machen es uns dadurch wirklich nicht leichter. Wir haben schon so Probleme genug, und ein bißchen Vertrauen und guter Wille wären sehr angebracht.«

»Mir fällt ein Stein von der Seele, daß Sie mir das versichern, Colonel. Deshalb hab' ich Sie ja angerufen. Jetzt kann ich der Familie sagen, sie soll sich keine Sorgen machen.«

»Wir wissen, was wir tun.« Für einen Moment klang die Stimme des Beamten geradezu väterlich: »In Ihrem eigenen Interesse, Mr. Du Toit, schenken Sie nicht einfach jedem Gerücht Glauben, das Sie hören.«

Ben hätte erleichtert aufgeatmet, wäre es ihm möglich gewesen, diesen Worten ohne weiteres zu glauben. Nur malte er sich immer wieder aus, daß irgendwo im Hintergrund auch Captain Stolz war, während der Colonel mit ihm sprach, das bleiche Gesicht ausdruckslos, die schmale Narbe auf der weißen Backe von einem tödlichen Weiß; und wenn er auch sein Bestes tat, um Emily beruhigend zuzureden, war er selbst von Unruhe erfüllt und alles andere als glücklich.

Eine Woche später, als Emily und zwei ihrer Kinder wieder Kleidung zum Wechseln im Präsidium abgaben, kam es zu einer Krise. Als sie sich daheim anschickten, die alten Kleider, die man ihnen ausgehändigt hatte, zu waschen, war auf der Hose Blut. Und als sie sie genauer untersuchten, entdeckten sie in der Gesäßtasche drei abgebrochene Zähne.

Die Hose in eine zerknitterte Ausgabe der *World* eingewickelt, erschien Emily mit Stanley Makhayas Taxi bei Ben. Es war nicht einfach, mit der Situation fertig zu werden, und zwar nicht nur, weil Emily einem hysterischen Ausbruch nahe war, sondern auch, weil die Du Toits gerade Gäste zum Abendessen hatten: ein paar von Susans Freunden vom Funk, der neue eingetroffene junge Pastor ihrer Gemeinde und ein paar von Bens Kollegen, darunter sein Direktor. Sie hatten gerade zum ersten Gang Platz genommen, als es klopfte.

»Für dich«, verkündete Susan kurz angebunden, nachdem sie öffnen gegangen war. Um dann flüsternd hinzuzufügen: »Um Gottes willen, versuch, sie schnell loszuwerden. Ich kann mit dem Hauptgang nicht warten.«

Stanley war weniger gesprächig als beim vorigen Mal. Er machte soger einen eher aggressiven Eindruck, als machte er Ben für das verantwortlich, was geschehen war; außerdem roch er stark nach Alkohol.

Was tun zu so später Stunde und einem Wochenende vor ihnen? Das einzige, was Ben einfiel, war, den Rechtsanwalt in seiner Privatwohnung anzurufen; dabei waren die ersten beiden Versuche vergeblich, ehe sich der dritte Levinson im Telefonbuch als der richtige herausstellte. Außerdem war Ben sich die ganze Zeit über bewußt, daß Susan ihn verbissen schweigend anfunkelte, während die Unterhaltung am Tisch verstummte und die Gäste versuchten mitzubekommen, was eigentlich vorging. Verständlich auch, daß der Freitag abend nicht der beste Zeitpunkt war, um Geschäftliches mit Dan Levinson zu besprechen. Warum, zum Teufel, könne das nicht bis Montag warten, schrie er. Doch als Ben nach draußen ging, um Emily zu berichten, blieb diese eisern. Bis Montag, davon ließ sie sich nicht abbringen, könne Gordon tot sein.

Was denn, fragte Ben Stanley, mit dem schwarzen Anwalt sei, der Gordon bei den eidesstattlichen Erklärungen geholfen habe?

»Nichts zu machen«, sagte Stanley und lachte rauh auf. »Julius Nqakula hat vor drei Tagen seinen Ausweisungsbefehl erhalten, Mann. Knockout in der ersten Runde!«

Ingrimmig kehrte Ben zum Telefon zurück und bemühte sich, den Augen seiner Gäste auszuweichen, als er wieder wählte. Diesmal platzte Dan Levinson der Kragen: »Verdammt noch mal, ich bin doch kein Arzt, der Tag und Nacht bereit zu sein hat! Was erwarten diese Leute eigentlich von mir?«

»Es ist nicht ihre Schuld«, sagte Ben kläglich und peinlich berührt von der Anwesenheit seiner Gäste. »Sie sind mit Gewalt in diese Lage gebracht worden. Begreifen Sie denn nicht, Mr. Levinson, es geht um Leben und Tod.«

»Na gut. Aber Himmelherrgott noch mal…!«

»Mr. Levinson, ich begreife sehr gut, daß Sie übers Wochenende nicht gestört werden möchten. Wenn Sie mir lieber einen anderen Anwalt nennen möchten…«

»Warum? Haben Sie denn überhaupt kein Vertrauen zu mir? Zeigen Sie mir einen anderen Anwalt, der getan hätte, was ich in den vergangenen Wochen getan hab', um diesen ganzen Soweto-Mist aus der Welt zu schaffen. Und jetzt wollen Sie mich fallenlassen? Das nennt sich nun Dankbarkeit.«

Es dauerte einige Zeit, ehe es Ben gelang, auch wieder zu Wort zu kommen; zum Schluß verabredeten sie sich für den nächsten Morgen in der Kanzlei. Er wünsche, alle zu sehen, die behilflich sein könnten: Stanley, Emily, den Mann, der ihnen von Gordons Zustand berichtet hatte, jeden möglichen Zeugen.

Stanley hatte offensichtlich nicht mit einer positiven Reaktion gerechnet. Die mächtigen Pranken auf den Hüften, stand er da und wartete darauf, was Ben zu berichten hatte, während Emily leise weinend auf der Treppe saß und den Kopf an den gemauerten Pfeiler gepreßt hatte; Nachtfalter und Mücken umschwirrten die *stoep*-Lampe. »Soll das etwa heißen, er hilft uns?« sagte Stanley. »Das hast du wirklich geschafft?« Eine Explosion anerkennenden Lachens. »Du magst ein *Lanie* sein« – seine rote Zunge liebkoste die beiden Silben des *tsotsi*-Wortes –, »aber du hast wirklich Mumm.« Theatralisch schlug er sich mit einer seiner riesigen Fäuste gegen den Brustkorb. »Schlag ein!« Und er reichte Ben die Hand.

Ben zögerte, dann ergriff er die Hand. Eine Zeitlang stand Stanley da und schüttelte sie ihm energisch; ob Ben das einer echten Gefühlsregung oder übermäßigem Alkoholgenuß zu verdanken hatte, war schwer zu entscheiden. Stanley ließ Bens Hand ebenso unvermittelt fallen, wie er sie ergriffen hatte, und drehte sich um, um Emily aufzuhelfen.

»Komm, Tante Emily. Morgen ist alles wieder bestens.«

Ben blieb draußen, bis das große Auto unter viel Getöse die Straße hinunter verschwand. Hunde bellten hinterher. Schweren Herzens kehrte er zurück ins Eßzimmer.

Susan blickte auf und verkündete außerordentlich reserviert: »Dein Essen steht in der Bratröhre. Du hast ja wohl nicht erwartet, daß wir warten.«

»Selbstverständlich nicht. Tut mir leid, Freunde.« Er nahm am Kopfende des Tisches Platz. »Ich habe sowieso keinen Hunger.« So gleichmütig wie möglich nahm er einen Schluck aus seinem Weinglas und war sich dabei bewußt, daß sie ihn alle erwartungsvoll und schweigend beobachteten.

Susan: »Nun, hast du ihre Probleme gelöst? Oder ist das ein Geheimnis?« Ehe er antworten konnte, erzählte sie den Gästen mit einem kleinen bitteren Lächeln: »Ben hat sich nämlich in letzter Zeit völlig neue Prioritäten gesetzt. Ich hoffe, ihr verzeiht ihm das.«

Mit einem Hauch von Ärger erwiderte er: »Ich habe mich schließlich schon entschuldigt, oder?« Er setzte sein Glas hin, und ein paar Tropfen schwappten über den Rand und befleckten das weiße Tischtuch. Er bemerkte Susans mißbilligenden Blick, ignorierte ihn jedoch. »Ein Junge ist neulich umgekommen. Das mindeste, was man tun kann, ist zu versuchen und zu verhindern, daß es nicht zu noch einem Todesfall kommt.«

»Ihre Frau hat uns davon erzählt«, sagte einer der Lehrer, Viviers (Afrikaans in den Klassen sechs und sieben), ein sehr bemühter junger Mann, frisch von der Universität. »Es wird höchste Zeit, daß mal jemand was unternimmt. Man kann nicht einfach immer dasitzen und die Hände in den Schoß legen. Das ganze System um uns herum zerbröckelt, und keiner rührt einen Finger.«

»Was kann denn einer schon gegen ein ganzes System ausrichten?« fragte einer von Susans SAB-Freunden gutmütig.

»Ben sieht sich immer noch gern in der Rolle eines Ritters ohne Furcht und Tadel«, sagte Susan lächelnd. »Wenn auch mehr Don Quijote als Lancelot.«

»Sei doch nicht albern«, erklärte er aufgebracht. »Die Sache hat sowieso nichts von einem Kampf einer gegen ein ganzes System. Das System ist mir dabei schnuppe. Ich versuche nur ein bißchen Hilfestellung zu leisten.«

»Womit zum Beispiel?« fragte Cloete, der Schulleiter, der wie üblich sein schlechtgelaunt-mißbilligendes Gesicht aufgesetzt hatte. Geradezu unhöflich seinen Stuhl zurückschiebend, stand er auf, um sein Glas am Barschrank nachzufüllen: Während alle anderen Wein tranken, blieb er bei seinem Brandy mit Wasser. Wie üblich ein wenig atemlos, kam er zurück.

»Ich habe arrangiert, daß wir uns morgen mit dem Anwalt treffen«, erklärte Ben kurz. »Wir werden versuchen, eine einstweilige Verfügung vom Obersten Gerichtshof zu erwirken.«

»Heißt das nicht, die Dinge ein bißchen zu dramatisieren?« fragte der junge Pastor, Dominee Bester, im Ton gutmütigen Vorwurfs.

»Nicht, wenn Sie wüßten, was passiert ist.« Kurz und widerstrebend berichtete Ben ihnen, was geschehen war. Von der Hose, den Blutflekken, den abgebrochenen Zähnen.

»Wir sind immer noch bei Tisch«, sagte Susan mißbilligend.

»Nun, ihr hattet mich gefragt.«

»Wie kann ein System überleben, wenn es zuläßt, daß solche Dinge geschehen?« fragte Viviers sichtlich aus der Fassung gebracht. Ohne um Erlaubnis zu fragen, steckte er sich eine Zigarette an, etwas, was Susan für gewöhnlich mit einem Stirnrunzeln bedachte. »Um Himmels willen, könnt ihr euch denn vorstellen...«

»Ich rede nicht vom System«, wiederholte Ben beherrschter als vorher. »Ich weiß, wir leben in einem Notstand, und da muß man Zugeständnisse machen. Ich will sogar zugeben, daß die Polizei häufig mehr weiß als wir. Das stelle ich nicht in Frage. Mir geht es nur um ein paar Menschen, die ich zufällig persönlich kenne. Ich will gar nicht behaupten, Jonathan gut gekannt zu haben. Durchaus möglich, daß er irgendwie in illegale Sachen verstrickt war. Aber selbst wenn das so war, möchte ich trotzdem rausbekommen, was passiert ist und warum es hat geschehen können. Was allerdings Gordon betrifft, so lege ich die Hand für ihn ins Feuer. Ein paar von euch haben ihn ja auch gut gekannt.« Bei diesen Worten sah er den Direktor offen an. »Und wenn sie jetzt anfangen, gegen einen Mann wie Gordon vorzugehen, ist es klar, daß irgendwas nicht stimmen kann. Und das eben möchte ich verhindern.«

»Vorausgesetzt, Sie ziehen die Schule nicht mit hinein«, sagte Cloete finster. »Wir Lehrer müssen uns aus der Politik heraushalten.«

Worauf der junge Viviers sich wie ein angriffslustiger junger Hund gegen ihn wandte: »Und das Parteitreffen in der Aula vor drei Wochen? War das etwa keine Politik?«

»Das war außerhalb der Schulzeit«, sagte Cloete und nahm einen tiefen Schluck aus seinem bernsteinfarbenen Glas. »Das hatte mit der Schule nichts zu tun.«

»Aber Sie haben den Minister persönlich vorgestellt.«

»Mr. Viviers!« Cloete schien sich aufzublähen wie ein Ballon, als er sich auf seinen großen weißen Händen vorlehnte. »Bei allem schuldigen Respekt, in der Politik sind Sie doch nur ein Würstchen. Und was verstehen Sie schon von Schulangelegenheiten...«

»Mir ging es nur um eine Klarstellung.«

Während sie dasaßen und sich gegenseitig anfunkelten, wechselte Susan abrupt das Thema: »Ich wüßte nur gern, wer dies eigentlich alles bezahlt? Du doch hoffentlich nicht?«

»Das ist doch nebensächlich«, sagte Ben erschöpft. »Warum kann ich nicht dafür bezahlen, wenn ich mich dem verpflichtet fühle.«

»Vielleicht könnte Dominee eine Kollekte veranstalten«, witzelte einer der Männer vom Funk. Alle fingen an zu lachen, und damit war die Gefahr umschifft. Ein paar Minuten später wurde die Atmosphäre durch Susans köstliches Dessert noch weiter entschärft; und als es soweit war, daß das Gespräch sich wieder Gordon zuwandte, hatte sich die Spannung gelegt, hatten sich die Gemüter ein wenig beruhigt.

»Wenn man alles bedenkt, wäre es vielleicht keine schlechte Sache, wenn der Fall vor Gericht käme«, sagte der junge Pastor. »Zuviel Geheimniskrämerei nützt niemanden. Ich bin überzeugt, auch die Polizei würde das begrüßen. Ich meine, das gibt ihnen die Möglichkeit, darzustellen, wie sich die Sache aus ihrer Sicht darstellt, oder? Schließlich hat alles seine zwei Seiten.«

»Nicht, daß es in diesem Fall große Zweifel zu geben scheint«, hielt Viviers entgegen.

»Wer sind wir, um das zu beurteilen?« fragte Cloete und lehnte sich wohlig zurück; die weiße Serviette, die Spuren von jedem gereichten Gang aufwies, hatte er immer noch auf dem Bauch. »Denken Sie daran, was in der Bibel über den ersten Stein steht. Stimmt's nicht, Dominee?«

»Richtig«, stimmte Pastor Bester zu. »Aber vergessen Sie nicht: Jesus hat auch nicht gezögert, die Wechsler aus dem Tempel zu vertreiben.«

»Jesus wußte sich aber auch frei von Bosheit«, erinnerte Cloete ihn und stieß sanft hinter vorgehaltener Hand auf.

Wie abwesend vor sich hin starrend, schenkte Ben sich sein Glas wieder voll.

»Und was ist mit deinen Gästen?« sagte Susan zu ihm.

»Tut mir leid. Ich war ganz in meinen eigenen Gedanken verloren.«

»Darf man raten, um was es ging?« sagte Cloete grinsend.

»Nur Gott kann uns ins Herz sehen«, sagte der junge Pastor.

»Und was sein wird, wird sein«, sagte der SAB-Produzent, der zuvor gesprochen hatte.

»Genau dagegen wehre ich mich ja«, sagte Viviers aufgebracht. »Wir sind nur allzu bereit, alles Gott zu überlassen. Wenn wir nicht selbst etwas unternehmen, können wir uns auf einen furchtbaren Ausbruch gefaßt machen.« Er hob sein Glas. »Auf Ihr Wohl, Ohm Ben«, sagte er. »Machen Sie ihnen die Hölle heiß!«

Und plötzlich hoben sie alle ihr Glas, strahlten wohlwollend und belustigt und bekundeten eine Einmütigkeit, die vor einer Minute noch undenkbar gewesen wäre. Zufrieden und wieder selbstsicher, geleitete Susan sie zu bequemeren Sitzen in der Halle, wo es Kaffee und Cognac gab. Erst eine Stunde später, nachdem alle gegangen, das Licht überall im Haus gelöscht war und sie allein in ihrem Schlafzimmer waren, machte sie ihrer tiefen Unzufriedenheit Luft, während sie sorgsam ihr Make-up entfernte.

»Ums Haar hättest du es geschafft, den ganzen Abend kaputtzumachen«, sagte sie. »Hoffentlich bist du dir darüber im klaren.«

»Es tut mir leid, Susan«, sagte er von der Bettkante aus, als er sich die Schuhe auszog. »Zuletzt hat sich aber alles wieder eingerenkt.«

Sie würdigte ihn keiner Antwort, als sie sich vorlehnte und sich Abschminkcreme ins Gesicht rieb. Das Nachthemd hing ihr locker von den Schultern, und im Spiegel konnte er die weichen, länglichen Birnen ihrer Brüste sehen. Ohne es zu wollen, spürte er, wie ein dumpfes, müdes Begehren sich in ihm regte. Aber er wußte, daß sie heute nacht jedem Annäherungsversuch gegenüber unzugänglich bleiben würde.

»Worauf willst du eigentlich hinaus, Ben?« fragte sie unerwartet, offensichtlich entschlossen, es nicht dabei zu belassen. Sie warf einen Wattebausch in den Korb neben ihrem Frisiertisch und griff nach einem neuen. »Was willst du wirklich? Sag es mir, ich muß es wissen.«

»Nichts.« Er knöpfte sich seine gestreifte Pyjamajacke zu. »Ich hab's dir doch schon gesagt: Ich wollte ihnen nur helfen. Von jetzt an wird das Gesetz seinen Lauf nehmen.«

»Bist du dir eigentlich darüber im klaren, worauf du dich da einläßt?«

»Ach, hör auf, auf mir herumzuhacken.« Er knöpfte die Hose auf und ließ sie fallen, daß sie sich zu seinen Füßen ringelte. Die Gürtelschnalle gab einen kleinen hellen Laut von sich. Er legte die Hose zusammen und hängte sie über eine Stuhllehne. Dann stieg er in die Pyjamahose und zog die Schnur fest.

»Mußtest du es denn unbedingt auf diese Weise machen? Warum hast du denn nicht erst mit der Polizei gesprochen? Ich bin überzeugt, sie hätten im Handumdrehen alles ins reine gebracht.«

»Ich bin ja schon da gewesen.«

Sie ließ die Hand sinken und starrte ihn im Spiegel an. »Das hast du mir nie gesagt.«

Achselzuckend verschwand er im Badezimmer.

»Warum hast du es mir nicht erzählt?« rief sie hinter ihm her.

»Was hätte das schon ausgemacht?«

»Ich bin schließlich mit dir verheiratet.«

»Ich wollte dich nicht beunruhigen.« Er fing an, sich die Zähne zu putzen.

Sie kam an die Tür und lehnte sich dagegen. Drängender im Ton, als er es sonst von ihr gewohnt war, sagte sie: »Ben, alles, was wir im Laufe der Jahre zusammen aufgebaut haben – um Himmels willen, paß auf, daß du das nicht alles kaputtmachst.«

»Was, um alles auf der Welt, meinst du?«

»Wir haben ein schönes Leben. Vielleicht haben wir nicht alles, was wir uns hätten leisten können, wenn du ehrgeiziger gewesen wärest, aber immerhin haben wir einiges geschafft.«

»Das hört sich an, als ob du erwartest, daß ich ins Gefängnis komme oder sonstwas.«

»Ich möchte nicht, daß du irgendwas Unbesonnenes tust, Ben.«

»Ich verspreche dir, daß ich das nicht tun werde. Aber wie kann ich zulassen, daß Menschen, die ich seit Jahren kenne…«

»Ich weiß.« Sie seufzte. »Nur – sei vorsichtig. Bitte! Wir sind jetzt fast dreißig Jahre verheiratet, und manchmal kommt es mir vor, als ob ich dich überhaupt nicht richtig kenne. Da ist etwas in dir, auf das ich einfach nicht vorbereitet bin.«

»Mach dir um mich nur keine Sorgen.« Er trat auf sie zu, nahm impulsiv ihr Gesicht in die Hände und küßte sie kurz auf die Stirn.

Sie kehrte an den Frisiertisch zurück, streckte den Kopf vor und massierte sich die schlaffe Haut am Hals.

»Wir werden alt«, sagte sie plötzlich.

»Ich weiß.« Er stieg ins Bett und zog sich die Decken über die Beine. »Ich habe in letzter Zeit immer mehr darüber nachdenken müssen. Wie schrecklich, alt zu werden, ohne jemals wirklich gelebt zu haben.«

»Ist es so schlimm?«

»Vielleicht nicht.« Die Arme hinterm Kopf verschränkt, lag er da und betrachtete ihren Rücken. »Vermutlich sind wir heute abend einfach nur müde. Irgendwann wird sich schon alles wieder einrenken.«

Doch nachdem das Licht ausgeknipst worden war, konnte er keinen Schlaf finden, so erschöpft er auch war. Zuviel ging ihm im Kopf herum. Das schmutzige Bündel in der Zeitung, das sie ihm gebracht hatten. Die Blutflecken in der Hose. Die abgebrochenen Zähne. Ihm wurde übel. Er legte sich anders hin, doch jedesmal, wenn er die Augen schloß, kehrten die Bilder zurück. Aus einem entfernten Teil des Hauses hörte er Geräusche und hob den Kopf, um zu lauschen. Die Kühlschranktür. Johan holte sich etwas zu essen oder zu trinken. Das Bewußtsein von der Nähe seines Sohnes hatte etwas Erschreckendes und Beruhigendes zugleich. Er legte sich wieder zurück. Susan drehte sich in ihrem Bett um und seufzte. Er konnte nicht feststellen, ob sie schlief oder nicht. Dunkel und ohne jeden Laut lag die Nacht um ihn herum, grenzenlos, endlos; die Nacht mit ihren vielen, vielen Räumen, manche dunkel, manche im Halbdämmer, wieder andere blendend hell erleuchtet, mit Männern drin, die mit gespreizten Beinen und Gewichten an den Hoden auf Ziegelsteinen standen.

Ums Haar wäre aus dem Antrag auf einstweilige Verfügung nichts geworden, als der Mann, der dem Vernehmen nach Gordon am John Vorster Square gesehen hatte, sich weigerte, eine eidesstattliche Erklärung zu unterschreiben; er hatte zuviel Angst, was mit ihm geschehen könne, wenn er identifiziert würde. Doch mit der Beweiskraft der blutverschmierten Hose und der Zähne gelang es Dan Levinson, seinen Antrag, den er dem diensthabenden Richter an jenem Samstag nachmittag vorlegte, eindrucksvoll zu untermauern. Es wurde eine vorläufige einstweilige Verfügung erlassen, die es der Polizei untersagte, Gordon tätlich zu bedrohen oder ihn zu mißhandeln. Dem Polizeiminister wurde der folgende Donnerstag als letzter Termin genannt, um beglaubigte Beweise vorzulegen, die den Einspruch hinfällig machten. Richter Reynolds machte deutlich, daß er den Fall für sehr ernst halte.

Doch in der nächsten Woche bei der offiziellen Anhörung über den Antrag veränderte sich die Position entscheidend. Das Sonderdezernat legte seine eidesstattlichen Erklärungen vor: eine von Colonel Viljoen, in der kategorisch verneint wurde, daß der Festgenommene jemals tätlich bedroht worden sei; eine andere von einem Vollzugsbeamten, der Gordon kurz zuvor aufgesucht hatte und aussagte, der Häftling sei ihm normal und gesund vorgekommen und habe keinerlei Beschwerden über seine Behandlung geäußert; die dritte stammte von einem Amtsarzt, der aussagte, die Polizei habe ihn die Woche zuvor gerufen, um Gordon zu untersuchen, nachdem dieser über Zahnschmerzen geklagt habe; er habe ihm drei Zähne gezogen, und soweit er es beurteilen könne, sei mit dem Gefangenen alles in Ordnung gewesen.

Der Bevollmächtigte, den Dan Levinson beauftragt hatte, den Antrag der Familie zu vertreten, protestierte so heftig wie möglich gegen die Geheimhaltung, die den Fall umgab, und wies auf die negativen Folgen der dadurch hervorgerufenen Gerüchte hin. Der Richter mußte jedoch offensichtlich auf Mutmaßungen und Hörensagen beruhende Anschuldigungen zurückweisen, und so blieb ihm keine andere Wahl, als eine endgültige Vollstreckung zurückzuweisen. So wenig zufriedenstellend manche Aspekte des Falls gewesen seien, sagte er, es sei ihm aufgrund der vorgelegten Beweise unmöglich, eine tätliche Bedrohung nachzuweisen. Ihm stünden keine weiteren gerichtlichen Schritte zur Verfügung.

Ben hörte nichts mehr von Emily.

Etwa vierzehn Tage später war er eines Abends zu Hause – Susan war bei der SABC, um ein Hörspiel aufzunehmen, und Johan auf einer Sportveranstaltung in Pretoria –, als in den Radionachrichten gemeldet wurde, ein gewisser, nach Maßgabe der Terroristengesetze festgehaltener Gordon Ngubene sei heute morgen tot in seiner Zelle aufgefunden worden. Wie der Sprecher der Polizei mitteilte, habe der Mann anscheinend Selbstmord begangen und sich mit Streifen seiner Wolldecke erhängt.

Zwei

I

Zum erstenmal in seinem Leben war er nach der schwarzen *township* Soweto oder Sofasonke City unterwegs, wie Stanley sie nannte. Stanley saß neben ihm, die Augen verdeckt von der Sonnenbrille mit den großen runden Gläsern, eine Zigarette zwischen die Lippen geklemmt, eine karierte Mütze schief auf dem Kopf, gestreiftes Hemd mit breitem grellbunten Schlips, dunkle Hose und weiße Schuhe. Sie fuhren in seinem großen Dodge mit dem rosa Plastikschmetterling vorn auf der Kühlerhaube: das Lenkrad war zur Verschönerung straff mit rotem und gelbem Klebeband umwunden; außerdem war eine Lenksäule aus durchsichtigem Plastik oder Glas eingebaut, durch die eine üppige nackte Blondine zu sehen war. Vom Rückspiegel baumelte ein Paar Miniaturboxhandschuhe herunter. Die Schonbezüge aus Schaffell waren giftgrün. Das Radio war laut aufgedreht: Fetzen hemmungslos-ausgelassener Musik und dazwischen unverständliche Kommentare eines Sprechers von Radio Bantu.

Mit *Uncle Charlie's Roadhouse* endete die Stadt. Von bleichem Gelb und grauem Braun lag das spätsommerliche, kahle Feld flach und langweilig unter dem farblosen Himmel da. Eine träge dunkle Wolke verdunkelte die *townships*; den ganzen Tag über hatte sich kein Wind geregt, um den aus hunderttausend Kohleöfen gequollenen Rauch der vergangenen Nacht zu vertreiben. – »Seit wann fährst du dieses Auto, Stanley?« Ben stellte die Frage, ohne weiter darüber nachzudenken, nur um das Schweigen zu brechen. Er war sich der mürrischen Mißbilligung, mit der sein Begleiter diese Fahrt betrachtete, sehr wohl bewußt.

»Diesen?« Mit einem gewissen Besitzerstolz rutschte Stanley von einer riesigen Hinterbacke auf die andere. »Seit drei Jahren. Vorher hatte ich einen *bubezi*. Einen Ford. Aber der *etembalani* ist besser.« Mit einer sinnlichen Geste, als streichele er eine Frau, fuhr er mit der Hand über die Rundung des Lenkrads.

»Fährst du gern Auto?«

»Es ist mein Beruf.«

Es war heute schwierig, ihm irgend etwas aus der Nase zu ziehen. Seine ganze Haltung verriet: *Du hast mich überredet, dich hinzufahren, aber das bedeutet noch lange nicht, daß ich das auch richtig finde.*

»Bist du schon lange im Taxi-Gewerbe?« Ben war geduldig und ließ sich nicht so leicht entmutigen.

»Seit vielen Jahren, *Lanie*.« Stanley benutzte, wie schon zuvor, das verächtliche Wort für einen Weißen, diesmal allerdings scherzhaft. »Zu lange.« Unversehens gab er sich aufgeschlossen. »Meine Frau sitzt mir immer im Nacken, ich soll aufhören, ehe jemand versucht, mich mit einer *gonnie* zu *pasa*« – bei diesen Worten machte er mit der linken Hand eine Bewegung, als stoße er mit einem Messer zu, um auf diese Weise die *tsotsi*-Ausdrücke zu verdeutlichen, die er zu genießen schien; der Dodge kam kurz ins Schlingern.

»Wieso denn? Ist es gefährlich, Taxi zu fahren?«

Stanley ließ ein explosives Lächeln ertönen. »Nenn mir was, das nicht gefährlich ist, *Lanie*.« Das Licht glitzerte auf seinen dunklen Brillengläsern. »Nein, es geht darum, daß dies kein gewöhnliches Taxi ist. Ich bin ein Freibeuter.«

»Und warum betreibst du das Geschäft nicht legal?«

»So ist es viel besser, laß dir das von mir gesagt sein. So wird's nie langweilig. Wenn du abnehmen willst, wenn du ein bißchen *kuzak* in der Arschtasche spüren willst und wenn du nichts gegen einen Hauch von Abenteuer hast – dann ist dies das richtige Leben, Mann! Ohne Frage!« Er drehte den Kopf und sah Ben durch die dunkle runde Brille an. »Aber was weißt du davon, *hey, Lanie?*«

Der Hohn und die Aggressivität des großen Mannes machten Ben nervös. Stanley schien es darauf angelegt zu haben, ihn auf den Arm zu nehmen. Oder sollte er nur auf die Probe gestellt werden? Nur – warum? Und zu welchem Zweck? Das phantasielose Nachmittagslicht hielt sie voneinander getrennt, im Gegensatz zu ihrer früheren Begegnung, die im Dunkel stattgefunden hatte: an einem Abend, der jetzt, in der Rückschau, geradezu unwirklich anmutete.

Da war zuerst der Abend gewesen, als er die Nachricht im Radio gehört hatte. Das merkwürdige Gefühl, vollkommen allein im Haus zu sein. Susan fort, Johan fort, niemand da, nur er. Zuvor hatte er in seinem Arbeitszimmer gearbeitet, und es war fast neun geworden, ehe er in die

Küche ging, um nach etwas zu essen zu sehen. Er stellte den Kessel auf, machte sich Tee und bestrich eine Scheibe Brot mit Butter. Im Vorratsschrank fand er eine Büchse Sardinen. Mehr, um das Gefühl des Alleinseins zu vertreiben, als aus Neugier stellte er im Transistorradio die Abendnachrichten an. Gegen den Schrank gelehnt, den er vor Jahren für Susan gebaut hatte, stand er da, schlürfte seinen Tee und machte sich mit einer kleinen Gabel über die Sardinen her. Ein bißchen Musik. Dann die Nachrichten. *Ein nach dem Terroristengesetz in Haft genommener gewisser Gordon Ngubene.* Lange nachdem die Nachricht verlesen worden war, stand er noch mit der halbleeren Sardinenbüchse in der Hand da. Kam sich belemmert vor, als hätte man ihn bei etwas Ungehörigem ertappt. Stellte die Sardinenbüchse hin und wanderte durchs Haus, ging ziellos von einem Raum in den anderen, knipste das Licht an und wieder aus, wenn er hinausging. Er hatte keine Ahnung, wonach er suchte. Von einem leeren Zimmer ins andere zu gehen, wurde zum Selbstzweck, als durchmesse er sein eigenes Inneres, als gehe er durch die Räume seines Geistes und die Gänge und Hohlräume seiner eigenen Arterien und Drüsen und Eingeweide. In diesem Zimmer hatten Suzette und Linda geschlafen, als sie noch zu Hause gelebt hatten, zwei hübsche blonde Mädchen, die er gebadet und abends zu Bett gebracht hatte. Hatte Schildkröte für sie gespielt, sie huckepack genommen und ihnen Geschichten erzählt, über Witze gelacht, ihren Atem warm und vertrauensvoll auf dem Nacken, ihre nassen Schmatzer auf dem Gesicht. Dann die allmähliche Entfremdung, das Sich-Lösen, bis sie fortgezogen waren und jede ihrem eigenen Weg folgte. Johans Zimmer, unaufgeräumt und angefüllt mit seltsamen Gerüchen: Wände, die mit Postern von Rennwagen, Popsängern und Pin-up-Girls bedeckt waren; Regale und Schränke, wahllos vollgestopft mit Modellflugzeugen und auseinandergenommenen Motoren, ausgeweideten Radios, Steinen, Vogelskeletten, Büchern, Comic-Heften und Nummern von *Scope,* Trophäen, schmutzigen Taschentüchern und Socken, Cricket- und Tennisschlägern, Taucherbrillen und Gott weiß was sonst noch. Eine Wildnis, in der er sich als Hochstapler vorkam. Das Elternschlafzimmer – seines und Susans. Die Ehebetten durch zwei gleiche Nachttischchen getrennt – früher hatte hier ein Doppelbett gestanden; Fotos von den Kindern; ihre Kleiderschränke den Betten gegenüber, seiner, ihrer; die peinlich genau aufgereihten Tuben und Döschen von Susans Kosmetik-Sachen, eine wohlüberlegte Ordnung, die nur durch einen BH gestört wurde, der schlaff über einer Stuhllehne hing. Eingangshalle, Eßzimmer, Küche, Bad. Er kam sich vor wie ein Besucher aus einem fernen Land, der in eine Stadt kommt, deren Bewohner alle von der Pest dahingerafft worden sind. Alle Anzeichen weisen noch auf Leben hin; dabei hatte kein Mensch die Katastrophe überlebt. Er war allein in einer unbegreiflichen Weite. Und erst viel später, als er in sein Arbeitszimmer zurückkehrte – doch selbst das kam ihm fremd vor, nicht wie seines, sondern wie das eines Fremden, ein Zimmer, in dem er nicht Herr war, sondern Eindringling –, gerieten seine Gedanken wieder in Bewegung.

Morgen, dachte er, würde Emily vorbeikommen und um Rat oder Hilfe bitten. Er würde etwas unternehmen müssen. Dabei fühlte er sich wie vor den Kopf geschlagen und wußte nicht, wo anfangen. Infolgedessen atmete er erleichtert auf, als Emily am nächsten Tag nicht erschien. Gleichzeitig kam er sich aber ausgeschlossen vor, als hätte man ihm etwas Bedeutsames vorenthalten. Dabei wußte er genau, daß das unlogisch war; denn was konnte er schon tun? Was für ein Recht hatte er überhaupt? Was wußte er wirklich von Gordons Privatleben? Die ganzen Jahre hindurch hatte sich das irgendwo in weiter Ferne für ihn abgespielt und ihn nicht im geringsten gekümmert. Warum sollte es ihn plötzlich durcheinanderbringen?

Er rief Dan Levinson an, doch konnte der Anwalt ohne Auftrag der Familie selbstverständlich nichts tun. Und nachdem Ben aufgelegt hatte, konnte er sich eines gewissen idiotischen Gefühls nicht erwehren. Vor allem aber kam er sich überflüssig vor.

Er rief sogar beim Sonderdezernat an, doch in dem Augenblick, wo sich dort jemand meldete, legte er wortlos einfach wieder auf. Es hatte Krach mit Susan gegeben, als sie ihm vorwarf, schlechte Laune zu haben. Er stritt sich mit Johan und behauptete, dieser vernachlässige seine Hausaufgaben. Das Gefühl des Unbehagens blieb.

Dann kam der Abend, an dem Stanley Makhaya ihn aufsuchte. Da Susan Angst hatte, ihm auf sein Klopfen hin die Haustür aufzumachen, schickte sie ihn um das Haus herum zum Arbeitszimmer nach hinten und ging dann in die Küche, um ans Fenster zu pochen, wie sie es sonst tat, um Ben ans Telefon zu rufen oder seine Aufmerksamkeit zu erregen. Als er aufblickte, stand Stanley bereits auf der Schwelle – der Abend war warm, und die Tür stand offen –, erstaunlich lautlos für einen so großen Mann. Ben schrak auf, und es dauerte eine Weile, bis er seinen Besucher erkannte. Stanley trug selbst in der Dunkelheit seine

Sonnenbrille. Doch als er eintrat, schob er sie sich auf die Stirn wie eine Pilotenbrille. Susan pochte immer noch ans Küchenfenster und rief: »Ben, alles in Ordnung?« Gereizt trat er an die Tür, um sie zu beruhigen, und dann standen er und Stanley sich eine lange Zeit gegenüber und sahen sich voller Unbehagen und Angst an.

»Ist Emily nicht mitgekommen?« fragte er schließlich.

»Nein, sie hat mich hergeschickt.«

»Wie geht es ihr?«

Stanley zuckte mit den massigen, bulligen Schultern.

»Was geschehen ist, ist furchtbar«, sagte Ben verlegen.

»Nun, wir haben schließlich gewußt, daß es so kommen würde, oder?«

Ben war schockiert von Stanleys Lässigkeit. »Wie kannst du das sagen? Ich hatte die ganze Zeit über gehofft...«

»Du bist Weißer.« Als ob damit alles gesagt wäre. »Dir fällt es leicht zu hoffen. Du bist das gewohnt.«

»Das hat doch nun nichts damit zu tun, ob man Schwarzer oder Weißer ist.«

»Da wäre ich nicht so sicher.« Für einen Augenblick erfüllte sein zügelloses Lachen den kleinen Raum.

»Wann wird er beerdigt?« fragte Ben und wechselte bewußt das Thema.

»Nicht vor Sonntag. Wir warten immer noch auf den Leichnam. Sie haben gesagt: morgen oder übermorgen.«

»Kann ich irgendwas tun? Ich würde gern was zur Beerdigung beisteuern. Egal was.«

»Es ist alles erledigt.«

»Und wie steht es mit den Kosten? Beerdigungen kosten heutzutage einen Haufen Geld.«

»Er hatte eine Versicherung. Und er hat viele Brüder.«

»Ich habe nicht gewußt, daß er überhaupt welche hatte.«

»Ich bin sein Bruder, Mann. Wir alle.« Und wieder dies unerwartete und durch nichts gerechtfertigte dröhnende Lachen, das die Wände zum Zittern brachte.

»Wann haben sie es Emily mitgeteilt?« fragte er, was einer Aufforderung gleichkam, mit dem Lachen aufzuhören.

»Es ist nie einer gekommen.« Stanley machte eine halbe Drehung und spuckte durch die offene Tür.

»Was willst du damit sagen? Haben sie keine Nachricht geschickt?«

»Sie hat es im Radio gehört wie wir anderen auch.«

»Was?«

»Der Rechtsanwalt hat am nächsten Tag angerufen, um Genaueres zu erfahren. Die Bullen sagten, es täte ihnen leid, sie hätten nicht gewußt, wo sie sie erreichen könnten.«

In dem lastenden Schweigen wurde ihm mit einemmal klar, daß sie immer noch standen, und so zeigte er mit halbherziger Geste auf einen der beiden Sessel, die er zu sich hereingestellt hatte, nachdem Susan eine neue Polstergarnitur für die Halle gekauft hatte.

»Nimm doch Platz.«

Stanley ließ prompt seinen massigen Körper in einen der geblümten Sessel sinken.

Eine Zeitlang schwiegen sie. Dann stand Ben auf, um seine Pfeife vom Schreibtisch zu holen. »Tut mir leid, aber ich habe keine Zigaretten«, entschuldigte er sich.

»Macht nichts. Ich hab' selbst welche.«

Nach einer Weile fragte Ben: »Warum hat Emily dich hergeschickt? Möchte sie, daß ich irgend etwas tue?«

»Nichts Besonderes.« Stanley schlug die dicken Beine übereinander. Ein Hosenbein schob sich hoch, eine rote Socke war über dem weißen Schuh zu sehen. »Ich hatte sowieso eine Fuhre hierher, und da bat sie mich, mal vorbeizuschauen. Bloß um dir zu sagen, du solltest dir keine Sorgen machen.«

»Mein Gott, wie kommt sie dazu, ausgerechnet an *mich* zu denken?«

»Was weiß ich?« Er grinste und stieß ein paar Rauchringe aus.

»Stanley, wie hast du Gordon und seine Familie kennengelernt? Wie lange seid ihr schon befreundet? Wie kommt es, daß du immer zur Stelle bist, wenn sie Hilfe brauchen?«

Lachen. »Ich hab' doch einen Wagen, Mann. Weißt du das denn nicht?«

»Was hat denn ein Auto damit zu tun?«

»Eine ganze Menge, *Lanie.*« Wieder dieses Schimpfwort, wie ein kleines, aber schmerzhaftes Lehmgeschoß aus einer Schleuder, das ihn genau zwischen den Augen traf. Stanley setzte sich bequemer hin. »Wenn du ein Taxi hast wie ich, bist du eben zur Stelle, Mann. Immer. Ich meine, da kriegst du einen Kerl, den die *tsoties pasad* haben, und da lädst du ihn in deine Karre und bringst ihn nach Haus oder ins Baragwanath

Hospital. Da bekommst du jemanden, der nach zuviel *atshitshi* das Bewußtsein verloren hat: das gleiche. Oder jemand, der in einer Bierhalle zuviel getrunken hat. Andere sind auf der Suche nach *phata-phata*« – verdeutlicht durch das uralte Zeichen, den Daumen durch zwei Finger zu schieben –, »und dann bringt man sie eben zu einer *skarapafet*, einer Hure. Kapiert, was ich meine? Du bist eben immer zur Stelle, Mann. Du nimmst sie mit, hörst dir ihre Jammergeschichten an, bist ihre Bank, wenn sie ein bißchen *magageba* brauchen« – er rieb Daumen und Zeigefinger zusammen –, »das geht die ganze Zeit so, sag' ich dir. Hast du ein Taxi, bist du der erste, der weiß, daß die *gattes* einen Überfall vorhaben, und so kannst du deine Kumpels warnen. Du kennst jeden Schläger, kennst seinen Preis. Weißt, wo man sich verstecken oder mal ausschlafen kann. Du kennst die illegalen Schnapsbuden. Jemand braucht einen *stinka*, und so kommt er eben zu dir.«

»Ein *stinka*?«

Fröhlich, vielleicht nicht ganz frei von Geringschätzung, sah ihn Stanley scharf an, lachte dann wieder. »Ein Nachweisbuch, Mann. Ein *domboek*. Ein Paß.«

»Und du kennst Gordon schon lange?«

»Viel zu lange. Schon als Jonathan erst so groß war.« Er hielt die Hand etwa einen halben Meter über den Boden. Hinter seinem volltönenden Lachen lauerten schattengleich all die Dinge, die er ungesagt ließ.

»Bist du auch ein Xhosa?«

»Himmel, wofür hältst du mich?« Wieder ein bellendes Lachen. »Ich bin Zulu, *Lanie*. Hast du das nicht gewußt? Mein Vater hat mich als Kind aus dem Zululand hierhergebracht.« Plötzlich vertraulich, lehnte er sich vor und drückte seine Zigarette aus. »Hör mir zu, *Lanie*: irgendwann werd' ich meine Kinder wieder dorthin zurückbringen. Die Stadt hier ist nichts für Kinder.«

»Ich wünschte, ich wäre mit meinen eigenen woanders hingegangen, als sie noch klein waren«, sagte Ben leidenschaftlich. »Das wäre ein anderes Leben für sie gewesen.«

»Warum?« fragte Stanley. »Das hier ist doch deine Heimat, oder? Es ist eure Stadt. Ihr habt sie gebaut.«

Ben schüttelte den Kopf. Lange saß er da und sah schweigend dem Rauch seiner Pfeife nach. »Nein, es ist nicht meine Heimat. Dort, wo ich aufgewachsen bin –«, er lächelte flüchtig, »weißt du, ich war vierzehn, als ich das erstemal Schuhe anzog. Vorher jedenfalls nur zur Kirche. Du hättest meine Sohlen sehen sollen, dick und hart vom Laufen im Feld und vom Schafehüten.«

»Ich hab' auch Vieh gehütet, als ich klein war.« Stanley grinste und entblößte seine kräftigen Zähne. »Wir haben unten am Wasser tolle Kämpfe mit *kieries* ausgetragen.«

»Wir haben mit Lehmbatzen gekämpft.«

»Und Ochsen aus Lehm gemacht. Und Schildkröten gebraten.«

»Und Vogelnester ausgenommen und Schlangen gefangen.«

Beide brachen in Gelächter aus, ohne recht zu wissen, warum. Irgend etwas hatte sich geändert, etwas, das vor wenigen Augenblicken noch unvorstellbar gewesen wäre.

»Nun, jedenfalls haben wir es beide geschafft, in der Stadt zu überleben«, sagte Stanley schließlich.

»Du vermutlich besser als ich.«

»Willst du mich auf den Arm nehmen?«

»Ich meine das ernst«, sagte Ben. »Oder glaubst du, es ist mir leichtgefallen, mich anzupassen?«

Stanleys sardonisches Grinsen ließ ihn innehalten. Ohne sich den plötzlichen Stich des Verlegenseins anmerken zu lassen, sagte Ben: »Möchtest du einen Kaffee?«

»Ich komme mit.«

»Nein, laß nur. Bleib einfach hier.« (Und er dachte: *Susan*…) »Es dauert nicht lange.« Ohne eine Antwort abzuwarten, ging er hinaus. Der Rasen war weich und federte unter seinen Füßen; er war erst heute nachmittag gemäht worden, und der grüne Duft lag schwer in der Nachtluft. Zu seiner Erleichterung hörte er, daß Susan im Badezimmer, also aus dem Weg war.

Als der Kessel anfing zu kochen, war er einen Moment unsicher. Sollte er Stanley eine der neuen Tassen geben, die Susan für Gäste nahm, oder eine alte? Es war das erstemal in seinem Leben, daß er einem schwarzen Besucher etwas anbieten mußte. Verärgert über seine eigene Unentschlossenheit, machte er die Schranktüren ziellos auf und zu. Schließlich holte er zwei alte, nicht zueinander passende Tassen und Untertassen heraus, die nicht mehr benutzt wurden, maß Teelöffel voll Nescafé ab und goß kochendes Wasser in die Tassen. Er stellte Zucker und Milch auf ein Tablett und eilte geradezu schuldbewußt aus der Küche.

Den Rücken zur Tür, stand Stanley vor einem Bücherregal.

»Du bist also Historiker?«

»Wenn man so will – ja.« Er stellte das Tablett auf einer Ecke des Tisches ab. »Bedien dich selbst.«

»Danke.« Und dann, mit einem Lachen, das offensichtlich eine bewußte Herausforderung war: »Und was hat die ganze Geschichte dich gelehrt?«

Ben zuckte die Achseln.

»Alles Scheiße!« antwortete Stanley an seiner Stelle und kehrte zu seinem Sessel zurück. »Und willst du mal wissen, warum? Weil ihr *Lanies* euch immer noch einbildet, daß die Geschichte dort gemacht wird, wo ihr seid, und sonst nirgends. Warum kommst du nicht irgendwann mal mit mir, dann zeig' ich dir, wie Geschichte wirklich aussieht. Geschichte, unverhüllt wie ein nackter Arsch, stinkend vor Leben. Drüben bei mir, in Sofasonke City.«

»Das möchte ich gern, Stanley«, sagte Ben ernst. »Ich muß Gordon unbedingt sehen, ehe er begraben wird.«

»Nichts zu machen.«

»Jetzt weich mir nicht aus. Ich muß Gordon unbedingt sehen.«

»Das wird kein schöner Anblick sein. Nach der Obduktion und allem.«

»Bitte, Stanley!«

Einen Augenblick lang starrte der große Mann ihn eindringlich an, beugte sich dann vor, nahm eine der Tassen und fügte noch vier Teelöffel Zucker hinzu. »Danke«, sagte er ausweichend, rührte in seinem Kaffee und fügte in spöttischem Ton hinzu: »Weißt du, deine Frau hat mir nicht mal die Tür aufmachen wollen.«

»Nun, es war sehr spät. Und sie hat dich nie zuvor gesehen. Und du mußt bedenken...«

»Nun entschuldige dich bloß nicht, Mann.« Stanley lachte, und etwas Kaffee schwappte auf die Untertasse. »Glaubst du etwa, *meine* Frau hätte so spät noch jemandem aufgemacht?« Er machte einen schlürfenden Laut und probierte, wie heiß der Kaffee war. »Höchstens den *gattes,* den Bullen.«

»Ihr werdet doch wohl nicht von der Polizei belästigt?«

»Warum nicht?« Wieder lachte er. »Da kommt nie Langeweile auf, glaub mir. Ich weiß, wie ich mit ihnen umzugehen habe. Aber das bedeutet noch lange nicht, daß sie mich in Ruhe lassen. Ich will mich nicht beklagen; nicht daß du das denkst. Ehrlich gesagt«, – breites Lächeln –

»ehrlich gesagt packt mich jedesmal, wenn ich sie sehe, ein großes Gefühl der Erleichterung. Echte Dankbarkeit, Mann. Ich meine, verdammt noch mal: Wir haben es doch nur der Tatsache zu verdanken, daß sie so rücksichtsvoll sind, wenn meine Frau und die Kinder nicht im Gefängnis sitzen.« Er schwieg eine Zeitlang und spähte durch die offenstehende Tür, als sähe er etwas Erheiterndes draußen in der Dunkelheit. Schließlich wandte er den Blick wieder Ben zu. »Vor Jahren, als ich noch ein junger Mann war, stand es immer auf des Messers Schneide. Du weißt ja, wie das ist, wenn man eine Witwe zur Mutter hat und dein Vater tot ist, deine Schwester es mit den *rawurawu*, den Gangstern, hält und dein Bruder...« Er trank einen Schluck. »Mein *bra*, das war ein echter *tsotsi*, Mann. Er war mein Idol, sag' ich dir. Ich wollte all das tun, was Shorty und seine Bande machten. Aber dann haben sie ihn geschnappt. Aus, ein für allemal.«

»Und weshalb?«

»Was du willst. Alles, die ganze Palette durch. Einbruch, Raubüberfall, Vergewaltigung. Sogar Totschlag. Er war ein richtiger *roerie guluva*, kann ich dir sagen, *Lanie*.«

»Und?«

»Die Schlinge, was sonst?«

»Soll das heißen...?«

»Ja, um den Hals.«

»Das tut mir leid.«

Stanley feixte. »Warum?« Er nahm die dunkle Brille von der Stirn und wischte sich die Lachtränen aus den Augen. »Was macht dir das?«

Ben beugte sich vor, um die Tasse aufs Tablett zurückzustellen.

»Ich hab' ihn besucht«, fuhr Stanley unerwartet fort. »Eine Woche, ehe er aufgeknüpft wurde. Bloß, um ihm Lebewohl zu sagen, und gute Landung und so. Wir haben uns gut unterhalten. Komische Sache, Mann. Verstehst du, Shorty war nie besonders gesprächig. Aber an diesem Tag war's wie 'n richtiger Frühjahrsputz. Das ist jetzt über zwanzig Jahre her, aber ich weiß es noch wie heute. Rotz und Wasser. Über das Leben im Gefängnis. Und die Angst vorm Sterben. Mein mit allen Wasser gewaschener und abgebrühter *bra*, der nie vor was Schiß hatte! Er erzählte mir, daß die Verurteilten singen, ehe sie aufgehängt werden. Ohne Unterbrechung, die ganze letzte Woche hindurch, Tag und Nacht. Selbst am letzten Morgen noch, wenn sie zum Galgen gebracht werden. Machen sich in die Hosen, aber singen.« Plötzlich schien Stanley peinlich berührt von seinem eigenen Freimut. »Ach, scheiß drauf«, sagte er. »Was vergangen ist, ist vergangen. Wie dem auch sei, jedenfalls ging ich nach Hause zu meiner Mutter, um ihr von meiner Unterhaltung mit Shorty zu erzählen. Da stand sie in der *mbawula*, dem verdammten kleinen Verschlag, in dem wir damals hausten, der ganze Raum voller Rauch, und sie stand da, hustete und kochte Grütze. Ich seh' das noch heute vor mir, wo ich hier sitze. Der Paraffinkanister mit Zeitungspapier bedeckt, der Primuskocher und der Eimer auf dem Boden und an der Wand ein Foto vom Häuptling unseres Krals. Und die Kartons und Koffer unterm Bettgestell, das hoch auf Ziegelsteinen stand. Sie sagte: ›Alles in Ordnung mit Shorty?‹ Und ich sagte: ›Alles in Ordnung, Ma. Es geht ihm wirklich gut.‹ Wie sollte ich ihr sagen, daß ihn nächste Woche sein Urteil erwartete?«

Danach schwiegen sie eine ganze Weile.

»Noch etwas Kaffee?« fragte Ben schließlich.

»Nein, vielen Dank. Ich muß gehen.« Stanley erhob sich.

»Sagst du mir Bescheid, wenn Gordons Leiche freigegeben wird?«

»Wenn du willst.«

»Und bringst du mich dann nach Soweto?«

»Ich hab' dir doch schon gesagt, es hat keinen Sinn, Mann. In der Ecke war die Hölle los, hast du das vergessen? Warum willst du dich in Gefahr begeben? Du hast bisher nichts damit zu tun gehabt, warum läßt du es nicht dabei?«

»Verstehst du denn nicht – ich muß hin!«

»Ich hab' dich gewarnt, *Lanie*.«

»Es wird mir schon nichts passieren, wenn du bei mir bist.«

Lange und eindringlich sah Stanley ihm in die Augen. Dann sagte er schroff: »Na, schön.«

Das war vorgestern abend gewesen. Und jetzt fuhren sie hin. Bald nachdem sie die alten Crown Mines hinter sich gelassen hatten, in der Nähe des Kraftwerks, bog Stanley von der Hauptstraße ab und suchte sich seinen Weg in einem Gewirr von staubigen Fahrspuren, die durch eine Ödnis von ausgewaschenen Minenhalden führten. (»Halt nach Streifenwagen Ausschau! Sie fahren die ganze Zeit über Patrouille.«)

Ein Gefühl vollkommener Fremdheit, als sie die ersten Reihen völlig gleich aussehender Ziegelhäuser erreichten. Nicht nur eine andere Stadt, sondern ein anderes Land, eine andere Dimension, eine völlig andere

Welt. Kinder spielten auf den schmutzigen Straßen. Autos und Autowracks in verkommenen Hinterhöfen. Friseure, die ihr Handwerk an
Straßenecken ausübten. Offenes Gelände, ohne jede Vegetation, auf
dem große Abfallhaufen qualmten und Schwärme von Jungen Fußball
spielten. Immer wieder scheußliche, ausgebrannte Skelette von Auto-
bussen und Gebäuden. Kleine Gruppen von Kindern, als ob die Wracks
und Ruinen überhaupt nicht vorhanden wären und nie irgend etwas geschehen wäre. Trauben von schwerbewaffneten Polizisten, die in den
Einkaufszentren, Bierhallen und Schulen patrouillierten.

»Wohin fährst du, Stanley?«

»Wir sind gleich da.«

Durch eine breit ausgewaschene, flache Schlucht fuhr er einen kahlen
Hügel hinunter; der Asphalt der Straße war immer wieder aufgerissen,
und überall lagen verrostete Konservendosen, Pappkartons, Flaschen,
Lumpen und anderer unnennbarer Unrat herum. Schließlich hielt er vor
einem langen niedrigen Gebäude, das aussah wie ein weißgekalkter La-
gerschuppen und die Aufschrift trug:

Bis in alle Ewigkeit
BEERDIGUNGSUNTERNEHMEN

Auf dem *stoep* kroch auf allen Vieren ein alter Mann herum und han-
tierte mit rotem Bohnerwachs, Bürsten und schmutzigen Lumpen. Eine
Gruppe von Kindern erstarrte in dem langen schmalen Graben neben
dem Gebäude zu kleinen staubigen Holzstatuen, als der große weiße
Dogde hielt und die beiden Männer ausstiegen. Unter den Treppenstufen lagen die verbogenen Überreste zweier verrosteter Fahrräder; die
Räder fehlten.

Stanley redete auf Zulu mit dem alten Mann auf dem *stoep,* und dieser
zeigte, ohne seine Arbeit auch nur einen Moment zu unterbrechen, auf
eine mit Fliegendraht bespannte Tür, doch noch ehe sie diese erreicht
hatten, ging sie auf, und heraus trat ein kleiner schwarzer Mann; seine
Gliedmaßen waren streichholzdünn wie die einer Gottesanbeterin,
doch war er makellos gekleidet mit weißem Hemd, schwarzer Krawatte, schwarzer Hose und schwarzen Schuhen; nur die Schnürsenkel
fehlten, und Socken hatte er auch keine an.

»Mein Beileid, Sir«, flüsterte er mechanisch, ohne auch nur aufzu-
blicken.

Nach einem kurzen Gespräch mit Stanley wurde sie hineingebeten.

Die Sonne draußen wurde zu einer fernen Erinnerung, kaum daß sie in die Kühle zwischen den weißgekalkten Wänden eingetreten waren. Der Raum war leer bis auf zwei Holzböcke in der Mitte, die offensichtlich für den Sarg bestimmt waren.

»Ich bin noch nicht ganz fertig«, flüsterte der Beerdigungsunternehmer mit heiserer Stimme. »Aber wenn ihr so freundlich sein würdet…«

Er führte sie auf den nach hinten hinausgehenden Hof – eine erschreckende Rückkehr in die weiße, blendende Sonne. Unter einem offenen Anbau lagerten übereinandergestapelte Särge, die meisten aus kaum gehobelten Fichtenbrettern zusammengezimmert; andere, glänzendere und teurere mit schimmernden Griffen waren mit einem viel zu kurzen Segeltuch bedeckt.

»Hier herein.«

Der kleine Mann machte eine Metalltür in einer unverputzten Ziegelwand auf. Eisige Luft schlug ihnen entgegen, als hätte man ihnen ein unsichtbaren nassen Lappen ins Gesicht geklatscht. Als die Tür hinter ihnen zugemacht wurde, war es plötzlich dunkel; nur eine einzelne nackte gelbliche Glühbirne glomm trübe unter der Decke und verbreitete nur notdürftig etwas Helligkeit; die zarten Drähte glühten weiß. Ein Kühlaggregat gab einen leise summenden Ton von sich. Draußen mußte zwar immer noch die Sonne scheinen, spielten Kinder, doch hier drinnen schien das weltenfern und unwahrscheinlich.

Links und rechts von der Tür befanden sich Metallregale, auf denen Leichen lagen. Insgesamt sieben, wie Ben zählte, als wäre es wichtig, eine Bestandsaufnahme zu machen. Sein Magen verkrampfte sich, doch wollte er den Blick nicht abwenden. Auf der einen Seite drei Leichen übereinander, auf der anderen Seite vier. Mund und Nasenlöcher waren ihnen mit Watte verstopft, die dunkel vollgesogen war von Blut. Alle Leichen waren nackt, bis auf zwei, die in braunes Papier eingehüllt waren: Diese waren, wie Stanley sagte, von Angehörigen bereits identifiziert worden.

Alle anderen waren noch namenlos. Eine alte Frau mit ausgemergeltem Gesicht: nur noch Haut über Knochen; die Brüste schlaffe Hautfalten, die Brustwarzen groß und schuppig wie Schildkrötenköpfe. Ein junger Mann mit einer klaffenden Wunde seitlich am Kopf, die eine Augenhöhle leer, so daß man ungehindert in das rote Innere des Schädels hineinsehen konnte. Zuoberst auf der linken Seite lag ein junges Mädchen mit unglaublich süßem Gesicht wie in tiefem Schlaf; unter den gekreuzten Armen waren die sich entwickelnden Brüste zu erkennen; von der Hüfte abwärts war sie jedoch zerschmettert: eine Masse von zerbrochenen und zersplitterten Knochen und schwarzem geronnenem Blut. Eine ungeheuer dicke Frau hatte eine Axt im Schädel stecken. Ein zarter alter Mann mit lachhaft weißen Haarbüscheln auf dem Kopf, Kupferringen in den Ohren und einem bestürzten Ausdruck auf dem Gesicht, als ob das Gewicht der Leichen über ihm zu schwer würde.

Der Sarg stand auf dem Boden. Es war einer der Särge, die mehr hermachten, mit Messingbeschlägen und weißem Satin ausgeschlagen. Gordon lag darin, widersinnig und komisch in seinem schwarzen Sonntagsanzug, die Hände auf der Brust gefaltet wie Vogelklauen, das Gesicht grau. Ein kaum erkennbares Gesicht, die linke Seite entstellt und schwärzlich-blau verfärbt. Die Obduktionsnarbe am Schädel und unterm Kinn roh zusammengenäht, wo sie von seinem hohen steifen Kragen nicht ganz verhüllt wurde.

Jetzt mußte er es glauben. Jetzt hatte er es mit eigenen Augen gesehen. Trotzdem blieb es unfaßlich. Selbst noch während er dastand und in den Sarg hinunterblickte, mußte er sich dazu zwingen zu akzeptieren, daß dies wirklich Gordon war: sein winziger runder Kopf, sein elender Leib in dem schönen Anzug. Er suchte nach irgendeiner Beziehung, einer Erinnerung, die Sinn machte, doch er war unfähig, etwas zu finden, und war von Unbehagen, ja, geradezu von Widerwillen erfüllt, als er neben dem Sarg in die Hocke ging, um den Leichnam zu berühren. Daß Stanley und der Beerdigungsunternehmer neben ihm standen, war ihm irritierend bewußt.

Die Sonne blendete, als er wieder ins Freie hinaustrat. Sie redeten nicht. Nachdem Stanley der alten Gottesanbeterin gedankt hatte, gingen sie um das schmale weißgekalkte Gebäude herum; vorn hatten die Kinder wieder begonnen, sich im Schmutz zu balgen. Und jetzt war es das Beerdigungsinstitut, das zu einer absurden, weit entfernten Erinnerung wurde. Gleichzeitig war es jedoch unentrinnbar da und verfolgte ihn wie ein schlechtes Gewissen hinaus in den explosiven Sonnenschein, in dem das Leben weiter seinen geschäftigen und obzön fruchtbaren Lauf nahm. Der Tod, dachte er voller Zorn, hatte hier wirklich nichts zu suchen. Wie absurd, an einem solchen Sommertag von ihm ereilt zu werden, wo die Welt doch so strahlend hell und fruchtbar war.

Stanley sah ihn an, als sie die Wagentüren zuwarfen, sagte jedoch nichts. Das Auto fuhr an, folgte abermals einem verworrenen Weg, der durch Ansammlungen gleicher Häuser hindurchführte, als kämen sie immer wieder an denselben Häusern vorüber. Ziegelwände, vollgeschmiert mit Parolen. Abblätternde Plakatwände. Ballspielende Jungen. Die Friseure. Die Autowracks und die verkohlten Gebäude. Hühner. Abfallhaufen.

Emilys Haus sah genauso aus wie all die anderen dieser *township*, die Orlando West hieß: Zement und Wellblech, ein kleiner Garten, eigensinnig gegen die staubige Straße vorgeschoben. Drinnen ein Gewirr von alten Kalendern und frommen Bildern an den nackten Wänden; keine Decke, die das Wellblechdach verborgen hätte; Eßtisch und Stühle; ein paar Gaslampen; Nähmaschine, Transistorradio. Eine Schar von Freunden war bei ihr, hauptsächlich Frauen, die jedoch wortlos beiseite traten, als Ben und Stanley hereinkamen. Ein paar kleine Kinder spielten auf dem Boden; eines mit nacktem Hintern.

Sie blickte auf. Vielleicht erkannte sie Ben gegen das gleißende Sonnenlicht draußen nicht; vielleicht hatte sie ihn einfach nicht erwartet. Ausdruckslos starrte sie ihn an.

»Ach, mein *Baas*«, sagte sie schließlich.

»Ich bin beim Beerdigungsinstitut gewesen, um ihn anzusehen, Emily«, sagte er. Unbeholfen stand er da und wußte nicht, was mit den Händen anfangen.

»Es ist gut.« Sie blickte auf ihren Schoß, und das schwarze Kopftuch verdeckte ihr Gesicht. Als sie wieder aufsah, waren ihre Züge ausdruckslos wie zuvor. »Warum haben sie ihn umgebracht?« fragte sie. »Er hat ihnen nichts getan. Du hast Gordon ja gekannt, *Baas*.«

Wie hilfesuchend wandte Ben sich an Stanley, doch der große Mann stand an der Tür und sprach im Flüsterton mit einer der Frauen.

»Sie haben gesagt, er hat sich erhängt«, fuhr Emily mit ihrer tiefen, eintönigen Stimme fort, die jeden Gefühls beraubt zu sein schien. »Aber als sie ihn heute morgen brachten, bin ich hin, um ihn zu waschen. Ich habe seinen ganzen Körper gewaschen, *Baas*, denn er war mein Mann. Und ich weiß, ein Mann, der sich selbst aufgehängt hat, sieht nicht so aus wie er.« Pause. »Er ist zerbrochen, *Baas*. Er ist wie jemand, der unter einen Lastwagen geraten ist.«

Als er sie wie vor den Kopf geschlagen anstarrte, fing eine der anderen Frauen an zu reden:

»Master darf Emily das nicht übelnehmen. Sie ist noch ganz wund innen. Was wollen wir machen, wir, die wir heute hier bei ihr sind? Wir haben noch Glück. Meinen Mann haben sie voriges Jahr auch aufgegriffen, aber sie haben ihn nur dreißig Tage festgehalten. Die Polizei war freundlich zu uns.«

Und eine andere – eine Frau mit dem Leib und den Brüsten einer Erdmutter: »Ich hab' sieben Söhne gehabt, Sir, doch fünf davon sind mir genommen worden. Einer nach dem anderen. Einen haben die *tsotsis* umgebracht. Einer wurde bei einem Fußballspiel erstochen. Einer war bei der Eisenbahn, fiel vom Zug, und die Räder sind über ihn hinweggegangen. Einer ist in den Minen umgekommen. Und einen hat die Polizei geholt. Aber zwei Söhne sind mir noch geblieben. Und deshalb sage ich zu Emily, sie soll froh sein für die Kinder, die heute noch bei ihr sind. Der Tod läßt uns nie allein.«

Es kam zu einer kurzen Unterbrechung, als ein halbwüchsiger Junge in das kleine Haus hereinstürmte. Er war bereits drinnen, ehe er die Fremden bemerkte und unvermittelt stehenblieb.

»Robert, sag dem *Baas* guten Tag«, befahl Emily mit unveränderter Stimme. »Er ist wegen deines Vaters gekommen.« Um sich dann kurz an Ben zu wenden: »Das ist Robert, mein Ältester. Erst war es Jonathan, doch jetzt ist er es.«

Das Gesicht verschlossen vor Groll, wich Robert zurück.

»Robert, sag dem *Baas* guten Tag«, wiederholte sie.

»Ich sag' einem Scheiß-Buren nicht guten Tag!« erklärte er und fuhr böse herum, um in das wütende Licht draußen zu entkommen.

»Robert, ich möchte euch helfen«, stammelte Ben unglücklich.

»Hau ab! Erst bringt ihr ihn um, und dann wollt ihr helfen!« Er stand da und wiegte sich wie eine Schlange, die zustoßen will, völlig überwältigt von der hoffnungslosen melodramatischen Wut seiner sechzehn Jahre.

»Aber ich habe doch nichts mit seinem Tod zu tun.«

»Und wenn schon!«

Ein alter schwarzer Priester, der sich bis zu Roberts Ausbruch ruhig im Hintergrund gehalten hatte, schob sich jetzt zwischen den Frauen hindurch und nahm den Jungen sanft bei einem seiner dünnen Arme. Robert jedoch riß sich mit überraschender Kraft los, brach durch die Menge der Trauernden und verschwand auf der Straße. Das einzige, was man in dem erschrockenen Schweigen drinnen vernahm, war das hohe, eintönige Summen einer Wespe an einer Fensterscheibe.

»*Morena*«, sagte der alte Priester und schnalzte mit der Zunge, »sei dem Jungen nicht böse. Unsere Kinder verstehen das nicht. Sie sehen, was hier geschieht, und sind wie diese Wespe, wenn man ihr Nest ausräuchert. Aber wir, die wir alt sind, freuen uns, daß du gekommen bist. Wir sehen dich.«

In Bens Ohren dröhnte es. Eine merkwürdige Erfahrung: Seine Sinne nahmen sehr genau wahr, was geschah; trotzdem war ihm, als wäre er ganz woanders. Völlig desorientiert, jemand, der überhaupt nicht hierher gehörte, jemand, der sich ihrem Schmerz aufdrängte – und trotzdem verlangte es ihn so verzweifelt, daran teilzunehmen. Er sah die Frau an, die in der Mitte des Raums stand.

»Emily«, sagte er, erschrocken, seine eigene Stimme in dem Schweigen zu vernehmen – nur die Wespe summte, war immer noch von ihrem Element draußen abgeschnitten –, »du mußt mir unbedingt Bescheid sagen, wenn du etwas brauchst. Bitte, versprich mir das!«

Sie starrte ihn an, als hätte sie nicht gehört.

»*Morena*, du bist gütig zu uns«, sagte der Priester.

Automatisch, ohne es eigentlich zu wollen, griff Ben in die Hosentasche, nahm einen Zehn-Rand-Schein heraus und legte ihn auf den Tisch vor ihr. Alle starrten sie Ben an, die trauernden Frauen, als versuchten sie bewußt, über den grünen Geldschein auf der karierten Plastikdecke hinwegzusehen. Und nachdem er auf Wiedersehen gesagt hatte und von der Tür aus noch einmal geradezu flehentlich zurückblickte, standen sie immer noch so da, völlig regungslos, wie auf einem Familienfoto.

Der große Dogde war, nachdem er so lange in der strahlenden Sonne gestanden hatte, der reinste Backofen, doch Ben merkte das kaum. Nicht einmal die Gruppe von Halbwüchsigen weiter unten auf der Straße, die ihm Schimpfworte zuriefen und die geballte Faust reckten, als er aus dem Haus trat, nahm er richtig wahr. Er schlug die Wagentür zu und starrte hinaus durch die Windschutzscheibe auf die zahllosen Häuserzeilen, die in der Hitze zitterten und waberten.

Stanley schob sich auf den Sitz neben ihm.

»Na, *Lanie*?« sagte er laut.

Ben biß die Zähne zusammen.

»Fahren wir jetzt nach Hause?« fragte Stanley. Die Frage klang mehr wie eine Anklage.

Unfähig, seine Reaktion zu erklären, und wie von Panik ergriffen bei dem Gedanken an alles, was so abrupt und sinnlos endete, sagte Ben: »Meinst du, wir könnten irgendwo hinfahren und uns einfach ruhig hinsetzen?«

»Klar, wenn du willst. Aber erst mal machen wir besser, daß wir hier wegkommen, ehe diese Meute anfängt, meinen Wagen mit Steinen zu bewerfen.« Mit diesen Worten zeigte er auf die Halbwüchsigen, die in langsamer, bedrohlicher Phalanx die Straße herunterkamen. Ohne eine Antwort abzuwarten, ließ er den Motor an, fuhr rückwärts in die nächste Seitenstraße hinein und dann mit quietschenden Reifen davon. Einzelne ferne Stimmen riefen hinter ihnen her; im Rückspiegel konnten sie sie eigenartig mit hochgereckten Armen im Staub tanzen sehen. Ein aufgeregt gackerndes Huhn flatterte vor dem Wagen vorüber; Federn stoben, und ums Haar hätten sie es überfahren. Stanley schüttelte sich vor Lachen.

Von außen unterschied sich Stanleys Haus in keiner Weise von den anderen Häusern in seiner Straße. Vielleicht ging es ihm bewußt darum, nicht aufzufallen. Drinnen war es besser eingerichtet als Emilys, hatte etwas leicht Aufgedonnertes, aber in keiner Weise Bemerkenswertes. Glänzendes Linoleum auf dem Boden, Kaufhausmöbel, eine protzige Vitrine, angefüllt mit Tellern und glänzenden Gegenständen; auf dem Sideboard ein großes Tablett mit farbenprächtigen Vögeln darauf; ein Plattengestell mit der leeren Hülle einer Aretha-Franklin-Platte obendrauf.

»Whisky?«

»Eigentlich mag ich so was Starkes gar nicht.«

»Aber du brauchst es, Mann.« Lachend ging Stanley in die Küche hinüber, wo man ihn leise mit jemandem reden hörte; mit zwei großen Gläsern kehrte er zurück. »Tut mir leid«, sagte er, »aber Eis ist nicht da. Der Scheiß-Paraffinkühlschrank hat mal wieder seinen Geist aufgegeben, Prost!«

Beim ersten Schluck erschauerte Ben ein wenig; der zweite ging schon besser hinunter.

»Wie lange lebst du schon hier?« erkundigte er sich voller Unbehagen.

Stanley lachte schrill. »Jetzt machst du einfach Konversation. Was spielt das schon für eine Rolle?«

»Ich würde es gern wissen.«

»Du meinst: Zeig mir deins, und ich zeig' dir meins?«

»Als du mich neulich abend besucht hast, haben wir uns so gut verstanden«, sagte Ben, mutig geworden durch den Whisky. »Also, warum bist du heute so verschlossen? Warum spielst du Katz und Maus mit mir?«

»Ich hab' dir gesagt, es wär' besser, nicht herzukommen.«

»Aber ich wollte es. Mußte es einfach.« Offen sah er Stanley an. »Und jetzt habe ich es getan.«

»Und du meinst, jetzt ist alles anders für dich?«

»Selbstverständlich. Ich weiß zwar nicht genau, was es ist, aber ich weiß, daß es wichtig war. Es war notwendig.«

»Es hat dir nicht gefallen, was du gesehen hast, stimmt's?«

»Ich bin nicht hergekommen, damit es mir gefällt. Ich mußte es nur einfach sehen. Ich mußte Gordon sehen.«

»Und?« Stanley saß da und beobachtete ihn wie ein großer wütender Adler.

»Ich habe es mit eigenen Augen sehen müssen. Jetzt weiß ich Bescheid.«

»Worüber? Daß er keinen Selbstmord begangen hat?«

»Ja, das auch.« Ben hob wieder das Glas, diesmal mit mehr Zuversicht.

»Was bedeutete es für dich, *Lanie*?« Hinter der Aggressivität seiner tiefen Stimme lauerte etwas anderes und geradezu Begieriges. »Solche Sachen passieren jeden Tag, Mann. Warum sich wegen Gordon quälen?«

»Weil ich ihn gekannt hab'. Und weil...« Er wußte nicht, wie er es ausdrücken sollte; aber er wußte auch, daß er nicht ausweichen wollte. Das Glas senkend, sah er Stanley in die Augen. »Ich hab' es zuvor einfach nicht richtig *gewußt*. Oder wenn doch, schien es mich irgendwie nie unmittelbar zu betreffen. Es war – nun ja, wie die dunkle Seite des Mondes. Selbst wenn man zugab, daß es so was gab – man brauchte nicht unbedingt damit zu leben.« Ein kurzer Moment, die Andeutung eines Lächelns. »Und jetzt sind Menschen dort gelandet.«

»Bist du sicher, daß du nicht einfach genauso weitermachen kannst wie bisher?«

»Genau das hab' ich rausfinden müssen. Verstehst du das denn nicht?«

Lange sah Stanley ihn schweigend an; es war, als ob er ihn – ohne

Worte – eindringlicher befragte als zuvor. Ben erwiderte den Blick. Es war wie bei dem Kinderspiel; in dem es darum geht, wer als erster den Blick abwendet; nur, daß es kein Spiel war. Schweigend hoben sie die Gläser.

Schließlich fragte Ben: »War ein Vertreter der Familie bei der Obduktion dabei?«

»Natürlich. Ich hab' dafür gesorgt, daß es ein Privatarzt war. Suliman Hassiem. Kenn' ich seit Jahren, seit er an der Witsrand-Universität in Johannesburg seinen Doktor gemacht hat.« Setzte mit schiefem Gesicht hinzu: »Was aber auch keine Garantie ist. Diese Buren kennen sich da aus.«

»Aber vor Gericht werden sie nicht damit durchkommen, Stanley.« Davon ließ er sich nicht abbringen. »Unsere Gerichte sind immer für ihre Unparteilichkeit bekannt gewesen.«

Stanley grinste.

»Du wirst sehen!« sagte Ben.

»Ich werde sehen, was ich sehen werde.« Das leere Glas in der Hand, erhob Stanley sich.

»Was soll das heißen?«

»Nichts.« Stanley ging hinaus. Von der Küche aus rief er: »Denk daran, was ich dir gesagt hab'.« Das Glas in der einen, die Flasche in der anderen Hand, kehrte er zurück. »Nicht noch einen?«

»Mir nicht, vielen Dank.«

»Sei doch kein Spielverderber, Mann!« Ohne abzuwarten, schenkte er Ben reichlich nach.

»Emily braucht Hilfe«, sagte Ben.

»Keine Sorge. Ich kümmere mich um sie.« Stanley kippte die Hälfte seines Whiskys und setzte dann gleichmütig hinzu: »Das Haus muß sie natürlich aufgeben.«

»Warum?«

»So ist das nun mal, Mann. Sie ist jetzt eine Witwe.«

»Aber wohin soll sie denn?«

»Das werd' ich schon deichseln.« Ein verschmitztes Grinsen. »In so was haben wir Übung.«

Eindringlich blickte Ben ihn an und schüttelte dann langsam den Kopf. »Ich wünschte, ich wüßte, was in dir vorgeht, Stanley.«

»Schau nicht zu tief rein.« Und bog sich auf seine entwaffnende Art vor Lachen.

»Wie schaffst du es zu überleben?« fragte Ben. »Wie machst du es, keine Scherereien zu kriegen?«

»Das hast du doch gerade miterlebt.« Mit dem Handrücken wischte er sich über den Mund und sah Ben dabei an, als wolle er sich über etwas schlüssig werden. Aus der Küche kamen dumpfe, unübersetzbare Laute; draußen greinten Kinder und bellte ein Hund; einmal fuhr mit großer Geschwindigkeit ein Auto vorüber.

»Damals, als sie meinen Bruder holten«, sagt Stanley plötzlich, »hab' ich beschlossen, keine krummen Sachen zu machen. Ich wollte nicht so enden wie er. Da bin ich Garten-Boy in Booysenes geworden. Keine schlechten Leute, und mein Zimmer hatte ich hinten im Hof ganz für mich allein. Lange Zeit ging alles sehr gut. Dann schaffte ich mir eine Freundin an; sie war einen Block weiter Kindermädchen. Eigentlich hieß sie Noni, aber sie nannten sie Annie. Nettes Mädchen. Ich fing an, die Nächte bei ihr zu verbringen. Aber eines Nachts klopfte es an der Tür. Ihr Master. Den Djambok – die Nilpferdpeitsche – in der Hand, stürzte er herein. Und hat uns bis aufs Blut durchgedroschen – wir hatten nicht einmal Zeit, uns anzuziehen. Auf allen vieren und nackt wie an dem Tag, da ich geboren wurde, bin ich rausgekrochen.« Die Erinnerung daran schien ihn zu belustigen, denn er krümmte sich vor Lachen. »Aber egal, jedenfalls bin ich noch in derselben Nacht aus meinem Zimmer ausgezogen, ehe er rausbekam, woher ich kam.« Stanley füllte sich wieder das Glas; Bens war noch voll. »*Lanie*, in dieser Nacht hab' ich etwas begriffen, was ich davor noch nicht begriffen hatte: daß ich nicht mein eigener Herr war. Mein Leben gehörte meinem weißen *Baas*. Er war es, der angab, wie ich meine Arbeit zu verrichten hatte und mir sagte, wo ich bleiben konnte und wo nicht und was ich tun mußte und was nicht – du kennst das. Dieser Mann hat mir in dieser Nacht fast jeden Knochen im Leib zerbrochen. Aber das war es nicht, was mir so zu schaffen machte. Das war das andere. Das Wissen darum, nie aus eigenem Recht mein eigener Herr zu sein. Dazu mußte ich erst frei werden. Was tat ich also? Ich fing ganz unten an. Verschaffte mir einen Job auf dem Markt. Dann kaufte ich Waren in größeren Mengen, um übers Wochenende in den *townships* hausieren zu gehen, bis ich in Diepkoolf meinen eigenen Laden aufmachen konnte. Hatte aber keinen Sinn, Mann. Um genug Kapital zusammenzukriegen, mußte ich von den *Lanies* Geld pumpen, den großen Leuten in iGoli. Und das mußte alles zurückgezahlt werden. Jeden Monat kamen sie, um sich meine Bücher anzusehen und sich ihren Anteil vom Gewinn zu nehmen. Nennst du das Freiheit? Deshalb tat ich mich schließlich mit ein paar anderen zusammen, um ein Auto zu kaufen. Ein Jahr, dann kaufte ich mir mein eigenes. Und hab' nie zurückgeblickt.«

»Und jetzt bist du dein eigener Herr?«

Stanley blickte zu seinen Schuhen hinunter und wischte die Kappen wie abwesend mit der Hand sauber. »Richtig.« Er sah auf. »Aber mach dir nichts vor, Baby. Ich bin nur so frei, wie die weißen Herren mir erlauben, frei zu sein. Kapiert? Scheißeinfach ist das. Na schön, ich hab' gelernt, es für das zu nehmen, was es wert ist. Man lernt schließlich, nicht mehr das Scheiß-Unmögliche zu verlangen, man lernt, damit zu leben. Aber was ist mit meinen Kindern? Ich frage dich das geradeaus. Was ist mit Gordons Kindern? Was mit dem Mob, der uns da draußen mit den Fäusten bedroht hat? Die können sich einfach nicht mehr damit abfinden, Mann. Die wissen einfach nicht, was wir Älteren schon vor langer Zeit gelernt haben. Aber wer weiß, vielleicht tun sie's doch. Vielleicht sind sie besser als wir – wer weiß? Ich weiß nur, daß was Großes und Schreckliches in Gang gekommen ist, und kein Mensch weiß, was sonst noch alles passieren wird.«

»Und genau davon hab' ich mich mit eigenen Augen überzeugen müssen«, sagte Ben ruhig.

»Wir müssen jetzt gehen«, sagte Stanley, leerte sein Glas und setzte es hin. »Ehe die Leute von der Arbeit heimkommen und die *townships* sich mit Menschen füllen. Dann kann ich für nichts mehr garantieren.« Trotz seiner barschen Worte war seine Haltung weniger abweisend als zuvor, und als sie hinausgingen, legte er Ben sogar flüchtig die Hand auf die Schulter – eine kurze kameradschaftliche Geste, mit der er das Vertrauen von neulich abend wiederherstellte.

Schweigend fuhren sie durch das Labyrinth von Wohnblocks hindurch, deren Häuser einander glichen wie ein Ei dem anderen; und in diesem Schweigen, hinter den Geschehnissen des Nachmittags und dem erbarmungslos neutralen Licht der Sonne lag die Erinnerung an Gordon, wie er klein und zusammengeschlagen in dem kühlen kahlen Raum in seinem Sarg lag, die grauen Klauen auf der schmalen Brust gefaltet. Alles andere schien austauschbar, übertragbar und unwesentlich: Das jedoch blieb. Und mit ihm rührte sich das schmerzhafte Bewußtsein von etwas und wurde zur trägen Bewegung von etwas Unausweichlichem.

Als sie vor der Weißdornhecke mit den leuchtendorangefarbenen

Beeren vorfuhren, sagte Stanley:

»Es geht nicht, daß ich weiter hierherkomme wie bisher. Sie werden dich aufs Korn nehmen.«

»Wieso? Was heißt, aufs Korn nehmen?«

»Ach, laß nur.« Stanley nahm eine leere Zigarettenschachtel aus der Tasche, fand im Handschuhfach einen Kugelschreiber und kritzelte eine Nummer auf die Packung. »Falls du mich je brauchst. Hinterlaß keine Nachricht, falls ich nicht da sein sollte. Nenn deinen Namen nicht, sondern sag einfach, der *Lanie* hat angerufen, *okay*? Oder schreib mir.« Er fügte noch eine Adresse hinzu. Dann lächelte er. »Bis dann, Mann. Keine Sorge. Du bist *okay*.«

Ben stieg aus. Der Dodge fuhr davon. Ben wandte sich dem Haus zu und machte die schmiedeeiserne Pforte mit dem Briefkasten darauf auf. Und unvermittelt kam ihm all dies hier fremd vor: nicht das, was er im Laufe eines langen, erschreckenden Nachmittags gesehen hatte, sondern dies hier. Sein Garten mit dem Rasensprenger auf dem Rasen. Sein Haus mit den weißen Mauern, den orangefarbenen Ziegeln auf dem Dach, den Fenstern und dem halbrunden *stoep* davor. Seine Frau, die in der Haustür erschien. Als ob er es nie zuvor in seinem Leben gesehen hätte.

2

Die Beerdigung. Ben hatte daran teilnehmen wollen, doch hatte Stanley ihm das rundweg abgelehnt. Es könnte zu Unruhen kommen, hatte er gesagt. Und es kam auch dazu. Nur wenige Menschen hatten Gordon gekannt, doch sein Tod hatte eine gewaltige, wenngleich kurzlebige Reaktion hervorgerufen, wie sie zu seinen Lebzeiten unvorstellbar gewesen wäre. Zumal sich sein Tod so kurz nach Jonathans ereignet hatte. Eine ganze Bevölkerungsgruppe schien plötzlich bei seiner Beerdigung die Gelegenheit ergriffen zu haben, all die Fassungslosigkeit, die Spannungen und Leidenschaften zum Ausdruck zu bringen, die sich in den vorhergehenden Monaten aufgestaut hatten: eine große und notwendige Katharsis. Briefe und Telegramme von Leuten trafen ein, die den Namen Gordon Ngubene vor wenigen Wochen noch nicht einmal gehört hatten. Emily, die es vorgezogen hätte, ihren Toten in aller Stille zu begraben, geriet zwangsläufig in den Mittelpunkt eines öffentlichen

Schauspiels. Ein Foto von ihr, wie sie an ihrem Küchentisch sitzt und starr an einer brennenden Kerze vorbeischaut, gewann irgendeinen internationalen Preis.

Die *World* widmete dem Fall weiterhin größte Aufmerksamkeit: der Name von Dr. Suliman Hassiem, der als Vertreter der Familie an der Obduktion teilgenommen hatte, wurde fast so bekannt wie der von Gordon Ngubene selbst. Obwohl Dr. Hassiem auf Weisung des Sonderdezernats den Journalisten keine Interviews gab, gelangten weiterhin erschreckende Einzelheiten an die *World* und an die *Daily Mail* und wurden trotz der kategorischen und sarkastischen Dementis des Ministers als harte Tatsachen hingestellt. Alle Beteiligten wurden dringend aufgerufen, dafür zu sorgen, daß die Beerdigung friedlich verlaufe; gleichzeitig wurden Berichte, denen zufolge aus dem ganzen Reef-Gebiet Polizeiverstärkungen nach Soweto geschickt würden, groß herausgestellt. Am Sonntag glichen die *townships* einem riesigen Militärlager, in dem gepanzerte Mannschaftswagen und Tanks und Einheiten der Einsatzpolizei mit automatischen Waffen hin und her fuhren, während Hubschrauber die Ereignisse aus der Luft beobachteten.

Vom frühen Morgen an trafen ganze Busladungen von Leuten ein, die an der Beerdigung teilnehmen wollten. Immerhin schien alles noch ruhig. Die Menschen waren von innerer Spannung erfüllt, aber es kam zu keinen Zwischenfällen – nur bei dem Bus aus Mamelodi, der von der Einsatzpolizei außerhalb von Pretoria angehalten wurde. Sämtliche Reisenden wurden gezwungen auszusteigen und mußten zwischen zwei Reihen von Polizeibeamten Spießruten laufen, die mit Schlagstöcken, Djamboks und Gewehrkolben auf sie einschlugen. Die ganze Operation hatte etwas Ruhiges und Geordnetes: reine, unverfälschte Gewalttätigkeit, die keines Vorwands und keiner Entschuldigung bedurfte, sondern einfach systematisch, gründlich und sauber durchgeführt wurde. Danach wurde dem Bus gestattet, nach Soweto weiterzufahren.

Die Beerdigung dauerte Stunden. Gebete, Choräle, Reden. Trotz der spürbaren Spannung blieb alles bemerkenswert ruhig, doch nach der Totenfeier, am Spätnachmittag, als die Leute vom Friedhof strömten, um im Trauerhaus die rituelle Handwaschung vorzunehmen, versuchte eine Einheit der Polizei, die Mehrheit der Teilnehmer abzuschneiden. Ein paar Jugendliche in der Menge fingen an, mit Steinen zu werfen, und ein Einsatzwagen wurde getroffen. Plötzlich brach die Hölle los. Sirenen. Tränengas. Salven von Gewehrschüssen. Einheiten der Einsatzpolizei, die mit Schlagstöcken vorrückten. Hunde. Es wollte kein Ende nehmen. Sobald ein *township* unter einer Wolke von Tränengas in Schweigen versank, brach die Gewalttätigkeit woanders aus. Es ging nach Einbruch der Dunkelheit weiter, die auf spektakuläre Weise von explodierenden Fahrzeugen und brennenden Gebäuden erhellt wurde – das Bantu-Verwaltungsgebäude, ein Schnapsladen, eine Schule in Mofolo. Die ganze Nacht über kam es immer wieder zu neuen Ausbrüchen, doch als es hell wurde, war, wie es in den Medien hieß, alles wieder »unter Kontrolle«. Eine nie veröffentlichte Zahl von Verwundeten wurde in Krankenhäusern und Pflegeheimen in ganz Johannesburg untergebracht; andere verschwanden einfach im Labyrinth der Häuser. Die Zahl der Toten wurde offiziell mit vier angegeben – eine erstaunlich niedrige Zahl angesichts des Ausmaßes der Unruhen.

Emilys ältester Sohn, Robert, war in der Nacht verschwunden. Über eine Woche verging, ehe sie endlich wieder von ihm hörte und einen Brief aus Botswana von ihm erhielt. Die ihr noch verbliebenen Kinder um sich geschart, zog sie sich schließlich müde und völlig benommen in ihre kleine Küche zurück, in der – von welken Blumen bekränzt – Gordons Foto an der Wand hing. Auf dem Friedhof Doornkop bedeckte ein Berg von Kränzen den Hügel, unter dem der unbekannte kleine Mann lag, um dessentwillen all dies so unerklärlicherweise geschehen war.

Am nächsten Tag wurde berichtet, Dr. Suliman Hassiem sei aufgrund des Gesetzes für die innere Sicherheit festgenommen worden.

3

Man denkt unwillkürlich an Wasser. Ein Tropfen, der – obwohl vom Druck seines eigenen Gewichts geschwollen – kraft des eigenen Beharrungsvermögens bis zum letzten Augenblick hängen bleibt, ehe er unwiderruflich fällt. Oder an die Oberflächenspannung, die Wasser in einem Glas daran hindert überzulaufen, obwohl es bereits über den Rand hinausragt; als ob das Wasser, das seinen unmittelbar bevorstehenden Fall oder sein Überlaufen bereits ahnt, gegen die Schwerkraft ankämpfte und sich an sein heikles Gleichgewicht klammerte und versuchte, dieses so lange wie möglich zu bewahren. Die Zustandsveränderung tritt nicht leicht oder von selbst ein; zuvor sind innere Widerstände zu überwinden.

Bens Widerstandsfähigkeit wurde durch Dr. Hassiems Verhaftung quälend auf die Probe gestellt. Doch selbst dann noch versuchte er, vernünftig zu bleiben. Seine erste Reaktion war, Stanley anzurufen.

Stanley war zwar nicht da, doch die Frau, die den Anruf entgegennahm, versprach, die Botschaft weiterzugeben. Wie er heiße? Sag ihm einfach, der *Lanie* hat angerufen, sagte er und folgte damit Stanleys Anweisung.

Der Anruf kam am Dienstag nachmittag, als Ben in der Garage arbeitete, wo er in letzter Zeit länger als früher bei seinen Stecheisen und Sägen, Hämmern und Bohrern Zuflucht suchte.

»*Lanie?*« Stanley meldete sich zwar nicht mit Namen, doch Ben erkannte die tiefe Stimme sofort. »Irgendwelche Schwierigkeiten?«

»Nein, natürlich nicht. Aber ich möchte mit dir sprechen. Kannst du die Zeit erübrigen?«

»Ich muß heute abend sowieso in deine Gegend. Sagen wir um acht, einverstanden? Ich hol’ dich an der Tankstelle ab, wo wir letztes Mal zu deinem Haus abgebogen sind. Bis dann.«

Glücklicherweise war es für ihn nicht schwierig, ohne Erklärung fortzukommen, denn Susan war zu einer Versammlung gegangen, und Johan besuchte irgendeine Schulveranstaltung. Als Ben um acht Uhr bei der Tankstelle eintraf, stand der weiße Dodge unauffällig hinter einer Reihe dunkler Zapfsäulen und wartete auf ihn. Durchdringender Ölgeruch erfüllte immer noch die unter dem niedrigen Dach festsitzende Tageshitze. Ein winziger glühender Punkt hinter der Windschutzscheibe verriet den gelassen rauchenden Stanley.

»Wie geht’s, *Lanie*? Wo brennt’s?«

Ben stieg zu ihm ein, ließ aber die Tür offen. »Hast du das von Dr. Hassiem gehört?«

Stanley ließ den Motor an und lachte. »Selbstverständlich. Mach die Tür zu.« Nachdem sie ein, zwei Blocks gefahren waren, sagte er fröhlich: »Diese *boere* verstehen sich auf ihren Job. Hab’ ich dir doch schon gesagt.«

»Und was jetzt?«

»Wenn sie krumme Touren machen, machen wir das auch.«

»Das ist der Grund, warum ich dich sprechen wollte«, sagte Ben drängend. »Ich möchte nicht, daß du in diesem Stadium alles vermasselst.«

»*Ich* und alles vermasseln?! Wovon redest du, Mann? Ist Gordon tot oder ist er es nicht?«

»Ich weiß, Stanley. Aber jetzt muß doch mal ein Punkt sein.«

Ein brutales Lachen. »Du machst dir was vor, *Lanie*. Jetzt geht's doch erst richtig los.«

»Stanley.« Es war, als bettelte er um sein eigenes Leben, als er dem massigen Mann die Hand auf die Pranke am Lenkrad legte, wie um ihn physisch zurückzuhalten. »Wir haben es jetzt nicht mehr in der Hand, Stanley. Wir müssen das Gesetz seinen Lauf nehmen lassen. Und wer schuldig ist, wird dafür zahlen.«

Stanley schnaubte. »Sie spielen alle das gleiche Spiel, *Lanie*.«

Ben überhört das geflissentlich. »Eines können wir tun«, sagte er. »Eines müssen wir tun. Und zwar dafür sorgen, daß der beste Strafverteidiger in Johannesburg die Familie vertritt.«

»Was hat das für einen Zweck?«

»Ich möchte, daß du morgen mit mir zu Dan Levinson gehst. Er muß so schnell wie möglich einen Verteidiger bevollmächtigen. Einen, der nicht zuläßt, daß sie mit irgendwas durchkommen, egal, was es kostet.«

»Geld ist kein Problem?«

»Und woher soll das kommen?«

»Das laß nur meine Sorge sein.«

»Kommst du morgen mit mir?«

Stanley seufzte verdrossen auf. »Ach, zum Teufel, Mann. Na, schön. Aber ich sag' dir, es hat keinen Zweck.«

Sie fuhren zur Tankstelle zurück und hielten an derselben dunklen Stelle hinter den Zapfsäulen, wo der Ölgeruch ihre Nasen erneut heftig bedrängte.

»Ich verlange doch nichts weiter von dir, als daß du dem Gericht eine Chance gibst, Stanley.«

Ein mißtönendes, bitteres Lachen. »*Okay*. Treffen wir uns also im Büro deines gewieften liberalen Freundes. Woll'n mal sehen, ob wir einen Verteidiger bekommen, der uns Gordon und Jonathan zurückbringt.«

»Das habe ich nicht behauptet.«

»Ich weiß, *Lanie*.« Seine Stimme klang fast begütigend. »Aber du glaubst immer noch an Wunder. Ich nicht.«

Das Ermittlungsverfahren über Gordon Ngubenes Tod fiel in die Schulferien (21. April–9. Mai), was es Ben ermöglichte, an allen Sitzungen teilzunehmen. Das öffentliche Interesse, das durch die Beerdigung vor zwei Monaten aufgewühlt worden war, schien sich größtenteils verflüchtigt zu haben. Auf den Zuschauerbänken saß eine ziemlich große Schar Schwarzer – es wurde »Amandla! – Freiheit!« gerufen und mit geballten Fäusten gedroht, doch abgesehen von der dicht beieinanderstehenden unvermeidlichen Gruppe von Journalisten waren nur wenige Weiße da: ein paar Studenten und Lehrer von der Witswatersrand Universität, Vertreter der »Black Sash« und der Progressive Reform Party, ein niederländischer Delegierter der Internationalen Juristen-Kommission, der zufällig zu Besprechungen in Südafrika weilte, und ein paar wenige andere.

Vom Institut für Rassenbeziehungen wurde hinterher ein nützlicher und leidenschaftlicher Bericht über das Verfahren veröffentlicht. Dieser wurde zwar bald verboten, doch befand sich ein Exemplar unter Bens Papieren.

GORDON NGUBENE (54), ein ungelernter Arbeiter aus Orlando West, Soweto, zur Zeit seiner Festnahme stellungslos, wurde aufgrund Artikel 6 des Terroristengesetzes am 18. Januar dieses Jahres verhaftet und am John Vorster Square festgehalten. Aufgrund gewisser seiner Familie zugetragener Informationen wurde am 5. Februar am Obersten Gericht eine einstweilige Verfügung erwirkt, um die Polizei davon abzuhalten, Mr. Ngubene tätlich zu bedrohen oder auf ungesetzliche Weise zu verhören, doch wurde das Ersuchen am 10. Februar mangels Beweisen abgewiesen. Am 25. Februar wurde von Radio Südafrika Mr. Ngubenes Tod in der Haft bekanntgegeben und am nächsten Tag von der Polizei bestätigt; die Angehörigen wurden allerdings nie offiziell benachrichtigt. Am 26. Februar wurde von dem Gerichtsmediziner Dr. P. J. Jansen eine Obduktion der Leiche durchgeführt, als Vertreter der Familie wohnte Dr. Suliman Hassiem der Obduktion bei. Mr. Ngubene wurde am Sonntag, dem 6. März, bestattet, und am Tag darauf wurde Dr. Hassiem nach Maßgabe des Gesetzes für Innere Sicherheit festgenommen, was die Rechtsvertreter der Familie daran hinderte, Kontakt mit ihm aufzunehmen. In Erwartung von Dr. Hassiems Entlassung wurde die gerichtliche Untersuchung von Mr. Ngubenes Tod, die ursprünglich für den 13. April festgesetzt worden war, auf unbestimmte Zeit vertagt. Bald danach wurde der Gerichtshof informiert, es sei sehr unwahrscheinlich, daß Dr. Hassiem in absehbarer Zeit entlassen würde, und so wurde angesichts der Tatsache, daß der von Dr. Jansen verfaßte Obduktionsbericht auch von Dr. Hassiem unterschrieben worden war, ein neuer Termin für die Untersuchung anberaumt und das Verfahren am 2. Mai im Magistrats-Gericht von Johannesburg eröffnet.

Laut dem am ersten Verhandlungstag vorgelegten Bericht hat Dr. Jansen am 26. Februar eine Obduktion an der unbekleideten Leiche eines in mittleren Jahren stehenden Bantu männlichen Geschlechts durchgeführt, der als Gordon Vuyisile Ngubene identifiziert worden war.

Gewicht: 51,75 kg. Größe: 1,77 m. Durch den Tod bedingte Verfärbung an den unteren Gliedmaßen, Hoden, Gesicht und Rücken. Etwas mit Blut vermischte Flüssigkeit aus dem rechten Nasenloch. Zunge zwischen den Zähnen hervorstehend.

Im Bericht wurden folgende Körperverletzungen aufgeführt:

1. Schnürmarkierung zwischen Schildknorpel und Kinn, und 4 cm breite Male darunter, seitlich stärker ausgeprägt. Keinerlei Quetschung oder Blutungen des tieferen Halsgewebes. Luftröhren zusammengedrückt. Zungenbein unbeschädigt.

2. Schwellung über rechtem Backenknochen sowie Quetschungen des darunterliegenden Gewebes und Fraktur des Knochens.

3. Drei kleine runde Abschürfungen drei Millimeter tief im linken Ohr und eine größere Abschürfung derselben Art im rechten Ohr.

4. Haematom im Lenden-Scham-Bereich.

5. Fraktur der rechten Rippe an der costo-chondralen Fuge.

6. Abschürfungen und Dehnungsmerkmale an beiden Handgelenken.

7. Auffällige Schwellung des unteren Hodensacks. Eine Gewebeprobe, die entnommen wurde, bot ein ausgetrocknetes, pergamentartiges Erscheinungsbild und wies auf der Haut Spuren von Kupfer auf.

9. Horizontale Zerrungen und Abschürfungen auf beiden Schulterblättern, Brust und Bauch.

9. Rechter Ellenbogen etwa 6 cm unterhalb des Ellbogens gebrochen.

10. Extreme Blutstauung des Gehirns mit kleinen Blutungen; Hirnflüssigkeit weist Blutspuren auf. Weniger ausgeprägte Blutstauungen und Wasseransammlungen in der Lunge.

11. Eine Reihe weiterer Abschürfungen und Quetschungen, vornehm-

lich an Knien, Fußgelenken, Unterleib, Rücken und Armen.

Dr. Jansen kam zu dem Ergebnis, daß der Tod durch äußere Gewaltanwendung am Hals eingetreten war, wie sie dem Erhängen folgt. Im Kreuzverhör räumte er ein, daß ein solcher Druck auch auf andere Weise erzeugt werden kann, wies jedoch darauf hin, daß Mutmaßungen solcher Art außerhalb seiner Zuständigkeit lägen. Er gab jedoch zu, daß einige der Verletzungen älter gewesen seien als andere – manche könnten zwischen zwei und drei Wochen alt sein, andere bis vier Tage, wohingegen andere noch jüngeren Datums gewesen seien. Er bestätigte, daß Dr. Hassiem bei der Obduktion anwesend gewesen sei und Dr. Hassiems Bericht seines Wissens im großen und ganzen mit dem seinen übereinstimme. In Beantwortung einer Frage von Advokat Jan de Villiers, S. A., der die Familie vertrat, erklärte Dr. Jansen, er wisse nicht, warum Dr. Hassiem sich die Mühe gemacht habe, einen eigenen Bericht zu schreiben, wo er doch den Hauptobduktionsbericht mitunterzeichnet habe.

Danach wurden eine Reihe von Angehörigen des Sonderdezernats als Zeugen vernommen. Capt. F. Stolz sagte aus, er habe aufgrund bestimmter Informationen am 18. Januar gegen vier Uhr nachmittags in Begleitung von Lieut. B. Venter, Lieut. M. Botha und mehrerer schwarzer Polizeibeamter das Haus des Verstorbenen aufgesucht. Mr. Ngubene habe sich der Festnahme widersetzt, und es habe ein gewisses Maß an Gewalt angewendet werden müssen, um ihn niederzuhalten. Hinterher sei Mr. Ngubene verschiedentlich verhört worden. Die Polizei habe Grund zu der Annahme, daß der Verstorbene in subversive Tätigkeiten verstrickt gewesen sei, und tatsächlich habe man in seinem Haus mehrere belastende Dokumente gefunden. Angesichts der Tatsache, daß die Sicherheit des Staates auf dem Spiel stehe, könnten diese Unterlagen dem Gericht leider nicht vorgelegt werden.

Laut Capt. Stolz habe der Verstorbene es abgelehnt, mit der Behörde zusammenzuarbeiten; dabei sei er stets höflich und korrekt behandelt worden. Auf die Frage von Adv. Louw wies Capt. Stolz für die Polizei nachdrücklich darauf hin, Mr. Ngubene sei in seiner Gegenwart niemals tätlich angegriffen worden und habe sich in der Haft stets bester Gesundheit erfreut; nur über Kopfschmerzen habe er gelegentlich geklagt. Am 3. Februar habe er auch über Zahnschmerzen geklagt und sei daraufhin am nächsten Morgen vom Amtsarzt, Dr. Bernard Herzog, untersucht worden. Soweit er wisse, habe Dr. Herzog ihm drei Zähne gezogen und ihm einige Tabletten verschrieben, darüber hinaus jedoch ausdrücklich betont, er habe bei dem Verstorbenen nichts Ernsthaftes feststellen können. Infolgedesen habe die Polizei ihre Vernehmungen wie üblich fortgesetzt. Gefragt, was er unter »wie üblich« verstehe, erklärte Capt. Stolz, der Verstorbene sei für gewöhnlich um acht Uhr aus der Zelle in sein Dienstzimmer gebracht worden, wo er bis 16 oder 17 Uhr blieb. Manchmal sei er schon früher wieder zurückgebracht worden. Während der Haftzeit hätten die ermittelnden Beamten Mr. Ngubene »aus eigener Tasche« Essen gekauft. Er fügte noch hinzu, dem Verstorbenen habe es jederzeit freigestanden, »zu sitzen oder zu stehen, wie er wollte«.

Am Vormittag des 24. Februar habe der Verstorbene unerwartet Zeichen von Aggressivität bekundet und versucht, sich in Capt. Stolz' Dienstzimmer aus dem Fenster zu stürzen. Er habe sich aufgeführt »wie ein Wahnsinniger«; sechs Angehörige des Sonderdezernats hätten ihn festhalten müssen. Als Vorsichtsmaßnahme seien ihm daraufhin Handschellen angelegt und seine Beine in Fußeisen gelegt worden, die am Stuhl befestigt gewesen wären. In dieser Phase schien er sich beruhigt zu haben, und gegen Mittag habe er erklärt, ein vollständiges Geständnis über seine subversiven Tätigkeiten ablegen zu wollen. Auf Capt. Stolz' Aufforderung hin habe Lieut. Venter handschriftlich drei Seiten dieses Geständnisses aufgenommen, doch danach habe Mr. Ngubene über Müdigkeit geklagt. Er sei dann in seine Zelle zurückgebracht worden. Am nächsten Morgen, dem 25. Februar, sei ihm, Capt. Stolz, von einem Sergeanten Krog gemeldet worden, man habe Mr. Ngubene tot in der Zelle aufgefunden. Ein beschriebener Zettel, der bei der Leiche gefunden worden war, wurde dem Gericht vorgelegt. Der Text lautete: *John Vorster Square, 25. Februar. – Sehr geehrter Captain, Sie können meinen Leichnam weiterhin verhören, vielleicht bekommen Sie aus ihm heraus, wonach Sie suchen. Ich ziehe es vor, zu sterben, statt meine Freunde zu verraten. Amandla! Ihr Freund, Gordon Ngubene.*

Von Adv. De Villiers, dem Vertreter der Familie, ins Kreuzverhör genommen, wiederholte Capt. Stolz, der Verstorbene sei immer gut behandelt worden. Auf die Frage, wie er sich dann die an der Leiche festgestellten Verletzungen erkläre, sagte er, er habe keine Ahnung; Häftlinge brächten sich manchmal absichtlich alle möglichen Wunden bei. Einige Verletzungen gingen möglicherweise auf die handgreifliche Auseinandersetzung vom 24. Februar zurück. Adv. De Villiers wollte wissen, ob es seiner Meinung nach nicht übertrieben gewesen sei, daß sechs Polizeibeamte nötig gewesen seien, um einen gebrechlichen Mann niederzuhalten, der bei seinem Tode kaum 50 kg gewogen habe, woraufhin Capt. Stolz wiederholte, der Inhaftierte habe sich aufgeführt »wie ein Wahnsinniger«. Gefragt, ob denn das Fenster seines Dienstzimmers nicht vergittert gewesen sei, um Häftlinge an dem Versuch zu hindern, sich aus dem Fenster zu stürzen, sagte Capt. Stolz, die Gitter seien gerade am Vortag vorübergehend abmontiert worden, weil der Fensterrahmen habe repariert werden müssen.

Was die schriftliche Nachricht betraf, die angeblich bei der Leiche gefunden worden war, so sagte Adv. De Villiers, er finde es merkwürdig, daß darauf das Datum 25. Februar angegeben worden sei, da der Leichnam, als er um sechs Uhr morgens aufgefunden worden sei, bereits fortgeschrittene Leichenstarre gezeigt habe.

Capt. Stolz: »Vielleicht war er verwirrt.«

Adv. De Villiers: »Infolge von Folterung?«

Capt. Stolz: »Er ist nicht gefoltert worden.«

Adv. De Villiers: »Nicht einmal am dritten oder vierten Februar, als er über Kopf- und Zahnschmerzen klagte?«

Capt. Stolz beschwerte sich bei den Untersuchungsrichtern, der Strafverteidiger versuche, das Sonderdezernat ungerechtfertigt zu verdächtigen. Der Untersuchungsrichter, Mr. P. Klopper, ersuchte den Rechtsbeistand, von Unterstellungen abzusehen, gestattete ihm jedoch, mit dem Kreuzverhör fortzufahren. Der Zeuge blieb fest bei seiner früheren Aussage, bot jedoch an, einige eingehende Angaben über die mutmaßliche Verstrickung des Verstorbenen mit dem *African National Congress* und Aktivitäten zu machen, »die die Sicherheit des Staates gefährdeten«. Auf die Frage nach dem ersten Teil der schriftlichen Aussage vom Nachmittag des 24. Februar erklärte Capt. Stolz, das Dokument enthalte Material, das vor Gericht nicht vorgelegt werden könne, da das die Polizei bei einer wichtigen Ermittlung behindern würde.

Adv. De Villiers: »Ich möchte Ihnen auf den Kopf zusagen, daß die einzigen ›subversiven Tätigkeiten‹, in die der Verstorbene jemals verstrickt war, in seinen Bemühungen lagen, herauszufinden, was mit seinem Sohn Jonathan Ngubene geschehen war, der angeblich bei Unruhen im Juli letzten Jahres erschossen worden sein soll. Dabei sind verschiedene Zeugen aufgetan worden, die bereit sind zu bezeugen, daß Jonathan in Wirklichkeit im September, also drei Monate später, im Gefängnis gestorben ist.«

Der Vertreter der Polizei, Mr. Louw, erhob Einspruch gegen diese Anschuldigung, da sie völlig unbewiesen und für die zur Debatte stehende Ermittlung nicht von Belang sei.

Adv. De Villiers: »Euer Gnaden, der Zeuge hat sich alle erdenkliche Mühe gegeben, durch aus der Luft gegriffene Beschuldigungen über ›subversive Tätigkeiten‹ ein falsches Licht auf den Verstorbenen zu werfen. Es ist mein gutes Recht, die andere Seite des Falles darzulegen, besonders, wenn ich damit meine Behauptung stützen kann, daß wir es mit einem Unschuldigen zu tun haben, der unter Umständen, die höchst fragwürdig genannt werden müssen, in den Händen der Polizei zu Tode gekommen ist. Wenn die Polizei ein Interesse daran hat, sich zu entlasten, kann sie doch gewiß nichts dagegen haben, daß hier vor Gericht dargelegt wird, was wirklich geschehen ist!«

Zu diesem Zeitpunkt vertagte der Vorsitzende die Untersuchung auf den nächsten Tag. Als sie wiederaufgenommen wurde, erklärte er, bei den Ermittlungen handele es sich um die Klärung der Umstände, die zum Tod einer ganz bestimmten Person geführt hätten, und nicht um eine umfassende gerichtliche Untersuchung; infolgedessen könne er dem Adv. De Villiers nicht gestatten, Beweise über den Tod von Jonathan Ngubene vorzubringen oder diesbezüglich Vorwürfe zu erheben.

Adv. De Villiers: »Euer Gnaden, in dem Fall habe ich keine weiteren Fragen an Capt. Stolz.«

Im Verlauf des zweiten Untersuchungstages wurden mehrere andere Zeugen der Polizei aufgerufen, die von Capt. Stolz gemachten Aussagen zu bestätigen. Allerdings kamen im Kreuzverhör unterschiedliche Meinungen über die Entfernung des Gitters vor dem Fenster von Capt. Stolz' Dienstzimmer heraus, und zwar nicht nur über die Abmontierung selbst, sondern auch über die Gründe für das Handgemenge am 24. Februar. Lieut. Venter gab im Kreuzverhör außerdem zu, daß es im selben Dienstzimmer schon am 3. Februar zu einer Auseinandersetzung gekommen sei – einen Tag bevor der Amtsarzt gerufen worden war, um Mr. Ngubene zu behandeln. Auf die Frage, ob sonst noch jemand den Verstorbenen vor seinem Tod aufgesucht habe, erklärte Lieut. Venter, am 12. Februar habe ein Justizbeamter den Verstorbenen routinemäßig besucht; er selbst und Capt. Stolz seien dabei anwesend gewesen, doch habe der Verstorbene keinerlei Beschwerden vorgebracht.

Adv. De Villiers: »Überrascht Sie das?«

Lieut. Venter: »Euer Gnaden, ich verstehe diese Frage nicht.«

Mr. Klopper: »Mr. De Villiers, ich habe Sie schon einmal aufgefordert, von derartigen Unterstellungen Abstand zu nehmen.«

Adv. De Villiers: »Wie Sie wollen, Euer Gnaden. Lieutenant, können Sie mir sagen, ob Capt. Stolz auch bei der Untersuchung des Verstorbenen durch den Amtsarzt am 4. Februar anwesend war?«

Lieut. Venter: »Ich war zwar nicht dabei, aber ich nehme an, daß der Captain da war.«

Als nächste wurden Sergeant Krog und zwei Wachtmeister als Zeugen aufgerufen. Sie hatten am Morgen des 25. Februar die Leiche entdeckt. Eine der Wolldecken in der Zelle des Verstorbenen sei vermutlich mit einer Rasierklinge (die dem Gericht vorlag) in Streifen geschnitten worden, um daraus einen Strick zu fertigen, dessen eines Ende an den Gitterstäben vor dem Zellenfenster befestigt worden war; das andere Ende habe eine Schlinge um Mr. Ngubenes Hals gebildet. Die Zeugen machten unterschiedliche Angaben über die Art, wie die Decke um den Gitterstab geschlungen worden war und über die Lage des hängenden Körpers, als sie ihn fanden. (Sergeant Krog: »Ich würde sagen, seine Füße befanden sich etwa fünfzehn Zentimeter über dem Boden.« – Wachtmeister Welman: »Er hing ziemlich hoch; der Kopf berührte fast die Gitterstäbe; seine Füße müssen also dreißig Zentimeter oder noch mehr vom Boden entfernt gewesen sein.« – Wachtmeister Lamprecht: »Soweit ich mich erinnere, hat er mit den Zehen fast den Boden berührt.«) Sie stimmten aber darin überein, daß niemand den Verstorbenen nach dem Einschluß gegen halb sechs am Nachmittag zuvor gesehen habe. Laut Sergeant Krog hätten sämtliche Zellen die ganze Nacht hindurch stündlich kontrolliert werden müssen, um sicherzustellen, daß alles in Ordnung war, doch das sei in der fraglichen Nacht leider unterblieben.

»Wir hatten sehr viel zu tun, und ich nehme an, es lag ein Mißverständnis darüber vor, wer die Aufgabe hatte, die Runden zu machen.«

Adv. De Villiers: »Angenommen, ich behaupte, Capt. Stolz oder irgendein anderer Offizier vom Sonderdezernat hätte Sie angewiesen, Mr. Ngubenes Zelle in dieser Nacht fernzubleiben?«

Sergeant Krog: »Das weise ich nachdrücklich zurück, Euer Gnaden.«

Als das Ermittlungsverfahren am 4. Mai wiederaufgenommen wurde, legte Adv. Louw von der Polizei vier eidesstattliche Erklärungen von

Häftlingen vor, aus denen hervorging, sie alle hätten Gordon Ngubene zwischen dem 18. Januar und dem 24. Februar gesehen; er sei jedesmal bei guter Gesundheit gewesen, und sie selbst seien von denselben Offizieren, die für die Vernehmung von Mr. Ngubene verantwortlich gewesen seien, stets gut behandelt worden. Ins Kreuzverhör genommen, leugnete jedoch der erste der Häftlinge, Archibald Tsabalala, Mr. Ngubene während der Haft jemals gesehen zu haben; man habe ihn gezwungen, die dem Gericht vorliegende eidesstattliche Erklärung zu unterschreiben. »Capt. Stolz hat mich viele Male mit einem Wasserschlauch geschlagen und gesagt, er werde mich umbringen, wenn ich nicht unterschreibe.« Dann zog er sein Hemd aus der Hose und zeigte dem Gericht seinen striemenbedeckten Rücken. Als Capt. Stolz wieder in den Zeugenstand gerufen wurde, sagte er aus, Tsabalala sei vor wenigen Tagen ausgerutscht und eine Treppe hinuntergefallen. Und erklärte nachdrücklich, Mr. Tsabalala habe seine ursprüngliche Aussage ganz aus freien Stücken gemacht. Nach einem weiteren Kreuzverhör wurde Capt. Stolz gestattet, Mr. Tsabalala zum John Vorster Square zurückzubringen.

Im Anschluß an diese Zeugenaussagen erklärte Adv. Louw für die Polizei, die anderen drei Häftlinge, deren eidesstattliche Erklärungen vorgelegt worden seien, dürften nicht ins Kreuzverhör genommen werden, denn das gefährde die Sicherheit des Staates. Trotz energischen Einspruchs von seiten Adv. De Villiers' beschloß das Gericht, ihre eidesstattlichen Erklärungen als Beweismaterial zuzulassen.

Dr. Bernard Herzog, Arzt aus Johannesburg, sagte aus, er sei am Vormittag des 4. Februar von Capt. Stolz gerufen worden, um einen Häftling zu untersuchen, der ihm gegenüber als Gordon Ngubene identifiziert worden sei. Er habe nichts Besonderes an dem Mann feststellen können. Mr. Ngubene habe über Zahnschmerzen geklagt, und da drei seiner Backenzähne Anzeichen fortgeschrittenen Verfalls aufgewiesen hätten, habe er sie ihm gezogen und Mr. Ngubene ein paar Aspirintabletten gegen die Schmerzen gegeben.

Das nächste Mal habe er den Verstorbenen am Morgen des 25. Februar gesehen; er sei wieder zum John Vorster Square gerufen worden und habe Mr. Ngubene in graue Hosen, weißes Hemd und bräunlichen Pullover gekleidet tot auf dem Zellenboden liegend vorgefunden. Sergeant Krog habe ihn informiert, er hätte die Leiche etwa eine halbe Stunde vorher von den Stäben seines Zellenfensters herunterhängend entdeckt und sie heruntergenommen. Nach Aussage des Sergeant sei die Decke so fest um den Hals gezogen gewesen, daß sie sie mit der in der Zelle vorgefundenen Rasierklinge hätten durchschneiden müssen. Die Leichenstarre sei bereits fortgeschritten gewesen, und er sei zu dem Schluß gekommen, daß der Tod schon mindestens zwölf Stunden zuvor eingetreten sein mußte.

Adv. De Villiers machte sich sehr kämpferisch an sein Kreuzverhör und ließ sich ausführlich über die Tatsache aus, daß Dr. Herzog es am 4. Februar nicht nötig gefunden hätte, den Verstorbenen gründlicher zu untersuchen (Dr. Herzog: »Warum hätte ich das tun sollen? Er hat doch nur über Zahnschmerzen geklagt.«) und daß er nicht mehr wisse, ob Capt. Stolz oder irgend jemand sonst bei der Untersuchung dabeigewesen sei. Als Adv. De Villiers ihn beschuldigte, er habe sich von der Polizei »einschüchtern« lassen oder mache möglicherweise sogar bewußt »ihr schmutziges kleines Versteckspiel« mit, wies Dr. Herzog das aufs nachdrücklichste zurück und bat das Gericht, ihn vor derartigen Anschuldigungen zu schützen. Was die vorläufige Untersuchung der Leiche betraf, so weigerte er sich, sich auf eine genaue Todeszeit festzulegen und wies darauf hin, daß die Leichenstarre durch alle möglichen äußeren Umstände beeinflußt werden könne. Er habe keine Erklärung dafür, warum die Leiche nackt gewesen sei, als der Pathologe Dr. Jansen am 26. Februar die Obduktion durchgeführt habe. Auf Ersuchen von Adv. De Villiers wurde Capt. Stolz nochmals in den Zeugenstand gerufen, er sagte aus, er könne nicht sagen, was aus den Kleidungsstücken geworden sei, die der Verstorbene zur Zeit seines Todes getragen habe, oder warum sie nicht zur Untersuchung an das Staatslabor weitergeleitet worden seien. Allerdings erbot er sich im Namen des Sonderdezernats, die Familie für den Verlust der Kleidung zu entschädigen.

Das Gericht vertagte sich für kurze Zeit, damit der Aufseher über die Leichenkammer der Polizei gerufen werden könne; der jedoch konnte sich nicht erinnern, ob die Leiche bei der Einlieferung bekleidet oder nackt war.

Der letzte von Adv. Louw aufgerufene Zeuge war ein Polizeigraphologe, der die Handschrift auf dem bei der Leiche gefundenen Zettel als die von Gordon Ngubene identifizierte. Dieser Auffassung widersprach nachdrücklich ein von Adv. De Villiers herbeigerufener Spezialist, der eine ganze Reihe von Diskrepanzen zwischen der Handschrift auf dem Zettel und etlichen anderen Schriftproben von Mr. Ngubene aufzählte. Mrs. Emily Ngubene, die Frau des Verstorbenen, leugnete gleichfalls, daß es sich um die Handschrift ihres Mannes handele. Im Verlauf ihrer Aussagen erklärte sie, Mr. Ngubene sei bei seiner Verhaftung am 18. Januar »geschlagen und herumgestoßen« worden; etwa zehn Tage später habe ein Häftling, der aus dem John Vorster Square entlassen worden sei, ihr die Nachricht überbracht, ihr Mann sei dort tätlich angegriffen worden; außerdem habe sie, nachdem sie am 4. Februar Kleider zum Wechseln für ihren Mann gebracht habe, Blut an der ihr ausgehändigten Hose und außerdem in der Gesäßtasche drei abgebrochene Zähne entdeckt (liegen dem Gericht vor). Sie sagte aus, Dr. Suliman Hassiem, der als Vertreter der Familie an der Obduktion teilgenommen habe, hätte große Zweifel darüber geäußert, daß der Tod wirklich, wie zuvor behauptet, durch die Wolldeckenstreifen hervorgerufen worden sei. Ehe sie jedoch fortfahren konnte, meldete Adv. Louw schwerwiegende Bedenken gegen Beweise an, die nur auf Hörensagen beruhten; dieser Ansicht schloß sich das Gericht an. Außerdem wandte Adv. Louw sich erfolgreich gegen die Hinzuziehung eines Spezialisten, um zu beweisen, daß die zweite Unterschrift auf dem Obduktionsbericht des Gerichtsmediziners nicht von Dr. Hassiem stamme. Von Adv. De Villiers angeführte Beweise über wiederholte angebliche Folterung oder Mißhandlung durch Capt. Stolz wurden als unbegründet und irrelevant zurückgewiesen.

Nach weiterer Beweisaufnahme, die allerdings mehr technischer Natur waren, löste Adv. De Villiers Aufregung im Verhandlungssaal aus, als er ein junges Mädchen, Grace Nkosi (18), als Zeugin aufrief, damit sie über ihre eigene Haftzeit im John Vorster Square aussagte. Sie sei am 14. September vergangenen Jahres festgenommen worden, sagte sie, und nachdem sie über einen längeren Zeitraum durch Angehörige des Sonderdezernates (darunter Capt. Stolz und Lieut. Venter) Verhören unterworfen worden sei, habe man sie am Vormittag des 3. März in Capt. Stolz' Dienstzimmer zurückgebracht. Es wären verschiedene Anklagen gegen sie vorgebracht worden, und jedesmal, wenn sie sie geleugnet hätte, sei sie mit dem Djambok geschlagen worden. Nach einiger Zeit sei sie zu Boden gestürzt, worauf man ihr ins Gesicht und in den Leib getreten habe. Als sie Blut gespuckt habe, sei ihr befohlen worden, dieses vom Boden aufzulecken. Dann habe Capt. Stolz ihr ein großes weißes Handtuch über den Kopf geworfen und die Enden auf eine Weise um den Hals gedreht, die sie dem Gericht demonstrierte. Sie habe versucht, sich zu wehren, dann jedoch das Bewußtsein verloren. Laut Miß Nkosi sei dies mehrere Male wiederholt worden. Beim letztenmal habe sie gehört, wie Capt. Stolz sagte: »Komm schon, *meid,* mach den Mund auf! Oder willst du sterben wie Gordon Ngubene?« Danach habe sie mehrmals das Bewußtsein verloren. Sie sei in ihrer Zelle wieder zu sich gekommen, und am 20. März sei sie ohne Urteil entlassen worden.

Trotz ausgiebiger Versuche durch Adv. Louw, sie davon zu überzeugen, daß sie das alles nur erfinde oder den Namen »Gordon Ngubene« in ihrer Benommenheit mißverstanden habe, blieb Miß Nkosi dabei, die Wahrheit gesagt zu haben.

Nachdem die beiden Rechtsvertreter ihre Argumente noch einmal ausführlich dargelegt hatten, vertagte sich das Gericht bis zur Urteilsverkündung am Nachmittag. Mr. Klopper brauchte für seine Begründung noch nicht einmal fünf Minuten. Obwohl es unmöglich sei, Erklärungen für die verschiedenen Körperverletzungen an der Leiche zu geben, sagte er, seien nicht genügend Beweise erbracht worden, um zweifelsfrei festzustellen, daß Angehörige der Polizei sich irgendwelche Mißhandlungen oder andere Unregelmäßigkeiten hätten zuschulden kommen lassen. Es gäbe Hinweise, daß der Verstorbene aggressiv geworden sei und mehrmals mit einiger Gewalt daran habe gehindert werden müssen, gewalttätig zu werden. Es gebe genügend Beweise für den Schluß, daß der Tod durch ein Trauma infolge auf den Hals ausgeübten Drucks eingetreten sei, wie er beim Erhängen zustande kommt. Folglich komme er zu der Schlußfolgerung, daß Gordon Ngubene am Morgen des 25. Februar Selbstmord durch Erhängen verübt habe und daß sein Tod nach dem vorliegenden Beweismaterial nicht auf eine Tat oder eine als gesetzwidrige Handlung anzusehende Unterlassung von Hilfeleistung durch irgendeine Person zurückgeführt werden könne.

Die Ermittlungsunterlagen wurden vorschriftsmäßig dem Generalstaatsanwalt überstellt, der jedoch am 6. Juni bekanntgab, mangels eines *prima-facie*-Beweises gegen eine oder mehrere Personen würden keine weiteren Schritte unternommen.

Sie stand am zweiten oder dritten Nachmittag des Ermittlungsverfahrens, nachdem das Gericht sich vertagt hatte, draußen auf der Treppe des Gerichtsgebäudes und wartete auf ihn: die kleine dunkelhaarige junge Frau mit den großen schwarzen Augen, die ihm zuvor schon vage unter den Journalisten aufgefallen war. Als er sie im Gerichtssaal gesehen hatte, war ihm der Gedanke durch den Kopf geschossen, daß sie für eine so verantwortungsvolle Arbeit erschreckend jung aussah; in der Umgebung von so viel älteren, abgebrühten und zynischeren Reportern war ihm ihre Jugend geradezu verletzlich erschienen – so etwas Offenes, Freimütiges, Frisches. Doch jetzt, da er ihr unvermittelt direkt gegenüberstand und ihr in das kleine ovale Gesicht hinabblickte, überraschte ihn, um wieviel älter, als er angenommen hatte, sie in Wirklichkeit war. Dreißig bestimmt sehr viel näher als achtzehn oder zwanzig. Zarte Fältchen an den Augen; tiefere und ausgeprägtere Falten, die Entschlossenheit oder Schmerz verrieten, links und rechts vom Mund. Immer noch jung genug, um seine Tochter zu sein, aber reif, erfahren und illusionslos; eine in diesem Ausmaß beunruhigende Bekundung unerschütterlicher Weiblichkeit.

Ben war beim Verlassen des Verhandlungssaals verstimmt und verärgert und hing seinen Gedanken nach. Nicht nur wegen dem, was vor Gericht geschehen war, sondern wegen etwas Bestimmtem: Er hatte sich an die Anwesenheit eines ganzen Kontingents von Polizeibeamten im Gerichtssaal bei jeder Sitzung gewöhnt, die einander dabei ablösten, die Zuschauer anzustarren, einen nach dem anderen besonders unter die Lupe zu nehmen, so daß man sich gezwungenermaßen schuldig fühlte, obwohl dafür kein Grund vorhanden war; doch heute nachmittag war zum erstenmal auch Colonel Viljoen dagewesen. Und als die Augen des ergrauten, freundlichen und väterlichen Offiziers plötzlich Ben unter den Anwesenden entdeckten, hatte sein Gesichtsausdruck etwas enthüllt – Überraschung? Mißbilligung? Nicht einmal das, vielleicht nur eine Andeutung von Wiedererkennen –, das Ben beunruhigte. Infolgedessen bemerkte er die junge Frau beim Herauskommen kaum und nahm sie erst richtig wahr, als sie direkt vor ihm stand und mit einer unerwartet tiefen Stimme sagte: »Mr. Du Toit?«

Er sah sie verwundert an, als erwartete er, daß sie feststellte, ihn mit jemand anders verwechselt zu haben.

»Ja?«

»Ich bin Melanie Bruwer.«

Abwartend und auf der Hut stand er da.

»Wenn ich richtig informiert bin, haben Sie ihn gekannt?« sagte sie.

»Wen?«

»Gordon Ngubene.«

»Sie sind von der Zeitung«, sagte er.

»Ja, ich arbeite bei der *Mail*. Aber ich frage Sie nicht aus beruflichen Gründen.«

»Ich möchte lieber nicht darüber reden«, sagte Ben im Ton ruhiger Endgültigkeit, wie er ihn Linda oder Suzette gegenüber hätte anschlagen können.

Ihre Reaktion überraschte ihn. »Das verstehe ich«, sagte sie. »Wenn es auch schade ist. Ich hätte gern mehr über ihn gewußt. Er muß ein ganz besonderer Mensch gewesen sein.«

»Wie kommen Sie darauf?«

»Durch die Art, mit der er sich nicht davon hat abbringen lassen, hinter die Wahrheit über den Tod seines Sohnes zu kommen.«

»Jeder Vater hätte das gleiche getan.«

»Warum weichen Sie aus?«

»Das tu' ich ja gar nicht. Er war ein ganz gewöhnlicher Mensch. Nicht anders als ich oder sonst jemand. Begreifen Sie denn nicht? Darum geht es doch gerade.«

Plötzlich lächelte sie und bestätigte dadurch die Fülle und Üppigkeit ihres Mundes. »Genau das ist es ja, was mich so reizt. Es gibt heutzutage nur noch wenige gewöhnliche Menschen.«

»Was meinen Sie?« Leicht mißtrauisch sah er sie an, doch ihr Lächeln war entwaffnend.

»Nichts weiter, als daß nur noch wenige Menschen bereit zu sein scheinen, einfach menschlich zu sein – und daraus so etwas wie Verantwortlichkeit zu ziehen. Finden Sie nicht auch?«

»Ich kann das wirklich nicht beurteilen.« Auf eine sonderbare Weise brachte sie ihn dazu, sich schuldig zu fühlen. Was hatte er schließlich getan? Abgewartet, gezaudert, ein paar unbedeutende Dinge eingefädelt, das war alles. Ob sie sich über ihn lustig machte?

»Woher wissen Sie das überhaupt?« fragte er vorsichtig. »Ich meine, daß ich Gordon kannte?«

»Stanley hat es mir erzählt.«

»Dann kennen Sie also auch Stanley?«

»Wer kennt ihn nicht?«

»Er hat mich Ihnen gegenüber nicht in besonders rosigen Farben schildern können«, sagte er verlegen.

»Oh, Stanley hat durchaus eine Schwäche für Sie, Mr. Du Toit.« Sie blickte ihm in die Augen. »Aber Sie haben gesagt, Sie würden lieber nicht darüber reden, und so möchte ich Sie nicht aufhalten. Auf Wiedersehen.«

Er sah ihr nach, als sie die breiten Treppenstufen hinunterging. Unten angekommen, drehte sie sich um und winkte kurz, eine kleine, grüne Gestalt. Er hob die Hand, mehr um sie zurückzurufen, als um ihr zum Abschied zu winken, doch sie war bereits fort. Und während er nun die Stufen zur geschäftigen Straße hinunterging und dabei immer noch ihre großen, offenen Augen vor sich hatte, war er sich eines Verlustes bewußt: als ob ihm etwas schwer Greifbares, aber doch wunderbar Mögliches entgangen wäre; freilich vermochte er sich dieses Gefühl auch nicht richtig zu erklären.

Der Gedanke an sie ließ ihn den ganzen Tag über nicht in Ruhe, und auch nicht in der Nacht. Was sie über Stanley gesagt hatte; was sie über Gordon gesagt hatte; über ihn selbst. Ihr schmales Gesicht mit den dunklen Augen und dem verletzlichen Mund.

Zur Mittagszeit zwei Tage später, als er in einem kleinen überfüllten griechischen Restaurant in der Nähe des Gerichts Tee trank und ein Sandwich aß, stand sie plötzlich neben seinem kleinen quadratischen Tischchen mit dem schmuddeligen Plastiktischtuch darauf und sagte:

»Haben Sie was dagegen, wenn ich mich zu Ihnen setze? Es ist sonst kein Platz da.«

Ben sprang auf und stieß gegen den Tisch, so daß etwas Tee in die Untertasse überschwappte.

»Aber keineswegs.« Er schob einen Stuhl an den Platz ihm gegenüber.

»Ich werde Sie nicht stören, wenn Sie keine Lust haben, sich zu unterhalten«, sagte sie, und der Spott leuchtete ihr aus den Augen. »Ich kann mich selbst beschäftigen.«

»Ich habe aber nichts dagegen, mich zu unterhalten«, sagte er eifrig. »Es ist heute morgen im Gericht alles so gut gelaufen.«

»Finden Sie?«

»Sie sind doch selbst dagewesen, nicht wahr?« Er konnte seine Erregung nicht unterdrücken. »Wo doch Tsabalala sich gegen sie gewendet hat und all das. Ihr ganzer Fall beginnt, in sich zusammenzufallen. De Villiers macht Hackfleisch aus ihnen.«

Sie lächelte leicht. »Glauben Sie wirklich, das ändert irgendwas daran, wie die Sache ausgehen wird?«

»Selbstverständlich. Es ist doch klar wie sonstwas, daß De Villiers sie an ihren eigenen Lügen ersticken läßt.«

»Wenn ich da nur so sicher sein könnte wie Sie.«

Der Kellner brachte ihr eine schmierige, in einer kaputten Plastikhülle steckende Speisekarte, und sie bestellte.

»Warum sind Sie so skeptisch?« fragte Ben, nachdem der Kellner wieder gegangen war.

Sie pflanzte die Ellbogen auf den Tisch und stützte das Kinn auf die übereinandergelegten Hände. »Was machen Sie, wenn nichts dabei herauskommt?«

»Darüber habe ich noch kein einziges Mal nachgedacht.«

»Angst?«

»Wovor?«

»Vor nichts Bestimmtem. Einfach Angst.«

»Ich fürchte, ich verstehe Sie überhaupt nicht.«

Ihre eindringlich blickenden Augen ließen ihn nicht los.

»Ich denke, Sie verstehen nur allzu gut, Mr. Du Toit. Sie hoffen verzweifelt, daß etwas dabei herauskommt.«

»Tun wir das nicht alle?«

»Ja, das tun wir wohl. Aber Sie hoffen aus anderen Gründen. Weil Sie persönlich betroffen sind.«

»Dann sind Sie also doch nur auf eine Story für Ihre Zeitung aus?« sagte er langsam und bitter enttäuscht.

»Nein.« Sie sah ihn immer noch an, unbewegt und ohne auszuweichen. »Das habe ich Ihnen doch schon vorgestern versichert. Ich möchte es um meiner selbst willen wissen. Ich *muß*.«

»Müssen Sie?«

»Weil ich es selbst immer wieder schaffe, persönlich betroffen zu sein. Ich weiß, ich bin Journalistin. Von mir wird erwartet, daß ich objektiv bin und mich in nichts hineinziehen lasse. Aber ich könnte nicht in Frieden mit mir leben, wenn es nicht mehr als das wäre. Es ist – nun ja, manchmal fängt man an, sich nach seinen eigenen Beweggründen zu fragen. Deshalb hatte ich gedacht, Sie könnten mir vielleicht helfen.«

»Sie kennen mich doch gar nicht, Melanie.«

»Nein. Aber das Risiko bin ich bereit einzugehen.«

»Ist es denn wirklich ein Risiko?«

»Glauben Sie nicht?« Der Ernst ihrer Stimme hatte etwas entwaffnend Munteres, als sie sagte: »Wenn ein Mensch feststellt, daß er plötzlich gewissermaßen in Tuchfühlung mit einem anderen gerät – finden Sie nicht, daß das das Gefährlichste ist, was einem passieren kann?«

»Das kommt darauf an«, sagte er ruhig.

»Sie haben was gegen klare Antworten, oder?« sagte sie. »Jedesmal, wenn ich Sie etwas frage, sagen Sie ›Das kommt darauf an‹, oder: ›Vielleicht‹, oder: ›Ich verstehe nicht, was Sie meinen.‹ Ich möchte wissen, *warum*. Denn ich weiß, daß Sie anders sind.«

»Wie kommen Sie darauf, daß ich anders bin?«

»Stanley.«

»Und wenn der sich geirrt hätte?«

»Dazu hat er zuviel vom Leben gesehen, um so einen Fehler zu machen.«

»Erzählen Sie mir mehr von ihm«, sagte Ben, erleichtert, sich aus der Affäre gezogen zu haben.

Melanie lachte. »Er hat mir schon furchtbar viel geholfen«, sagte sie. »Dabei spreche ich nicht nur von Material für Zeitungsartikel – das von Zeit zu Zeit auch –, aber was ich meine, ist, daß er mir geholfen hat, fest auf eigenen Beinen zu stehen, besonders zuerst, als ich als Journalistin anfing. Lassen Sie sich nicht von seiner putzmunteren Fassade täuschen. Da ist viel mehr dahinter.«

»Ich nehme an, sein Taxi ist nur eine Tarnung für andere Dinge?«

»Selbstverständlich. Das erleichtert es ihm, zu kommen und zu gehen, wie er will. Vermutlich schmuggelt er Hasch, wenn nicht gar Diamanten.« Sie lächelte. »Er ist selbst so etwas wie ein Edelstein, finden Sie nicht auch? Ein großer, roher, ungeschliffener Diamant. Hinter etwas bin ich schon vor Jahren gekommen: Wenn man wirklich mal jemanden braucht, einen Mann, dem man sein Leben anvertrauen kann, dann ist es Stanley.«

Der Kellner kam mit ihren Sandwiches und dem Tee.

Als er wieder fort war, knüpfte sie ohne Umschweife wieder an das Gesagte an: »Das ist der Grund, warum ich das Risiko eingegangen bin, mit ihnen zu reden.«

Er schenkte sich eine zweite Tasse ein, ohne Zucker, und sah sie dabei durchdringend an. »Wissen Sie«, gab er zu, »ich weiß immer noch nicht, was ich von Ihnen halten soll. Ob ich Ihnen wirklich glauben kann, oder ob Sie nur eine noch gewieftere Journalistin sind, als ich dachte.«

»Stellen Sie mich auf die Probe«, sagte sie ungerührt.

»Trotz allem, was Sie glauben«, entfuhr es ihm, »gibt es in Wirklichkeit nur sehr wenig, was ich Ihnen über Gordon erzählen kann.«

An ihrem Sandwich kauend, zuckte sie die Achseln. Ein paar Krumen klebten ihr an den Lippen. Mit der Zunge schnippte sie sie fort, eine rasche, beiläufige Bewegung, die ihn sinnlich erregte.

»Das ist nicht der Grund, warum ich mich hierher gesetzt habe.«

»Nein. Ich weiß.« Er lächelte. Ein wenig von seiner Zurückhaltung war verflogen. Er kam sich vor wie ein Schuljunge.

»Ich war erschüttert, als ich Archibald Tsambalala heute morgen im Zeugenstand stehen sah«, sagte sie. »Wie er dastand und ihnen mitten ins Gesicht sagte, was sie ihm angetan hatten. Und dabei wußte, daß er gleich von denselben Männern hinausgeführt werden würde, die ihn gefoltert hatten.« Ihre dunklen Augen wandten sich ihm eindringlich vertrauensvoll zu. »Trotzdem, in gewisser Weise kann ich es verstehen. All diese Tsambalalas: Vielleicht sind sie die einzigen, die sich das leisten können. Sie haben nichts zu verlieren. Nur ihr Leben. Und was bleibt einem schon vom Leben, wenn es so jämmerlich ist? Schlimmer kann's nicht werden. Vielleicht nur besser. Vorausgesetzt, es gibt genug von ihnen. Wie kann eine Regierung einen Krieg gegen eine Armee von Leichen gewinnen?«

Er sagte nichts; er spürte, daß sie noch nicht zu Ende war.

»Aber *Sie*«, sagte sie nach einer Weile. »Sie haben alles zu verlieren. Was ist mit Ihnen?«

»Reden Sie doch bitte nicht so. Ich hab' doch nicht wirklich etwas getan.«

Sie ließ ihn nicht aus den Augen und schüttelte langsam den Kopf. Das dunkle Haar glitt sanft und füllig um ihr schmales Gesicht.

»Woran denken Sie wirklich, Melanie?«

»Daß es Zeit ist, zur Nachmittagssitzung zurückzukehren«, sagte sie. »Sonst bekommen wir womöglich keinen Platz mehr.«

Er starrte sie noch einen Moment länger an, dann hob er die Hand, um den Kellner zu rufen. Trotz ihrer Einwände bezahlte er für sie beide. Und dann gingen sie, ohne ein Wort miteinander zu sprechen, durch die von Menschen wimmelnden Straßen zurück.

Am letzten Tag des Verfahrens, kurz nach der Urteilsverkündung, trat er wie benommen und mit bleiernen Gliedern aus dem Gebäude und blieb auf dem Bürgersteig stehen. Draußen wartete eine große Menschenmenge, vor allem Schwarze, die in Sprechchören riefen, die Fäuste reckten und Freiheitslieder sangen, während hinter ihm Leute aus dem Gerichtssaal herauskamen, an ihm vorbeiströmten und manche ihn anrempelten. Er merkte es kaum. Alles war so abrupt zu Ende gegangen. Das Urteil war zu durchschaubar, und er bemühte sich immer noch, es zu begreifen. *Infolgedessen komme ich zu dem Schluß, daß Gordon Ngubene am Morgen des 25. Februar Selbstmord durch Erhängen verübt hat und daß sein Tod nach dem vorliegenden Beweismaterial nicht auf eine bestimmte Handlung oder die Unterlassung von Hilfeleistung durch andere zurückgeführt werden kann, die als Verstoß gegen die Gesetze angesehen werden müßten.*

Zwei Menschen lösten sich aus der Menge und kamen auf ihn zugelaufen, doch fielen sie ihm erst auf, als sie ihm die Hand auf den Arm legten: Stanley mit der dunklen Brille und dem durch nichts zu unterdrückenden Lächeln, obwohl es diesmal mehr wie eine Grimasse aussah. Und auf seinen Arm gestützt ein formloses Bündel, Emily.

Als sie ihn erreichte, war ihr Mund verzerrt. Sie wollte etwas sagen, schaffte es aber nicht; dann warf sie ihm einfach die Arme um den Hals und fing an, an seiner Brust zu schluchzen. Da sie sehr schwer war, machte er ein paar Schritte rückwärts, und um das Gleichgewicht zu halten, legte er die Arme um sie. Auf den Treppenstufen blitzten ein paar Kameras, sie weinte und lehnte sich schwankend gegen ihn, bis Stanley sie sanft, aber resolut zurückzog.

Wie sie war auch Ben zu überwältigt, um ein Wort hervorzubringen.

Aber Stanley hatte die Fassung nicht verloren. Er legte Ben die schwere Hand auf die Schulter und sagte mit seiner tiefen, dröhnenden Stimme: »Mach dir nichts draus, *Lanie*. Wir sind schließlich noch am Leben, Mann.«

Dann verschwanden sie wieder in der Menge.

Gleich darauf trat eine kleine Gestalt mit langem Haar auf ihn zu und nahm seinen Arm.

»Kommen Sie«, sagte sie.

Im selben Augenblick rückte die Polizei mit Hunden vor, um die Menge zu zerstreuen, ehe sich ein Demonstrationszug bilden konnte, und in der allgemeinen Verwirrung entkamen sie in dasselbe kleine schäbige Café, in dem sie schon einmal gesessen hatten. Es war um diese Zeit so gut wie leer; eine von den Neonröhren an der Decke war durchgebrannt, und die andere zuckte in unregelmäßigen Abständen auf. Sie setzten sich an einen Tisch hinter einer großen Topfplanze aus Plastik und bestellten Kaffee.

Ben war nicht in der Stimmung zu reden und brütete vor sich hin. Melanie akzeptierte das kommentarlos und trank schweigend ihre Tasse aus. Schließlich fragte sie:

»Ben, haben Sie wirklich ein anderes Urteil erwartet?«

Von der Frage tief getroffen, sah er auf und nickte wortlos.

»Und jetzt?«

»Warum fragen Sie mich?« sagte er ärgerlich.

Ohne zu antworten, winkte sie den Kellner heran und bestellte noch einen Kaffee.

»Können *Sie* das denn verstehen?« fragte er herausfordernd.

Ruhig sagte sie: »Ja, selbstverständlich kann ich das verstehen. Zu welcher anderen Entscheidung hätten sie denn kommen sollen? Sie können schließlich nicht zugeben, daß sie unrecht haben, oder? Das ist für sie die einzige Möglichkeit, weiterzumachen.«

»Ich kann das nicht glauben«, sagte er eigensinnig. »Es war doch nicht irgend*ein* Gremium, es war ein Gerichtshof.«

»Sie können die Augen nicht davor verschließen, Ben: Es ist nicht wirklich Aufgabe des Gerichts, absolut über Recht oder Unrecht zu befinden. Seine erste Aufgabe ist, dem Recht Geltung zu verschaffen.«

»Wie kommen Sie dazu, so zynisch zu sein?« fragte er verstört.

Sie schüttelte den Kopf. »Ich bin nicht zynisch. Ich versuche nur, realistisch zu sein.« Ihre Augen wurden weich. »Wissen Sie, ich weiß heute noch, wie mein Vater den Weihnachtsmann gespielt hat, als ich klein war. Er hat mich immer auf jede mögliche Weise verwöhnt, aber sein Lieblingsspiel war, Weihnachtsmann zu spielen. Als ich fünf oder sechs war, kam ich dahinter, daß das alles Unsinn war. Aber ich brachte es nicht fertig, *ihm* das zu sagen; *ihm* bedeutete es so viel.«

»Was, zum Teufel, hat das mit Gordon zu tun?« fragte er wie benommen.

»Wir spielen doch alle andauernd den Weihnachtsmann für einander«, sagte sie. »Wir haben doch alle Angst, der Wahrheit ins Gesicht zu blicken. Aber es hat keinen Zweck. Früher oder später müssen wir der Wahrheit ins Auge sehen.«

»Und ›Wahrheit‹ bedeutet, Abschied zu nehmen von der Vorstellung von Gerechtigkeit?« sagte er aufgebracht.

»Durchaus nicht.« Sie schien entschlossen, ihn zu beschwichtigen, als ob sie die ältere von ihnen beiden wäre. »Ich werde nie aufhören, an die Gerechtigkeit zu glauben. Nur habe ich gelernt, daß es sinnlos ist, in bestimmten Situationen damit zu rechnen.«

»Was für einen Sinn hat denn ein System, wenn es keinen Platz mehr für die Gerechtigkeit hat?«

Schweigend und mit Ironie in den Augen sah sie ihn an.

»Eben.«

Langsam schüttelte er den Kopf. »Sie sind noch sehr jung, Melanie«, sagte er, »Sie denken immer noch in Begriffen des ›Alles oder Nichts‹.«

»Aber ganz und gar nicht«, wandte sie ein. »Von der Vorstellung von etwas Absolutem habe ich Abstand genommen an dem Tage, da ich vom Weihnachtsmann Abschied genommen habe. Aber man kann nicht für die Gerechtigkeit kämpfen, wenn man nicht auch die Ungerechtigkeit kennt. Man muß zuerst wissen, wer der Feind ist.«

»Sind Sie sicher, daß Sie diesen Feind kennen?«

»Zumindest habe ich keine Angst, nach ihm Ausschau zu halten.«

Verwirrt und in die Ecke gedrängt, schob er den Stuhl zurück und stand auf, ehe er seine zweite Tasse Kaffee auch nur angerührt hatte. »Ich gehe«, sagte er. »Hier kann man nicht reden.«

Ohne ihm zu widersprechen, folgte sie ihm nach draußen, wo der Feierabendverkehr sich gelegt hatte und die Straßen leergefegt und verlassen aussahen; heiße, übelriechende Luft wogte in trägen Wellen zwischen den Häusern.

»Zerbrechen Sie sich nicht zuviel den Kopf«, sagte sie, als sie auf dem Bürgersteig standen. »Schlafen Sie erst mal eine Nacht darüber. Ich weiß, es hat sie schwer getroffen.«

»Wohin gehen Sie?« fragte er, unversehens fast in Panik bei dem Gedanken, daß sie ihn allein lassen würde.

»Ich nehme den Bus an der Market Street.« Sie schickte sich an zu gehen.

»Melanie«, sagte er und wußte nicht, was in ihn gefahren war.

Sie wandte den Kopf, und ihr langes Haar wehte.

»Kann ich Sie nach Hause bringen?«

»Ich wohne aber ganz woanders als Sie.«

»Wo denn?«

»In Westdene.«

»Das ist kein großer Unterschied.«

Einen Moment standen sie einander gegenüber, lag ihre Verletzlichkeit offen im schmutzigen Nachmittagslicht zutage. In solchen unbedeutenden Augenblicken, schrieb er hinterher, auf so triviale Weise kann sich ein ganzes Leben entscheiden.

»Vielen Dank«, sagte sie.

Auf dem Weg zur Tiefgarage sprachen sie nicht mehr; auch später im Wagen nicht, als sie über die Brücke und die Kurve der Jan Smuts Avenue hinunterfuhren und links in die Empire Road einbogen. Vielleicht bedauerte er es jetzt. Er wäre auf der Heimfahrt lieber allein gewesen; daß sie neben ihm saß, berührte ihn wie grelles Licht, das in ungeschützte Augen fällt.

Das Haus lag im älteren Teil des Vororts, an einem Hang – ein großes Doppelgrundstück, das von einem weißen Holzzaun mit etlichen Lükken umgeben war. Ein häßliches altes Haus aus den zwanziger oder dreißiger Jahren mit einer niedrigen, geschwungenen Veranda, die den roten *stoep* umgab, von Bougainvilleas umrankten Rundpfeilern und grünen Fensterläden, die schon etwas aus dem Leim gegangen waren und schief in den halbzerbrochenen Scharnieren hingen. Der Garten jedoch war ansprechend: keine gepflegten Rasenflächen, Wasserläufe oder exotische Ecken, sondern anständige, gepflegte Blumenbeete, Sträucher und Bäume, üppiges Wachstum überall.

Ben stieg aus, um ihr den Wagenschlag aufzumachen, doch als er um das Auto herumkam, war sie bereits draußen. Unsicher und mutlos stand er zögernd da.

»Leben Sie hier ganz allein?« fragte er schließlich, unfähig, das Haus mit ihr in Einklang zu bringen.

»Mit meinem Vater zusammen.«

»Hm«, sagte er. »Dann will ich mich mal auf den Weg machen.« Er überlegte, ob er ihr die Hand reichen sollte.

»Möchten Sie nicht mit reinkommen?«

»Nein, vielen Dank. Mir ist im Moment nicht nach Gesellschaft.«

»Dad ist nicht zu Hause.« Sie verengte die Augen, um ihn gegen das Spätnachmittagslicht anzusehen. »Er klettert im Magaliesberg.«

»Ganz allein?«

»Ja. Ich mache mir zwar ein bißchen Sorgen, denn er ist schon achtzig, und mit seiner Gesundheit steht's nicht gerade zum besten. Aber ihn von den Bergen fernzuhalten, das schafft keiner. Für gewöhnlich begleite ich ihn, doch diesmal mußte ich wegen der Verhandlung hierbleiben.«

»Ist es hier nicht sehr einsam zum Wohnen?«

»Nein, warum? Ich kann kommen und gehen, wie ich will.«

Nach einem Augenblick: »Und man braucht einen Ort wie diesen hier, an den man sich zurückziehen kann, wenn einem danach ist.«

»Ich weiß. Das ergeht mir auch ein bißchen so.« Vielleicht verriet er mehr, als er beabsichtigt hatte. »Aber ich bin ja auch ein ganzes Stück älter als Sie.«

»Hat das was zu sagen? Was man braucht, hängt doch ganz von jedem einzelnen ab.«

»Ja, aber Sie sind jung. Sind Sie nicht lieber mit anderen Menschen zusammen und amüsieren sich?«

»Was verstehen Sie unter ›sich amüsieren‹?« fragte sie leicht ironisch.

»Das, was junge Menschen so darunter verstehen.«

»Ach, als ich noch jünger war, hab' ich mich auf meine Weise amüsiert«, sagte sie. »Und tue es heute noch.« Dann, mit leicht verzogenem Gesicht: »Wissen Sie, ich war sogar mal verheiratet.«

Das verblüffte ihn; es fiel ihm schwer zu glauben: Sie sah so jung aus, so unversehrt. Doch als er ihr wieder in die Augen blickte, war er seiner selbst nicht mehr so ganz sicher.

»Sie sagten, Sie hätten es eilig, nach Hause zu kommen, Mr. Du Toit«, erinnerte ihn Melanie.

Zuvor hatte sie ihn mit Vornamen angeredet, und so war es jetzt diese unerwartete, leicht provozierende Förmlichkeit, die ihn sagen ließ: »Ich komme mit rein, wenn Sie mir eine Tasse Kaffee anbieten. Ich habe meine zweite Tasse im Café nicht getrunken.«

»Fühlen Sie sich nur nicht verpflichtet.« Und dennoch ging sie still und zufrieden durch die kaputte Eisenpforte und den ungleichmäßig mit Platten belegten Weg zum *stoep* entlang. Sie fand nicht gleich den Schlüssel und kramte in ihrer Handtasche danach; dann schloß sie auf.

»Folgen Sie mir.«

Sie ging in ein großes, aus zwei ineinander übergehenden Räumen bestehendes Arbeitszimmer voran; der größere Teil der zwischen den Zimmern liegenden Wand war weggenommen worden, so daß ein breiter Durchgang entstanden war, der links und rechts von einem riesigen Elephantenstoßzahn abgestützt wurde. Die Wände waren hauptsächlich mit Bücherregalen bedeckt, einige eingebaut, ein paar antike Schränke mit Glastüren davor; ansonsten einfache Fichtenbretter, die ziemlich wackelig auf Ziegelsteinen lagen. Auf dem Boden ein paar abgetretene Perserbrücken sowie Springbock- und Spießbockfelle; die Vorhänge vor den breiten Erkerfenstern waren aus verschossenem Samt, der vermutlich einst altgold gewesen war, jetzt jedoch eine schmutzig-braune Farbe angenommen hatte. Drucke an den Wänden zwischen den Bücherregalen: Munchs *Drei Mädchen auf der Brücke*, der *Titus* von Rembrandt, ein Stilleben von Braque, ein früher Picasso von Van Goghs Zypressen. Ein paar gewaltig ausladende Sessel, auf denen Katzen schliefen; ein köstliches Schachtischchen mit Einlegearbeit, die Schachfiguren darauf ostasiatische Schnitzereien aus Ebenholz und vergilbtem Elfenbein; ein alter Stutzflügel und ein mächtiger Schreibtisch mit herunterklappbaren Seitenteilen. Der Tisch sowie zwei kleinere Tischchen und jeder verfügbare kleinere oder größere Platz zwischen und auf den Möbeln und sogar auf dem Boden mit Stapeln von Papier und Büchern bedeckt, einige aufgeschlagen, andere mit Papierfetzen als Lesezeichen zwischen den Seiten. Auf dem Fußboden außerdem ein Gewirr von Kabeln, die von einem Plattenspieler zu zwei großen Lautsprechern führten. Der ganze Raum roch nach altem Tabak, Katzen, Staub und Schimmel.

»Machen Sie es sich bequem«, sagte Melanie, hob schwungvoll einen Stoß Bücher, Zeitungen und handbeschriebene Blätter von einem Sessel und brachte eine von den zahllosen fetten Katzen dazu, ihren Platz zu räumen. Dann trat sie an einen Plattenschrank, der weit offenstand, weil die Borde derart mit Platten vollgestopft waren, daß die Türen nicht mehr zuzumachen waren, und knipste eine daraufstehende Leselampe an. Ein matter, trüb-gelber Lichtschein fiel auf das herrliche Chaos des Zimmers. Sie selbst schien auf eine eigentümliche Weise zu diesem Raum zu gehören, gleichzeitig jedoch völlig fehl am Platz zu sein. Dazuzugehören, weil sie hier ganz offensichtlich zu Hause war und sich so sicher in dem ganzen Durcheinander zurechtfand; und fehl am Platz, weil alles hier so alt und verstaubt, abgenutzt und gebraucht schien, während sie selbst so jung und unberührt wirkte.

»Möchten Sie wirklich einen Kaffee?« fragte sie immer noch neben der Lampe, deren Licht auf ihre Schultern und eine Wange und die eine Hälfte ihres dunklen, schimmernden Haars fiel. »Oder möchten Sie lieber etwas Stärkeres?«

»Trinken Sie denn etwas?«

»Ich glaube, wir können das nach dem heutigen Tag gebrauchen.« Sie ging durch den von den unwahrscheinlichen Stoßzähnen eingerahmten Bogen hindurch. »Brandy?«

»Bitte, gern.«

»Mit Wasser?«

»Danke.«

Sie ging hinaus. Er machte sich auf Entdeckungsreise in dem Raum, stolperte über die Kabel von einem der Lautsprecher und fuhr mechanisch mit der Hand über die Buchrücken in einem Bord. Die Bücher ließen genausowenig eine Ordnung erkennen wie der ganze Raum. Willkürlich nebeneinanderstehend entdeckte er juristische Werke, eine griechische Homerausgabe, eine Bibel sowie eine Reihe von Bibelkommentaren, philosophische und anthropologische Werke, alte ledergebundene Reisetagebücher, Bücher über Kunstgeschichte und Musik, die *Birds of South Africa,* Bücher über Botanik und Fotografie und Wörterbücher: Englisch, Spanisch, Deutsch, Italienisch, Portugiesisch, Schwedisch und Latein; eine Sammlung von Theaterstücken; Romane in Penguin-Taschenbüchern. Nichts schien neu, alles benutzt und gelesen und durchgeblättert; in den wenigen Büchern, die er herauszog, um sie durchzublättern, fand er Seiten mit Eselsohren, unterstrichene Absätze und Ränder, die mit Notizen und einer winzigen, nahezu unleserlichen Handschrift bedeckt waren.

Er verweilte neben dem Schachtisch, berührte liebevoll ein paar von den wunderbar geschnitzten Figuren, führte ein paar Züge in der klassischen, das Harmoniebedürfnis befriedigenden, von Ruiz Lopez ersonnenen Manier aus – Weiß, Schwarz; Weiß, Schwarz – und verspürte zum erstenmal so etwas wie einen eifersüchtigen Stich: mit einem Schachspiel wie diesem zu spielen, nachdem er so lange mit seinen eigenen abgegriffenen Holzfiguren umgegangen war; in täglichem Kontakt damit zu leben wie diese Melanie.

Sie kam so leise wieder hinter ihm herein, daß er es nicht hörte und zusammenfuhr, als sie sagte: »Ich stell' es hierher.«

Ben fuhr herum. Sie hatte die Schuhe abgestreift und machte es sich auf dem Sessel bequem, den sie zuvor freigeräumt hatte, verstaute die Beine unter sich und hatte eine Katze auf dem Schoß. Er entfernte das Durcheinander von dem Sessel ihr gegenüber und nahm das Glas, das sie auf einem Stapel Bücher abgestellt hatte. Zwei große Katzen näherten sich ihm und rieben sich, die Schwänze steil emporgereckt und laut schnurrend, an seinen Beinen.

Lange saßen sie schweigend in der Behaglichkeit des unordentlichen Raumes und tranken. Er spürte, wie die benommen machende Erschöpfung von ihm abfiel wie ein schwerer Mantel, der von einem Kleiderbügel herunterrutscht und auf dem Boden landet. Das Zwielicht draußen vertiefte sich. Und vom gedämpften gelben Licht der einzelnen Lampe umschmeichelt bewegten sich lautlos die Katzen, im tieferen Schatten des Raums unsichtbar, wo das Licht nicht hinkam.

Vorübergehend, aber nur vorübergehend, wurde die härtere Wirklichkeit des langen Tages abgemildert: der Gerichtssaal, Tod, Lügen, Folterer, Soweto und die Stadt, all das, was in dem schäbigen kleinen Café so unerträglich gewesen war. Nicht, daß all das ganz und gar entschwand: Es war wie eine Kohlezeichnung, über die eine Hand hinweggetrichen war und die klarkonturierten Striche verwischt, undeutlich gemacht und verschmiert hatte.

»Wann kommt Ihr Vater wieder?« fragte er.

»Ich weiß nicht«, sagte sie achselzuckend. »Er hält sich nie an einen Zeitplan. Ich denke, in ein paar Tagen. Er ist vor einer Woche losgefahren.«

»Das hier sieht aus wie Fausts Studierstube.«

Sie grinste. »Das ist er, wie er leibt und lebt. Wer weiß, wenn er an den Teufel glaubte, könnte er ihm sehr wohl seine Seele verkauft haben.«

»Was macht er denn?« Es war eine Erleichterung, über ihren Vater zu reden und sich selbst und alles, was geschehen war, aus dem Weg zu gehen.

»Er war Philosophieprofessor und ist schon vor Jahren in den Ruhestand getreten. Jetzt macht er, wozu immer er Lust hat. Ab und zu fährt er in die Berge und sammelt Pflanzen und sonst noch alles mögliche. Er ist überall im Land gewesen. Bis rauf nach Botswana und an den Okawango.«

»Und macht es Ihnen nichts aus, ganz allein hier zurückzubleiben?«

»Warum sollte ich was dagegen haben?«

»Ich habe nur so gefragt.«

»Wir kommen wunderbar miteinander aus.« Im dämmerigen Goldschimmer der Lampe und von allem umgeben, was ihr so vertraut war, schien sie ihre Zurückhaltung leichter aufzugeben. »Verstehen Sie, er war fast fünfzig, als er aus dem Krieg heimkehrte und in London meine

Mutter heiratete. Sie war – ach, jedenfalls viele Jahre jünger als er, die Tochter alter Freunde. Und nach einer Romanze, die nur drei Wochen dauerte – er hatte sie zwar schon vor dem Krieg gekannt, aber da war sie noch ein Kind gewesen und ihm nicht aufgefallen –, haben sie geheiratet. Aber sie konnte in Südafrika nie recht heimisch werden, und so haben sie sich ein Jahr nach meiner Geburt scheiden lassen. Sie kehrte nach London zurück, und seither haben wir sie nie wiedergesehen. Er hat mich ganz allein aufgezogen.« Sie nippte an ihrem Brandy und lächelte mit der ganzen Fülle ihres Mundes. »Der Himmel mag wissen, wie, aber er hat es geschafft; dabei ist er der unpraktischste Mann, den man sich vorstellen kann.« Eine Weile war es still, bis auf das Schnurren der Katzen und das Rascheln ihres Sessels, als sie die Beine anders hinlegte. »Zuerst hat er Jura studiert«, sagte sie. »Und wurde Rechtsanwalt. Aber dann bekam er es satt, ließ alles stehen und liegen und ging nach Deutschland, um dort Philosophie zu studieren. Das war Anfang der dreißiger Jahre. Er war einige Zeit in Tübingen und Berlin und ein Jahr in Jena. Aber dann hat ihn das, was im Dritten Reich passierte, dermaßen deprimiert, daß er '38 hierher zurückkam. Als der Krieg ausbrach, ging er zur Armee, um gegen Hitler zu kämpfen, und hat dann drei Jahre in deutscher Kriegsgefangenschaft verbracht.«

»Und Sie selbst?«

Sie hob rasch den Kopf und sah ihn eine Weile an. »Über mich gibt's nicht viel zu erzählen.«

»Wie kommt es, daß Sie Journalistin geworden sind?«

»Das frage ich mich selbst auch manchmal.« Ihre Augen groß und geheimnisvoll im dämmerigen Rauch, schwieg sie. Dann, als habe sie sich zu etwas durchgerungen, sagte sie: »Na schön, ich werde es Ihnen erzählen. Ich weiß nicht, warum, aber ich rede nicht gern über mich selbst.«

Er wartete still, verspürte so etwas wie eine zunehmende Entkrampfung und eine Offenheit, wie sie nur durch die wachsende Dunkelheit draußen und die behagliche Atmosphäre des alten Hauses möglich wurde.

»Ich bin ein sehr behütetes Kind gewesen«, sagte sie. »Nicht, daß er besondere Besitzansprüche an mich gestellt hätte – zumindest nicht offen. Ich vermute, er hatte einfach genug von der Heillosigkeit der Welt mitbekommen, daß er mich, so gut er konnte, davor bewahren wollte. Nicht vor dem Leiden als solchem, sondern vor unnötigem Leiden. Und später, an der Universität, wählte ich ein hübsches sicheres Fach und studierte hauptsächlich Literatur. Wollte Lehrerin werden. Dann heiratete ich einen Mann, den ich an der Uni kennengelernt hatte – einen meiner Lehrer. Er verehrte mich und trug mich auf Händen, genauso wie Dad es getan hatte.« Sie bewegte den Kopf; ihr dunkles Haar regte sich. »Und damit fingen die Schwierigkeiten vermutlich an.«

»Aber warum?« Plötzliche Sehnsucht nach Linda regte sich in ihm.

»Ich weiß nicht. Vielleicht habe ich schon immer gegen den Stachel gelöckt. Oder im Gegenteil? Ich bin ein Zwilling, wissen Sie.« Ein herausforderndes Lächeln. »Tief in mir bin ich vermutlich einfach faul. Nichts würde mir leichter fallen, als mich gehenzulassen, mich einfach, wie in diesen Sessel, zurückzulehnen. Aber das ist gefährlich. Verstehen Sie, was ich sagen will? Ich meine, man kann ein so köstlich verhätscheltes Dasein führen, daß man aufhört zu leben, aufhört zu fühlen und *mit*zufühlen. Wie in Trance, als ob man ständig *high* wäre.« Sie spielte mit ihrem Glas. »Und dann entdeckt man eines Tages, daß das Leben an einem vorübergleitet und man nichts weiter ist als ein verdammter Schmarotzer, irgend etwas Weißes, Madenähnliches, überhaupt kein richtiger Mensch, sondern nur ein Etwas, ein süßes und sinnloses Etwas. Und selbst wenn man dann um Hilfe schreit, verstehen sie einen nicht. Ja, sie hören einen nicht einmal. Oder halten das nur für eine neue Marotte und bemühen sich, so gut es geht, damit fertig zu werden.«

»Was ist passiert? Wie kam es, daß Sie ausgebrochen sind?«

»Ich weiß nicht recht, ob dazu wirklich etwas Dramatisches oder Aufsehenerregendes nötig ist. Es geschieht einfach. Eines Morgens schlägt man die Augen auf und spürt etwas Stachliges und Rastloses in sich. Man weiß nicht, was eigentlich los ist. Man nimmt ein Bad und geht wieder in sein Zimmer, und plötzlich, als man an der Garderobe vorüberkommt, sieht man sich selbst. Man bleibt stehen. Man sieht sich selbst an. Sieht sich selbst nackt. Ein Gesicht, einen Körper, den du an jedem Tag deines Lebens gesehen hast. Nur, daß man sich nie *richtig* gesehen hat. Man hat nie richtig *hingesehen*. Und jetzt plötzlich, wie aus heiterem Himmel, kommt es wie ein Schock – weil man nämlich jemanden sieht, der einem vollkommen fremd ist. Man sieht sich seine Augen, seine Nase und seinen Mund an. Man drückt das Gesicht gegen die glatte kalte Fläche des Spiegels, bis er beschlagen ist – versucht, hineinzukommen, sich wirklich in die Augen zu sehen. Man tritt zurück und betrachtet seinen Körper. Man berührt sich mit den Händen, doch der

Körper bleibt fremd, man kommt nicht damit zu Rande. Irgendein verrückter Drang regt sich in dir. Ein Drang, auf die Straße hinauszulaufen, so wie man ist, nackt, und den Leuten die wüstesten Schimpfworte an den Kopf zu werfen, die man kennt. Aber das unterdrückt man natürlich. Und kommt sich nur noch eingesperrter vor als zuvor. Und dann geht dir auf, daß du dein Leben lang rumgehangen und darauf gewartet hast, daß etwas geschieht, etwas Besonderes, etwas, um das es sich wirklich lohnt. Dabei geschieht nichts weiter, als daß die Zeit verrinnt.«

»Ich weiß«, sagte Ben leise, mehr zu sich selbst, als für sie bestimmt. »Glauben Sie, ich wüßte nicht, wie einem da zumute ist. Warten und warten: als ob das Leben eine Anlage in irgendeiner Bank wäre, eine sichere Einlage, die sich eines Tages auszahlt, ein Vermögen. Doch dann macht man die Augen auf und stellt fest, daß das Leben nicht mehr ist als das Kleingeld, das man heute in der Hosentasche trägt.«

Sie stand vom Sessel auf und trat ans Fenster hinter dem überladenen Schreibtisch, eine schmale Gestalt vor dem immer dunkler werdenden Abend draußen, etwas Kindliches und Wehrloses um die Schultern und die pralle Rundung ihres Hinterteils.

»Wenn es wirklich ein besonderes Ereignis gegeben hat, das mir die Augen geöffnet hat«, sagte sie und wandte sich ihm wieder zu, »dann war das etwas an sich vollkommen Triviales. Eines Tages wurde unser Hausmädchen bei der Arbeit krank, und da brachte ich sie am Nachmittag zu sich nach Hause nach Alexandra. Sie war seit Jahren bei uns gewesen; zuerst bei Dad und mir, und dann, nach meiner Heirat, bei Brian und mir. Wir kamen sehr gut miteinander aus, bezahlten sie anständig und alles. Doch dies war das erstemal, daß ich ihr Haus betrat, verstehen Sie. Und das warf mich einfach um. Ein winziges Ziegelhaus mit zwei Zimmern. Keine Decke, keine Elektrizität, Betonfußboden. Im Eßzimmer ein Tisch mit einem Stück Linoleum darauf und zwei wacklige Stühle – und ein kleiner Schrank fürs Geschirr, glaube ich; und im anderen Zimmer nur ein Bett und ein paar Paraffinkanister. Das war alles. Dort lebte sie, mit ihrem Mann, den jüngsten drei Kindern und zwei Schwestern ihres Mannes. Mit dem Bett wechselten sie sich ab; die anderen mußten auf dem Boden schlafen. Matratzen gab es nicht. Es war Winter, und die Kinder husteten.« Plötzlich erstickte ihre Stimme. »Verstehen Sie das? Es war nicht die Armut als solche; man kennt schließlich Armut, liest Zeitung und ist nicht blind, man hat sogar ein ›soziales Gewissen‹. Aber Dorothy war jemand, von dem ich dachte, ich *kennte* sie; sie hatte Dad geholfen, mich zu erziehen, hatte jeden Tag meines Lebens im selben Haus mit mir gelebt. Wissen Sie, es war, als ob ich zum erstenmal überhaupt wirklich Einblick in das Leben eines anderen Menschen gewonnen hätte. Als ob ich zum allererstenmal die Entdeckung gemacht hätte, daß es andere *gab*. Und das schlimmste von allem war, daß ich über mein eigenes Leben genausowenig wußte wie über ihres.« Mit einer ruckarigen Bewegung kam sie hinter dem Schreibtisch hervor und ergriff ihr Glas. »Ich hole Ihnen noch etwas.«

»Ich habe genug gehabt«, sagte er, doch sie war schon verschwunden; ein paar Katzen folgten ihr lautlos.

»Aber das ist doch bestimmt nicht der Grund, warum Sie sich haben scheiden lassen?« fragte er, als sie zurückkam.

Mit dem Rücken zu ihm legte sie eine Platte auf, eine der späten Beethoven-Sonaten, und stellte sie sehr leise; fast unmerklich füllte die Musik den vollgestopften Raum.

»Wie soll man eine solche Entscheidung an einer einzigen Sache festmachen?« sagte sie und kuschelte sich wieder in den Sessel. »Das war nicht das einzige, was passierte. Natürlich nicht. Ich kam mir nur immer eingeschlossener vor. Wurde gereizt und unvernünftig und spitz. Der arme Brian hatte keine Ahnung, was los war. Und Dad auch nicht. Tatsächlich habe ich mich ein ganzes Jahr nicht bei ihm blicken lassen. Ich brachte es nicht fertig, ihm gegenüberzutreten, und wußte nicht, was ich zu ihm sagen sollte. Nach der Scheidung bin ich dann in eine eigene Wohnung gezogen.«

»Aber jetzt sind Sie wieder bei Ihrem Vater«, erinnerte er sie.

»Richtig. Aber ich bin nicht zurückgekommen, um mich wieder verhätscheln und verwöhnen zu lassen. Diesmal bin ich nur gekommen, weil er *mich* brauchte.«

»Und dann sind Sie Journalistin gworden?«

»Ich dachte, das würde mich zwingen oder mir zumindest helfen, mich zu exponieren. Mich daran hindern, wieder in der alten Euphorie zu versacken. Mich zwingen, die Augen aufzumachen und wahrzunehmen, was um mich herum geschah.«

»War das nicht ein ziemlich drastischer Einschnitt?«

»Ich mußte etwas Drastisches tun. Dazu kannte ich mich zu gut. Es wäre mir ein leichtes gewesen, mich langsam in die Genußsucht und das herrliche Gefühl zurückfallen zu lassen, von anderen umsorgt zu werden. Aber ich kann es einfach nicht zulassen, daß das noch einmal geschieht. Verstehen Sie das nicht?«

»Hat es funktioniert?« fragte Ben. Der zweite Brandy verstärkte die Wirkung des ersten und brachte Ben dazu, sich mit wohliger Schwere zu entspannen.

»Wenn ich Ihnen darauf nur eine klare Antwort geben könnte.« Ihre Augen suchten lebhaft die seinen, als hoffte sie auf einen Hinweis oder Anhaltspunkt von ihm. Nach ein paar Augenblicken fuhr sie fort: »Zuerst bin ich lange auf Reisen gegangen. Ohne ein bestimmtes Ziel. Hauptsächlich in Afrika.«

»Wie haben Sie das denn mit einem südafrikanischen Paß geschafft?«

»Meine Mutter war ja Engländerin, vergessen Sie das nicht. Deshalb habe ich einen britischen Paß, und der kommt ganz gelegen, wenn die Zeitung mal einen Reporter irgendwohin schicken will.«

»Und damit sind Sie unbehelligt überall durchgekommen?«

Ein kurzes, fast bitteres Lachen. »Immer nicht. Aber das konnte ich auch nicht erwarten, oder? Schließlich war das einer der Gründe, warum ich mich von allem gelöst hatte.«

»Und was ist passiert?«

Sie zuckte mit den Achseln. »Ich weiß wirklich nicht, warum ich Ihnen mein ganzes Herz ausschütten und Ihnen all meine rührseligen Geschichten erzählen soll.«

»Jetzt sind Sie es aber, die ausweicht.«

Sie sah ihn direkt an, abwägend, überlegend. Dann, als wäre sie niedergedrückt oder fühlte sich von etwas bedroht, wenn sie sich nicht bewegen könnte, stand sie wieder auf und ging im Zimmer auf und ab und schob das eine oder andere vorstehende Buch in eine Reihe mit den anderen zurück.

»'74 war ich in Mozambique«, sagte sie schließlich. »Gerade als die Frelimo nach der Machtübernahme aus dem Ruder lief.« Einen Moment schien sie sich eines Besseren besonnen zu haben, doch dann, immer noch mit dem Rücken zu ihm, sagte sie: »Eines Abends wurde ich auf dem Heimweg von einer Gruppe betrunkener Soldaten angehalten. Ich zeigte Ihnen meinen Personalausweis, aber den warfen sie mir vor die Füße.«

»Und dann?«

»Was schon?« sagte sie. »Sie zerrten mich auf ein leeres Grundstück und vergewaltigten mich, allesamt, und ließen mich liegen.« Ein unerwartetes Kichern. »Und wissen Sie, was das Schlimmste von allem war?

Als ich lange nach Mitternacht ins Hotel zurückkam, stellte ich fest, daß kein heißes Wasser mehr lief.«

Er machte eine hoffnungslose, wütende Geste. »Aber haben Sie es denn nicht anzeigen oder irgendwas anderes tun können?«

»Beim wem denn?«

»Und am nächsten Tag sind Sie zurückgeflogen?«

»Selbstverständlich nicht«, sagte sie. »Erst mußte ich ja noch meine Aufgabe erledigen.«

»So ein Wahnsinn!«

Sie zuckte mit den Achseln. Sein frustrierter Zorn schien sie fast zu amüsieren. »Zwei Jahre später war ich in Angola«, sagte sie ruhig.

»Sie wollen mir doch wohl nicht erzählen, daß Sie wieder vergewaltigt wurden?«

»O nein. Aber verhaftet haben sie mich, zusammen mit einer Gruppe anderer ausländischer Journalisten. Sperrten uns in ein Klassenzimmer ein, bis sie unsere Akkreditierungen überprüft hatten. Fünf Tage lang – fünfzig bis sechzig Menschen in einem Raum. Es war so gesteckt voll, daß kein Platz mehr da war, um sich hinzulegen und zu schlafen. Es blieb einem gar nichts anderes übrig, als sich gegen einen Nachbarn zu lehnen.« Wieder das Gekicher. »Das Hauptproblem waren nicht die Hitze oder der Luftmangel oder das Ungeziefer, sondern meine Magenbeschwerden. Ein solches Bauchgrimmen hatte ich mein Lebtag nicht gehabt. Und es gab nichts, aber auch gar nichts, was ich dagegen hätte tun können. Als ich rauskam, hatte ich noch dieselben Jeans an, die ich bei der Festnahme getragen hatte.«

Ohne aufgefordert worden zu sein, schenkte sie aus der Brandyflasche, die sie mitgebracht hatte, sein Glas und auch ihres wieder voll.

»Bald danach hat die Zeitung mich nach Zaire geschickt«, fuhr sie fort. »Als es dort oben losging. Das war aber nicht so schlimm. Nur eines Abends, als wir mit einem kleinen Motorboot den Fluß entlangfuhren und ins Sperrfeuer gerieten. Wir mußten uns flußabwärts treiben lassen, uns an jedes alte Wrackteil klammern und konnten nur hoffen, daß sie uns nicht alle in Fetzen schossen. Der Mann, der bei mir war, bekam eine Kugel in die Brust ab, kam aber durch. Glücklicherweise wurde es dunkel, so daß sie uns nicht mehr sehen konnten.«

Nach einem ausgedehnten Schweigen fragte er entsetzt: »Hat Sie das nicht völlig verstört und durcheinandergebracht? Das in Mozambique – hatten Sie danach nicht das Gefühl, nie mehr dieselbe sein zu können?«

»Vielleicht wollte ich gar nicht mehr dieselbe sein.«

»Aber für jemanden wie Sie – so, wie Sie aufgewachsen sind – ein Mädchen, eine Frau?«

»Macht das wirklich einen Unterschied? Vielleicht hat es das sogar für mich leichter gemacht.«

»Wie sollte das möglich sein?«

»Aus mir selbst rauszukommen. Mich von meinen Macken zu befreien. Zu lernen, weniger für mich selbst zu fordern.«

Mit einem Schluck leerte er das ganze Glas und schüttelte den Kopf.

»Wieso überrascht Sie das?« fragte sie. »Als Sie in die Sache mit Gordon hineingerieten – die Dinge, die für Sie ganz natürlich waren, mußte ich erst von Grund auf lernen. Um dahin zu kommen, mußte ich mich Schritt für Schritt regelrecht zwingen. Manchmal schreckt mich der Gedanke, daß ich vielleicht noch gar nicht soweit bin. Vielleicht gehört ›soweit kommen‹ einfach zu der großen Illusion dazu.«

»Wie kommen Sie dazu zu behaupten, daß die Dinge für mich ganz ›natürlich‹ waren?« protestierte er.

»War es denn nicht so?«

Und jetzt kam in *ihm* etwas in Gang, geriet etwas ins Rutschen, kam zu einer plötzlichen Lockerung – als ob ein großer Taubenschwarm aus einem Käfig befreit worden wäre. Ohne den Versuch zu machen, dem Einhalt zu gebieten oder es zurückzuhalten, und ermutigt durch ihre eigenen Geständnisse sowie durch die ungezwungene, von Leben erfüllte Atmosphäre des Raums und den tröstlichen Dämmer, der Vertrauen möglich machte, ließ er zu, daß spontan aus ihm herausfloß, was sich all die Jahre in ihm aufgestaut hatte. Seine Kindheit auf der Farm im Freistaat und die furchtbare Dürre, in der sie alles verloren hatten; das ständige Umherziehen, als sein Vater bei der Eisenbahn beschäftigt gewesen war, und die jährliche Eisenbahnreise ans Meer; seine Universitätsjahre und die lächerliche Rebellion, die er gegen jenen Dozenten angeführt hatte, der seinen Freund aus der Klasse gewiesen hatte; und Lydenburg, wo er Susan kennengelernt hatte; die kurze Zeit der Erfüllung durch seine Arbeit unter den Armen in Krugersdorp, bis Susan, der es peinlich war, an einem solchen Ort und inmitten von Menschen zu leben, die so tief unter ihnen standen, auf einem Wechsel bestanden hatte; und seine Kinder, Suzette, eigensinnig und erfolgreich, und Linda, sanft und liebevoll. Johan frustriert und aggressiv und voller Ungeduld. Er erzählte ihr von Gordon: wie Jonathan am Wochenende in seinem Garten gehol-

fen hatte und launisch und widerborstig geworden war, sich mit fragwürdigen Freunden abgegeben hatte und im Verlauf der Unruhen verschwunden war; und den Bemühungen des Vaters herauszufinden, was
passiert war, von Jonathans Tod; von Dan Levinson und Stanley und
seinem Besuch im John Vorster Square; und Captain Stolz mit der dünnen Narbe am weißen Kinn und der Art, wie er an den Türpfosten gelehnt dagestanden, die Orange hochgeworfen und wieder aufgefangen
und jedesmal, wenn sie wieder in seiner Hand gelandet war, gleichmütig
und mit geradezu sinnlicher Genugtuung gedrückt hatte; alles, was ihm
einfiel, ob es wichtig oder belanglos war, bis auf den heutigen Tag.

Danach war es still. Draußen war es Nacht geworden. Von Zeit zu
Zeit hörte man ein Geräusch – ein vorüberfahrendes Auto, das ferne
Aufheulen einer Ambulanz oder eines Polizeiwagens, einen bellenden
Hund, Stimmen auf der Straße –, doch alles gedämpft durch die alten
Samtvorhänge und die vielen Bücher, die an den Wänden standen. Die
Beethovenplatte war längst zu Ende. Die einzige Bewegung ab und zu
im Raum, fast unbemerkt, als ob Schatten sich bewegten, stammte von
Katzen, die vorüberstrichen oder -huschten, sich einen neuen Platz zum
Schlafen suchten, gähnten und sich mit kleinen rosigen Zungen das Fell
leckten.

Viel später stand Melanie auf und nahm ihm das Glas ab.

»Noch etwas?«

Er schüttelte den Kopf.

Einen Moment blieb sie dicht neben ihm stehen, so nahe, daß er den
leichten Duft ihres Parfums roch. Dann drehte sie sich um und verließ
mit den Gläsern das Zimmer; ihr Rock schwang ihr um die Beine, die
nackten Füße machten keinen Laut auf dem Boden. Ihre Lautlosigkeit
und die stille Anmut, mit der sie sich bewegte, hatte für ihn etwas so ausgeprägt Sinnliches, daß er spürte, wie ihm die Hitze ins Gesicht stieg
und sich ihm die Kehle zuschnürte. Das Bewußtsein, daß er und sie allein in diesem halbdunklen Haus waren, der schweigende Schimmer der
Lampe, die Fülle der Bücher, die verstohlenen Schatten der Katzen; und
hinter den Wänden der ineinander übergehenden Zimmer mit den grotesken Stoßzähnen war eine Ahnung, eine nur unbewußte Vorstellung
von anderen Zimmern und weiterem Dämmer und Dunkel, vorhandener Leere, Betten, Weichheit und Schweigen. Vor allem aber das Bewußtsein von ihr, dieser jungen Frau, Melanie, die sich unsichtbar irgendwo in diesem Dunkel bewegte, vertraut und entspannt auf ihren

nackten Füßen, erreichbar, berührbar, überwältigend in ihrer offenen und nichts ausweichenden Weiblichkeit.

Geradezu erschrocken erhob er sich. Und als sie zurückkehrte, sagte er: »Ich habe gar nicht gemerkt, daß es schon so spät ist. Ich sollte gehen.«

Ohne ein Wort zu sagen, drehte sie sich um, brachte ihn an die Haustür und öffnete. Auf dem *stoep* war es ganz dunkel, und die Wärme des Tages schlummerte noch in den Steinen; sie knipste das Licht nicht an.

»Warum haben Sie mich reingebeten?« fragte er plötzlich. »Warum haben Sie mich vom Gerichtssaal fortgebracht?«

»Sie waren viel zu einsam«, sagte sie ohne einen Hauch von Sentimentalität in der Stimme – eine schlichte Feststellung.

»Auf Wiedersehen, Melanie.«

»Sie müssen es mich unbedingt wissen lassen, wenn Sie etwas zu unternehmen gedenken«, sagte sie.

»Wie zum Beispiel?«

»Überlegen Sie sich's erst. Nichts überstürzen. Aber wenn Sie sich entschließen, Gordons Fall weiterzuverfolgen, und ich Ihnen in irgendeiner Weise nützlich sein kann« – sie sah ihn in der Dunkelheit an – »ich helfe Ihnen gern.«

»Ich bin noch ganz durcheinander.«

»Ich weiß. Aber ich werde hier sein, wenn Sie mich brauchen.«

Er antwortete nicht. Sein Gesicht brannte, als der laue Nachtwind es streifte. Sie blieb zurück, und er ging zum Auto. Er verspürte den unvernünftigen, lächerlichen Drang, zurückzukehren, mit ihr ins Haus hineinzugehen, die Tür hinter ihnen zuzumachen und die Welt auszuschließen; aber er wußte, es war unmöglich. Sie selbst würde ihn zurückschicken in jene Welt, der sie selber sich ausgeliefert hatte. Und so eilte er, ohne zu winken, durch die rostige Pforte und setzte sich ins Auto. Er ließ den Motor an, fuhr ein paar Meter hügelan, bog in eine Einfahrt ein, kam wieder auf die abschüssige Straße und fuhr an ihrem Haus vorüber. Er konnte nicht sehen, ob sie immer noch dastand. Aber er wußte: irgendwo dort im Dunkel mußte sie sein.

»Wo bist du gewesen? Wieso kommst du so spät?« fragte Susan verärgert und vorwurfsvoll, als er aus der Garage kam. »Ich hatte schon Angst, dir wäre etwas zugestoßen. Ich war schon drauf und dran, die Polizei anzurufen.«

»Warum sollte mir was passieren?« fragte er gereizt.

»Weißt du, wie spät es ist?«

»Ich konnte einfach nicht direkt nach Hause fahren, Susan.« Er wollte ihr ausweichen, doch sie blieb, das Licht hinter sich, an der Küchentür stehen. »Das Gericht hat heute nachmittag das Urteil gefällt.«

»Ich weiß. Ich hab's im Radio gehört.«

»Dann mußt du das doch verstehen.«

Plötzlich argwöhnisch und angewidert, sah sie ihn an. »Du riechst ja nach Schnaps.«

»Tut mir leid.« Er machte keinen Versuch, es zu erklären.

Entrüstet trat sie beiseite und ließ ihn durch. Doch als er in die Küche kam, wurde sie weich. »Ich hab' gewußt, daß du müde sein würdest. Ich habe dir etwas *bobotie* gemacht.«

Dankbar und schuldbewußt blickte er sie an. »Du hättest dir nicht so viel Mühe machen sollen.«

»Johan mußte sehr früh essen. Er mußte zu seinem Schachklub. Aber unsere habe ich aufgehoben.«

»Danke, Susan.«

Sie wartete im Eßzimmer, als er mit feuchtem Haar und frisch geputzten Zähnen aus dem Badezimmer kam. Sie hatte das Silber hervorgeholt, eine Flasche *Château Libertas* aufgemacht und Kerzen angezündet.

»Wozu denn dies alles?« fragte er.

»Ich hab' gewußt, daß dich der Fall aufregen würde, Ben. Und da dachte ich, wir beide hätten einen ruhigen Abend zusammen verdient.«

Er nahm Platz. Mechanisch reichte sie ihm die Hand zum Abendgebet; dann trug sie munter und tüchtig wie immer den Hackbraten, Reis und Gemüse auf. Ihm war danach zu sagen: *Wirklich, Susan, ich habe überhaupt keinen Hunger.* Aber das wagte er nicht; und so tat er ihretwegen, als genieße er es, trotz seiner Müdigkeit, die ihm wie ein dicker Brocken im Magen lag und ihn beschwerte.

Sie plauderte bemüht und munter vor sich hin, versuchte bewußt, ihn aufzuheitern, damit er sich entspannte, bewirkte freilich nur das Gegenteil. Linda habe angerufen und lasse ihn grüßen; leider könnten sie und Pieter nächstes Wochenende nicht rüberkommen, er arbeite an einem Bibelkurs mit. Susans Mutter aus Kapstadt hatte gleichfalls angerufen. Vater müsse in ein paar Wochen in Vanderbijlpark irgendein Verwaltungsgebäude einweihen; dann würden sie versuchen, sie zu besuchen.

Zu müde, um sich ihr zu widersetzen, ergab sich Ben dem Fluß ihres Geplauders.

Doch sie merkte das, hielt mitten im Satz inne und faßte ihn scharf ins Auge. »Ben, du hörst ja gar nicht zu.«

Erschrocken blickte er auf. »Wie bitte?« Dann seufzte er. »Tut mir leid, Susan. Ich bin heute abend wirklich völlig zerschlagen.«

»Ich bin froh, daß jetzt alles vorüber ist«, sagte sie mit Gefühl und legte ihre Hand auf die seine. »Du hast mir in der letzten Zeit Sorgen gemacht. Du darfst dir diese Dinge nicht so zu Herzen nehmen. Aber egal – jedenfalls wird es jetzt besser.«

»Besser?« fragte er verwundert. »Ich dachte, du hättest im Radio von dem Urteil gehört? Nach allem, was bei den Ermittlungen zutage gekommen ist.«

»Dem Gouverneur haben alle Tatsachen vorgelegen, Ben«, sagte sie beschwichtigend.

»Ich habe sie aber auch gehört«, sagte er aufgebracht. »Und laß dir gesagt sein…«

»Du bist doch ein Laie wie wir anderen auch«, erklärte sie geduldig. »Was verstehen wir schon vom Gesetz?«

»Was versteht der Gouverneur schon davon?« lautete seine Gegenfrage. »Der ist doch auch kein Jurist, sondern einfach nur ein Beamter.«

»Er muß aber wissen, was er tut, schließlich hat er jahrelange Erfahrung darin.« Ohne aufzuhören zu lächeln: »Jetzt komm schon, Ben, die Untersuchung hat ihren Verlauf genommen, und jetzt ist es vorbei. Kein Mensch kann mehr etwas tun.«

»Sie haben Gordon umgebracht«, sagte er. »Erst Jonathan und dann ihn. Wie können sie damit davonkommen?«

»Wenn sie schuldig gewesen wären, hätte das Gericht es gesagt. Ich war genauso entsetzt wie du, als ich das von Gordons Tod hörte, Ben. Aber es hat doch keinen Sinn, darauf herumzureiten.« Eindringlich drückte sie seine Hand. »Jetzt ist alles aus und vorbei. Du bist wieder zu Hause. Jetzt kannst du wieder zur Ruhe kommen wie zuvor.« Mit einem Lächeln – um ihn zu ermuntern oder sich selbst? – erklärte sie kategorisch: »Iß jetzt fertig und geh zu Bett! Wenn du erst mal richtig ausgeschlafen hast, wirst du wieder so sein wie früher.«

Er antwortete nicht. Wie abwesend saß er da und hörte zu, als könne er nicht begreifen, wovon sie eigentlich spreche; als ob sie eine andere Sprache spräche.

Am Sonntagmorgen wurde das Foto von Emily, wie sie Ben umarmte, groß auf der ersten Seite einer englischsprachigen Zeitung unter einer Überschrift in dicken Balken, *Das Antlitz des Schmerzes,* und mit einer Bildlegende herausgebracht, in der die Fakten der Untersuchung kurz zusammengefaßt wurden (ausführlicher Bericht auf S. 2): »Mrs. Emily Ngubene, die Frau des Mannes, der in der Haft starb, getröstet von einem Freund der Familie, Mr. Ben Du Toit.«

Er ärgerte sich darüber, aber im Grunde war es ihm gleichgültig. Irgendwie war es peinlich, eine solche öffentliche Zurschaustellung in einer Zeitung; aber die Frau war ja wie von Sinnen gewesen und hatte offensichtlich gehandelt, ohne zu wissen, was sie tat.

Susan hingegen war außer sich; so sehr, daß sie an diesem Morgen nicht in die Kirche gehen wollte.

»Wie soll ich da sitzen und spüren, wie sie uns alle anstarren? Was werden die Leute von dir denken?«

»Aber Susan! Ich finde auch, es war wirklich unangebracht, es so knallig rauszubringen, aber spielt es denn wirklich eine Rolle? Was hätte ich tun sollen?«

»Hättest du dich von Anfang an rausgehalten, würdest du jetzt nicht so eine Schande über uns bringen. Bist du dir eigentlich darüber im klaren, in was für Schwierigkeiten das meinen Vater bringen kann?«

»Du machst aus einer Mücke einen Elefanten, Susan.«

Später am Tag fing jedoch das Telefon an zu klingeln. Ein paar Freundinnen von Susan, die sich darüber lustig machten und sie auf den Arm nahmen, indem sie fragten, ob Ben »eine neue Flamme« habe; ein oder zwei – darunter der junge Viviers –, die sie ihres Mitgefühls und ihrer Unterstützung versichern wollten. Doch die anderen reagierten ausnahmslos negativ und ein paar sogar unverhohlen feindselig. Sein Schulleiter war besonders ätzend in seinem Kommentar: Ob Ben sich darüber im klaren sei, daß politische Aktivitäten bei Lehrern mit besonderer Mißbilligung betrachtet würden; schließlich sei er Angestellter der Schulbehörde.

»Aber Mr. Cloete, was um alles in der Welt hat das mit Politik zu tun? Die Frau hat ihren Mann verloren. Sie ist vor Schmerz fast zusammengebrochen.«

»Eine *schwarze* Frau, Mr. Du Toit«, sagte Cloete kühl.

Er fuhr aus der Haut: »Ich begreife nicht, was das für einen Unterschied macht.«

»Sind Sie den farbenblind geworden?« Cloete rang auf seine charakteristisch asthmatische Weise nach Atem. »Und Sie behaupten, das sei keine Politik? Was ist denn mit den Immoralitätsgesetzen unseres Landes?«

Einer von Bens Kollegen aus dem Kirchenvorstand, Hartzenberg, rief kurz nach dem Vormittagsgottesdienst an. »Es wundert mich nicht, daß du heute morgen nicht in der Kirche warst«, sagte er offensichtlich in dem täppischen Versuch zu scherzen. »Hast dich wohl zu sehr geschämt, dein Gesicht zu zeigen.«

Was ihn tiefer schmerzte, war Suzettes Anruf beim Mittagessen: »Himmelherrgott, Dad, ich hab' ja immer gewußt, daß du naiv bist, aber das geht zu weit. In aller Öffentlichkeit schwarze Frauen zu umarmen!«

»Suzette«, erwiderte er aufgebracht, »wenn du die Dinge nicht mehr im richtigen Verhältnis…«

»Wer redet denn da von richtigem Verhältnis?« fiel sie ihm schneidend ins Wort. »Hast du auch nur einen einzigen Gedanken daran verschwendet, was für Auswirkungen das auf deine Kinder haben könnte?«

»Ich hab' immer mehr Rücksicht auf meine Kinder genommen, als du auf deins, Suzette.« Das klang bösartiger, als er wollte, aber die ganze Angelegenheit widerte ihn an und hing ihm zum Hals heraus.

»Das war doch wohl nicht Suzette, mit der du so gesprochen hast, oder?« fragte Susan, als er wieder am Tisch Platz nahm.

»Doch, das war sie. Von ihr hatte ich mehr gesunden Menschenverstand erwartet.«

»Meinst du nicht, daß irgendwas nicht stimmt, wenn die ganze Welt anders denkt als du?« fragte sie mit einer gewissen Schärfe.

»Kannst du Dad nicht in Ruhe lassen?« brach es plötzlich unerwartet aus Johan hervor. »Um Gottes willen, was hat er denn Unrechtes getan? Was wär's denn, wenn *ihm* was zugestoßen wäre – wärst du dann nicht auch völlig durcheinander?«

»Auf jeden Fall hätte ich mich nicht dem Garten-Boy in die Arme geworfen!« sagte sie eisig.

»Jetzt übertreib mal nicht!« sagte Ben vorwurfsvoll.

»Wer hat denn damit angefangen!«

Wieder klingelte das Telefon. Diesmal war es seine Schwester Helena, die mit einem Industriellen verheiratet war. Eher amüsiert über die ganze Sache, konnte jedoch auch sie nicht umhin, ein bißchen Gift zu verspritzen: »Wer hätte das gedacht! Da wirfst du mir all die Jahre vor, ich sei *publicity*-süchtig, wenn ein Fotograf mich mal zufällig auf einem Empfang oder sonstwo entdeckt – jetzt sieh mal, was du selbst machst!«

»Ich finde das nicht komisch, Helena.«

»Ich finde es unbezahlbar. Nur, daß es einfachere Möglichkeiten geben muß, dein Bild in die Zeitung zu bekommen.«

Selbst Linda machte ihm gelinde Vorwürfe, als sie am frühen Abend anrief: »Daddy, ich weiß, du hast es gut gemeint, aber es ist bestimmt besser, sich aus den Zeitungen rauszuhalten, wenn du den Menschen wirklich helfen willst.«

»Das klingt, als wäre es auf Pieters Mist gewachsen«, sagte er, unfähig zu verhehlen, wie sehr ihn das bekümmerte. Den ganzen Tag hatte er darauf gewartet, daß sie anrief; er war überzeugt, daß gerade sie Verständnis für ihn haben würde.

Linda verstummte für einen Augenblick. Dann gab sie zu: »Du hast recht, es war wirklich Pieter, der mich darauf aufmerksam gemacht hat. Aber ich bin auch seiner Ansicht.«

»Glaubst du denn wirklich, ich hätte eigens dafür gesorgt, daß Fotografen zur Stelle waren, Linda!«

»Nein, selbstverständlich nicht!« Er sah förmlich, wie sie peinlich errötete. »Tut mir leid, Daddy, ich hab's nicht noch schwerer für dich machen wollen. Aber es ist ein ziemlich schlimmer Tag für mich gewesen.«

»Wieso denn?« Seine ganze Sorge galt augenblicklich ihr.«

»Ach, du weißt schon. All die anderen Studenten… Sie haben es mir nicht gerade erleichtert. Und es ist so sinnlos zu versuchen, mit ihnen darüber zu diskutieren.«

Ein Anruf kam nie. Nicht, daß er ihn erwartet hätte; das war undenkbar. Und doch war sie ihm während des ganzen bedrückenden Tages am nächsten gewesen, ihm in Gedanken genauso spürbar nahe wie zwei Abende zuvor in dem gedämpfen Licht des alten Hauses in Westdene.

Nach Lindas Anruf stöpselte er das Telefon aus und machte einen Spaziergang. Die Straßen waren leer, und der friedliche Abend brachte ein wenig Ruhe in die Gedanken, die ihm ohne Unterlaß durch den Kopf gingen.

Susan war bei seiner Rückkehr schon im Schlafzimmer; im Nacht-

hemd saß sie vor ihrem Spiegel, das Gesicht ohne das Make-up angespannt und blaß.

»Du gehst schon zu Bett?« fragte er, unfähig, ein Schuldgefühl zu unterdrücken.

»Meinst du nicht, ich hätte für heute genug?«

»Bitte, versuch doch zu verstehen«, sagte er und streckte halbherzig
die Hand in ihre Richtung aus, um sie dann jedoch wieder fallen zu lassen.

»Ich bin es leid, das zu versuchen.«

»Warum bist du so unglücklich?«

Rasch wandte sie den Kopf, fast als hätte sie Angst, doch gleich darauf
hatte sie sich wieder gefaßt. »Du hast es nie geschafft, mich glücklich zu
machen, Ben«, sagte sie ausdruckslos. »Bilde dir jetzt also nicht ein, du
könntest mich unglücklich machen.«

Fassungslos starrte er sie an. Plötzlich wandte sie die Augen von ihm
ab, barg das Gesicht in den Händen, und ihre Schultern zuckten.

Er trat zu ihr und legte ihr unbeholfen die Hand an die Wange.

Sie verkrampfte sich. »Bitte, laß mich!« sagte sie mit erstickter
Stimme. »Es ist schon alles in Ordnung mit mir.«

»Können wir denn nicht darüber reden?«

Sie schüttelte den Kopf und stand auf. Ohne ihm einen Blick zu gön-
nen, ging sie ins Badezimmer und machte die Tür hinter sich zu. Un-
schlüssig stand er ein paar Minuten da, dann ging er hinaus in sein Arbeitszimmer und versuchte dort, wie so oft in der Vergangenheit, Erleichterung zu finden, indem er eines seiner Schachbücher aufschlug
und auf seinem verblichenen, abgegriffenen Brett eines der klassischen
Spiele der Vergangenheit nachspielte. Doch heute abend machte es ihm
keinen Spaß. Er kam sich wie ein Eindringling vor, wie ein Amateur bei
einem Spiel, das vor langer, langer Zeit von zwei toten Meistern gespielt
worden war. Verstimmt brach er ab und verstaute das Spiel in einer
Schublade. Dann unternahm er den bewußten Versuch, sich wieder in
den Griff zu bekommen und der Verwirrung in seinem Kopf Herr zu
werden; er machte sich Notizen und stellte einen kurzen, für andere un-
verständlichen Katalog all dessen auf, was von Anfang an geschehen
war. Es half, alles objektiv schwarz auf weiß vor sich zu sehen, so klar
und deutlich wie das Muster von Adern auf einem Blatt. Auf diese Weise
war es leichter, damit umzugehen, es zu beurteilen und zu bewerten.
Doch am Ende reduzierte sich alles auf Melanies kurze Frage: *Was nun?*

Denn es war keineswegs vorüber und vorbei, wie Susan gemeint hatte. Jetzt, nach dem Bild in der Zeitung, sogar noch weniger als zuvor. Vielleicht hatte es kaum begonnen. Wenn er sich nur sicher sein könnte.

Um elf stand er, der Eingebung des Augenblicks nachgebend, auf, ging zur Garage, schob die Kipptür in die Höhe und stieg ins Auto. Vorm Haus des Pastors hätte er sich beinahe noch eines Besseren besonnen, als er merkte, daß alle Fenster bis auf eines dunkel waren. Ingrimmig überwand er jedoch sein eigenes Zögern und klopfte an die Haustür.

Es dauerte eine ganze Weile, ehe Pastor Bester in rotem Bademantel und Pantoffeln öffnete.

»Ohm Ben? Du meine Güte, was bringt Sie denn zu so später Stunde noch hierher?«

Er blickte in das erhitzte schmale Gesicht vor ihm. »Dominee, heute abend komme ich wie der Nikodemus zu Ihnen. Ich muß mit Ihnen reden.«

Einen Moment schien Pastor Bester zu zaudern, ehe er beiseite trat. »Natürlich. Treten Sie ein.« In seiner Stimme klang ein Seufzer mit.

Sie gingen ins Arbeitszimmer; kahle Wände und Parkettboden.

»Darf ich Ihnen einen Kaffee anbieten?«

»Nein, vielen Dank.« Ben holte seine Pfeife hervor. »Ich hoffe, Sie haben nichts dagegen, wenn ich rauche?«

»Durchaus nicht. Nur zu!«

Jetzt, da er hergekommen war, wußte er nicht recht, wie er das Thema zur Sprache bringen und wo er angefangen sollte. Zuletzt war es der Geistliche, der in einem gewissen pastoralen Tonfall meinte: »Ich nehme an, Sie wollten wegen dieser Zeitungssache mit mir reden.«

»Ja. Sie waren doch bei uns an dem Abend, als Emily kam und um Hilfe bat, erinnern Sie sich noch?«

»Das tue ich durchaus.«

»Dann wissen Sie also, daß die ganze Sache schon seit einiger Zeit läuft.«

»Wo drückt es denn, Ohm Ben?«

Ben zog an seiner Pfeife. »Es ist von Anfang an furchtbar gewesen, Dominee«, sagte er. »Nur hatte ich darauf vertraut, daß die Sache ja vor Gericht kommen und damit ans Licht gebracht werden würde. Ich war felsenfest davon überzeugt, daß das richtige Urteil gefällt werden würde. Das hab' ich auch anderen Leuten immer wieder gesagt: Leuten, die nicht so viel Vertrauen auf das setzten, was bei der gerichtlichen Untersuchung herauskommen würde.«

»Und?«

»Warum fragen Sie, Dominee. Sie wissen doch, was geschehen ist.«

»Das Gericht hat alles gründlich untersucht.«

»Aber haben Sie denn keine Zeitung gelesen, Dominee?« fragte er. »Sind Sie denn glücklich mit dem gewesen, was dabei zutage gekommen ist?«

»Durchaus nicht«, sagte der Pastor. »Erst vor wenigen Tagen habe ich zu meiner Frau gesagt, es ist entsetzlich, welche Schande der Herr über uns gebracht hat. Aber jetzt ist der Fall abgeschlossen, und die Gerechtigkeit hat ihren Lauf genommen.«

»Das nennen Sie Gerechtigkeit?«

»Was denn sonst?«

»Ich war *da*«, sagte er zornig. »Ich habe jedes Wort gehört, das gesprochen wurde. Es war genauso, wie Advokat De Villiers gesagt hat…«

»Aber Ohm Ben, Sie wissen doch, wie Anwälte bei ihren Argumenten übertreiben; das gehört zu ihrem Beruf.«

»Gehört es auch zum Beruf des Magistrats, so zu tun, als ob die Fakten, die zutage kommen, nicht existierten?«

»Waren es wirklich Fakten, Ohm Ben? Wie können wir da sicher sein? Es gibt so viel Unehrlichkeit in der Welt, auf allen Seiten.«

»Ich habe Gordon gekannt. Und was sie über ihn sagen – daß er ein Komplott gegen die Regierung geschmiedet hätte –, ist eine ausgemachte Lüge.«

»Niemand außer Gott kann sehen, was in unserem Herzen vorgeht, Ohm Ben. Ist es nicht vermessen, für jemand anders sprechen zu wollen?«

»Haben Sie denn kein Vertrauen zu Ihren Mitmenschen, Dominee? Lieben Sie Ihren Nächsten nicht?«

»Moment«, sagte Mr. Bester mit viel Geduld. Er war es gewohnt, mit Widerspenstigen umzugehen. »Statt blind zu kritisieren, meinen Sie nicht, daß wir Grund haben, stolz auf unser Rechtswesen zu sein? Mal angenommen, dies hier wäre Rußland – was, meinen Sie, wäre dann wohl passiert? Oder einer der afrikanischen Staaten? Ich kann Ihnen versichern, der Fall wäre überhaupt nicht erst vor Gericht gekommen.«

»Was nützt es, wenn eine Sache vor ein Gericht kommt, in dem eine

Handvoll Leute alle Macht hat, darüber zu entscheiden, was in diesem Gericht gesagt wird und was nicht? Dieser eine Mann, dem sie erlaubten, für sich selbst zu sprechen, der junge Archibald Tsabalala, hat er nicht sofort alles geleugnet, was sie ihn in seiner eidesstattlichen Erklärung zu sagen gezwungen hatten? Und die junge Frau, die über ihre eigene Folterung gesprochen hat...«

»Merken Sie denn nicht, daß es der älteste und leichteste Trick der Welt ist, der Polizei alle Schuld in die Schuhe zu schieben, wenn man seine eigene Haut retten will?«

»Hat Archibald Tsabalala seine Haut gerettet? Es wäre für ihn viel leichter gewesen, bei der Aussage zu bleiben, die sie ihm diktiert hatten. Vielleicht hätte er dann das Gericht als freier Mann verlassen, statt von denselben Leuten, die er angeklagt hatte, ihn gefoltert zu haben, in seine Zelle zurückgebracht zu werden.«

»Nun hören Sie mal zu, Ohm Ben«, sagte der junge Mann, diesmal ein bißchen verärgert. »Kein Mensch kann leugnen, daß in unserer Gesellschaft wie in allen anderen Falsches und sogar Böses geschieht. Aber wenn Sie anfangen, die Obrigkeit in Frage zu stellen, verstoßen Sie gegen christlichen Geist. Sie ist durch die Kraft Gottes eingesetzt, und es sei fern von uns, ihre Entscheidungen anzuzweifeln. Gib Cäsar, was Cäsars ist.«

»Und wenn Cäsar anfängt, sich dessen zu bemächtigen, was Gottes ist? Wenn er anfängt, sich zum Herrn über Leben und Tod aufzuschwingen, muß ich dann seine Hand stärken?«

»Es gibt kein Übel, das nicht durch das Gebet behoben werden kann, Ohm Ben. Meinen Sie nicht, Sie und ich, wir sollten heute abend niederknien und für unsere Regierung und alle in verantwortlicher Stellung beten?«

»Ich finde, wir machen es uns zu leicht, Dominee, unsere eigene Verantwortung abzuschütteln und sie Gott aufzuladen.«

»Ich finde, das grenzt an Gotteslästerung, Ohm Ben. Vertrauen Sie Ihm in dieser Sache nicht mehr?«

»Es geht nicht darum, ob ich Ihm traue oder nicht, Dominee. Er kommt ohne mich zurecht. Die Frage ist doch, ob es nicht etwas gibt, wo Er von *mir* erwartet, daß ich es tue. Mit meinen beiden Händen.«

»Was zum Beispiel?«

»Deshalb bin ich ja zu Ihnen gekommen, Dominee. Was kann ich tun? Was muß ich tun?«

»Ich bezweifle, daß es etwas gibt, was Sie oder ich tun könnten.«

»Selbst dann, wenn man Unrecht mit eigenen Augen sieht? Erwarten Sie von mir, daß ich meinen Blick abwende?«

»Nein. Jeder muß dafür sorgen, daß sein Platz auf der Welt in Ordnung ist. Daß er reinen Herzens ist. Bei allem anderen müssen wir uns auf seine Versicherung verlassen, daß das inbrünstige Gebet eines rechtschaffenen Mannes viel vermag. Des Unheils wird kein Ende sein, wenn jeder versucht, das Gesetz selbst in die Hand zu nehmen. Gott hat Ordnung in die Welt gebracht, kein Chaos. Er erwartet von uns, daß wir gehorchen. Denken Sie an das Wort Samuels an Saulus: Gehorsam ist besser denn Opfer.«

»Ich schlage mich mit einem Problem herum, das sich nicht durch Bibelsprüche lösen läßt, Dominee«, sagte Ben mit erstickter Stimme. »Helfen Sie mir!«

»Lassen Sie uns beten«, sagte der junge Mann und stand auf.

Einen Moment starrte Ben ihn fassungslos und voller Groll an; dann willigte er ein. Sie knieten nieder. Aber er konnte die Augen nicht schließen. Während der Pastor betete, starrte er unbewegt auf die Wand; obwohl er sich bemühte zuzuhören, konnte er die Worte gedanklich nicht nachvollziehen, dazu waren sie zu glatt und zu vorhersagbar. Was er dringend brauchte, war etwas ganz anderes.

Als sie sich schließlich erhoben, sagte Pastor Bester fast herzlich: »Nun, wie wäre es jetzt mit einer Tasse Kaffee?«

»Danke, aber ich würde lieber nach Hause gehen, Dominee.«

»Ich hoffe, Sie haben mehr Erleuchtung in der Angelegenheit gefunden, Ohm Ben.«

»Nein«, sagte er. »Nein, das habe ich nicht.«

Erschrocken starrte der junge Mann ihn an. Er tat Ben fast leid.

»Was wollen Sie denn sonst?« fragte der Pastor.

»Ich will Gerechtigkeit. Ist das zuviel verlangt?«

»Was wissen wir schon von Gerechtigkeit, wenn wir uns außerhalb des Willens Gottes bewegen?«

»Was wissen wir vom Willen Gottes?« gab er die Frage zurück.

»Ohm Ben, Ohm Ben.« Der junge Mann sah ihn flehentlich an. »Um Himmels willen, überstürzen Sie nichts! Es ist schon so schlimm genug.«

»Überstürzen?« fragte er. »Ich weiß nicht, ob es überstürzt ist. Ich weiß einfach keinen Ausweg mehr.«

»Bitte, denken Sie darüber nach, Ohm Ben. Denken Sie an alles, was auf dem Spiel steht.«

»Wissen Sie, was ich glaube, Dominee? Ich glaube, daß man wenigstens einmal im Leben, ein einziges Mal jedenfalls, so an etwas glauben sollte, daß man alles andere dafür aufs Spiel setzt.«

»Man kann die Welt gewinnen und doch seine Seele verlieren.«

Durch den Rauch seiner Pfeife, der den kleinen, muffigen Raum erfüllte, starrte er den Pastor mit brennenden Augen an. »Ich weiß nur«, sagte er, »daß es sich nicht lohnt, überhaupt eine Seele zu haben, wenn ich zulasse, daß diese Ungerechtigkeit fortbesteht.«

Durch den kahlen Korridor gingen sie zur Haustür.

»Was haben Sie vor, Ohm Ben?« fragte Pastor Bester, als sie in die kühle Luft auf den *stoep* hinaustraten.

»Ich wünschte, ich könnte Ihnen darauf eine Antwort geben. Ich wünschte, ich wüßte das selbst. Ich weiß nur, daß ich etwas tun muß. Vielleicht hilft mir Gott.« Er stieg die Treppenstufen hinunter, langsam und mit gebeugten Schultern. Als er sich nach dem jungen Mann umdrehte, der in dem hohen Rechteck der Tür stand, sagte er: »Beten Sie für mich, Dominee. Ich habe das Gefühl, daß ich mich bei allem, was von jetzt an geschieht, auf einem sehr schmalen Grat zwischen Himmel und Hölle bewegen werde.«

Dann trat er hinaus in die Nacht.

7

Drei Stunden ließ ihn das dünne Mädchen mit dem wasserstoffblonden Haar im Zimmer des Amtsarztes warten. Sie hatte vom ersten Augenblick etwas gegen ihn gehabt, als sie dahinterkam, daß er es versäumt hatte, sich um einen Termin zu bemühen; doch noch schlimmer war, daß er ablehnte ihr zu sagen, was er von Dr. Herzog wolle, und nicht das geringste Interesse zeigte, einen der anderen Ärzte, die da waren, aufzusuchen.

»Dr. Herzog macht Krankenbesuche. Es kann Stunden dauern, bis er zurückkommt.«

»Ich warte.«

»Vielleicht kommt er heute überhaupt nicht wieder.«

»Ich warte trotzdem.«

»Und selbst wenn er kommt, hat er montags immer so viel zu tun, daß er vielleicht keine Zeit hat, Sie zu empfangen.«

»Das Risiko nehme ich auf mich.«

Er schien sich ihres Grolls nicht einmal bewußt zu sein. Teilnahmslos saß er da und blätterte lustlos in alten Ausgaben von *Time*, *Punch* und *Scope*, Broschüren für werdende Mütter, über Familienplanung, Erste Hilfe und Vorsorgeimpfungen. Von Zeit zu Zeit stand er auf und starrte durchs Fenster auf die leere Wand des gegenüberliegenden Gebäudes. Ungeduldig schien er jedoch nie zu werden. Er hatte etwas von einer Katze, die bereit ist, den halben Tag neben einem Mauseloch auf der Lauer zu liegen, ohne sich zu langweilen.

Kurz vor halb eins erschien Dr. Herzog und wechselte – ohne sich um die wartenden Patienten zu kümmern – flüsternd ein paar Worte mit der dünnen Sprechstundenhilfe; dann ging er durch die Tür, auf der weiß auf schwarz sein Name stand. Die Sprechstundenhilfe folgte ihm eilends; durch die offene Tür konnte Ben hören, wie sie sich leise besprachen. Einen Moment steckte Dr. Herzog den Kopf durch die Tür und warf kurz einen Blick auf Ben. Dann wurde die Tür geschlossen, und die junge Frau kehrte mit einem hämisch-triumphierenden Lächeln an ihren Schreibtisch zurück.

»Dr. Herzog sagt, es tut ihm leid, aber er kann Sie heute nicht drannehmen. Wenn Sie vielleicht einen Termin für Mittwoch machen wollen…«

»Es dauert nur ein paar Minuten.«

Ohne sich um ihren empörten Protest zu kümmern, trat er an die geschlossene Tür, klopfte und trat ohne Aufforderung ein. Stirnrunzelnd sah der Amtsarzt von seinem mit Karten und Papieren übersäten Schreibtisch auf. »Hat Miß Goosen Ihnen nicht gesagt, daß ich zu tun habe?« fragte er offensichtlich verstimmt.

»Es ist dringend«, sagte Ben und streckte ihm die Hand entgegen. »Ich bin Ben Du Toit.«

Ohne sich zu erheben, nahm Dr. Herzog widerstrebend seine Hand. »Was kann ich für Sie tun? Ich bin heute wirklich schrecklich mit Arbeit eingedeckt.«

Ein massiger Mann wie ein Metzger. Strubbeliges graues Haar bildete einen Kranz um die Glatze. Buschige, grau-schwarze Brauen; ein mit violetten Äderchen überzogenes, pockennarbiges Gesicht; Haarbüschel an Nase und Ohren. Der Rücken seiner Hände, die auf den Papieren vor ihm ruhten, war ebenso behaart wie die Arme, die aus den kurzen weißen Ärmeln seiner Safari-Jacke herausschauten.

»Es geht um Gordon Ngubene«, sagte Ben und setzte sich unaufgefordert auf den Stuhl mit der geraden Rückenlehne, der vor dem Schreibtisch stand.

Der vierschrötige Mann ihm gegenüber blieb regungslos sitzen. Selbst in seinem Gesicht ging kaum eine Veränderung vor: Nur sein Gesichtsausdruck schien zu gefrieren – so, wie er einem alten Aberglauben zufolge erstarren soll, wenn eine Uhr sechs schlägt. Hinter seinen Augen schienen unsichtbare Jalousien herabgelassen zu werden.

»Was ist mit Gordon Ngubene?« fragte er.

»Mir geht es darum, alles zu erfahren, was Sie über ihn wissen«, sagte Ben ruhig.

»Warum lassen Sie sich nicht vom Generalstaatsanwalt eine Kopie des Untersuchungsprotokolls geben?« schlug Herzog mit einer ausladenden, geradezu großzügigen Geste vor. »Da steht alles drin.«

»Ich habe der Verhandlung von Anfang bis Ende beigewohnt«, sagte Ben. »Was vor Gericht gesagt wurde, weiß ich genau.«

»Dann wissen Sie genauso viel wie ich.«

»Sie müssen schon verzeihen«, sagte Ben, »aber den Eindruck hatte ich nicht gerade.«

»Dürfte ich fragen, wieso Sie ein solches Interesse an dem Fall nehmen?« Die Frage war ganz einfach; doch in der Stimme klang eine dunkle Warnung mit.

»Ich habe Gordon gekannt. Und ich habe es auf mich genommen, keine Ruhe zu geben, bis nicht die Wahrheit ans Licht gekommen ist.«

»Das war doch der Zweck der Verhandlung, Mr. Du Toit.«

»Ich bin sicher, Sie wissen genausogut wie ich, daß bei der Verhandlung nicht eine einzige Frage von Belang beantwortet wurde.«

»Mr. Du Toit, bewegen Sie sich da nicht auf ziemlich gefährlichem Boden?« Dr. Herzog streckte die Hand aus und nahm aus einer offen auf dem Schreibtisch stehenden Kiste eine Zigarre, wobei er bewußt überging, Ben eine anzubieten. Ohne die Augen von seinem Besucher zu lassen, entfernte er behutsam die Banderole und steckte sich die Zigarre dann mit einem kleinen Kitsch-Feuerzeug in Form eines nackten Mädchens an, bei dem die Flamme aus der Scheide kam.

»Gefährlich für wen?« fragte Ben.

Achselzuckend stieß der Arzt Rauch aus.

»Würden Sie es nicht begrüßen, wenn die Wahrheit gesagt würde?« Ben ließ nicht locker.

»Was mich betrifft, so ist der Fall abgeschlossen.« Herzog fing an, seine Papiere zu ordnen. »Ich habe Ihnen schon gesagt, ich bin sehr beschäftigt. Wenn Sie also so freundlich wären...«

»Warum hat das Sonderdezernat Sie an jenem Freitag, dem 4. Februar, kommen lassen? Wenn er wirklich über Zahnschmerzen geklagt hatte – warum haben sie dann keinen Zahnarzt geholt?«

»Ich bin es gewohnt, mich um alle medizinischen Bedürfnisse der Inhaftierten zu kümmern.«

»Weil Stolz dienstlich gut mit Ihnen klarkommt?«

»Weil ich Amtsarzt bin.«

»Haben Sie einen Assistenten mitgenommen?«

»Mr. Du Toit.« Der große Mann legte die Hände auf die Armlehnen seines Stuhls, als wolle er sich hochstemmen. »Ich bin nicht bereit, mit jemandem über diese Angelegenheit zu sprechen, der mir vollkommen fremd ist.«

»Ich habe ja nur gefragt«, sagte Ben. »Ich dachte, beim Zähneziehen kommt man ohne Assistenten nicht aus. Um die Instrumente gereicht zu bekommen und so weiter.«

»Captain Stolz hat mir jede Hilfestellung gegeben, die ich brauchte.«

»Dann war er also dabei, als Sie Gordon untersuchten. Vor Gericht haben Sie ausgesagt, Sie könnten sich nicht erinnern.«

»Jetzt reicht es aber!« sagte Herzog wütend und stemmte sich mit den behaarten Armen in die Höhe. »Ich habe Sie bereits aufgefordert zu gehen. Wenn Sie dies Zimmer nicht augenblicklich verlassen, bleibt mir keine andere Wahl, als Sie hinauszuwerfen.«

»Ich werde nicht gehen, bevor ich nicht weiß, was ich von Ihnen erfahren wollte.«

Mit einer für einen so korpulenten Mann überraschenden Behendigkeit kam Dr. Herzog um den Schreibtisch herum und baute sich mit gespreizten Beinen vor Ben auf.

»Verschwinden Sie!«

»Tut mir leid, Dr. Herzog«, sagte er mit beherrschter Stimme, »aber Sie können mich nicht so zum Schweigen bringen, wie die Polizei es mit Gordon gemacht hat.«

Einen Moment dachte er, Herzog würde zuschlagen, doch der Arzt blieb reglos, schwer atmend und mit funkelnden Augen unter den buschigen Brauen vor ihm stehen. Dann, immer noch vor Wut kochend, kehrte er zu seinem Stuhl zurück, nahm die Zigarre und inhalierte tief.

»Hören Sie, Mr. Du Toit«, sagte er schließlich offensichtlich in dem Bemühen, sorglos zu klingen. »Wozu diese ganze Mühe, wo es doch nur um einen Scheiß-Schwarzen geht?«

»Weil ich Gordon zufällig gekannt habe. Und weil es vielen Leuten einfach zu leicht fällt, das abzuschütteln.«

Der Arzt lächelte geradezu herzlich-zynisch, wobei zahllose Goldfüllungen in seinem Mund sichtbar wurden. »Ihr Liberalen mit euren hochfliegenden Idealen! Wissen Sie, wenn Sie Tag für Tag mit diesen Leuten zu tun hätten wie ich, würden Sie ganz anders reden.«

»Ich bin kein Liberaler, Dr. Herzog. Ich bin ein ganz gewöhnlicher Mann, dem dies nur über die Hutschnur geht.«

Wieder ein wohlwollendes Grinsen. »Ich verstehe, was Sie meinen. Denken Sie nicht, daß ich Ihnen Vorwürfe mache. Ich verstehe Ihre Gefühle, da Sie den Burschen gekannt haben und so. Aber hören Sie mich an, es lohnt sich nicht, sich auf eine solche Sache einzulassen. Das gibt Scherereien ohne Ende. Als ich jünger war, hat mich auch vieles fuchtig gemacht. Aber man lernt schnell.«

»Weil es sicherer ist, kooperativ zu sein?«

»Was erwarten Sie von jemandem in meiner Position. Mr. Du Toit? Ich meine, Himmelherrgott, überlegen Sie doch mal selbst!«

»Dann haben sie also wirklich Angst vor ihnen?«

»Ich habe vor niemandem Angst!« Seine ganze vorherige Aggressivität wallte wieder auf. »Aber ich bin schließlich kein verdammter Narr, sage ich Ihnen!«

»Warum haben Sie Gordon Tabletten verschrieben, wo Sie sonst doch nichts weiter bei ihm feststellen konnten?«

»Er sagte, er hätte Kopfschmerzen.«

»Sagen Sie mir, Dr. Herzog, von Mann zu Mann: Haben Sie sich Sorgen über seinen Zustand gemacht, als Sie ihn an diesem Tag sahen?«

»Selbstverständlich nicht.«

»Und doch ist er vierzehn Tage später gestorben.«

Dr. Herzog ließ sich nicht dazu herab, etwas zu sagen.

»Sind Sie ganz sicher, daß Sie ihn in diesen zwei Wochen kein einziges Mal wiedergesehen haben?«

»Dieselbe Frage hat man mir vor Gericht auch gestellt. Und ich habe nein gesagt.«

»Aber hier sind wir nicht im Gericht.«

Der Arzt zog an der Zigarre und atmete den Rauch wieder aus. Der würzige Duft erfüllte den Raum.

»Sie haben ihn wiedergesehen, nicht wahr? Sie haben Sie noch einmal kommen lassen.«

»Was hätte das schon zu bedeuten?«

»Dann ist es also wahr?«

»Ich habe nichts gesagt.«

»Angenommen, ich triebe Zeugen auf, die Ihnen in diesen beiden Wochen überallhin gefolgt wären? Und angenommen, sie wären bereit zu bezeugen, daß Sie den John Vorster Square vor Gordons Tod nochmals aufgesucht hätten?«

»Wie wollen Sie an solche Beweise kommen?«

»Ich frage Sie.«

Sich vorlehnend, blickte Dr. Herzog Ben durch den Rauch hindurch eindringlich an. Dann stieß er ein kurzes Lachen aus. »Kommen Sie«, sagte er. »Mit Bluffen erreichen Sie nichts.«

»Was hatte Gordon an, als Sie ihn an diesem Morgen sahen?«

»Erwarten Sie von mir, daß ich mich an jede Kleinigkeit erinnere? Wissen Sie, wie viele Patienten ich jeden Tag sehe?«

»An die Kleider, die er trug, als Sie seine Leiche in der Zelle untersuchten, haben Sie sich aber erinnert.«

»Weil ich hinterher gleich meinen Bericht schreiben mußte, deshalb.«

»Aber Sie können sich doch bestimmt erinnern, ob er dieselben Kleider trug wie beim erstenmal? Ich meine, Erinnerungen dieser Art verbinden sich doch für gewöhnlich mit ähnlichen Eindrücken.«

Ein plötzliches höhnisches Lächeln. »Sie sind ein Amateur, Mr. Du Toit. Lassen Sie mich jetzt bitte arbeiten.«

»Sie sind sich darüber im klaren, daß es in Ihrer Hand liegt, die Wahrheit zu enthüllen oder zu unterdrücken?«

Dr. Herzog erhob sich und ging an die Tür. »Mr. Du Toit«, sagte er und blickte zu ihm zurück, »was hätten Sie an meiner Stelle getan?«

»Ich frage Sie, was *Sie* getan haben.«

»Sie jagen Hirngespinsten nach«, sagte Dr. Herzog umgänglich und machte die Tür auf. Seine Augen begegneten denen seiner Sprechstundenhilfe. »Miß Goose, bitte, sagen Sie Dr. Hughes, daß ich ihn jetzt empfangen kann.«

Widerwillig und unglücklich erhob Ben sich und ging an die Tür.

»Ist das wirklich alles, was Sie mir sagen können, Dr. Herzog?«

»Es gibt nichts weiter, glauben Sie mir.« Seine Goldplomben schimmerten. »Denken Sie nicht, ich würde Ihre Anteilnahme falsch verstehen, Mr. Du Toit. Es ist gut zu wissen, daß es immer noch Leute wie Sie gibt, und ich wünsche Ihnen alles Gute.« Jetzt kam ihm die Rede mühelos und flüssig über die Lippen; seine Stimme war erfüllt von Wohlwollen und Verständnis – und klang aalglatt wie die eines Tischredners. »Nur« – er lächelte, aber seine Augen veränderten sich nicht –, »es ist eine solche Zeitverschwendung.«

8

Als er die Tür aufmachte und die sieben Männer sah, die dichtgedrängt auf dem *stoep* standen, wußte er sofort, noch ehe er einige der Gesichter erkennen konnte, was los war. Es war der erste Tag des neuen Schuljahrs, und er war gerade von der Schule nach Hause gekommen.

Stolz wies ein Stück Papier vor. »Ein Durchsuchungsbefehl«, verkündete er überflüssigerweise. Auf seiner Backe die schmale weiße Narbe. »Wir sind gekommen, um Ihr Haus zu durchsuchen. Ich hoffe, Sie sperren sich nicht dagegen?« Eine Feststellung, keine Frage.

»Treten Sie ein. Ich habe nichts zu verbergen.« Kein Schock, keine Angst – sie auf der eigenen Türschwelle vor sich zu sehen, kam ihm plötzlich ganz unvermeidlich und logisch vor –, nur das Gefühl, nicht dazuzugehören, als ob er Zuschauer bei einem schlechten Stück wäre; als ob die Botschaften, die sein Gehirn ausschickte, auf dem Weg zu den Gliedmaßen aufgehalten würden.

Stolz wandte sich an die Gruppe hinter ihm und stellte sie nacheinander vor. Die meisten Namen bekam Ben nicht mit, bis auf die des einen oder anderen, die er bereits kannte. Lieutenant Venter, der lächelnde junge Mann mit dem krusseligen Haar, den er vom John Vorster Square kannte. Bei der Untersuchung hatte er auch Vosloo und Koch gesehen, gedrungen und dunkelhäutig der eine, athletisch, breitschultrig und mit wulstigen Augenbrauen der andere. Sie sahen aus wie eine Gruppe von Rugby-Spielern, die auf die Abfahrt eines Busses warteten: alle frisch gewaschen und rasiert, in Sportjacken oder Safari-Anzügen; alle strahlten vor Gesundheit, jeder ein Bild von einem jungen Mann, wahrscheinlich die Väter kleiner Kinder; man konnte sich gut vorstellen, wie sie am

Samstag vormittag ihre Frauen zum Einkaufen in den Supermarkt begleiteten.

»Lassen Sie uns eintreten?« fragte Stolz, wobei seine Stimme jetzt eine gewisse Schärfe bekam.

»Natürlich.« Ben trat beiseite, und sie drängten sich in den Flur.

»Haben Sie uns erwartet?« fragte Stolz.

Bei dieser Frage war es plötzlich mit Bens Lethargie vorbei. Er brachte es sogar fertig zu lächeln.

»Ich kann nicht gerade behaupten, daß ich hier gesessen und auf Sie gewartet hätte, Captain«, sagte er. »Aber völlig unerwartet kommt es auch nicht.«

»Ach, wirklich?«

Wider besseres Wissen sagte er: »Nun, Sie sind schließlich auch sofort bei Gordon aufgekreuzt, sobald Sie gehört hatten, daß er Erkundigungen nach seinem Sohn anstellte.«

»Bedeutet das, daß auch Sie angefangen haben, Nachforschungen anzustellen?«

Einen kurzen Augenblick herrschte tödliches Schweigen im Flur, trotz der vielen Leute.

»Darauf läßt Ihr Besuch doch wohl schließen«, sagte er sarkastisch. »Hat Dr. Herzog es Ihnen gesagt?«

»Sie sind bei Dr. Herzog gewesen?« Stolz' Augen blieben ausdruckslos.

Ben zuckte mit den Achseln.

Daß Susan in diesem Augenblick aus dem Eßzimmer trat, beendete ihr kurzes Tauziehen. »Ben? Was ist denn hier los?«

»Die Polizei«, sagte er neutral. Und an Stolz gewandt: »Meine Frau.«

»Guten Tag, Mrs. Du Toit.« Wieder wurde der Captain förmlich und stellte seine Männer einen nach dem anderen vor. »Tut mir leid, daß wir Ihnen Ungelegenheiten bereiten«, sagte er, nachdem er fertig war. »Aber wir müssen das Haus durchsuchen.« Er wandte sich wieder an Ben. »Wo ist Ihr Arbeitszimmer, Mr. Du Toit?«

»Nach hinten hinaus. Ich zeige Ihnen den Weg.« Den Rücken an die Wand gedrückt, standen die Männer da, um ihn vorbeizulassen.

Bleich und erstarrt blickte Susan sie immer noch ungläubig an. »Ich fürchte, ich verstehe nicht«, sagte sie.

»Würden Sie bitte mit uns kommen, Madame«, sagte Stolz und fügte mit einem steifen Lächeln noch hinzu: »Nur für den Fall, daß Sie hinausschlüpfen und jemanden warnen sollten.«

»Wir sind keine Verbrecher, Captain!« erwiderte sie. Es hatte sie getroffen.

»Tut mir leid, aber man kann nicht vorsichtig genug sein«, sagte er. »Wenn Sie also so freundlich wären?« In der Küche fragte er. »Gehört sonst noch jemand zur Familie?«

»Mein Sohn«, sagte Ben. »Aber er ist noch in der Schule.«

»Dienstboten?«

»Ich mache meine Arbeit selbst«, sagte Susan kalt.

»Gehen wir?«

Das Arbeitszimmer war für so viele Menschen eigentlich zu klein; einer schien dem anderen im Weg zu stehen. Nachdem Susan es kurz angebunden abgelehnt hatte, sich zu setzen, nahm Ben auf dem Sessel neben der Tür Platz, um aus dem Weg zu sein, während sie angespannt und schweigend in der Tür stehenblieb. Einer der Männer hielt draußen Wache; hatte den Rücken der Tür zugewandt und rauchte eine Zigarette; die sechs anderen machten sich daran, das Zimmer systematisch zu durchsuchen und gingen dabei so emsig und gründlich vor wie ein Schwarm Heuschrecken. Die Schreibtischschubladen wurden herausgezogen, auf dem Boden aufeinandergestellt, dann eine nach der anderen geleert und von Stolz und seinen Untergebenen durchsucht. Venter hockte vor einer niedrigen Kommode, die Ben gebaut hatte, um seine Papiere unterzubringen: Examensfragen, Rundbriefe, Berichte über die Fortschritte der einzelnen Schüler, Notizen, Aktenvermerke, Stundenpläne und Inspektionsberichte der Schulbehörde. Koch und einer seiner Kollegen durchstöberten in der Ecke den Aktenschrank mit allen persönlichen Unterlagen Bens: Rechnungen, Quittungen, Einkommenssteuerformulare, Versicherungspolicen, Bankauszüge, Zeugnisse, persönliche Korrespondenz, Familienalben, seine Tagebücher, die er über die Jahre sporadisch geführt hatte. Während des Studiums hatte er damit angefangen, gewissenhaft Tagebuch zu führen; als junger Lehrer hatte er sich zuerst in Lydenburg und später in Krugersdorp angewöhnt, alles, was ihn amüsierte oder ihn interessierte, aufzuschreiben – Stilblüten aus Examensarbeiten, Passagen aus Aufsätzen seiner besten Schüler, Äußerungen seiner Kinder, Ausschnitte aus Unterhaltungen, die sich eines Tages als nützlich erweisen könnten; außerdem Kommentare und Überlegungen zu seinen Fächern oder Tagesereignissen, zu Büchern, die er gelesen hatte. Vieles davon war völlig unbedeutend und für Außenstehende unverständlich. In den letzten Jahren hatte er sich gelegentlich auch Notizen über intimere Dinge gemacht: über Susan und sich selbst, Linda, Suzette und Johan, über Freunde. Und all dies blätterten Koch und sein Kollege jetzt eins nach dem anderen gründlich durch, während der dritte Beamte – offenbar auf der Suche nach geeigneten Verstecken – die Möbel durchsuchte, unter den Sesselpolstern nachsah (Ben mußte zu diesem Zweck aufstehen), hinter den Bücherregalen, im Kasten seines Schachspiels und sogar in der kleinen Schale mit polierten Halbedelsteinen aus Südwest-Afrika; zuletzt rollte er den Teppich auf und sah darunter nach.

»Wenn Sie mir nur sagen wollten, wonach Sie suchen«, bemerkte Ben nach einiger Zeit, »dann könnten Sie sich Menge Zeit und Mühe sparen. Ich verstecke nichts.«

Stolz sah auf – er sichtete gerade den Inhalt der dritten Schreibtischschublade – und sagte lakonisch: »Keine Angst, Mr. Du Toit. Wenn etwas Interessantes für uns da ist, dann finden wir es auch.«

»Ich wollte es Ihnen ja nur erleichtern.«

»Es ist unser Beruf.«

»Sie sind sehr gründlich.«

Über den Stapel der Schubladen hinweg sahen die dunklen Augen ihn an. »Mr. Du Toit, wenn Sie wüßten, womit wir Tag für Tag fertig werden müssen, würden Sie verstehen, warum wir gründlich vorgehen müssen.«

»Oh, das verstehe ich durchaus.« Fast amüsierte es ihn.

Doch Stolz entgegnete streng, wenn nicht sogar scharf: »Ich bin mir durchaus nicht so sicher, ob Sie es wirklich verstehen. Das ist ja das Schlimme mit den Leuten, die anfangen herumzukritisieren. Sie sind sich nicht darüber im klaren, daß sie nichts anderes tun, als dem Feind den Weg zu ebnen. Glauben Sie nur nicht, daß die Kommunisten schlafen! Sie sind ständig zugange, Tag und Nacht.«

»Ich habe Ihnen nichts vorgeworfen, Captain.«

Eine kurze Pause, ehe Stolz sagte: »Ich wollte nur, daß Sie wirklich verstehen. Schließlich ist es nicht so, daß wir immer Freude an dem haben, was wir tun müssen.«

»Aber vielleicht gibt es mehr als nur eine Art, es zu tun, Captain«, sagte er ruhig.

»Ich kann verstehen, daß es Sie aus der Fassung bringt, daß Ihr Haus durchsucht wird«, sagte Stolz, »aber glauben Sie mir…«

»Ich spreche nicht von Ihrem kleinen Besuch hier«, sagte Ben.

Unversehens hörten die Männer im Zimmer auf zu arbeiten: Das raschelnde Geräusch, als ob Tausende von Seidenraupen in einer großen Kiste gefüttert würden, verstummte. Draußen, etwas weiter entfernt, schrillte eine Fahrradklingel.

»Ja, wovon reden Sie dann?« fragte Stolz.

Alle warteten sie darauf, daß er es aussprach. Und er beschloß, sich der Herausforderung zu stellen.

»Ich spreche von Gordon Ngubene«, sagte er. »Und von Jonathan. Und vielen anderen, denen es so ergeht wie ihnen.«

»Verstehe ich Sie recht?« fragte Stolz sehr ruhig. Die Narbe auf seiner Wange schien womöglich noch weißer zu werden. »Beschuldigen Sie uns…«

»Ich habe nichts weiter gesagt, als daß es vielleicht mehr als nur eine Art gibt, Ihre Arbeit zu tun.«

»Wollen Sie damit andeuten…«

»Das überlasse ich Ihrem eigenen Gewissen, Captain.«

Schweigend blickte der Offizier ihn über die in dem kleinen Zimmer aufeinandergetürmten Dinge hinweg an. Alle anderen waren auch da – ein Raum voller Augen: Aber die anderen spielten keine Rolle. Er und Stolz waren weit weg von ihnen, waren allein. Denn dies war der Augenblick, da er plötzlich ruhig und unumstößlich wußte: Es ging nicht mehr um »sie«, eine unbestimmte Gruppe von Menschen, oder um so etwas Abstraktes wie ein »System« – es ging um *diesen Mann*. Um diesen schmalen blassen Mann, der ihm in diesem Augenblick hinter seinem eigenen Schreibtisch gegenüberstand, während alle Zeugen und Andenken seines ganzen Lebens um sie herum verstreut lagen. *Du bist es. Jetzt kenne ich dich. Und glaub nicht, du könntest mich einfach zum Schweigen bringen. Ich bin nicht Gordon Ngubene.*

Das war das Ende ihrer Unterhaltung. Sie setzten nicht einmal die Durchsuchung weiter fort; es war, als hätten sie jedes Interesse verloren. Vielleicht war die ganze Sache gar nicht so ernst gewesen; vielleicht hatten sie nur die Muskeln spielen lassen, weiter nichts.

Nachdem sie die Schubladen wieder hineingeschoben und Kommode und Aktenschrank geschlossen hatten, fand Venter auf dem Schreibtisch einen zusammengefalteten Zettel mit Herzogs Namen und einer Reihe kurzer Notizen über das Gespräch. Das wurde zusammen mit all den anderen Papieren und Briefschaften auf dem Schreibtisch und Bens

Tagebüchern beschlagnahmt; er bekam eine handschriftliche Quittung, deren Duplikat sie behielten.

Als sie ins Haus zurückkehrten, wollten sie noch das Schlafzimmer sehen. Susan versuchte, sich dagegenzustellen; das Schlafzimmer, meinte sie, sei zu privat, eine himmelschreiende Demütigung. Stolz entschuldigte sich, bestand jedoch darauf, die Durchsuchung vorzunehmen. Ein Zugeständnis allerdings wurde gemacht: Susan durfte in Begleitung Venters unten in der Halle bleiben, während Ben den anderen den Weg nach oben zum Schlafzimmer zeigte. Sie wollten wissen, welches sein Bett sei und sein Schrank; dann durchsuchten sie kurz seine Kleidung und sahen unter seinem Kopfkissen nach; einer der Männer stieg auf einen Stuhl, um auf dem Schrank nachzusehen; ein anderer blätterte die Bibel und die Bücher auf seinem Nachttischchen durch. Dann gingen sie wieder nach unten.

»Darf ich Ihnen einen Kaffee machen?« fragte Susan steif.

»Nein, vielen Dank, Mrs. Du Toit. Wir haben noch zu arbeiten.«

An der Haustür sagte Ben: »Ich muß Ihnen wohl dafür danken, daß Sie sich so anständig verhalten haben.«

Ohne das Gesicht zu einem Lächeln zu verziehen, sagte Stolz: »Ich glaube, wir verstehen einander, Mr. Du Toit. Wenn wir Grund zu der Annahme haben, daß Sie uns etwas vorenthalten, werden wir wiederkommen. Sie sollten wissen, daß wir viel, viel Zeit haben. Wir können das ganze Haus auf den Kopf stellen, wenn wir wollen.«

Hinter der Förmlichkeit seines Tones und seiner Haltung erhaschte Ben einen flüchtigen Blick – oder bildete sich das ein – auf einen Mann, der in einem verschlossenen Dienstzimmer unter einer brennenden Glühbirne methodisch seine Arbeit tat – wenn nötig, tage- und nächtelang: bis zum bedingungslosen Ende.

Nachdem sie gegangen waren, blieb Ben noch eine Weile hinter der geschlossenen Haustür stehen; er war sich immer noch der Distanz bewußt, die er zwischen sich und der Welt spürte. Gelassenheit fast; vielleicht sogar Genugtuung.

Hinter sich hörte er, wie die Tür ihres Schlafzimmers zugemacht wurde. Ein Schlüssel drehte sich im Schloß. Als ob das nötig wäre! Er war ohnehin nicht in der Gemütsverfassung, Susan gegenüberzutreten.

Denken und Fühlen waren noch ausgesetzt. Er konnte – und wollte – noch nicht anfangen auszuloten, was eigentlich geschehen war. Alle Reaktionen waren nur mechanisch.

Er ging durchs Haus in die Garage und machte sich daran, ein Brett glattzuhobeln – ziellos, nur, um sich zu beschäftigen. Nach und nach bekam sein Tun jedoch etwas Planvolles, Gezieltes, selbst wenn es sich nicht um einen bewußten Entschluß handelte. Er fing an, einen falschen Boden für seinen Werkzeugschrank zu arbeiten und ihn so genau einzupassen, daß kein Mensch je so etwas dort vermuten würde. Falls er in Zukunft etwas hatte, was er vor ihren neugierigen Augen verbergen wollte, würde er es hier verbergen. Im Augenblick genügte ihm die körperliche Betätigung als solche. Kein Akt des Selbstschutzes, sondern ein Gegenzug, etwas Positives und Einschneidendes, ein neuer Anfang.

9

Mittwoch, 11. Mai. Merkwürdiger Tag. Gestern der Besuch vom Sonderdezernat. Schwierig, das schriftlich zu ergründen. Muß es aber versuchen. Es in ganzen Sätzen hinzuschreiben, ist heilsam, wie tief durchatmen. Will es versuchen. Eine Grenze ist überschritten. So klar und deutlich, daß ich von nun an mein Leben in Vorher und Nachher einteilen kann. Wie man über die Sintflut spricht. Oder vom Apfel, der Frucht des Sündenfalls, dem gefährlichen Wissen. Man kann vorher darüber spekulieren, aber wenn es passiert, ist man doch unvorbereitet. Hat etwas Endgültiges, wie wahrscheinlich der Tod, den man auch nur dadurch kennenlernt, daß man ihn erleidet. Selbst während es geschah, war ich mir darüber nicht so klar wie jetzt. Zu benommen, nehme ich an. Aber jetzt: heute.

Alles vollkommen fremd. Kinder, die »Guten Morgen« sagen und deren Gesichter man sieht, ohne sie zu erkennen oder zu wissen, warum sie einen anreden. Eine Glocke, die einen von Klasse zu Klasse schickt und der man gehorcht, ohne zu wissen, warum. Macht man den Mund auf, weiß man nicht, was kommt. Es geschieht von selbst. Die eigenen Worte kommen einem unvertraut vor, die Stimme kommt von weit her. Jedes Gebäude, jedes Zimmer, die Tische und Bänke, die Tafel und die Kreide – alles völlig fremd. Nichts, worauf man sich ganz verlassen könnte. Man muß davon ausgehen, daß man es vorher geschafft hat, sich einen Weg hindurchzubahnen, daß man auf irgendeine geheimnisvolle Weise »dazugehört« hat, obwohl man sich das jetzt nicht mehr erklären kann. Insgeheim, im Inneren, »weiß« man, aber man kann dies Wissen nicht mit jemandem teilen. Dabei handelt es sich nicht um so etwas Alltägliches wie ein »Geheimnis« (»Rat, mal was passiert ist; gestern haben sie eine Haussuchung bei mir vorgenommen.«) Es handelt sich um etwas wesentlich anderes. Als ob man in einer anderen Zeit und einer anderen Dimension existierte. Man sieht die anderen Menschen zwar noch, tauscht sogar Laute mit ihnen aus, doch all das geschieht zufällig und täuscht. Man steht *auf der anderen Seite.* Und wie soll ich das mit den Worten von »dieser Seite« erklären?

Dritte Stunde frei gehabt. Bin draußen in den Steingärten spazierengegangen. Hat es an der Herbstluft gelegen? Die fallenden Blätter, die klare Gestalt der Bäume. Von Zeit zu Zeit ein Wort aus dem Klassenzimmer, ein Satz, der ausgesprochen wird und in überhaupt keinem Zusammenhang mit irgend etwas anderem steht. Irgendwo am Ende des Gebäudes übt jemand Tonleitern, immer wieder dieselben. Etwas genauso Grundsätzliches wie die Bäume, ebenso erschreckend und bedeutungslos.

In der Aula singt der Chor. Die Nationalhymne. Vorbereitung auf den Besuch des Schulrats in etwa einer Woche. Die Musik in Teile auseinandergerissen. Erste; zweite; Jungen; Mädchen; dann alle zusammen. *At thy will to live or perish, O South Africa, dear land.* Nach deinem Willen leben oder untergehen, o Südafrika, geliebtes Land. Noch einmal, bitter. *At thy will to live or perish.* Nein, das war nicht gut genug. Noch mal. *At thy will to live or perish.* Das war schon besser. Jetzt noch mal ganz von vorn. *Ringing out from our blue heavens.* Erklingt es von unserem blauen Himmel. Macht den Mund auf. At thy will to live at thy will to live at thy will to live or perish or perish or perish. Wir alle werden untergehen. All ihr süßen jungen Kinder, die ihr mit unschuldigen Stimmen singt, Mädchen, die errötend und verstohlen zu den Jungen hinüberblicken und hoffen, daß das Aknemittel heute morgen jeden Makel überdeckt; Jungen, die sich mit dem Lineal in die Rippen stoßen oder mit feuchten Händen geheimnisvolle Zettel weitergeben. *At thy will to live or perish, O South Africa, dear land!*

In ein paar Minuten werden wir alle wieder im Klassenzimmer sein und unsere Arbeit wiederaufnehmen, als ob nichts geschehen wäre. Ich werde euch etwas über dieses Land beibringen, über die vorherrschenden Winde und die Gebiete, in denen Regen fällt, über Meeresströmungen, Bergzüge, Flüsse und Landesprodukte, über die Bemühungen, es regnen zu lassen und die Verwüstungen der Trockenzeiten in Grenzen zu halten. Ich werde euch erzählen, wo ihr herstammt: von den drei kleinen Schiffen, die die ersten Weißen hierhergebracht haben, vom ersten Tauschhandel mit Harrys Hottentotten, dem ersten Wein und den Free Burghers, den ersten freien Bürgern, die 1657 an den Ufern der Liesbeek siedelten. Die Ankunft der Hugenotten. Die Dynastie der Van-der-Stel-Gouverneure und die Wahlmöglichkeiten, die ihnen offenstanden: Simon, der die Weißen am Kap konzentrieren wollte und zuließ, daß sich natürlich Klassenunterschiede entwickelten; sein Sohn Willem Adriaan, der sich für die Expansion entschied und die Viehzüchter ermunterte, das Landesinnere zu erforschen und unter den Eingeborenen zu siedeln; Rassenauseinandersetzungen, Streitfragen, Grenzkriege... 1836: Massenauszug von Buren auf der Suche nach Freiheit und Unabhängigkeit in anderen Teilen des Landes. Massaker, Annektierung der neu eroberten Gebiete (durch die Briten); vorübergehender Sieg der Buren-Republiken. Dann die Entdeckung von Diamantenvorkommen bei Kimberley und von Gold am Witwatersrand; der Zuzug von Nicht-Buren und Triumph der britischen imperialistischen Interessen. Burenkrieg, Konzentrationslager, Lord Milner, Anglisierung in den Schulen. 1910: Zusammenschluß und Neubeginn: »*South Africa first.*« Burenaufstand gegen die Entscheidung der eigenen Regierung, im Ersten Weltkrieg an die Seite Großbritanniens zu treten. Abwanderung verarmter Farmer in die großen Städte. Die Minen-Revolten des Jahres 1922, Buren und Bolschewisten gegen den Imperialismus. Offizielle Anerkennung des Afrikaans als Landessprache. Übersetzung der Bibel 1933. Koalitionsregierung. Krieg. Unterwanderung der Ossewa-Brandwag durch die Buren. Der nicht totzukriegende Traum von einer eigenen Republik. Und zuletzt: eine nationalistische Regierung kommt ans Ruder. Ihr seht also selbst, Jungen und Mädchen, es war ein sehr langer Weg. Erinnert euch an die Worte des jungen Bibault in der Revolte gegen Van der Stel im Jahre 1706: »Ich weiche nicht. Ich bin Afrikaner, bin Bure, und selbst wenn der Landdrost mich tötet oder ins Gefängnis wirft, werde ich mich weigern, den Mund zu halten.« Man kann unsere ganze Geschichte als eine ständige Suche nach Freiheit und Kampf gegen die Diktate der aufeinanderfolgenden Eroberer aus Europa sehen, Kinder. Freiheit im Sinne dieses neuen Landes, dieses Erdteils. Wir Buren waren die ersten Freiheitskämpfer Afrikas und haben anderen den Weg gewiesen. Und jetzt, wo wir endlich in unserem eigenen Land an die Macht gekommen sind, möchten wir, daß all den anderen Völkern um uns herum dasselbe Selbstbestimmungsrecht gewährt wird. Sie müssen ihr eigenes, unabhängiges Land haben. Friedliche Koexistenz, Pluralistische Entwicklung. Darin drückt sich unser eigenes Ehrgefühl aus, unsere Würde und unser Altruismus. Schließlich bleibt uns keine andere Wahl. Außerhalb dieses großen Landes können wir nirgendwohin. Das ist unser Schicksal. *At thy will to live or perish, O South Africa, our land!* Nein, tut mir leid, aber das war noch nicht gut. Versucht es noch einmal.

Dieses Riesenland. Die Eisenbahnfahrten, die ich als Junge gemacht habe. Die letzte Strecke auf einer Seitenlinie zu unserer Station: sieben Stunden für jene fünfzig Kilometer. Halt bei jeder Abzweigung, Milchkannen werden auf- oder abgeladen, Kohle oder Wasser übernommen: Halt mitten im Nirgendwo, im offenen Feld, wabernde Hitze bis zum Horizont. Ein Name auf einem weißen Brett, soundso viele Meter über dem Meeresspiegel, soundso viele Kilometer von Kimberley, von Kapstadt. Die Unsinnigkeit des Ganzen noch verstärkt durch die Tatsache, daß alles so peinlich genau festgehalten wird. Was spielt es schon für eine Rolle, daß dies der Name der Station ist oder wie viele Kilometer es bis zur nächsten sind?

Von klein auf akzeptiert man oder glaubt, oder es wird einem gesagt, daß gewisse Dinge auf eine gewisse Weise existieren. Zum Beispiel: daß die Gesellschaft sich auf Ordnung gründet, auf Vernunft und Gerechtigkeit. Und daß man, wenn etwas schiefläuft, an einen angeborenen Anstand appellieren kann oder an den gesunden Menschenverstand oder das Rechtsgefühl der Menschen, Irrtümer richtigzustellen und Wiedergutmachung anzubieten. Dann geschieht wie aus heiterem Himmel das, was Melanie sagte und was ich mich zu glauben weigerte: Man kommt dahinter, daß es das, was man als Grundvoraussetzungen akzeptiert hat – wobei einem gar keine andere Wahl blieb, sie als solche anzuerkennen, wenn man überhaupt überleben wollte –, gar nicht gibt. Man erwartet etwas Zuverlässiges, und es stellt sich heraus, daß überhaupt nichts vorhanden ist. Hinter dem Brett mit dem Namen darauf, den Angaben von Höhe über dem Meeresspiegel und Entfernungen, gähnt eine Leere, die bestenfalls durch einen kleinen Wellblechschuppen, Milchkannen oder eine Reihe von roten leeren Feuerlöscheimern verdeckt wird. Nichts.

Alles, was man mit so viel Gewißheit für so selbstverständlich gehalten hat, daß man sich nie auch nur die Mühe machte, es zu hinterfragen, erweist sich jetzt als Illusion. Gewißheiten sind erwiesenermaßen Lügen. Und was geschieht, wenn man anfängt den Dingen auf den Grund zu gehen? Muß man zuerst eine völlig neue Sprache lernen?

»Menschlichkeit.« Normalerweise benutzt man das Wort als Synonym für Mitleid, Wohltätigkeit, Anstand, Integrität. »Er ist so menschlich.« Muß man sich jetzt auf die Suche nach einer ganz anderen Art von Synonymen begeben: Grausamkeit, Ausbeutung, Skrupellosigkeit oder was auch immer?

Dunkelheit senkt sich herab.

Dennoch – es gibt immer noch Melanie. Licht in der Finsternis. (Aber warum? Darf ich daran denn überhaupt denken?)

Das Problem ist: wenn man erst einmal einen flüchtigen Blick davon erhascht hat, wenn man überhaupt anfängt, es zu vermuten, ist es sinnlos, so zu tun, als wäre es anders. Sie hatte recht. Melanie. Melanie. Die einzige Frage, auf die es ankommt, ist die, die sie gestellt hat: *Was jetzt?*

Es hat angefangen. Eine reine, elementare Regung: Etwas ist geschehen – ich habe reagiert –, etwas hat sich mir entgegengestellt. Ein riesiges, unbeholfenes, formloses Etwas hat sich gerührt. Ist das der Grund, warum ich so benommen bin? Versuchen wir, vernünftig, objektiv zu sein: Bin ich nicht völlig hilflos, ja, bedeutungslos, in einer so ungeheuren, hochkomplizierten Bewegung? Ist nicht schon der Gedanke daran, daß ein einzelner etwas ausrichten könnte, absurd?

Oder stelle ich jetzt die falschen Fragen? Hat es noch Sinn zu versuchen, »vernünftig« zu sein, »handfeste« Argumente zu finden? Sicher, wenn ich darüber nachdenke, was ich praktisch »ausrichten« kann, kann ich es von vorn herein aufgeben. Folglich muß es etwas anderes sein. Aber was? Vielleicht einfach zu tun, was man tun muß, weil man ist, wer man ist, oder weil man *da ist*.

Ich bin Ben Du Toit. Ich bin da. Hier, an diesem Platz, ist heute niemand außer mir. Folglich muß es etwas geben, das außer mir niemand tun kann: nicht, weil es »wichtig« oder »wirksam« wäre, sondern weil nur ich es tun kann. Ich muß es tun, *weil* ich zufällig nun mal Ben Du Toit bin; weil niemand sonst in der Welt Ben Du Toit ist.

Folglich trifft es die Sache nicht, wenn ich frage: Und was wird aus mir? Oder: Wie kann ich mich gegen mein eigenes Volk stellen?

Vielleicht ist das Teil der Entscheidung, um die es geht: durch die Tatsache, daß ich »mein Volk« immer dermaßen für selbstverständlich genommen habe, muß ich jetzt beginnen, noch einmal ganz von vorn mit dem Denken anzufangen. Früher ist das nie ein Problem für mich gewesen. »Mein Volk« – das sind Menschen, die immer um mich herum und mit mir zusammengewesen sind. Auf der knochenschindenden Farm, auf der ich aufgewachsen bin, sonntags in der Kirche, auf Versteigerungen, in der Schule; auf Bahnhöfen, in Zügen oder in Städten; in den Slums von Krugersdorp; in meinem Vorort. Menschen, die meine Sprache sprechen, die den Namen Gottes in den Mund nehmen und meine Geschichte teilen. Jene Geschichte, die Gie »die Geschichte der europäischen Zivilisation in Südafrika« nennt. Mein Volk, das drei Jahrhunderte lang überlebt hat und jetzt die Macht ergriffen hat – und jetzt von der Auslöschung bedroht ist.

»Mein Volk.« Und dann waren da noch die »anderen«. Der jüdische Ladenbesitzer, der englische Apotheker; diejenigen, die in der Stadt ihren natürlichen Lebensraum gefunden haben. Und die Schwarzen. Die Jungen, die zusammen mit mir die Schafe gehütet haben, Aprikosen gestohlen und die Bewohner in den Hütten mit Gespenstern mit Kürbisköpfen erschreckt haben, die zusammen mit mir bestraft wurden und doch anders waren. Wir lebten in einem Haus, sie in Lehmhütten mit Steinen auf dem Dach. Sie bekamen unsere abgelegten Kleider. Sie mußten an der Küchentür anklopfen. Sie deckten den Tisch, zogen unsere Kinder groß, leerten unser Nachtgeschirr, redeten uns mit *Baas* und *Miesies* an. Wir kümmerten uns um sie und schätzten ihre Dienste, lehrten sie die Bibel und halfen ihnen, weil wir wußten; daß sie ein hartes Leben führten. Trotzdem blieb es immer bei »wir« und »sie«. Es war eine gute und bequeme Trennung; es war richtig, daß Völker sich nicht vermischten, daß jedem sein Teil Land zugewiesen wurde, wo er unter den Seinen leben und handeln konnte. War es auch nicht ausdrücklich in der Heiligen Schrift so bestimmt, dann hatte jedenfalls die vielfältige Schöpfung eines allwissenden Vaters es so gemeint, und es stand uns nicht an, Ihm ins Handwerk zu pfuschen oder zu versuchen, Sein Werk zu verbessern, indem wir unmögliche Mischlinge hervorbrachten. So war es immer gewesen.

Doch plötzlich stimmt das nicht mehr, funktioniert nicht mehr. Irgend etwas hat sich unwiderruflich verändert. Ich habe am Sarg eines Freundes gekniet. Ich habe in einer Küche mit einer Frau gesprochen, die trauerte, wie meine eigene Mutter hätte trauern können. Ich sah einen Vater auf der Suche nach seinem Sohn, so wie auch ich versucht haben könnte, meinen Sohn zu finden. Und diese Trauer und diese Suche waren durch »mein Volk« verursacht worden.

Aber wer ist das heute – »mein Volk«? Wem schulde ich Treue? Es muß jemanden, muß etwas geben. Oder steht man mutterseelenallein auf dem kahlen Feld neben dem Namen einer nichtvorhandenen Eisenbahnstation?

Eine Erinnerung, die mich heute den ganzen Tag nicht losgelassen hat und unendlich viel wirklicher war als die soliden Schulgebäude, ist die Erinnerung an jenen fernen Sommer, als Pa und ich zusammen mit den Schafen loszogen. An die Dürre, die uns alles genommen hat und uns allein und sonnenversengt zwischen den weißen Skeletten zurückließ.

Was vor dieser Dürre gewesen ist, ist mir nie sonderlich gegenwärtig oder bedeutungsvoll gewesen: dort habe ich mich und die Welt entdeckt. Es kommt mir vor, als stünde mir wieder eine weiße Zeit der Dürre bevor, schlimmer vielleicht als die, die ich als Kind erlebt habe.

Was nun?

Drei

I

Im Dunkeln war es eine andere Stadt. Als sie *Uncle Charlie's Roadhouse* erreichten, stand die Sonne schon tief, doch als sie in der Nähe der mächtigen Schlote des Kraftwerks von der Hauptstraße abbogen, verdunkelte sich bereits die rote Glut des Sonnenuntergangs hinter Rauch und Staub, sah aus wie verschmierte Farbe. Eine Vorahnung vom Winter lag in der Luft. Das Netz schmaler ausgewaschener Pfade und Straßen über dem kahlen *veld*; dann der Eisenbahnübergang, und man bog scharf rechts in die Straßen zwischen den vielen, vielen Zeilen geduckter Häuser. Und nun war es wieder da, rings um sie herum, genauso überwältigend wie beim letztenmal, wenn auch auf eine andere Weise. Das Dunkel schien die Heftigkeit des Zusammenpralls zu dämpfen, schien die Einzelheiten zu überdecken, die ihn beim erstenmal angesprungen und seinem Auge weh getan hatten, und das Elend nicht wahrhaben zu wollen. Alles war noch genauso da, legte sich ihm aufs Gemüt, nur weil es da war, hatte etwas Feindseliges, ja Bedrohliches; und dennoch hatte die Nacht auch etwas Beruhigendes. Da gab es keine Augen, die ihn auffällig anstarrten. Und das Licht, das aus den kleinen quadratischen Fenstern der ungezählten Häuser fiel – die geisterhafte Blässe von Gas, der wärmere gelbe Schimmer von Kerzen und Petroleumfunzeln – all das hatte etwas von der nostalgischen Vertrautheit eines Zuges, der durch die Nacht fährt. Zwar herrschte hier nach wie vor überströmendes Leben, nur daß dieses Leben auf Geräusche reduziert war: nicht jene Art von Geräuschen, die man mit dem Ohr wahrnimmt, sondern etwas Unterirdisches und Dunkles, das unmittelbar Knochen und Blut anspricht. Das hunderttausendfache Leben, dessen er sich beim erstenmal bewußt gewesen war – die fußballspielenden Kinder, die Friseure, die Frauen an den Straßenecken, die Halbwüchsigen mit den geballten Fäusten –, war jetzt zu einem einzigen allgegenwärtigen Organismus verschmolzen, der sich regte und murmelte, einen wie ein enormer Schlund ver-

schluckte, der einen mit peristaltischen Bewegungen immer weiter hin-
unterzwang, um verdaut und aufgenommen oder im Dunkel wieder
ausgeschieden zu werden.

»Was guckst du denn so?« fragte Stanley.

»Ich versuche, mir den Weg einzuprägen.«

»Gib's auf, du bist fremd hier.« Freilich sagte er das nicht unfreund-
lich, eher voller Mitgefühl. »Außerdem bin ich ja da, um dir den Weg zu
zeigen, oder?«

»Ich weiß. Aber mal angenommen, ich müßte eines Tages ganz auf
mich allein gestellt herkommen?«

Stanley lachte und wich einem streunenden Hund aus. »Tu das nur
nicht!« sagte er.

»Ich kann dir doch nicht immer wie ein Mühlstein um den Hals hängen, Stanley.«

»Ach, was soll's. Wir stecken beide in dieser Sache drin, Mann.« Das
rührte ihn mehr als alles, was Stanley je zuvor gesagt hatte. Also hatte
Melanie doch recht gehabt: Auf irgendeine undefinierbare Weise hatte
man ihn ›akzeptiert‹. Nachdem er den ganzen Tag über hin und her
überlegt hatte, war er am Abend vorher die drei Blocks von seinem
Haus bis zur nächsten Telefonzelle gegangen, damit Susan nichts davon
mitbekam, umd hatte Stanley angerufen. Sie hatten verabredet, sich
zwischen vier und halb fünf zu treffen, doch hatte Stanley sich verspätet.
Es war schon auf halb sechs zugegangen, als der große weiße Dodge
endlich bei der Tankstelle hielt, wo sie sich auch letztesmal getroffen
hatten. Kein Wort der Entschuldigung; eher schien Bens Verärgertsein
ihn überrascht zu haben.

Heute hatte er die dunkle Sonnenbrille nicht auf; sie schaute aus der
Brusttasche seiner braunen Jacke hervor. Gestreiftes Hemd, wildge-
blümter Schlips, große Klunkern als Manschettenknöpfe.

Mit quietschenden Reifen fuhren sie davon. Der Motor brüllte auf,
und ein erschrockener, grinsender Gärtner in blauem Overall auf dem
Rasen eines Hauses gegenüber der Tankstelle blickte ihnen nach.

»Ich fand, ich müßte mit Emily über alles sprechen«, erklärte Ben sofort, nachdem sie endlich fuhren. »Und mit dir, selbstverständlich.«

Stanley wartete und pfiff zufrieden vor sich hin.

»Vor zwei Tagen ist das Sonderdezernat dagewesen und hat eine
Haussuchung bei mir vorgenommen.«

Rasch drehte der große Mann den Kopf herum: »Machst du Witze?«

»Nein, sie haben es wirklich getan.«

Er war sich nicht sicher, was für eine Reaktion er erwartet hatte; auf jeden Fall jedoch nicht das widerhallende Gewieher, das aus den Tiefen von Stanleys Bauch aufstieg und ihn schüttelte, so daß er sich krümmte und ums Haar einen Bordstein hinaufgefahren wäre.

»Was ist denn so komisch daran?«

»Sie haben tatsächlich dein Haus auseinandergenommen?« Stanley fing wieder an zu lachen. Dann ließ er Ben wuchtig eine Pranke auf die Schulter fallen. »Da muß ich dir aber die Hand schütteln, Mann!« Es dauerte eine Zeitlang, bis das Lachen aufhörte. Sich die Tränen aus den Augenwinkeln wischend, fragte Stanley: »Warum, meinst du, haben sie das getan?«

»Wenn ich das wüßte! Ich vermute, daß Dr. Herzog ihnen einen Tip gegeben hat. Der vom Ermittlungsverfahren. Ich bin zu ihm gegangen, um rauszukriegen, was er wirklich über Gordon weiß.«

»Hat er was gesagt?«

»Aus dem bekommen wir nichts raus. Aber ich bin überzeugt, er weiß mehr, als er sagen will. Er hat entweder Angst vor der Polizei, oder er arbeitet mit ihr zusammen.«

»Was hast du denn sonst erwartet?« Wieder gluckste Stanley. »Er hat dir also die Bullen auf den Hals gehetzt? Haben sie was mitgenommen?«

»Ein paar alte Tagebücher. Und Briefe. Nicht viel. Aber es war sowieso nichts da. Vermutlich wollten sie mir nur Angst machen.«

»Da wäre ich nicht so sicher.«

»Was soll das heißen?«

»Wer weiß – vielleicht glauben sie wirklich, du hättest was Ernstes vor.«

»So blöde können sie doch gar nicht sein.«

»*Lanie*« – überhebliches Grinsen, »du solltest die Blödheit des Sonderdezernats nie unterschätzen. Auf jeden Fall können sie blitzschnell zuschlagen, und sie haben überall ihre Hand im Spiel. Aber Mann, wenn du ihnen erst mal Anlaß zu der Annahme gibst, daß sie irgendeiner dunklen Verschwörung auf der Spur sind, dann rücken sie dir nicht mehr von der Pelle. Wie die Kletten. In Sturheit sind die *gattes* nicht zu schlagen. Ich kenne sie seit Jahren, Mann. Wenn die sich in den Kopf setzen, daß es 'ne Bombe ist, nach der sie suchen, kannst du sie mit der Nase in einen Haufen Scheiße stoßen, und sie werden trotzdem bei Gott schwören, daß es eine Bombe ist.«

Wider Willen fühlte Ben, wie er die Zähne zusammenbiß. Trotzdem wehrte er sich dagegen, sich überzeugen zu lassen. »Und ich sage dir, sie haben es nur gemacht, um mir Angst einzujagen.«

»Und warum hast du dir keine Angst einjagen lassen?«

»Gerade weil sie sich so sehr darum bemühten. Wenn sie mich einschüchtern wollen, dann will ich rausfinden, weshalb. Irgendwie haben sie Dreck am Stecken, und wir werden das herausfinden. Ich kann ohne dich nichts machen. Wenn du aber bereit bist zu helfen, können wir ans Licht bringen, was immer sie vertuschen wollen. Ich weiß, es wird nicht leicht sein, und wir dürfen auch nicht zu früh zuviel erwarten. Aber du und ich, wir können zusammenarbeiten, Stanley. Das ist doch das mindeste, was wir Gordon schuldig sind.«

»Ist das dein voller Ernst, *Lanie?* Ich meine, es ist nicht der richtige Augenblick, um hier 'ne Show abzuziehen.«

»Erinnerst du dich noch an den Tag, wo ich dir sagte, daß wir vorsichtig sein müßten, ehe es zu weit ginge? Da bist du derjenige gewesen, der mich ausgelacht hat. Du hast gesagt, es hätte ja noch gar nicht richtig angefangen. Und du hast recht gehabt. Jetzt werde ich mich nicht mehr mit halben Sachen begnügen. Vorausgesetzt, du hilfst mir.«

»Was verstehst du unter ›keine halben Sachen‹, *Lanie?*« Stanley war plötzlich todernst geworden.

»Das kann ich dir nur beantworten, indem ich weitermache.«

»Und du glaubst, sie lassen dich weitermachen?«

Ben holte tief Luft und sagte dann: »Es hat keinen Sinn, zu weit vorausehen zu wollen, Stanley. Wir werden uns mit jeder Kleinigkeit befassen müssen, gerade wie wir darauf stoßen.«

Die einzige Reaktion des massigen Mannes am Steuer war ein entspanntes Glucksen. Schweigend fuhren sie eine lange Zeit durch Rauch und Staub weiter, bis Stanley irgendwo hielt – es hätte eine Seitenstraße sein können, ein leerer Bauplatz oder ein schwarzes Loch im Dunkel. Als Ben die Hand ausstreckte, um aufzumachen, hielt Stanley ihn zurück: »Du wartest hier. Es ist weiter vorn. Ich gehe erst nachsehen.«

»Hast du Emily denn nicht Bescheid gesagt?«

»Doch. Aber ich möchte nicht, daß irgendwer was davon erfährt.« Als er Bens fragenden Blick bemerkte, sagte er: »Es wimmelt hier von Denunzianten, *Lanie.* Und du hast schon Probleme genug am Hals.« Mit diesen Worten warf er den Wagenschlag zu und verschwand in der Dunkelheit.

Ben kurbelte sein Fenster ein paar Zentimeter herunter. Ein bedrükkender Rauchgeruch drang in den Wagen. Die Ahnung von körperlosen Lauten wurde übermächtig. Und wieder, nur noch eindringlicher als beim erstenmal, hatte er das Gefühl, im Innern eines gewaltigen Tierbauchs zu sitzen: Eingeweide grummelten, ein dunkles Herz schlug, Muskeln zogen sich zusammen und dehnten sich wieder, Drüsen schieden Flüssigkeit aus. Nur nahm all dies in Stanleys Abwesenheit etwas Bedrohlicheres und Bösartigeres an, bekam etwas verhängnisvoll Gegenwärtiges, das sich aber nicht fassen ließ. Was ihn zwang, mit bitterem Geschmack im Mund und angespannten Muskeln sitzenzubleiben, war nicht die Angst vor einer Bande von *tsotsis* oder einer Polizeistreife oder der Gedanke, er könnte im Dunkeln plötzlich überfallen werden, sondern etwas Unbestimmtes und Unendliches wie die Nacht selbst. Er wußte nicht einmal, wo er war; und wenn Stanley aus irgendeinem Grund jetzt nicht zurückkam, würde er es nicht schaffen, von hier zu entkommen. Er hatte weder Karte noch Kompaß, im Dunkeln auch kein Richtungsgefühl, keine Erinnerung, auf die er sich hätte verlassen können; es fiel ihm auch nichts ein, was ihm helfen konnte; es gab keine Fakten und keine Gewißheiten. Nackter Seelenqual preisgegeben, saß er regungslos da und spürte die winzigen kalten Schweißperlen auf dem Gesicht, sobald ein Lufthauch ihn berührte.

So völlig unsichtbar war Soweto wirklicher für ihn als beim erstenmal, als er es in vollem Tageslicht gesehen hatte. Und zwar einfach deshalb, weil Stanley nicht bei ihm war. Nie zuvor hatte er so hautnah gespürt, wie vollkommen isoliert ihre beiden Welten voneinander waren, daß diese beiden Welten einander nur durch sie beide flüchtig und vorübergehend berührten und daß all dies nur durch Gordon möglich gemacht worden war. Gordon, auf ihn kam unweigerlich alles immer wieder zurück.

In der Gewalt seiner eigenen Gedanken gefangen, blieb Ben im Auto sitzen; es hätten Stunden vergangen sein können, als Stanley unvermittelt wieder neben ihm auftauchte.

»Du hast wohl ein Gespenst gesehen, oder?« fragte Stanley, und sein Gesicht lachte in dem fahlen Licht der Innenbeleuchtung.

»Vielleicht habe ich das.« Die plötzliche Erleichterung machte ihn übermütig. »Jetzt weiß ich endlich, was diese Schwarze Gefahr ist, vor der die Leute solche Angst haben«, sagte er spöttisch.

Irgendwo in der Nähe fing eine Frau auf der Straße an zu schreien:

langgezogene, spitze Schreie, die die Nacht zerrissen.

»Was ist los?« fragte Ben und stieg eilends aus.

»Woher soll ich das wissen? Mord. Vergewaltigung. Es kann alles mögliche sein.«

»Können wir denn nichts machen?«

»Bist du lebensmüde, *Lanie?*«

Die Schreie endeten schließlich in einem tiefen, tierischen Aufstöhnen, das eins wurde mit den anderen Geräuschen der Nacht.

»Aber Stanley…«

»Komm! Tante Emily wartet schon auf dich.«

Ben ging auf den sachlichen Ton, mit dem er das sagte, ein und folgte ihm; doch während sie weitergingen, ertappte er sich dabei, daß er immer noch angespannt darauf wartete, die Frau wieder schreien zu hören. Von einem hohen Laternenpfahl gingen sie zum nächsten; die Pfähle lagen weit auseinander und trugen weiße Scheinwerfer, so daß der Eindruck entstand, in einem Konzentrationslager zu sein. Von Zeit zu Zeit strauchelte Ben über Dinge, die ihm im Weg lagen – eine Blechbüchse, ein ausrangierter Stoßdämpfer, undefinierbarer Abfall, der auf die dunkle Straße geworfen worden war –, wohingegen Stanley seinen Weg mühelos und sicher fand, wie eine große schwarze Katze in der Nacht.

Sie gingen durch die kleine, schief in den Angeln hängende Pforte und stiegen die beiden Stufen zur Haustür empor. Stanley klopfte. Es klang wie ein verabredetes Zeichen, als gehörte es zu seiner jungenhaften Vorliebe für Räuberspiele. Emily öffnete sofort, als hätte sie mit der Hand am Schlüssel auf sie gewartet. Groß und unförmig in ihrem knöchellangen, altmodischen Kleid trat sie beiseite, um ihn einzulassen. Drinnen brannte nur eine Gaslampe, und die Ecken des kleinen Vorderzimmers lagen im Halbdunkel. An der hinteren Wand schliefen unter einer grauen Wolldecke ein paar Kinder, kleine, dichtbeieinander liegende Bündel, wie Brotlaibe, die zum Aufgehen hingelegt worden waren. Auf dem Sideboard spielte ein Transistorradio, das ganz leise gestellt war. Alles schien unverändert, von den Kalenderbildern und den gedruckten Sprüchen an den Wänden bis zur Nähmaschine auf dem gescheuerten Tisch und dem alten Herd in der Ecke. Eine Vase mit Plastikblumen. Die geblümten Vorhänge zugezogen. Es roch verräuchert und muffig; hinzu kam noch ein schaler Körpergeruch. Neben dem Tisch saß ein kleiner grauhaariger Mann in einem abgetragenen schwarzen Anzug; er sah aus wie eine verschrumpelte Eidechse mit zwei leuchtendschwarzen

Augen, die zwischen den Falten und Runzeln seines Gesichts aufblitzten.

»Das ist Vater Masonwane von unserer Gemeinde«, sagte Emily, als wollte sie sich für seine Anwesenheit entschuldigen.

Das Männchen lächelte und ließ zahnlose Kiefer sehen. »Wir sind uns schon einmal begegnet«, sagte er. »Als der *morena* letztesmal hier war.«

»Nimm bitte Platz, *Baas*«, sagte Emily. »Setz dich auf diesen Stuhl hier. Der andere ist zu kaputt.«

Ein wenig vom Tisch abgerückt, nahm Ben steif Platz.

»Nun«, verkündete Stanley von der Tür her. »Ich gehe. Ihr könnt euch in Ruhe unterhalten. Bis gleich.«

Wie von Panik ergriffen, erhob Ben sich wieder halb. »Warum bleibst du nicht hier?«

»Hab' noch einen Kunden warten«, sagte Stanley. »Keine Angst, ich komme wieder.« Ehe Ben Einwände erheben konnte, war er schon draußen, wieder erstaunlich lautlos für einen so großen Mann. Die drei blieben zurück; die Gaslampe auf dem Tisch zischte.

»Ich stelle Teewasser auf«, sagte Emily, »aber das dauert etwas.« Sie drückte sich in der Nähe des Herds herum; offensichtlich war sie zu verlegen, um sich in Bens Gegenwart hinzusetzen.

»Ich wollte euch nicht stören«, sagte er und sah den Pfarrer an.

»Vater Masonwane ist mir eine große Hilfe«, erklärte sie daraufhin. Der kleine Mann lächelte nur geheimnisvoll.

»Ich bin gekommen, um mit dir zu reden, Emily.«

»Ja, es ist gut, *Baas*.«

»Wo das Gericht uns jetzt hat sitzenlassen, müssen wir selber alle Beweise zusammenbringen, die wir herbeischaffen können. Stanley will mir helfen. Wir müssen alles über Jonathan und Gordon herausfinden, um sie von der Schande reinzuwaschen, die über sie gebracht worden ist.«

Nach jedem Satz machte er eine Pause und wartete auf eine Reaktion von ihr, doch sie sagte nichts. Auch der Geistliche blieb stumm. Einmal hustete eines der auf dem Boden schlafenden Kinder; ein anderes murmelte kurz.

»Wir können sie nicht wieder lebendig machen«, sagte Ben. »Aber wir können dafür sorgen, daß so etwas nie wieder passiert.«

»Du meinst es gut, *morena*«, sagte der alte Pastor schließlich. Er sprach langsam und sehr korrekt, als überlegte er sich jedes Wort einzeln. »Aber es ist besser zu vergeben. Wenn wir den Schmerz lebendig erhalten, nisten sich Haß und Verbitterung bei uns ein.«

»Die Luft muß gereinigt werden, damit wir wieder atmen können.«

»Die Luft kann aber nur gereinigt werden, wenn wir vergessen, daß es gestern gedonnert hat.«

»Nein«, sagte Emily plötzlich. »Nein, der *Baas* hat recht. Es geht nicht darum, daß ich mit der ganzen Sache weitermachen will, denn es ist eine schlimme Sache. Daß Jonathan nicht mehr ist, daß Gordon nicht mehr ist« – sie verstummte für einen Moment und mußte erst wieder Gewalt über ihre Stimme bekommen – »das ist schwer genug zu ertragen. Aber ich kann es vergeben. Vater Masonwane hat mich manches gelehrt.« Sie sah auf, und das Licht fiel direkt auf ihr rundes Gesicht. »Aber sie haben Gordons Namen in den Schmutz gezogen. Sie haben Dinge behauptet, die er nie getan hätte. Wir müssen ihn wieder reinwaschen, sonst findet er niemals Ruhe in seinem Grab.«

»Schwester Emily«, sagte der alte Pastor kopfschüttelnd, »so geht das nicht.« Seine trocken-knisternde Stimme bekam plötzlich etwas Drängendes. »Die Menschen, die ihm das angetan haben, sind arme Sünder, die nicht wissen, was sie tun. Wir müssen Nachsicht mit ihnen haben. Wir müssen lernen, sie zu lieben, sonst bricht alles andere zusammen.«

»Sie haben Gordon umgebracht«, sagte Ben heftig. »Er war ein Mann, der nie einer Fliege was zuleide getan hätte. Und sie haben Jonathan umgebracht, der noch ein Kind war. Wie kannst du sagen, sie hätten nicht gewußt, was sie tun?«

Der Pastor schüttelte sein graues Haupt. »Ich sage dir, sie wissen es nicht«, wiederholte er. »Du glaubst mir nicht? Ich weiß, es ist schrecklich, das zu sagen, aber es ist wahr. Sie wissen es nicht. Selbst wenn sie unsere Kinder erschießen, wissen sie nicht, was sie tun. Sie glauben, es spielt keine Rolle, sie glauben, es sind keine Menschen, sie glauben, es zählt nicht. Wir müssen ihnen helfen. Das ist die einzige Möglichkeit. Sie brauchen unsere Hilfe. Nicht Haß, sondern Liebe, *morena*.«

»Du hast leicht reden«, sagte Ben. »Du bist Geistlicher.«

Der alte Mann entblößte beim Grinsen seinen rosa Gaumen. »Auch ich habe tatenlos zusehen müssen, wie sie meine Söhne ins Gefängnis gebracht haben, *morena*«, sagte er. »Und jedesmal, wenn ich in die Stadt will, muß ich der Polizei meinen Paß zeigen. Aber es gibt andere, jünger als meine Söhne, die ihn auf den Boden werfen, wenn sie kontrolliert worden sind. Es hat eine Zeit gegeben, da habe auch ich sie gehaßt, war mein Herz bitter wie eine Mandel. Aber ich habe es überwunden, *morena*, und heute weiß ich es besser. Heute tun sie mir leid, und ich bete für sie und bitte den Herrn, mir zu helfen, sie lieben zu lernen.«

»Sie haben Gordons Namen in den Schmutz gezogen«, beharrte Emily ruhig. Sie blickte starr geradeaus, als ob sie nicht gehört hätte, was er gesagt hatte.

»Hast du denn keine Angst, Schwester Emily?« sagte der alte Pastor vorwurfsvoll. Sie schüttelte den Kopf.

»Nein. Zuletzt ist man zu müde, um Angst zu haben«, sagte sie.

»Noch heute nachmittag hast du um deinen Mann geweint. Und jetzt bist du bereit, deine Tränen zu trocknen, als wäre nichts geschehen.«

»Ich habe zuviel geweint, Vater Masonwane«, sagte sie. »Jetzt hat der Herr mir den *Baas* geschickt.«

»Überleg es dir!«

Emily starrte an ihm vorbei ins Halbdunkel, wo ihre Kinder schliefen. »Vater, du hast mir immer gesagt, ich soll dem Herrn vertrauen. Du hast gesagt, Er kann immer noch Wunder bewirken. Heute abend hat Er mir den *Baas* geschickt, einen Weißen. Ist das etwa kein Wunder?« Und nach einer Weile wiederholte sie auf die gleiche ruhige, entschiedene Art: »Sie haben Gordons Namen in den Schmutz gezogen. Wir müssen ihn reinwaschen.«

»Wenn das so ist, muß ich gehen«, sagte der alte Mann und seufzte, als er sich erhob. »Heute abend hast du Ameisen in deinem Herzen, Schwester Emily.« Mit einem verzeihungheischenden Lächeln machte er die Tür auf und schlüpfte hinaus.

Jetzt waren sie allein im Haus, er und Emily und die schlafenden Kinder. Eine Zeitlang starrten sie einander nur verlegen an, er steif aufgerichtet auf dem Stuhl mit der geraden Lehne, sie groß und aufgedunsen neben dem Herd. Und sie waren beide erleichtert, als der Kessel anfing zu kochen, so daß sie etwas zu tun hatte. Sie schüttete ihm den Tee in einen weißen Becher mit verblaßtem Goldrand und schüttelte den Kopf, als er eine fragende Geste in ihre Richtung machte. Förmlich und aufmerksam stand sie hinter dem Stuhl des Pastors, während Ben den Becher umrührte. Eines der Kinder schnarchte leise.

»Was muß ich jetzt tun, *Baas*?« fragte sie.

»Wir müssen alle Informationen zusammentragen, die wir bekommen können. Du und Stanley, ihr müßt zusammenarbeiten. Versucht, jeden Menschen zu finden, der uns etwas über Jonathan oder Gordon erzählen kann. Selbst wenn es ganz und gar unwichtig erscheint, bringt es mir. Oder schick Stanley zu mir. Du bist hier, du hast Augen und Ohren hier in Soweto. Und ich werde mich mit allem, was du mir bringst, ans Werk machen.«

»Ich habe etwas für dich, *Baas*.«

»Was denn?«

Sie wartete, bis er seinen Tee ausgetrunken hatte. Dann sagte sie: »Ich weiß nicht, ob ich es dir geben kann.«

»Laß es mich sehen.«

»Es ist alles, was mir von Gordon geblieben ist.«

»Ich werde es hüten wie meinen Augapfel, was immer es ist. Das verspreche ich dir.«

Plötzlich schien sie nervös zu sein und ging erst die Tür abschließen und wandte ihm eine Weile den Rücken zu, ehe sie mit der einen Hand in den Ausschnitt griff, um etwas herauszuholen. Zögernd kam sie dann zu ihm zurück und legte es, noch warm von ihrem Körper, vor ihn auf den Tisch. Ein kleines, zerknülltes Stück Papier.

Zwei Blätter sogar, wie er entdeckte, als er sie auseinanderfaltete. Das erste war liniiert, wie eine Seite aus einem Schulheft, das andere ein Blatt Toilettenpapier. Beide waren mit einem weichen Bleistift vollgeschrieben, die Schrift vom vielen Anfassen und Zusammenfalten fast unleserlich geworden. Die Handschrift war zittrig, der Stil merkwürdig förmlich.

Was auf dem ersten Blatt stand, war leichter zu lesen:

Mein liebe Frau du mußt dir keine Sorgen um mich machen doch ich sehne mich nach dir und den Kindern und du mußt sie in der Furcht des Herrn erziehen. Ich bin hungrig und ich kann nicht verstehen was sie von mir wollen dazu wird hier zuviel geschrien aber ich glaube eines Tages bin ich wieder zuhause und ich denke die ganze Zeit an dich. Mit freundlichen Grüßen

von deinem Mann

Das Blatt Toilettenpapier war schwieriger zu entziffern:

Meine liebe Frau mein Zustand ist immer noch der gleiche (ein paar unleserliche Worte folgen) *schlimmer und zuviel Schmerzen du mußt versuchen mir zu helfen denn sie wollen nicht daß ich* (unleserlich). *Du mußt dich um die Kinder kümmern und wenn du Geld brauchst wende dich an die Kirche oder meinen* (unleserlich) *Herrn der gütig zu uns ist. Ich weiß nicht, ob ich lebend wieder nach Hause komme sie sind sehr* (unleserlich) *doch Gott wird schon dafür sorgen und du fehlst mir sehr. Versuch mir zu helfen weil*

Die Nachricht endete unvermittelt, nicht abgerissen, sondern mitten in einer Zeile, unten war noch viel Platz.

»Es steht kein Name drauf, Emily«, sagte Ben.

»Ich kenne Gordons Handschrift, *Baas*.«

»Wie bist du an diese Briefe gekommen?«

Sie zog ein Taschentuch, nahm es sorgfältig auseinander und putzte sich die Nase. Dann steckte sie es wieder fort.

»Wer hat sie dir gebracht, Emily?«

»Das kann ich dir nicht sagen.« Sie wich seinem Blick aus.

»Ich muß es aber wissen, wenn wir die Sache weiterverfolgen wollen.«

»Es ist ein Mann, den ich kenne, *Baas*. Ich darf ihn bei seiner Arbeit nicht in Schwierigkeiten bringen.«

Sofort wurde sein Argwohn wach. »Arbeitet er für die Polizei?« Sie wandte den Blick ab und deckte, was ganz überflüssig war, die Kinder anders zu.

»Emily, du mußt mit ihm darüber reden. Sage ihm, ich behalte es für mich. Aber ich muß es wissen.«

»Er kann nicht rauskommen.«

»Dann sag mir einfach seinen Namen.«

Sie zauderte, ehe sie schließlich fast grollend sagte: »Johnson Seroke.« Sie wurde augenblicklich wieder sehr aufgeregt und sagte eindringlich: »Es hat keinen Sinn, *Baas*. Er kann nicht reden.«

»Willst du ihn nicht zu mir schicken?«

Sie schüttelte den Kopf. Dann streckte sie die Hand aus und verlangte: »Es ist besser, du gibst sie mir wieder zurück.«

Ben legte die Hand auf die beiden Zettelchen auf dem Tisch. »Es geht darum, seinen Namen reinzuwaschen, Emily. Es ist die einzige Möglichkeit.«

Nach langem Zögern zog sie die Hand zurück.

»Wann hast du die Briefe bekommen?« fragte er.

»Der erste kam schon bald. Zwei, drei Tage, nachdem sie ihn fortgebracht hatten. Der andere« – sie legte vor Anstrengung die Stirn in Falten, und mit einer Hand fingerte sie an einem losen Faden ihres Kleides herum –, »der andere kam später. Kurz bevor wir die Hosen bekamen, *Baas*. Die mit dem Blut und den Zähnen.«

»Und danach?«

Sie schüttelte den Kopf. »Nein, das war der letzte.«

»Aber Emily, warum hast du mir das nicht schon längst gesagt?«

»Wenn sie von den Briefen gehört hätten, sie hätten alles nur noch schlimmer für ihn gemacht.«

»Aber nach seinem Tod hättest du es mir doch sagen können, als wir vor Gericht gingen.«

»Dann hätten sie mir die Briefe weggenommen. Ich hatte Angst, *Baas*.«

»Vielleicht wäre alles ganz anders gelaufen.«

»Nein«, erklärte sie rundheraus. »Wenn ich sie vor Gericht gezeigt hätte, hätten sie den anderen Mann wieder gerufen, und er hätte gesagt, es ist nicht Gordons Schrift.« Sie atmete tief. »Ich finde, du mußt sie mir zurückgeben, *Baas*.«

»Ich verspreche dir, daß ich sie gut aufhebe, Emily. Es wird ihnen nichts geschehen. Es könnte sein, daß sie uns noch sehr gute Dienste tun, wenn wir noch mehr Beweise finden, die zusammen mit den Briefen etwas ausrichten.« Eindringlich beugte er sich vor und legte beide Hände beschwörend auf den Tisch: »Emily, du *mußt* mit Johnson Seroke reden. Er hat dir einmal geholfen, hat dir diese Briefe gebracht. Vielleicht ist er bereit, uns noch einmal zu helfen. Es geht um Gordon und Jonathan, Emily.«

»Er wollte nicht mit mir reden. Er hat mir nur die Briefe gegeben.«

»Versprich mir, daß du wenigstens mit ihm sprichst.«

»Ich werde mit ihm sprechen, aber er wird nicht zuhören. Die Leute haben zuviel Angst, *Baas*.«

»Wenn sie vor lauter Angst den Mund halten, wird alles nur noch schlimmer. Und dann schaffen wir es nie, Gordons Namen reinzuwaschen.«

Fast schamlos wiederholte er es, wohl wissend, daß dies die einzige Möglichkeit war, zu ihr durchzudringen. Und dann, als sie anfingen, über Gordon zu reden, verlor ihr Gespräch nach und nach etwas von der Spannung; sie redeten auch über Jonathan, aber hauptsächlich über Gordon. Woran sie sich erinnerten, unwichtige Dinge, die er gesagt oder getan hatte. Offensichtlich fühlte sie sich jetzt wohler in ihrer Haut, schenkte seinen Becher nochmals voll, und sie unterhielten sich weiter über Gordon und Jonathan; und ihren zweiten Sohn, Robert, der nach Botswana geflohen war.

»Du solltest dir keine allzu großen Sorgen um ihn machen«, sagte Ben. »Jungen in seinem Alter sind oft schwierig. Meine Frau hat auch dauernd Schwierigkeiten mit unserem Sohn.«

Es wurde geradezu behaglich: ein Vater und eine Mutter, die sich über ihre Sprößlinge unterhielten. Und die Fremdheit zwischen ihnen verlor sich. Es fiel ihm jetzt leichter, sich mit Emily zu unterhalten. Gleichzeitig tauchte Gordon in einer anderen Perspektive wieder auf, als ob eine innere Linse sich auf den richtigen Brennpunkt eingestellt hätte. Ben fühlte sich auf eine andere Weise beteiligt, unmittelbarer als zuvor, persönlicher.

Er erschrak, als es klopfte. Doch Emily sagte ohne zu zögern: »Das ist Stanley«, und ging ihm öffnen.

Sofort füllte sein lärmendes Wesen den ganzen Raum, als ob das Zimmer unversehens elektrisch aufgeladen wäre, als ob überall verborgene Kräfte sich regten und plötzlich die erstaunlichsten Dinge möglich wären. Nur die Kinder schliefen die ganze Zeit über.

»Nun, wie steht's, Tante Emily? Habt ihr euch gut unterhalten?« Ohne eine Antwort zu erwarten, bot er Ben seine Schachtel *Lucky Strike* an: »Wie ist's mit einem Glimmstengel?«

»Nein, danke«, sagte Ben und griff sofort nach seiner Pfeife, ohne sie jedoch aus der Tasche zu holen.

»Tee?« fragte Emily.

»Vielen Dank, Tante, aber Tee ist zu stark für mich. Wie wär's mit einem Whisky?«

»Du weißt doch, daß ich keinen Schnaps im Haus habe«, sagte sie.

»Dann laß uns Leine ziehen«, sagte er zu Ben. »Wir können uns ja in der Kneipe einen genehmigen.«

»Ich muß morgen früh zeitig in der Schule sein, Stanley.«

Den Ärmel hochschiebend, ließ Stanley seine große goldene Uhr sehen. »Guck mal die *gampas*, Mann; es ist doch noch früh am Tag.«

»Nicht unter der Woche«, sagte Ben höflich.

»Verstehe. Das puritanische Erbe läßt sich nicht verleugnen, was?« Er lachte so laut, daß das Geschirr auf dem Sideboard schepperte. »Na schön, dann laß uns gehen. Jemand bei mir zuhause möchte dich sprechen.« Von der Tür her winkte er zurück. »Laß dich drücken, Tante Emily.«

Plötzlich waren sie wieder draußen, zurück in der Nacht, die die ganze Zeit über, während er drin gesessen hatte, weitergegangen war, als wäre die Stunde, die er in dem kleinen Haus verbracht hatte, nichts weiter als ein Zwischenspiel zwischen zwei dunkleren Akten gewesen. Sie fuhren über die mit Schlaglöchern übersäte Straße, überquerten ein Bahngeleis und rasten dann eine Strecke über schwarzes offenenes *veld*. In der Ferne sah Ben rote Flammen vom Kraftwerk durch dicke Rauchwolken züngeln. Ein paar Minuten später hielt Stanley hinter einem Haus und ging zur Küchentür voran.

Auch das Innere dieses Hauses war Ben vertraut: das buntgemusterte Linoleum und die Vitrine, die ornamentgeschmückten Teller, die Paradiesvögel auf dem Tablett, das Sofa und die Sessel mit den bunten Kissen darauf.

Die Vordertür stand halb offen. »Was ist denn mit ihm los?« fragte Stanley und trat hinaus. Ein wenig später kam er zurück und stützte einen Mann, der an seinem Hosenschlitz herumfummelte und es nicht schaffte, ihn zu schließen. Er war etwa vierzig, trug ein kariertes Hemd, eine grüne Hose und dazu eine große verzierte Gürtelschnalle; Tropfen perlten auf seinen zweifarbigen Schuhen.

»Himmelherrgott!« fluchte Stanley, war aber nicht ernstlich böse. »Hör doch bloß auf damit! Und direkt vor meiner Haustür!«

»Die Blase ist mir fast geplatzt.«

»Du säufst zuviel!«

»Was soll ich denn sonst tun?« sagte der Fremde vorwurfsvoll mit stierem Blick, als er versuchte, sich das Gesicht mit einem großen bunten Taschentuch abzuwischen. »Es bringt mich einfach um, so auf meinem Arsch rumzusitzen, Mann! Gib mir noch einen Schnaps!«

»Schlag dir den Schnaps aus dem Kopf. Das hier ist Mr. Du Toit. Ben, darf ich dir Julius Nqakula vorstellen. Der Anwalt, der die ersten eidesstattlichen Erklärungen über Jonathan und Gordon ausgefertigt hat.«

Aggressiv funkelte der Fremde ihn an.

»Mach dir nichts draus, in welchem Zustand er ist«, sagte Stanley und kicherte. »Sein Gehirn funktioniert nur, wenn er voll ist. Mit seinem Kopf ist alles in Ordnung.« Er ließ Julius auf einen Stuhl niedergleiten, wo dieser in sich zusammengesunken und die Beine weit über das Linoleum gespreizt sitzen blieb. Durch halb geschlossene Lider starrte er Ben mißmutig an, während Stanley Whisky für alle drei einschenkte.

»Was macht er hier?« fragte Julius Nqakula, nachdem er die Hälfte seines Glases auf einmal gekippt hatte, und wandte die Augen nicht von Ben.

»Ich hab' ihn wegen dieser Gordon-Sache hergebracht«, sagte Stanley unbekümmert und nahm mit seinem massigen Körper auf einem kleinen Sofa mit lächerlich dünnen Beinen Platz.

»Gordon ist tot. Er gehört zu uns. Was hat dieser *mugu* mit ihm zu schaffen?«

Ben war erbost. Am liebsten wäre er hinausgegangen, ließ sich jedoch durch eine Geste von Stanley davon abhalten, der ein selbstgefälliges Grinsen aufgesetzt hatte.

»Du würdest es nicht glauben, wenn du ihn dir so ansiehst«, sagte Stanley, »aber dieser Saufbold war mal einer der erfolgreichsten Anwälte hier in den *townships*. Als sie voriges Jahr nach den Unruhen all die Jugendlichen vor Gericht stellten, hat er Tag und Nacht geschuftet, um sie freizubekommen. Hunderte von Fällen, sag' ich dir. Aber dann haben sie ihn mit Berufsverbot belegt, gleich nachdem er die eidesstattlichen Erklärungen für Gordon ausgefertigt hatte. Deshalb mußte er seine Kanzlei aufgeben, und jetzt tut er nichts anderes, als sich mit dem Schnaps anderer Leute vollaufen zu lassen.«

Julius Nqakula sah nicht sehr beeindruckt aus.

Unvermittelt wandte Stanley sich ihm zu: »Hör zu!« sagte er. »Ben will, daß wir in der Gordon-Sache weitermachen.«

»Er ist Weißer«, versetzte Julius bissig, funkelte Ben an und ließ einen seiner Schuhe in die Höhe wippen.

»Das Sonderdezernat hat Gordons wegen eine Haussuchung bei ihm vorgenommen.«

»Deshalb ist er immer noch ein Weißer.«

»Er kann Stellen erreichen, wo wir nicht hinkommen.«

»Ja und?«

»Und wir kommen an Stellen, wo er nicht hinkommt. Was hältst du davon: Tun wir uns mit ihm zusammen?«

»Ich sage, er ist ein Weißer, und ich traue ihm nicht.«

Bis jetzt hatte Ben seinen Zorn im Zaum gehalten; doch jetzt weigerte er sich, es noch weiterhin zu tun. »Jetzt soll ich wohl sagen: ›Du bist ein Schwarzer, und ich traue dir nicht?‹, oder?« entfuhr es ihm, und er knallte sein Glas auf den niedrigen Couchtisch. »Meinst du nicht, es ist an der Zeit, daß wir mit diesem Unsinn aufhören, der uns nicht weiterbringt?« Er wandte sich an Stanley. »Ich begreife wirklich nicht, wie du von ihm irgendwelche Hilfe erwarten kannst. Siehst du denn nicht, daß sie seinen Geist gebrochen haben?«

Zu seiner größten Verwunderung verzog Julius Nqakulas knochiges Gesicht sich langsam zu einem Grinsen. Er schüttete den Rest seines Whiskys in sich hinein, einen gurgelnden Laut in der Kehle, und wischte sich mit dem Ärmel den Mund ab. »Sag das noch mal!« sagte er fast anerkennend. »Daß irgend jemand *mich* brechen kann!«

»Warum hilfst du uns dann nicht?« sagte Ben. »Um Gordons willen!«

»Ach, ihr weißen Liberalen!« sagte Julius. »Schenk ein, Stanley.«

Ein unsinniger, atavistischer Zorn wallte in Ben auf, so wie damals, als er den Amtsarzt in seiner Praxis aufgesucht hatte. »Ich bin kein Scheiß-Liberaler«, sagte er wütend. »Ich bin Bure, bin Afrikaner.«

Stanley füllte sich und Julius das Glas randvoll nach; schweigend saßen sie da und sahen Ben an.

Schließlich fragte Stanley: »Nun, wie sieht's aus, Julius?«

Julius grunzte und lächelte bedächtig, anerkennend. »Ach, er ist in Ordnung«, sagte er. Dann setzte er sich bequemer hin, stützte die Ellbogen auf die Knie, so daß sein Hinterteil über den Rand des Stuhls hing. »Worauf willst du hinaus?« fragte er.

»Hauptsache ist, daß wir alles ans Licht holen, was sie vertuschen wollen. Bis wir genug in der Hand haben, um den Fall wiederaufzurollen. Wir dürfen keine Ruhe geben, bis wir sicher sind, daß wir alles haben. Damit die Schuldigen bestraft werden und die Welt sieht, was geschehen ist.«

»Du hast also Hoffnung?« sagte Julius.

»Willst du uns helfen oder nicht?«

Julius lächelte träge. »Womit fangen wir am besten an?« fragte er.

»Mit deinen eidesstattlichen Erklärungen über Jonathan.«

»Nichts zu machen. Die sind beschlagnahmt worden, als sie Gordon holten.«

»Hast du denn keine Kopien aufgehoben?«

»Bei mir haben sie auch Haussuchung gemacht, Mann.«

»Dann müssen wir versuchen, die Leute wieder aufzutreiben und sie dazu bringen, daß sie ihre Aussagen wiederholen.«

»Die Krankenschwester ist dermaßen verängstigt, daß sie nie wieder etwas schriftlich von sich gibt. Und dieser Phetla ist ab nach Botswana.«

»Nun«, sagte Stanley gutmütig, »du hast ja sowieso nichts mehr zu tun. Spür sie also auf und bring sie dazu, ihre Aussage zu wiederholen.«

»Ich hab' Berufsverbot und darf nicht weg.«

»Aber du brauchst doch nicht nur auf deinem Arsch rumzusitzen.«

Stanley stand auf. »Überleg's dir. Ich bring' den *Lanie* inzwischen nach Hause. Sonst macht ihm seine Alte noch die Hölle heiß.«

»Übrigens«, sagte Julius immer noch lässig vornübergeneigt. »Johnny Fulani ist gestern bei mir gewesen.«

»Wer ist Johnny Fulani?« fragte Ben.

»Einer von den Inhaftierten, deren Aussagen beim Ermittlungsverfahren verlesen wurden. Weißt du noch? Als Archibald Tsabalala gegen sie aussagte, beschlossen sie, die anderen drei nicht vorzuladen. Um die Sicherheit des Staates nicht zu gefährden. Jetzt haben sie Johnny Fulani entlassen.«

»Und was hat er gesagt?«

»Was glaubst du wohl? Sie haben ihn unter Druck gesetzt, bis er unterschrieben hat.«

»Klar. Dann holst du dir von ihm auch eine eidesstattliche Erklärung.«

»Die hab' ich schon.«

Ben lächelte. »Gut! Läßt du mir durch Stanley eine Kopie zukommen? Ich heb' sie in einem sicheren Versteck auf.«

»Und wenn sie nochmals Haussuchung bei dir machen?«

»Keine Sorge, daran hab' ich schon gedacht«, sagte Ben. »Ich hab' ein Versteck gemacht, das sie niemals finden.«

Julius schob sich von seinem Stuhl und reichte Ben die Hand.

»Und jetzt laß meinen Schnaps in Ruhe, Julius«, sagte Stanley und bemühte sich, ein besonders drohendes Gesicht zu machen.

Auf der Rückfahrt in dem wackligen alten Dodge fragte Ben: »Warum hast du mich mit Julius bekannt machen wollen?«

»Weil wir ihn brauchen.«

»Jeder andere Anwalt hätte es doch auch getan.«

Stanley lachte. »Ich weiß. Aber für Julius war das Berufsverbot ein Schlag unter die Gürtellinie. Das macht ihn fertig. Jetzt geben wir ihm was zu tun, und damit kommt er wieder auf die Beine.« Ein unbekümmertes, zufriedenes Lachen. »*Lanie*, warte nur ab! Ich hab' so das Gefühl, daß wir noch ein sehr, sehr langes Stück Weg zusammen zurücklegen werden. Und auf diesem Wege werden wir viele Leute auftun, bis wir auf der anderen Seite landen. Und dann werden wir so viele sein, daß sie nicht mehr imstande sind, uns zu zählen. Eine beachtliche Mehrheit.« Den Rest der Heimfahrt über saß er da, sang und trommelte mit den Fingern ans Dach, um den Rhythmus zu halten.

Sonntag, den 15. Mai. Wieder zu Melanie. War wohl unvermeidlich. Ich brauchte sie ja wirklich für die Nachforschungen, und sie hatte gesagt, sie würde helfen. Gleichzeitig erfüllte mich so etwas wie Beklommenheit. Unmöglich, nicht nur eine Helferin in ihr zu sehen. Was dann?

Wäre ungerecht, ihr gegenüber anzudeuten, daß ich mich durch sie bedroht fühle. In meiner Existenz als Mann in mittleren Jahren, in meinen Mittelschicht-Wertvorstellungen. Lehrer. Kirchenältester. ›Geachtetes Mitglied der Gesellschaft.‹ Was wird aus mir?

Andererseits – oder versuche ich jetzt, es rational zu erklären? – bietet sie mir Trost. Gibt mir mein Selbstvertrauen wieder. Ermutigt mich. Was genau? Das erstemal geschah es rein zufällig, ohne jede Berechnung, in aller Unschuld. Wäre es besser gewesen, es dabei zu belassen? Die Einzigartigkeit der Erfahrung nicht zu gefährden? Es gibt Augenblicke, die man um ihrer selbst willen niemals zu wiederholen versuchen sollte. Plötzlich ist ein Muster entstanden, sind da Erwartungen, Möglichkeiten, Hoffnungen. Sinnlos, Mutmaßungen anzustellen. Es ist zu spät. Ich *bin* wieder hingegangen…

Warum sollte das mich mit Unbehagen erfüllen? Vielleicht die Umstände. Dieses Wochenende. Selbst jetzt glauben sie, ich hätte mich in mein Arbeitszimmer zurückgezogen, um mich auf den Unterricht für morgen vorzubereiten. »An einem Sonntag!« protestierte Susan.

Sie ist seit meiner Rückkehr von Stanley am Donnerstag abend unausstehlich gewesen. »Du riechst wie eine Negerhütte.« – »Du hast wieder getrunken.« – »In was für Löcher bist du jetzt wieder gekrochen?« Wie damals in Krugersdorp, wenn ich die Eltern meiner Schüler aufsuchte. Das konnte sie nicht ertragen. Diesmal noch schlimmer. Soweto. Wenn ich fair bin, muß ich allerdings zugeben, daß es für sie wie ein Schock war. Sie hatte ehrlich geglaubt, das sei nun alles vorbei. Macht sich Sorgen und nicht notwendigerweise nur um sich selbst. Der Besuch des Sonderdezernats hat sie geistig fast gebrochen. Ist schon zweimal beim Arzt gewesen. Nerven, Migräne, Beruhigungsmittel. Muß rücksichtsvoller sein. Wenn sie nur einen Versuch gemacht hätte zu verstehen!

Um alles noch schlimmer zu machen, ist auch noch Suzette samt Familie übers Wochenende herübergekommen.

Trotzdem war alles noch einigermaßen in Ordnung, bis Samstag morgen. Machte mit Suzettes kleinem Hennie einen Spaziergang. Patschte in jede Pfütze, spielte im Schlamm wie ein kleines Ferkel, redete ununterbrochen. »Weißt du, Grandpa, der Wind hat sich auch erkältet. Ich hab' in der Nacht gehört, wie er schniefte.«

Dann machte Suzette einen Riesenaufstand, weil ich zugelassen hatte, daß er sich so schmutzig machte. Ich übe einen »unerwünschten Einfluß« auf das Kind aus, bringe ihm schlechte Manieren bei und so weiter. Da bin ich gleichfalls aus der Haut gefahren. Sagte ihr, sie habe einen schlechten Einfluß auf das Kind, wo sie doch dauernd unterwegs sei, sich herumtreibe und den armen Jungen vernachlässige. Das machte sie fuchsteufelswild. »Wie kommst du dazu, von dauernd unterwegs sein zu reden? Mum hat mir erzählt, sie sieht dich kaum noch zu Hause.«

»Du weißt nicht, wovon du redest, Suzette.«

»Willst du es etwa leugnen? Was ist denn mit dieser Kumpanei mit den Schwarzen in den *townships*? Du solltest dich schämen!«

»Ich habe keine Lust, über meine Angelegenheiten mit dir zu reden, wenn du diesen Ton anschlägst.«

Sie war wütend. Eine schöne Frau, sieht ihrer Mutter wie gespuckt ähnlich, besonders, wenn sie einen Koller hat. »Du solltest jedenfalls wissen, daß wir deshalb überhaupt übers Wochenende rübergekommen sind«, sagte sie. »Um einmal offen mit dir über alles zu reden. So kann es doch nicht weitergehen. Chris verhandelt in diesem Augenblick über ein neues Projekt mit dem Provincial Council. Möchtest du, daß sie alles abblasen und den Auftrag zurückziehen? So was ist ansteckend, weißt du!«

»Das klingt ja so, als ob es eine Krankheit wäre.«

»Richtig. Ich frage mich manchmal, ob irgendwas mit dir nicht stimmt. Eine solche Freundschaft mit Schwarzen hat es in unserem Hause früher nie gegeben.«

Chris war, wie gewöhnlich, viel vernünftiger. Er war immerhin bereit zuzuhören. Ich glaube, er sieht ein, daß man die Sache mit Gordon nicht einfach auf sich beruhen lassen kann, auch wenn er vielleicht nicht billigt, was ich tue: »Ich respektiere deine Gründe, Dad. Aber die Partei ist dabei, die Leute auf größere Veränderungen vorzubereiten. Und wenn diese Sache einen neuen Aufstand zur Folge hat, bringt das nur Sand ins Getriebe. Die ganze Welt ist bereit, uns an die Gurgel zu gehen; wir dürfen ihnen doch nicht in die Hände spielen. Wir Afrikaner haben im Augenblick einen schweren Stand, wir sollten alle zusammenhalten.«

»Soll das heißen, daß wir deiner Meinung nach eine Mauer errichten und jedes Anzeichen von Bösem decken sollten, so wie ein Rugby-Team einen Mann beschützt, der auf dem Spielfeld die Hosen verloren hat?«

Chris lachte. Er hat seinen Sinn für Humor noch nicht verloren. Doch dann sagte er: »Wir müssen die Sache unter uns in Ordnung bringen, Dad. Wir dürfen es doch nicht für die Augen der ganzen Welt sichtbar machen!«

»Wie lange sind diese Dinge jetzt im Gange, Chris? Und bis jetzt ist noch nichts in Ordnung gebracht worden.«

»Du darfst keine allzu schnellen Ergebnisse erwarten.«

»Tut mir leid, Chris. Aber für mich mahlen die Mühlen heutzutage allzu langsam.«

»Du wirst noch selbst zwischen die Mühlsteine geraten, wenn du nicht aufpaßt.«

Wäre Suzette in diesem Augenblick nicht gekommen und hätte sie nicht angefangen, sich einzumischen – möglich, daß wir zu einer Einigung gekommen wären. Ich weiß, daß er es gut meint. Aber nach all den Spannungen, die seit Donnerstag abend im Hause herrschen, konnte ich einfach nicht mehr. Und so bin ich nach dem Mittagessen weggefahren.

Selbst da habe ich mich nicht bewußt nach Westdene aufgemacht. Ich bin einfach losgefahren, um mich zu beruhigen. Die stillen sonntagnachmittäglichen Straßen. Zum erstenmal ist mir das unter die Haut gegangen. Die Männer und Frauen im weißen Dreß auf den Tennisplätzen. Die grünen Kricketrasen. Die schwarzen Nannies in weißer Uniform, die die Kinderwagen über die Rasenflächen schoben. Die Männer, die mit nacktem Oberkörper ihr Auto wuschen. Die Frauen mit Lockenwicklern im Haar beim Blumengießen. Die Gruppen von Schwarzen, die an den Straßenecken hockten oder lagen, sich unterhielten und lachten. Die träge Stille der Sonne, kurz bevor die Kälte einsetzt.

Und dann war ich wieder auf der hügelan führenden Straße; vor dem alten Haus mit der gewölbten Veranda und dem roten *stoep*. Ich fuhr dran vorbei, wendete und fuhr wieder hinunter. Nach ein, zwei Kilometern hielt ich den Wagen an, um zu überlegen. Warum nicht? Es war doch nichts weiter dabei. Ja, es war sogar höchst wünschenswert, wenn nicht gar dringlich geboten, die Möglichkeit des weiteren Vorgehens mit ihr zu besprechen.

Im ersten Augenblick hielt ich ihn für einen schwarzen Gärtner, der neben einem Blumenbeet in der Hocke saß und Unkraut zupfte. Verdreckte Kordhose, schwarze Baskenmütze mit einer Perlhuhnfeder daran, Khaki-Hemd, Pfeife im Mund und die schmutzigsten, lehmverkrusteten Schuhe, die ich je gesehen habe; er trug sie ohne Schnürsenkel und ohne Socken. Es war ihr Vater, der alte Professor Phil Bruwer.

»Nein, tut mir leid«, brummelte er, als ich ihn ansprach. »Melanie ist nicht zu Hause.«

Seine wilde weiße Mähne mochte schon seit Monaten keinen Kamm mehr gesehen haben. Kleiner Spitzbart mit braunen Nikotinflecken. Die Gesichtshaut dunkel und gegerbt wie altes Leder, wie ein alter, abgelegter Schuh, und zwei blitzende dunkelbraune Augen, die unter buschigen Augenbrauen halb verschwanden.

»Dann hat es wohl keinen Zweck zu bleiben«, sagte ich.

»Wie heißen Sie?« fragte er, immer noch am Beet hockend.

»Du Toit. Ben Du Toit. Ich habe Melanie erst neulich kennengelernt.«

»Ja, sie hat von Ihnen erzählt. Tja, warum warten Sie nicht eine Weile. Vielleicht bleibt sie nicht lange. Sie ist nur schnell in die Redaktion gefahren, um irgendwas zu erledigen. Warum helfen Sie mir nicht ein bißchen beim Unkrautjäten? Ich war eine Zeitlang im Magaliesberg, und jetzt ist mein Garten eine Schande. Melanie kann zwischen Unkraut und Blumen nicht unterscheiden.«

»Was für Pflanzen sind das denn?« fragte ich, um die Unterhaltung in Gang zu halten.

Spöttisch-vorwurfsvoll sah er mich an. »Was soll nur noch aus der Welt werden? Das sind Kräuter, sehen Sie das denn nicht?« Er fing an, mir die einzelnen Kräuter zu zeigen: »Thymian, Majoran, Fenchel, Salbei. Das da drüben ist Rosmarin.« Er richtete sich auf, um den Rücken zu recken. »Aber irgendwie schmecken sie nicht richtig.«

»Sie scheinen doch aber gut zu gedeihen.«

»Das allein genügt nicht.« Er machte sich daran, seine Pfeife zu reinigen. »Hat irgendwas mit dem Boden zu tun. Thymian sollte man in den

Bergen Südfrankreichs erleben. Oder in Griechenland. Auf Mykonos. Das ist wie mit den Reben, verstehen Sie. Kommt drauf an, ob es sich um einen Südhang oder einen Nordhang handelt, und wie steil er ist, wie sehr die einzelnen Rebstöcke von Schildläusen befallen sind und vielen anderen Dingen mehr. Nächstesmal möchte ich gern einen kleinen Beutel vom Berg des Zeus mitbringen. Vielleicht macht es die Heiligkeit des alten Herrn.« Er grinste und ließ seine ungleichmäßigen, gelbverfärbten Zähne sehen, von denen viele nur noch Stummel waren. »Eines wird mir offensichtlich immer klarer, je älter ich werde: Je mehr man sich mit Philosophie und solchen Sachen befaßt, mit transzendentalen Dingen, mit um so größerer Gewißheit wird man zurückgeworfen auf die Erde. Alle müssen wir mal zu den Erdgöttern zurückkehren. Das ist das Problem von Leuten, die hinter Abstraktionen herjagen. Hat mit Platon angefangen. Wohlgemerkt, er wird auf erschreckende Weise mißverstanden. Trotzdem ist mir Sokrates in jedem Fall lieber. Wir alle leben im Banne des Abstrakten. Hitler, die Apartheid, der große Amerikanische Traum, was Sie wollen.«

»Und was ist mit Jesus?« fragte ich irgendwie mit Bedacht.

»Mißverstanden«, sagte er. »*Et verbum caro factum est.* Wir laufen hinter dem *verbum* her und vergessen darüber das Fleisch. ›Unsere Leiber, die uns erst gegeben.‹ Diese Metaphysiker wußten wirklich, was Sache ist. Man muß dafür sorgen, daß man mit beiden Beinen auf der Erde steht, und mit den Händen auch nicht den Kontakt mit dem Boden verliert.«

Ich schreibe aufs Geratewohl auf, was mir von seinem Monolog im Kopf geblieben ist, denn er redete die ganze Zeit über, während er im Garten herumpütscherte, Unkraut jätete und die Blumen begoß, Laub zusammenrechte, nach Würmern grub, etliche Pflanzen geradebog und andere von vertrockneten Blättern befreite. Alles, was er sagte, war von einer unwiderstehlichen Wärme erfüllt.

»Wissen Sie, als unsere Vorfahren sich abschufteten, um in diesem Land Fuß zu fassen, war das ein gutes Leben. Aber dann waren wir von dieser Vorstellung besessen, sobald wir alles fest in Händen hätten, müßten wir anfangen, Blaupausen und Systeme für die Zukunft auszuarbeiten. Jetzt sehen Sie mal, was wir angerichtet haben. Alles ist nur noch starres System, von Gott keine Spur. Früher oder später fangen die Menschen an zu glauben, ihre Art zu leben sei ein Absolutum: etwas Unveränderliches, Fundamentales, Grundsätzliches. Hab' ich in den dreißiger Jahren in Deutschland selber erlebt. Ein ganzes Volk, das blind der Großen Idee nachrannte. *Sieg heil, Sieg heil!* Das läßt mich manchmal nicht schlafen. Ich meine, ich bin dort '38 weggegangen, weil ich es nicht mehr aushalten konnte. Und jetzt muß ich erleben, wie in meinem eigenen Land Schritt um Schritt das gleiche passiert. Erschrekkend vorhersehbar. Diese Krankheit, die da Große Abstraktion heißt. Wir müssen zum Physischen zurück, zurück zu Knochen und Fleisch und Erde. Die Wahrheit ist nicht in Form eines Wortes vom Himmel gefallen. Sie geht nacktärschig einher. Oder wenn wir in Worten darüber sprechen müssen, dann ist es das Wort so eines verdammten Stammlers wie Moses. Jeder von uns stammelt und stottert sein eigenes Bißchen an Wahrheit heraus.«

Ein merkwürdiges Detail: nicht sehr schicklich, tut mir leid, aber es gehörte genauso zu Phil Bruwer wie seine verfleckten Zähne, seine Drecksschuhe oder sein trockenes Gekicher. Ich spreche von seiner Furzerei. Es schien bei ihm so zu sein, daß jeder Gedankenwechsel, jede neue Richtung, die sein Denken einschlug, und alles, was er besonders betonen wollte, durch einen Furz unterstrichen werden mußte. So ungehörig es auch sein mag, er ist darin genauso ein Virtuose wie ein Posaunist. Das ging etwa folgendermaßen:

»Die Regierung behandelt die Wählerschaft, als wäre sie ein verdammter Esel. Möhre ins Maul und Tritt in den Hintern. Die Möhre, das ist die Apartheid, ein Dogma, die Große Abstraktion. Und der Arschtritt ist ganz einfach Furcht. Die Schwarze Gefahr, die Rote Gefahr, wie immer Sie es nennen wollen.« Knatternder Furz. »Furcht kann ein großartiger Verbündeter sein. Ich erinnere mich, daß ich vor Jahren mal eine Fahrt an den Okawange gemacht habe, um dort Pflanzen zu sammeln; ein ganzer Zug von Trägern folgte mir. Etwa nach der ersten Woche wurden sie träge und blieben weiter und weiter zurück. Wenn ich etwas nicht ausstehen kann, dann ist es Trödelei im Busch. Dann folgte uns ein Löwe. Es war ein trockenes Jahr, und das meiste Wild war fortgezogen, doch dieser alte Löwe war zurückgeblieben. Bekam unsere Witterung. Was nicht besonders schwierig gewesen sein dürfte, denn nach wenigen Wochen im Busch stinkt man zum Himmel. Aber wie dem auch sei, während der paar Tage, die uns der Löwe folgte, hatte ich keine Schererein mit den Leuten, daß sie zurückblieben oder einfach ausstiegen. Die Träger setzten sich sogar in Trab, um mit mir Schritt zu halten. Ein verdammt nützlicher Löwe war das.« Furz.

Als im Garten nichts mehr zu tun war, gingen wir hinein, in die Küche. Dort herrschte eine genauso große Unordnung wie im Wohnzimmer. Es gab zwei Herde, einen elektrischen und einen ziemlich alten, traurigen schwarzen Kohleofen. Er bemerkte, wie ich ihn ansah.

»Melanie ist es gewesen, die mich überredet hat, dieses weiße Ungeheuer anzuschaffen«, sagte er. »Sagte, er würde vieles erleichtern. Aber für meine eigene Kocherei habe ich den alten behalten. Nicht jeden Tag, aber wenn ich Lust dazu habe.« Furz. »Eine Tasse Tee?« Ohne die Antwort abzuwarten, nahm er einen blauen Emailkessel vom Kohleofen und schenkte uns Busch-Tee in altmodische, angestoßene Delfter Tassen ohne Untertassen und tat dann einen Löffel Honig in jede Tasse. »Den Honig hat der Herrgott selbst zum Süßen bestimmt – das einzig wahre Lebenselixier. Nur ein einziger Mann ist nach dem Honiggenuß jung gestorben, und das war Samson. Aber er war selbst schuld daran. *Cherchez la femme.*« Furz. »Dabei hätte aus der armen Seele ein guter, heiligmäßiger Mann werden können, wäre nicht diese kleine Philister-Nutte gewesen.« Wir saßen am Küchentisch mit dem rot-weiß karierten Wachstuch darauf und tranken den süßen, duftenden Tee. »Nicht, daß ich irgendwelchen Ehrgeiz in Richtung Heiligkeit hätte«, fuhr er glucksend fort. »Dazu bin ich wohl schon viel zu alt. Ich bereite mich auf einen langen, friedlichen Schlaf in der Erde vor. Eines der befriedigendsten Dinge, die ich mir vorstellen kann, verstehen Sie. Sich langsam in Kompost zu verwandeln, Humus zu werden, Würmer fett zu machen und Pflanzen zu nähren und den Kreislauf des Lebens in Gang zu halten. Das ist die einzige Form von Ewigkeit, auf die ich hoffen darf.« Furz. »Zurück zu Pluto und seinen Granatäpfeln.«

»Sie müssen ein sehr glücklicher Mensch sein.«

»Warum auch nicht? Ich hab' im Leben von allem etwas gehabt, vom Himmel bis zur Hölle. Und jetzt habe ich noch Melanie, und das ist mehr, als ein alter Sünder wie ich sich erhoffen dürfte.« Furz. »Ich habe lange genug gelebt, um Frieden mit mir selbst zu machen. Wohlgemerkt, nicht mit der Welt.« Sein trockenes Kichern, wie zuvor. »Bin nie so tief gesunken, der Welt restlos zu verfallen. Aber mit mir selbst habe ich Frieden geschlossen. Dem eignen Ich bla bla, selbst wenn es ein alter Kacker wie Polonius gewesen ist, der das gesagt hat. Selbst Kackern pflanzt Gott seine bescheidenen Wahrheiten ein.« Und dann fing er an, über Melanie zu reden – wobei er diese Richtungsänderung nur ganz leise betonte. »Reiner Zufall, daß sie überhaupt das Licht der Welt erblickt hat«, sagte er. »Wahrscheinlich war ich nach dem Krieg, immerhin habe ich drei Jahre in einem von Hitlers Lagern verbracht, so stinkwütend auf ihn, daß ich mich in das erste jüdische Mädchen verliebte, das mir unter die Augen kam. Ein bezauberndes Mädchen übrigens. Aber vermutlich hatte ich mir da ein bißchen zuviel vorgenommen, die ganze Welt zu retten, indem ich sie heiratete. War ein schlimmer Fehler. Man sollte sich nie vornehmen, die Welt zu retten. Die eigene Seele und vielleicht noch ein oder zwei andere sind mehr als genug. Ja, und da saß ich mit Melanie da, nachdem meine Frau wieder abgeschwirrt war. Verstehen Sie, die arme Frau fühlte sich unter uns Buren so fremd – was blieb ihr da anderes übrig, als wegzulaufen? Wenn ich nur denke, daß ich ihr auch noch Vorwürfe gemacht habe, mich mit einem ein Jahr alten Baby sitzenzulassen! Man unterschätzt die wundersamen Wege, in denen Gott uns sein Erbarmen zeigt.« Wieder konnte er der Versuchung nicht widerstehen, das Gesagte mit einem kurzen trockenen Furz zu unterstreichen. Was er erzählt hatte, erklärte Melanies reizvoll semitisch-sulamithisches Aussehen, ihr schwarzes Haar und die dunklen Augen.

»Sie hat mir gesagt, sie hätte Sie bei dem Ermittlungsverfahren über den Tod dieses Ngubene kennengelernt?« sagte er, als ob er jetzt, nachdem er den ganzen Bereich abgesteckt hatte, seinen Angriff gezielter auf etwas richtete. Nur, daß es sich selbstverständlich nicht um einen Angriff handelte.

»Ja. Wäre sie nicht gewesen…«

Er glückste anerkennend und fuhr sich mit seiner schmutzigen Hand durch die wilde weiße Mähne. »Sehen Sie mich an. Jedes einzelne Haar auf meinem Kopf ist ihretwegen grau geworden. Dabei wollte ich nicht eines missen. Sie haben auch eine Tochter?«

»Zwei.«

»Hm.« Seine durchdringenden, leicht lachenden Augen sahen mich forschend an. »Sie sehen aber nicht allzu mitgenommen aus.«

»Das zeigt sich nicht immer äußerlich«, sagte ich scherzend.

»Nun, wie sieht der nächste Schritt aus?« fragte er, und das kam so plötzlich, daß ich eine Weile brauchte, ehe ich begriff, daß er zur Ermittlung zurückgekehrt war.

Ich erzählte ihm, was bis jetzt geschehen war: Dr. Herzog. Emilys Briefe. Der geheimnisvolle Johnson Seroke, der sie ihr gebracht hatte. Stanleys Freund, der Rechtsanwalt. Ich atmete geradezu auf, nachdem zu Hause so auf mir herumgehackt worden war, endlich frei von der Leber weg reden zu können.

»Nicht einfach, was Sie sich da vorgenommen haben«, lautete sein Kommentar.

»Mir bleibt keine andere Wahl.«

»Selbstverständlich haben Sie eine Wahl, verdammt nochmal. Man hat immer eine Wahl. Machen Sie sich nichts vor. Aber seien Sie dankbar, daß Sie sich für diesen Weg entschieden haben. Kein besonders origineller Gedanke, wie ich zugebe. Camus will ja nichts weiter sagen, als: Halten Sie die Augen offen: Ich erinnere mich...« Jetzt kommt wieder ein Furz, dachte ich, und er sollte mich auch nicht enttäuschen. Glücklicherweise riß er gleichzeitig ein Streichholz an, um seine ausgegangene Pfeife wieder zum Brennen zu bringen. »Ich erinnere mich an einen Fußmarsch durch den Tsitsikama-Wald vor ein paar Jahren. Stieß an der Mündung des Storms River an die Küste und überquerte ihn auf der wackligen Hängebrücke. Es war ein stürmischer Tag, ein schrecklicher Wind; man konnte es schon mit der Angst kriegen, wenn man es nicht gewohnt war. Vor mir ging ein mittelalterliches Ehepaar, nette, biedere Leute aus dem Ferienlager. Der Mann ging voran, seine Frau folgte ihm auf dem Fuß. Und damit meine ich: buchstäblich auf dem Fuß. In Todesangst. Hielt sich die Hände wie Scheuklappen neben die Augen, um von der schwankenden Brücke und dem tosenden Wasser nichts zu sehen. Da zogen sie durch eine der hinreißendsten Landschaften auf der ganzen Welt, und das einzige, was sie sah, waren die paar Handbreit vom Rücken ihres Mannes. Deshalb sage ich Ihnen: Halten Sie die Augen offen! Passen Sie auf, daß Sie auf der Brücke bleiben. Aber lassen Sie sich um Gottes willen nicht das Panorama entgehen.«

Plötzlich, mitten in seiner unberechenbaren verbalen Diarrhoe, als wir gerade unsere zweite oder dritte Tasse Busch-Tee tranken, war sie da. Ich hatte sie nicht kommen hören – keinen Laut. Doch als ich aufblickte, stand sie einfach da. Klein, zart, wie ein halbwüchsiges Mädchen, kaum eine Andeutung von Brüsten unter dem T-Shirt, das schwarze Haar im Nacken zusammengebunden. Kein Make-up, höchstens ein Hauch von irgend etwas um die Augen. Die Andeutung von Spannung und Müdigkeit im Gesicht. Auf der Stirn, neben den Augen, um den Mund herum. Wie beim erstenmal die beunruhigende Entdeckung eines Menschen, der vom Leben mehr gesehen hat, als gut für ihn sein könnte. Ihre Augen hatte es jedoch nicht getrübt. Oder sind meine

Normen wirklich sehr altmodisch?

»Hallo, Dad.« Sie küßte ihn und bemühte sich vergebens, sein unge-bärdiges Haar zu glätten. »Hallo, Ben. Schon lange hier?«

»Wir haben mehr als genug zu reden gehabt«, sagte Professor Bru-wer. »Eine Tasse Busch-Tee?«

»Ich werde mir etwas Gepflegteres machen.« Während sie Wasser für den Kaffee aufsetzte, blickte sie über die Schulter zu mir herüber. »Ich wollte dich nicht warten lassen.«

»Wie hättest du wissen sollen, daß ich hier bin?«

»Ganz unerwartet kommt das nicht.« Sie nahm einen Becher aus dem Schrank. »Du hast, scheint's, eine arbeitsreiche Woche hinter dir.«

War es wirklich erst eine Woche her, daß ich das erstemal mit ihr hiergewesen war; jener Spätnachmittag und Abend mit den Katzen im Vorderzimmer, sie barfuß mit angezogenen Beinen in dem großen Ses-sel?

»Woher weißt du von meiner ›arbeitsreichen‹ Woche?« fragte ich überrascht.

»Ich habe gestern mit Stanley gesprochen.« Sie stellte ihren Becher auf den Tisch und setzte sich zu uns. »Ben, warum hast du mich nach der Haussuchung nicht angerufen? Das muß doch eine schreckliche Erfah-rung für dich gewesen sein?«

»Man lernt zu überleben.« Eigentlich hatte ich das unbekümmert sa-gen wollen, doch als es herauskam, klang es anders; ich war mir eines Gefühls der Befreiung bewußt.

»Das freut mich. Wirklich.«

Das leichte Schlürfen, als sie an ihrem heißen Kaffee nippte. Ein zarter Schaumrand an den Lippen. Der alte Mann blieb eine Weile bei uns und beteiligte sich auch an unserer Unterhaltung, aber nicht so dominierend wie zuvor, als ob das Bedürfnis danach zeitweilig aufgehoben worden wäre. Dann setzte er die Baskenmütze auf und ging ohne Umstände hin-aus. Viel später – er muß ums Haus herumgegangen sein, denn wir beka-men ihn nicht wieder zu sehen – hörten wir ihn im Vorderzimmer Kla-vier spielen. Der Flügel hatte einen etwas flachen Klang, wahrscheinlich war er seit Jahren nicht gestimmt worden; das Spiel selbst kam mühelos, überzeugend und fließend. Bach, glaube ich. Eines jener Stücke, die endlos weitergehen, wie die Rede des alten Mannes, mit komplizierten Variationen und doch klar und präzise in seiner Vielstimmigkeit. Mela-nie und ich blieben am Küchentisch sitzen.

»Stanley hat mir gesagt, du hättest dich entschlossen, Gordons Fall weiterzuverfolgen.«

»Ich muß es.«

»Das freut mich. Ich war überzeugt, daß du es tun würdest.«

»Hilfst du mir?«

Sie lächelte. »Das habe ich dir doch schon gesagt, oder?« Einen Moment sah sie mich forschend an, als wolle sie sichergehen, daß ich es ernst meinte. »Ich habe bereits einige meiner Kontakte angezapft. Ehrlich gesagt, hatte ich gehofft, schon etwas in Händen zu haben, wenn du kämest. Aber sie sind alle schrecklich verschlossen. Man muß sehr vorsichtig sein.« Sie schüttelte ihr Haar zurück. »Aber ich glaube, ich bin da etwas auf der Spur. Deshalb bin ich auch so spät wiedergekommen. Dad dachte, ich wäre in die Redaktion gefahren, aber ich war in Soweto.«

»Aber das ist gefährlich, Melanie!«

»Oh, ich finde mich schon zurecht. Und ich bin sicher, sie erkennen meinen kleinen Mini auf Anhieb.« Ein flüchtiges schiefes Lächeln. »Allerdings muß ich zugeben, es hat heute eine verdammt kipplige Situation gegeben.«

Allein die Unbekümmertheit, mit der sie das sagte, bewirkte, daß sich mir das Herz zusammenzog. »Was ist passiert?«

»Nun, auf der Rückfahrt, mitten auf dem offenen *veld*, zwischen Jabulani und Jahavu, hatte ich einen Platten.«

»Und dann?«

»Ich habe den Reifen gewechselt, was sonst? Aber da war ein Haufen Halbwüchsiger, die Fußball spielten. Und plötzlich, als ich aufblickte, standen sie alle um meinen Wagen herum. Manche lachten, aber andere erhoben die geballte Faust und riefen Freiheitsparolen und Beleidigungen. Ich gestehe, einen Moment habe ich geglaubt, jetzt wär's aus mit mir.«

Unfähig, etwas zu sagen, starrte ich sie an.

Sie lächelte sorglos. »Keine Angst. Ich bin bloß ihrem Beispiel gefolgt, reckte die Faust und schrie: ›*Amandla!*‹ Und daraufhin erging es mir wie den Israeliten mit dem Roten Meer: Sie bahnten eine Gasse für mich, und ich kam trockenen Fußes hindurch.«

»Das hätte aber auch leicht anders ausgehen können.«

»Was hätte ich denn sonst tun sollen? Ich weiß, ich saß da hinterm Steuer und dachte: *Gott sei Dank, bin ich eine Frau und kein Mann. Einen Mann würden sie umbringen. Aber so, wie die Dinge stehen, ist eine*

Vergewaltigung wohl das Schlimmste, was mir passieren kann.«

»Das ist entsetzlich genug.«

»Ich glaube, ich weiß, wovon ich rede, Ben«, sagte sie ruhig und blickte mich mit ihren großen schwarzen Augen an. »Weißt du, nach der Begegnung mit den Frelimo-Soldaten in Maputo bekam ich Alpträume. Das ging monatelang.« Einen Augenblick verschränkte sie die Arme vor ihren kleinen Brüsten, als wollte sie sich gegen die Erinnerung wappnen. »Dann wurde mir klar, daß die Sache außer Kontrolle geriet, und da zwang ich mich darüber nachzudenken. Na schön, es ist furchtbar für jeden, dem das passiert. Nicht so sehr der Schmerz – nicht einmal das gewaltsame Eindringen in deinen Körper als solches –, sondern der Einbruch ins Allerintimste, in das, was einem ausschließlich selbst gehört. Und trotzdem, selbst das läßt sich ertragen. Und man fragt sich: Ist das wirklich *mir* passiert oder nur meinem Körper? Man braucht ja nicht immer gleich sein gesamtes Selbst aufs Spiel zu setzen, weißt du. Es ergeht einem wie Inhaftierten im Gefängnis. Ich habe mich mit vielen darüber unterhalten. Manche kommen nie darüber hinweg. Andere schaffen es, es einfach abzuschütteln, weil sie nie wirklich Gefangene gewesen sind, sondern nur ihr Körper eingelocht war. Kein Mensch hat ihr Denken erreichen können. Das schaffte nicht einmal die Folter.«

»Aber was ist mit *dir*, Melanie?«

»Erst wenn man seinen Körper wirklich angenommen hat, kann man sich auch damit abfinden, wie nebensächlich er im Grunde ist.«

»Du bist wirklich das Kind deines Vaters«, mußte ich zugeben.

Sie sah sich um und trat an den Küchenschrank, auf dem sie ihre Schlüssel und ihre kleine Handtasche liegen gelassen hatte, und zündete sich eine Zigarette an. Dann kam sie zurück, schob die Tassen beiseite und setzte sich auf eine Tischecke, so nah bei mir, daß ich sie hätte berühren können.

Wohl mehr um mich vor ihrer beunruhigenden Nähe zu schützen als aus irgendeinem anderen Grund, sagte ich: »Soll ich dir helfen, die Tassen zu spülen?«

»Das kann warten.«

»Vermutlich bin ich auch heute noch von meiner Mutter abhängig«, sagte ich verlegen. »Sie hat nie einen Moment Ruhe gegeben, bis alles im Haus aufgeräumt und dorthin zurückgestellt war, wohin es gehörte. Abends vorm Zubettgehen ging sie immer noch durchs Haus, um sicher zu sein, daß alles in Ordnung war, für den Fall, daß sie im Schlaf starb und irgend etwas ungetan hinterließ. Meinen Vater hat das immer die Wände hochgehen lassen.«

»Ist das der Grund, warum du unbedingt auch Gordons Fall nicht ungeklärt lassen willst?« frotzelte sie.

»Vielleicht.« Einen Moment war mir ganz leicht ums Herz. »Nicht, daß ich die Absicht hätte, im Schlaf zu sterben.«

»Das will ich nicht hoffen. Ich habe dich ja eben erst kennengelernt.« Eine witzige Bemerkung, mehr nicht. Oder doch?

Jedenfalls brachte die Erwähnung von Gordon mich wieder auf die Frage, die ich ihr vorher hatte stellen wollen:

»Warum bist du nach Soweto gefahren, Melanie? Hinter was bist du her?«

Mit charakteristischer Kopfbewegung warf sie sich das lange schwarze Haar über die Schulter. »Selbstverständlich kann sich alles als Sackgasse erweisen. Aber ich denke, es könnte weiterführen. Es ist einer der schwarzen Aufseher vom John Vorster Square. Er hat mir früher schon ein paarmal geholfen, und sie verdächtigen ihn nicht. Er weiß etwas von Gordon. Nur braucht es eine Menge Geduld, denn er ist sehr nervös. Er will erst sicher sein, daß der Staub sich gelegt hat.«

»Woher weißt du, daß er etwas über Gordon hat?«

»Einen kleinen Anhaltspunkt hat er mir gegeben. Er hat mir versichert, es seien an dem Tag des sogenannten ›Handgemenges‹ ohne jeden Zweifel Gitterstangen vor Stolz' Fenster gewesen.«

Einen Moment war ich ratlos. »Ja, und?«

»Erinnerst du dich denn nicht? Sie behaupteten, Gordon hätte versucht, sich aus dem Fenster zu stürzen; deshalb hätten sie ihn zurückhalten müssen. Wenn aber das Fenster vergittert war, hätte er doch keinen Fluchtversuch machen können.«

»Aber das trägt nicht viel zu den Fakten bei.«

»Ich weiß. Aber es ist ein Anfang. Erinnerst du dich noch, wie Verteidiger De Villiers sie durcheinanderbrachte, als er sie nach den Gitterstäben fragte? Sie tischten eine ganz unwahrscheinliche Geschichte darüber auf, daß das Gitter vorübergehend entfernt worden wäre und so weiter. Dieses kleine Beweisstück ist wieder ein kleiner Keil, den wir in den Klotz hineintreiben können. Damit gerät die ganze Geschichte mit dem Handgemenge ins Wanken.«

»Und du meinst, dein schwarzer Aufseher ist wirklich bereit, uns zu helfen?«

»Ich bin überzeugt, daß er genug weiß.«

Plötzlich packte mich Erregung, ein geradezu jungenhaftes Hochgefühl, das auch jetzt noch anhält, während ich dies schreibe. Ich weiß, wir machen Fortschritte. Da war die Sache, die Julius Nqakula erzählt hatte. Die neuen eidesstattlichen Erklärungen, die er beizubringen hofft. Emilys Zettel und dieser Johnson Seroke, mit dem sie in Verbindung steht. Und jetzt auch noch diese Neuigkeit von dem Gefängnisaufseher. Es sind zwar alles Kleinigkeiten, sie kommen bröckchenweise und sehr, sehr langsam. Aber wir machen Fortschritte. Und eines Tages wird es uns und der Welt enthüllt werden. Alles über Gordon und Jonathan. Dann werden wir wissen, daß sich all das gelohnt hat. Davon bin ich jetzt so überzeugt wie gestern, als ich mit ihr sprach, trotz ihrer ruhigen und vernünftigen Versuche, nichts überzubewerten.

»Reg dich nicht zu früh auf, Ben«, sagte sie. »Vergiß nicht, dieses Spiel wird von zwei Seiten gespielt.«

»Was soll das heißen?«

»Daß sie nicht untätig dasitzen und zulassen werden, daß wir alle Informationen sammeln, die wir wollen.«

»Wie wollen sie das verhindern?«

»Ben, es gibt nichts, wozu sie nicht imstande wären.«

Wider Willen machte sich ein flaues Gefühl bei mir im Magen breit.

Sie fuhr fort: »Denk daran, du bist Afrikaner, Bure – bist also einer von ihnen. In ihren Augen ist das so ziemlich der schlimmste Verrat, den sie sich vorstellen können.«

»Und was ist mit dir?«

»Meine Mutter war Ausländerin, vergiß das nicht. Ich arbeite für eine englischsprachige Zeitung. Mich haben sie längst abgeschrieben. Von mir erwarten sie einfach nicht das gleiche Maß an Solidarität, das sie von dir verlangen.«

Das Klavierspiel drinnen war verstummt. Das Schweigen hatte fast etwas Gespenstisches.

Kläglich und ein wenig vorwurfsvoll sagte ich: »Willst du mich wirklich davon abbringen? Ausgerechnet du?«

»Nein, Ben. Ich möchte nur ganz sichergehen, daß du dir keinerlei Illusionen machst.«

»Bist *du* dir denn so sicher, was dir alles bevorsteht, bist du dir sicher, was für Folgen jede einzelne Tat von dir hat?«

»Natürlich nicht.« Ihr bezauberndes Lachen. »Das ist wie mit dem

Fluß, in dem ich in Zaire gelandet bin. Man muß einfach glauben, daß man das andere Ufer erreicht. Ich bin mir nicht einmal sicher, ob es eine Rolle spielt, in wen oder was man seinen Glauben setzt. Wichtig ist einzig und allein die Erfahrung selbst.« Dieser Freimut in ihren Augen! »Ich werde dir helfen, Ben.«

Das gab mir meine Zuversicht wieder zurück. Kein Hochgefühl wie zuvor, das war zu oberflächlich, zu leicht gewesen. Sondern etwas Tiefergehendes und Solides. Nennen wir es Glauben, wie sie es getan hatte.

Später gingen wir den langen Flur zum Trödelladen des nach vorn gelegenen Arbeitszimmers hinunter, in dem ich beim ersten Besuch gewesen war. Ihr Vater war nicht da. Wahrscheinlich spazierengegangen, wie sie sagte, um dann in vorwurfsvollem Ton noch hinzuzusetzen: »Er weigert sich einfach, es leichter angehen zu lassen. Er will einfach nicht glauben, daß er alt wird.«

»Ich muß jetzt gehen.«

»Warum bleibst du nicht noch?«

»Du hast doch bestimmt noch anderes zu tun.«

»Ich gehe heute abend aus, aber es ist doch noch früh. Vor acht oder so muß ich nicht fort.«

Warum hat mich das so tief verstört? Es war doch selbstverständlich, daß eine Frau wie sie an einem Samstag abend ausging; natürlich verbrachte sie nicht ihre ganze Freizeit zusammen mit ihrem Vater in diesem alten Haus. Ich bezweifle, daß es so etwas Direktes und Unkompliziertes wie Eifersucht war; warum sollte ich eifersüchtig sein? Ich hatte keinerlei Rechte auf sie. Vielmehr war es wohl das schmerzliche Sichabfinden mit der Entdeckung, daß ganze Bereiche ihres Lebens für mich unzugänglich blieben. So freimütig und vertrauensvoll sie mir von ihrem Leben erzählt hatte, und so bereitwillig sie mir auch alle Fragen beantwortet hatte – das alles war nicht mehr als ein schmaler Pfad, auf dem ich mich durch ihre Wildnis bewegte. Gab es irgendeinen Grund, darüber verstört zu sein? Gab es irgendeine Hoffnung, daß das jemals anders sein könnte?

Auch ich habe mein Leben, das ich ohne sie und unabhängig von ihr führen muß. Frau, Haus, Kinder, Arbeit, Verpflichtungen.

Ja, ich wäre liebend gern geblieben. Wie beim letztenmal hätte ich liebend gern mit ihr zusammengesessen, bis es dunkel wurde, bis man sich alles freier von der Seele reden konnte, bis ihre Gegenwart nicht mehr ganz so beunruhigend war; alles reduziert auf die Dämmerung und das

Schnurren von Katzen. Aber ich mußte fort.

Ich muß vernünftig sein. Was uns verbindet, ist die gemeinsame Hingabe an eine Aufgabe, die wir übernommen haben: die Wahrheit ans Licht zu bringen, dafür zu sorgen, daß Gerechtigkeit geschieht. Darüber hinaus ist uns nichts erlaubt, gibt es nichts, woran man auch nur denken dürfte. Und abgesehen von dem, was wir um Gordons willen gemeinsam haben dürfen, hat keiner irgendwelche Rechte auf den anderen. Was von meinem Leben auch immer außerhalb dieses eng umgrenzten Bereichs liegt, gehört ausschließlich mir; und was in ihrem Leben darüber hinausgeht, gehört ausschließlich ihr. Wie komme ich dazu, auch nur zu *wünschen*, mehr darüber zu wissen?

»Ich bin froh, daß du gekommen bist, Ben.«

»Ich werde wiederkommen.«

»Natürlich.«

Ich zögerte in der Hoffnung, daß sie sich vorlehnen und mir einen leichten Kuß geben würde, so wie sie es bei ihrem Vater getan hatte. Diese Fülle ihres Mundes! Aber wahrscheinlich war sie genausowenig darauf vorbereitet wie ich, es zu wagen.

»Auf Wiedersehen.«

»Auf Wiedersehen, Melanie.« Die Musik ihres Namens, das Blut in meinen Ohren. Mein Gott, ich bin doch kein Kind mehr!

3

Die tägliche Routine aufrechtzuerhalten, wurde zunehmend zur Qual; dabei bot sie gleichzeitig Halt und Sicherheit, verband nahtlos und vorhersehbar einen Tag mit dem anderen. Um halb sieben aufstehen und joggen, meistens mit Johan, Frühstück machen und Susan ihres ans Bett bringen. In die Schule, um zwei Uhr zurück. Mittagessen, kurzes Nikkerchen, dann wieder in die Schule zum Sport oder anderer Arbeit draußen. Am späten Nachmittag ein paar Stunden bei Schreinerarbeiten in der Garage, einsamer Spaziergang, Abendessen, hinterher sich zurückziehen ins Arbeitszimmer. Der tägliche Stundenplan in der Schule; ständiger Wechsel von Altersgruppen und Fächern. Achte, neunte, zehnte Klasse; achte, neunte, zehnte. Geschichte, Geographie. Fakten, klipp und klar, unangreifbar schwarz auf weiß; nichts außerhalb des vorgeschriebenen Lehrplans war wichtig. Jahrelang hatte er sich gegen das System aufgelehnt und immer wieder darauf bestanden, daß seine Schüler, besonders die Schüler der Oberstufe, mehr lasen als vorgeschrieben war. Er hatte ihnen beigebracht, Fragen zu stellen, Behauptungen nicht als unumstößliche Tatsachen hinzunehmen. Jetzt war es viel leichter für ihn, sich mit dem Vorgegebenen abzufinden, da das seine Gedanken für anderes freigab. Er hatte nicht mehr das Bedürfnis, ganz in seiner Arbeit aufzugehen. Das kam ganz von selbst, wurde durch das eigene Gewicht vorangetrieben; man brauchte nichts weiter zu tun, als dazusein und einen Schritt nach dem anderen zu machen.

Zwischen den einzelnen Unterrichtsstunden lagen die wenigen Freistunden, die er benutzte, um Hefte zu korrigieren oder mit der Lektüre nachzukommen; Pausen im Lehrerzimmer; Unterhaltungen mit Kollegen. Die eifrige Unterstützung durch den jungen Sprachenlehrer Viviers. Ben gab nie viel mehr preis, als daß er ›noch dran‹ sei, tat direkte Fragen am liebsten achselzuckend ab, freute sich über die Anteilnahme des jungen Mannes, war aber gleichzeitig von seinem Enthusiasmus peinlich berührt. Für ihn hatte Viviers zuviel von einem jungen Hund, der bei jeder neuen Idee mit dem Schwanz wedelt.

Einige der jüngeren Kollegen reagierten genau umgekehrt und mieden ihn möglichst, nachdem das Bild in der Zeitung erschienen war. Die meisten Lehrer begnügten sich mit dem einen oder anderen Kommentar, einer bissigen oder geistreichen Bemerkung. Nur einer – Carelse, Sport – fand das Ganze so umwerfend komisch, daß er Tag für Tag darauf zurückkam und lauthals über seine eigenen plumpen Bemerkungen lachte. »Man sollte Sie in die Jury für die Wahl von Miß Südafrika wählen.« – »Übrigens, Ohm Ben, ist eigentlich die Sittenpolizei noch nicht bei Ihnen gewesen?« Es nahm kein Ende. Dabei war das keineswegs boshaft oder heimtückisch gemeint, und wenn er lachte, geschah das so frei und offen, als ob ihm aus Versehen der Hosenstall offenstünde.

Weder Spott noch Beleidigungen, noch ernsthaftes Interesse vermochten ihn wirklich zu berühren. Was in der Schule geschah, hatte kaum irgendwelche Folgen für sein Leben: sein Schwerpunkt hatte sich woandershin verlagert. Ausgenommen vielleicht, was sie Schüler betraf – diejenigen, die ratsuchend zu ihm kamen und ihn über die Jahre hin als Beichtvater benutzt hatten. Kleinere Schüler, die von den Präfekten schikaniert wurden. Andere, die mit bestimmten Fächern nicht zurechtkamen, und noch andere mit sehr persönlichen Problemen: Wie bringt man einem Mädchen bei, daß man sie als feste Freundin haben möchte? – Können Sie nicht mal mit meinem Vater reden? Er will nicht, daß ich übers Wochenende mit zum Camping fahre. – Wie weit kann man mit einem Mädchen gehen, ehe es sündig ist? – Was muß man tun, um Architekt zu werden?

Kamen jetzt weniger von ihnen als früher, oder bildete er sich das nur ein? Einmal, als er nach der Pause in seine Klasse zurückkehrte, klebte der Stein des Anstoßes, das Foto aus der Zeitung, an der Wandtafel. Doch als er es ablöste und fragte, ob jemand es gern als Souvenir haben wolle, war das Gelächter spontan und großmütig. Falls es irgendwelche Unterströmungen gab – etwas Ernsthaftes war es bis jetzt jedenfalls nicht.

Außerhalb der Schulzeit war da sein anderes Leben, in dem sein Zuhause zu etwas Zufälligem geworden war und Susan nur ein Hindernis in dem Strom, der brodelnd seinen unvermeidlichen Verlauf nahm.

Eines Morgens tauchte ein junger Schwarzer in der Schule auf. Ben war ganz aufgeregt, als die Sekretärin ihm das in der Pause sagte. Ein Bote von Stanley? Ein neuer Durchbruch? Doch dann stellte sich heraus, daß der junge Mann Henry Maphuna wegen etwas ganz anderem kam. In einer sehr persönlichen Angelegenheit. Er habe gehört, sagte er, daß Ben Leuten hilft, die in Schwierigkeiten geraten waren. Und seiner Schwester sei etwas zugestoßen.

Da die Pause sich dem Ende näherte, forderte Ben ihn auf, am Nachmittag bei ihm zu Hause vorbeizukommen. Als er um zwei Uhr heimkam, wartete Henry bereits auf ihn.

Susan: »Einer von deinen Fans möchte dich sprechen.«

Ein angenehmer junger Bursche, schmal, intelligent, höflich und dessen ganz sicher, was er wollte. Nicht richtig angezogen für einen so kühlen Tag, Shorts und Hemd, barfuß.

»Erzähl mir von deiner Schwester«, sagte Ben.

Patience – so hieß die Schwester – hatte die letzten drei Jahre bei einem reichen englischen Ehepaar in Lower Houghton gearbeitet. Im großen und ganzen waren sie freundlich und rücksichtsvoll zu ihr gewesen, doch kam sie bald dahinter, daß jedesmal, wenn die Frau des Hauses fort war, der Mann einen Vorwand fand, um in ihrer Nähe zu sein. Nichts Ernsthaftes: ein Lächeln, ein paar vielsagende Andeutungen, nichts weiter. Vor zwei Monaten hatte die Frau jedoch ins Krankenhaus gemußt. Während Patience das Schlafzimmer aufräumte, tauchte ihr Arbeitgeber auf und fing an, sie zu umschmeicheln; als sie sich seinen

Versuchen widersetzte, sie zu streicheln, stieß er sie zu Boden, schloß die Tür ab und vergewaltigte sie. Hinterher war er plötzlich die Zerknirschung in Person und bot ihr zwanzig Rand, damit sie den Mund hielt. Sie jedoch war in einem solchen Zustand, daß sie nur noch daran denken konnte, nach Hause zu laufen. Erst am nächsten Tag willigte sie ein, sich von Henry auf die Polizei begleiten zu lassen, wo sie die zwanzig Rand vorwies und Anzeige erstattete. Von dort aus ging sie zu einem Arzt.

Ihr Arbeitgeber wurde festgenommen und verhört. Vierzehn Tage vor der Verhandlung fuhr der Mann zum Haus der Maphuna in Alexandra und bot ihnen eine ansehnliche Summe, falls sie die Anklage zurückzögen. Patience jedoch weigerte sich, seine sabbernd vorgebrachten Bitten anzuhören. Sie war verlobt gewesen, doch nach dem, was geschehen war, hatte ihr Zukünftiger die Verlobung gelöst; die einzige Genugtuung, die sie sich noch erhoffen konnte, war, daß der Gerechtigkeit Genüge getan wurde.

Es schien eine reine Formalität zu sein. Doch vor Gericht erzählte der Arbeitgeber die Sache ganz anders – er und seine Frau hätten von Anfang an Schwierigkeiten mit Patience gehabt; ihre schwarzen Freunde hätten praktisch bei ihr Schlange gestanden und sie von der Arbeit abgehalten; einmal, sagte er, hätten sie sie in ihrem eigenen Schlafzimmer mit einem Liebhaber überrascht. Und als seine Frau im Krankenhaus gewesen sei, wäre es immer schlimmer geworden, habe Patience ihn durchs ganze Haus verfolgt und ihm unsittliche Anträge gemacht, so daß er sich gezwungen gesehen habe, sie zu entlassen und ihr den Lohn für die vierzehntägige Kündigungsfrist auszuzahlen, eben jene zwanzig Rand, die sie dem Gericht als Beweis vorgelegt hatte. In einem hysterischen Ausbruch habe sie sich die Kleider zerrissen, geschworen, daß sie sich an ihm rächen werde, indem sie ihn wegen Vergewaltigung anzeige und so weiter. Seine Frau bestätigte unter Eid seine Aussagen über Patiences allgemeines Verhalten. Andere Zeugen gab es nicht. Das Urteil lautete auf nicht schuldig, und der Richter hatte Patience ernste Vorhaltungen gemacht.

Jetzt habe die Familie gehört, daß Ben bereit sei, jenen zu helfen, denen Unrecht geschehen sei, und Henry war gekommen, um ihn um Hilfe zu bitten. Ben hatte bereits alle Hände voll mit Gordon und Jonathan zu tun – und plötzlich kam ihm all das, was er bisher getan hatte, völlig unangemessen vor. Und jetzt auch noch dies hier!

Ben fiel nur ein Heilmittel ein. Während Henry draußen im Garten wartete, rief Ben Dan Levinson an und bat ihn, den Fall zu übernehmen. Ja, selbstverständlich sei er bereit, die Kosten zu tragen.

Nachdem Henry fort war, versuchte er, Melanie in der Redaktion anzurufen, doch die Leitung war immer besetzt – Grund genug, in die Stadt zu fahren. Es war eine ganz andere Melanie, die er diesmal in dem kleinen, vollgestopften Büro kennenlernte, das sie mit zwei Kollegen teilte; Telefon, Fernschreiber, Stapel von Zeitungen, ein ständiges Kommen und Gehen von Leuten. Eine kühle, flotte und sehr tüchtige Melanie; direkt und treffsicher in ihren Bemerkungen, und das bei dem ganzen Wirbel, den es um sie herum gab. Nur für wenige Augenblicke, als sie allein neben der Kaffeemaschine auf dem Korridor standen, fand er das warme Lächeln wieder, das er schon kannte.

»Ich glaube, das war das Beste, was du tun konntest – die Sache Levinson zu übergeben«, beruhigte sie ihn. »Aber ich denke, wir sollten mal ein Abkommen über die Geldsachen treffen. Du kannst unmöglich alles aus der eigenen Tasche bezahlen.«

»Noch ein Fall mehr macht doch nicht viel aus.«

Das Haar mit jener Geste zurückwerfend, die er so gut kannte, fragte sie: »Wie kommst du darauf, daß Henry Maphuna der letzte ist, der sich an dich wendet? Jetzt wissen sie, daß es dich gibt, Ben.«

»Woher wissen sie es denn?«

Sie lächelte nur und sagte: »Ich werde mit dem Herausgeber über den Hilfsfonds reden. Und keine Sorge. Wir halten das geheim.«

24. Mai. Stanley heute am frühen Abend. Machte sich kaum die Mühe zu klopfen. Als ich vom Schreibtisch aufsah, stand er da und versperrte die Tür. »Wie steht's, *Lanie?*«

»Stanley! Gibt es was Neues?«

»Hm, kommt drauf an. Erzähl' ich dir nächste Woche.«

Fragend sah ich ihn an.

»Ich mache eine Reise, *Lanie.* Nach Botswana. Habe dort zu tun. Dachte nur, schaust mal eben vorbei, damit du dir keine Sorgen machst.«

»Was hast du dort zu tun?«

Sein dröhnendes Lachen. »Das überlaß nur mir! Du hast deine eigenen Sorgen. Bis dann.«

»Aber wohin willst du denn jetzt? Du hast dich ja nicht einmal gesetzt.«

»Keine Zeit. Ich hab' dir doch gesagt, ich wollte nur mal guten Tag sagen.«

Er wollte nicht, daß ich mit ihm hinausging. So plötzlich, wie er gekommen war, war er auch wieder fort. Einen kurzen Augenblick lang hatte es in meinem Arbeitszimmer vor Leben nur so gesprüht; jetzt, gleich hinterher, konnte man es kaum fassen, daß es so gewesen war.

Noch mehr sogar als an dem Tag, als ich Melanie aufgesucht hatte, blieb ich mit der Last des Unbeantwortbaren zurück. Genauso, wie er heute abend in mein Zimmer gekommen und wieder verschwunden war, war er auch in meinem Leben aufgetaucht; und wer weiß, eines Tages wird er genauso plötzlich wieder daraus verschwunden sein. Woher kommt er wirklich? Und wohin wollte er heute abend? Ich weiß nicht mehr über ihn, als er mir selbst erzählt. Nicht mehr und nicht weniger. Eine ganze geheime Welt umgibt ihn, und ich weiß so gut wie nichts davon.

Vertrauen, hatte sie gesagt. Der Sprung ins Ungewisse.

Ich muß ihn zu seinen Bedingungen akzeptieren: Das ist alles, wonach ich mich richten kann.

Der Bericht war so klein, daß Ben ihn in der Abendzeitung ums Haar übersehen hätte.

Dr. Suliman Hassiem, der vor drei Monaten kraft des Gesetzes für die Innere Sicherheit festgenommen wurde, ist heute morgen vom Sonderdezernat entlassen worden, allerdings unter der Auflage, daß er den Verwaltungsbezirk Johannesburg nicht verläßt. Dr. Hassiem war von der Familie Ngubene beauftragt worden, an der Autopsie von Mr. Gordon Ngubene teilzunehmen, der im Februar im Polizeigewahrsam starb. Da er selber inhaftiert war, hat er im nachfolgenden Ermittlungsverfahren nicht aussagen können.

Ben mußte seine Ungeduld bis zum nächsten Tag zügeln; an diesem Tag hatte er einen Termin mit Dan Levinson, um den Fall von Patience Maphuna mit ihm zu besprechen. Der Anwalt gab ihm Dr. Hassiems Adresse. Von der Anwaltskanzlei mußte er erst nach Hause; er kam ohnehin zu spät zum Mittagessen; und dann zurück in die Schule, um der Rugby-Mannschaft der unter Fünfzehnjährigen beim Training zu helfen. Gerade, als er das Haus verlassen wollte, klingelte das Telefon. Linda. Sie rief aus Gewohnheit zu den verschiedensten Zeiten auch während der Woche an, bloß um zu plaudern.

»Wie geht's dem Weihnachtsmann heute?«

»Er hat viel zu tun, wie üblich.«

»Worum geht's denn diesmal? Um das dicke neue Buch über den Großen Treck, das ich vorige Woche auf deinem Schreibtisch gesehen habe?«

»Nein, das arme Ding liegt immer noch unaufgeschlagen dort. Ich habe so viel anderes zu tun.«

»Wie zum Beispiel?«

»Ach, na ja – im Moment bin ich gerade auf dem Weg zum Rugby-Training. Und dann werde ich jemanden besuchen.« Linda war die einzige, der er sein Herz ausschütten konnte. »Erinnerst du dich noch an den Arzt, der im Ermittlungsverfahren über Gordons Tod aussagen sollte? Den sie festgehalten haben? Nun, sie haben ihn freigelassen, und jetzt möchte ich herausfinden, ob er mir nicht irgend etwas Neues erzählen kann.«

»Sei vorsichtig, Dad!«

»Bin ich. Wir machen übrigens Fortschritte. Irgendwann werden wir Gordons Mörder alle vor Gericht bringen.«

»Hast du schon irgend etwas unternommen, um Emily ein neues Haus zu verschaffen. Letztesmal hast du gesagt, sie muß jetzt als Witwe aus ihrem ausziehen.«

»Ja. Aber darüber möchte ich erst noch mit Großvater sprechen, wenn der nächste Woche herkommt.«

Noch etwas unverbindliches Geplauder, dann legte sie auf. Doch jetzt, nachdem er mit ihr gesprochen hatte, war er nicht mehr in der Stimmung zum Rugby-Training: Es gab so viel Dringenderes zu erledigen. Daß er sich die letzten Jahre so strikt an einen bestimmten Zeitplan gehalten hatte, machte ihm jetzt schwer zu schaffen. Und so fuhr er, der Eingebung des Augenblicks nachgehend, fast ungeduldig zu dem jungen Viviers, der ganz in der Nähe wohnte, und bat ihn, ihn beim Training zu vertreten. Hoffentlich war Cloete nicht über diesen Tausch vergrätzt. Und ohne sich dann noch weiter aufzuhalten, fuhr er direkt zu der Adresse, die Levinson ihm gegeben hatte – nach Süden, zur Stadt hinaus, zur *township* Lenasia für Inder und Chinesen.

Komisch, wenn er sich überlegte, daß er jetzt seit über zwanzig Jahren in Johannesburg lebte und erst in den letzten Monaten in diese Wohngebiete für Nichtweiße gekommen war! Vorher war das jedoch nie nötig gewesen, aber es war ihm auch nie in den Sinn gekommen. Und jetzt, ganz plötzlich, war es fast schon zu einer neuen Gewohnheit geworden.

Ein kleines Mädchen im Rüschenkleid machte ihm auf. Zwei dünne Zöpfe, rote Schleifen; große dunkle Augen in einem kleinen, sauberen Gesicht. Ja, sagte sie, ihr Vater sei daheim; ob er hereinkommen wolle? Sie schoß hinaus, kam gleich darauf mit ihrem Vater zurück und blieb unter der Tür stehen und beobachtete sie ängstlich.

Dr. Hassiem war ein großer, hagerer Mann in beigefarbener Hose und Rollkragenpullover, ausdrucksvolle Hände. Sein Gesicht war sehr hellhäutig und wies leichte asiatische Züge auf, glattes schwarzes Haar fiel ihm in die Stirn.

»Ich hoffe, ich störe Sie nicht, Doktor«, sagte Ben voller Unbehagen, nachdem er sich vorgestellt hatte. »Ich habe in der Zeitung gelesen, daß Sie entlassen worden sind.«

Ein kurzes Zucken der Braue, das war Dr. Hassiems einzige Reaktion.

»Ich bin ein Freund von Gordon Ngubene.«

Hastig, wenn auch sehr höflich, hob Dr. Hassiem die Hände. »Das Ermittlungsverfahren ist abgeschlossen, Mr. Du Toit.«

»Offiziell, ja. Aber ich bin nicht sicher, daß alles ans Licht gekommen ist, was hätte ans Licht kommen sollen.«

Ohne darauf einzugehen, blieb Dr. Hassiem stehen und bot Ben offensichtlich mit Absicht keinen Stuhl an.

»Ich weiß, es kann schmerzlich für Sie sein, Doktor, aber ich muß wissen, was Gordon widerfahren ist.«

»Tut mir leid, aber ich kann Ihnen wirklich nicht helfen.«

»Aber Sie waren doch bei der Obduktion dabei.«

Dr. Hassiem zuckte nichtssagend die Schultern.

»Emily hat mir gesagt, Sie hielten es für möglich, daß Gordon sich nicht mit der Wolldecke erhängt hat, an der er hing.«

»Wirklich, Mr. Du Toit....« Eilends trat er ans Fenster, zog die Gardine beiseite und spähte mit gehetztem Ausdruck in den Augen hinaus. »Ich bin erst gestern nach Hause gekommen. Ich bin drei Monate festgehalten worden. Ich darf nicht kommen und gehen, wie ich will.« Seine Haltung hatte etwas Hilfloses, als sei er in die Ecke gedrängt worden; dabei blickte er auf das Kind, das auf einem Bein unter der Tür stand. »Geh spielen, Fatima.«

Statt dieser Aufforderung nachzukommen, flog das Kind auf seinen Vater zu, umklammerte mit den dünnen Ärmchen eines seiner Beine, spähte drum herum und schnitt Ben eine Grimasse.

»Aber begreifen Sie denn nicht, Doktor – wenn jeder so zum Schweigen gebracht werden kann, kommen wir nie dahinter, was wirklich geschehen ist.«

»Es tut mir furchtbar leid.« Dr. Hassiem schien einen Entschluß gefaßt zu haben. »Es wäre wirklich besser, Sie gingen wieder. Bitte vergessen Sie, daß Sie jemals hierhergekommen sind.«

»Ich werde dafür sorgen, daß Sie beschützt werden.«

Zum erstenmal lächelte Dr. Hassiem, ohne dabei freilich seine unnachgiebige Haltung aufzugeben. »Wie wollen Sie mich beschützen? Wie könnte irgendein Mensch mich beschützen?« Wie geistesabwesend drückte er das Gesicht des Kindes gegen sein Knie. »Woher soll ich wissen, ob Sie nicht womöglich von *ihnen* geschickt worden sind?«

Erschrocken blickte Ben sich um. »Warum fragen Sie nicht bei Emily nach?« schlug er ein wenig hilflos vor.

Der junge Arzt machte eine Bewegung in Richtung auf die Tür; das kleine Mädchen klammerte sich immer noch an sein Bein.

»Ich habe Ihnen nichts zu sagen, Mr. Du Toit.«

Mutlos wandte Ben sich zum Gehen. Unter der Tür zum Flur blieb er stehen. »Sagen Sie mir nur eines, Doktor«, sagte er. »Warum haben Sie den Obduktionsbericht des Pathologen von der Behörde unterschrieben, obwohl Sie doch selbst auch einen Bericht verfaßt haben?«

Auf diese Frage war Dr. Hassiem offensichtlich nicht vorbereitet. Er holte vernehmlich Atem. »Wie kommen Sie darauf, daß ich Dr. Jansens Bericht unterschrieben hätte? Das habe ich nie getan.«

»Das habe ich mir gedacht. Aber der Bericht, der dem Gericht vorgelegt wurde, trug beide Unterschriften.«

»Unmöglich.«

Ben sah ihn an.

Doktor Hassiem hob das kleine Mädchen in die Höhe, setzte es sich auf die Hüfte und kam auf Ben zu. »Wollen Sie mich bluffen?«

»Nein, das stimmt.« Um dann plötzlich voller Leidenschaft noch hinzuzusetzen: »Dr. Hassiem, ich muß wissen, was mit Gordon geschehen ist. Und ich weiß, daß Sie mir helfen können.«

»Nehmen Sie Platz«, sagte der Arzt unvermittelt, drückte das Kind kurz an sich und bewog es dann, spielen zu gehen. Eine Zeitlang saßen die beiden schweigend in der stillen Halle. Die Wanduhr fuhr unerschütterlich fort zu ticken.

»Was haben Sie in Ihrem Bericht geschrieben?« fragte Ben.

»Über die Fakten gingen unsere Ansichten nicht weit auseinander«, sagte Dr. Hassiem. »Schließlich haben wir zur gleichen Zeit dieselbe Leiche untersucht. In der Interpretation gab es allerdings Unterschiede.«

»Nun, ich fand, wenn Gordon sich wirklich selbst aufgehängt hätte, müßten sich die Male vorn am Hals konzentrieren.« Er faßte sich mit den langen schmalen Fingern an die Gurgel. »Doch in diesem Fall fanden sich die Druckstellen vornehmlich an den Seiten.« Wieder eine Geste. Er stand auf, um vom Kaminsims Zigaretten zu holen; nach kurzem Zögern spähte er nochmals durchs Fenster hinaus, ehe er an seinen Platz zurückkehrte und Ben die Schachtel anbot.

»Nein, vielen Dank, ich rauche lieber meine Pfeife, wenn ich darf.«

»Nur zu.«

Eine Weile sah es so aus, als ob Doktor Hassiem dem Gesagten nichts mehr hinzuzufügen hätte; vielleicht bedauerte er, bereits zuviel verraten zu haben. Doch dann fuhr er fort: »Was mich jedoch vor allem aus der Fassung brachte, war noch etwas anderes. Vielleicht ist es aber auch nicht von Bedeutung.«

»Und was war das?« fragte Ben.

Ganz vorn auf dem Stuhlrand sitzend, lehnte Doktor Hassiem sich vor. »Verstehen Sie, durch ein Mißverständnis traf ich zu früh im Leichenschauhaus ein. Bis auf einen jungen Assistenten war kein Mensch da. Als ich ihm sagte, ich käme wegen der Autopsie, ließ er mich ein. Die Leiche lag auf dem Tisch. Bekleidet mit grauer Hose und rotem Pullover.«

Ben vollführte eine Geste der Überraschung, doch der Arzt hob beschwichtigend die Hand.

»Da war noch etwas«, sagte er. »Der Pullover war über und über mit feinen weißen Fusseln bedeckt. Verstehen Sie, wie man sie auf Handtüchern findet. Und das hat mich nachdenklich gemacht.«

»Und?« fragte Ben erregt.

»Ich hatte keine Zeit, das richtig zu untersuchen, ja, kaum hatte ich mich über den Leichnam gebeugt, wurde ich von einem Polizeibeamten gerufen. Er sagte mir, ich dürfe die Leichenhalle unter keinen Umständen betreten, bevor nicht Dr. Jansen da wäre. Daraufhin brachte er mich in ein Dienstzimmer, wo wir Tee tranken. Etwa eine halbe Stunde später wurde Dr. Jansen hereingebracht, und wir beide gingen zurück in die Leichenhalle. Diesmal war der Leichnam nackt. Ich fragte, warum, aber niemand konnte es mir sagen. Hinterher traf ich draußen auf dem Flur den Assistenten, den ich fragte, was denn geschehen sei, und er sagte mir, er habe Anweisungen erhalten, die Leiche ›herzurichten‹; von der Kleidung hatte er jedoch keine Ahnung.«

»Haben Sie das in Ihrem Bericht geschrieben?«

»Aber natürlich. Ich fand das ja höchst sonderbar.« Seine Nervosität stellte sich wieder ein, und er stand auf. »Das ist alles, was ich Ihnen sagen kann, Mr. Du Toit. Sonst weiß ich wirklich nichts.«

Diesmal ließ Ben widerspruchslos zu, daß er an die Tür gebracht wurde.

»Könnte sein, daß ich noch einmal wiederkomme«, sagte er. »Sofern ich mehr darüber herausfinde.«

Doktor Hassiem lächelte, sagte jedoch weder ja noch nein.

Im staubigen Nachmittag fuhr Ben heim.

Am nächsten Tag fand sich in der Abendzeitung eine kurze Notiz, Dr. Suliman Hassiem und Familie sei von der Polizei an einen Ort im nördlichen Transvaal gebracht worden. Das Berufsverbot war abgeändert worden, um zu gewährleisten, daß er die nächsten fünf Jahre den Distrikt Pietersburg nicht verließ. Gründe für die Ausweisung wurden nicht angegeben.

27. Mai. War beim Türöffnen trotz allem erschrocken, ihn da stehen zu sehen. Stolz. In Begleitung eines anderen Offiziers in mittleren Jahren. Hab' den Namen nicht mitbekommen. Sehr freundlich. Finde den Mann jedoch in freundlicher Stimmung noch bedrohlicher als sonst.

»Mr. Du Toit, wir bringen Ihnen nur Ihre Sachen zurück.« Die Tagebücher und Korrespondenz, die sie vor vierzehn Tagen beschlagnahmt hatten. »Würden Sie uns den Empfang bitte bestätigen?«

Muß so erleichtert gewesen sein, daß ich ja sagte, als er bat, ob sie für einen Augenblick eintreten dürften. Susan war Gott sei Dank auf irgendeiner Versammlung. Johan in seinem Zimmer, hatte die Musik jedoch so laut gestellt, daß er uns unmöglich hören konnte.

Kaum hatten sie im Arbeitszimmer Platz genommen, als er in scherzendem Ton sagte, er habe eine trockene Kehle. Folglich bot ich ihnen einen Kaffee an. Erst als ich mit dem Tablett ins Arbeitszimmer zurückkam und mir auffiel, daß das Buch über den Großen Treck anders dalag als zuvor, ging mir auf: Natürlich! Sie hatten während meiner Abwesenheit rasch das Zimmer durchsucht.

So merkwürdig das ist, aber gerade das stellte meine innere Ruhe wieder her. Dachte: In Ordnung, hier bin ich, und da seid ihr. Jetzt geht es los. Durchsucht ruhig mein Haus. Von dem falschen Boden im Werkzeugschrank wißt ihr nichts. Davon hat kein Mensch eine Ahnung. Nie wieder werde ich unachtsam etwas herumliegen lassen.

Keine leichte Unterhaltung. Fragte nach der Schule und nach Johans Leistungen, Rugby usw. Erzählte von seinem eigenen Sohn. Jünger als Johan. Zwölf oder so. Ob sein Sohn wohl stolz auf seinen Vater ist? (Ist meiner stolz auf mich?)

Dann: »Ich hoffe, Sie sind uns wegen neulich nicht mehr böse, Mr. Du Toit?«

Was sollte ich sagen?

Hätten heute vormittag in Soweto wieder ein bis unters Dach mit Munition und Sprengstoffen vollgestopftes Haus gefunden, sagte er. Ausreichend, um einen ganzen Häuserblock in der Stadt in die Luft zu jagen. »Die Leute scheinen sich einfach nicht darüber im klaren zu sein, daß wir uns bereits mitten in einem Krieg befinden. Sie warten darauf, daß Armeen sich in Bewegung setzen, Flugzeuge über sie dahinfliegen, Panzer und so. Sie begreifen einfach nicht, wie gerissen diese Kommunisten sind. Lassen Sie es sich von mir gesagt sein, Mr. Du Toit. Wenn wir auch nur eine Woche die Hände in den Schoß legten, wäre es mit diesem Land aus – im Eimer.«

»Schön, ich lasse es mir also von Ihnen gesagt sein, Captain. Und will darüber auch nicht streiten. Bloß – was hatte Gordon mit alledem zu tun? Müßten Sie diesen Ihren Krieg auch dann noch führen, wenn Ihre Räder zunächst einmal nicht über Menschen wie ihn hinweggerollt wären?«

Kein sonderlich angenehmer Ausdruck in seinen Augen. Muß wohl lernen, mich zu beherrschen. Irgendwas in mir lockt in letzter Zeit wider den Stachel. Was ich jahrelang einfach nicht in mir habe hochkommen lassen!

Sie waren schon im Hinausgehen, als er auf seine beiläufige Art sagte: »Hören Sie, wenn Sie Leuten wie Henry Maphuna helfen wollen – dagegen haben wir nichts. Ein bißchen übertrieben für meinen Geschmack, wenn ich das so sagen darf, aber das ist Ihre Sache.« Schweigend musterte er mich einen Moment. »Aber offen gestanden reagieren wir nicht sonderlich freundlich auf Bemerkungen wie die, die Sie neulich gemacht haben: daß Sie alle Mörder von Gordon an die Wand stellen wollen. Sie spielen mit dem Feuer, Mr. Du Toit.«

Dann reichte er mir so unbekümmert wie zuvor die Hand. Die dünne Narbe auf seiner Backe. Wer mag ihm die beigebracht haben? (Und was ist dem Betreffenden hinterher passiert?)

War, nachdem sie gegangen waren, zunächst wie gelähmt. Woher wußte er das von Henry? Und woher wußte er das von dem An-die-Wand-Stellen?

Irgendeine undichte Stelle in Dan Levinsons Büro? Muß höllisch aufpassen. Nur – die Bemerkung über Gordon, die hatte ich Linda gegenüber gemacht.

Es gab nur einen gemeinsamen Nenner. Das Telefon.

Gott sei Dank, daß ich an dem Tag nicht zu Melanie durchgekommen bin! Sie dürfen nicht dahinterkommen, daß sie etwas mit mir zu tun hat.

4

30. Mai. Bin immer ganz gut mit Susans Eltern ausgekommen, wenn es auch von keiner Seite besonders herzlich war. Immer das Gefühl, es stört sie, daß Susan Gordon »unter dem Stand« geheiratet hat. Die riesige zusammenhängende Gruppe von Firmen, die ihre Großeltern in Ost-Transvaal erworben haben. Ihr Vater der führende Anwalt in Lydenburg. Getreue Stütze der Partei. Im Krieg Gegner der Regierung Smuts. Ging eine Zeitlang sogar in den Untergrund. Schaffte es bei der Wahl 1948 nicht, kam aber 1953 ins Parlament und wird jetzt wohl bis an sein seliges Ende ein mehr oder weniger glückliches Leben führen.

Hat des öfteren mit Rücktritt gedroht (wird im November 75), jedoch nur, wie ich vermute, damit man ihn bittet, zu bleiben und ihn mit der Stellung des Obereinpeitschers oder etwas Ähnlichem belohnt. Das einzige, was ihn im Leben wurmt, ist der Mangel an »Anerkennung«, nachdem er sich mit Leib und Seele für Gott und Vaterland eingesetzt hat. Sprichwörtliuch der Mann, der eine große Zukunft hinter sich hat.

Ihre Mutter ist mir sympathischer. Früher wohl eine sehr schöne Frau. Ihr Geist wurde jedoch schon früh im Leben gebrochen, und so welkte sie im Glanz ihres Mannes dahin; ein demütiger Schatten, der zu Parteiveranstaltungen mitgeschleift wird, zur Parlamentseröffnung, zur Eröffnung von Einrichtungen für Blinde, Behinderte, geistig Zurückgebliebene, Tunnel- und Bohrlocheinweihungen. Ewig mit Hut, wie die Königinmutter.

Er selbst zugegebenermaßen eine eindrucksvolle Erscheinung. Das Alter hat ihm Würde verliehen. Goldene Uhrkette über beachtlichem Bauch. Weißer Schnurrbart, gut gestutzter Spitzbart. Silberhaar. Schwarzer Anzug, selbst wenn er seine Jagd inspiziert. Gesichtsfarbe durch zunehmenden Whiskykonsum etwas zu gerötet. Eine Umgänglichkeit, hinter der sich ein steinharter Wille verbirgt. Unnachgiebig, erbarmungslos, wenn es um sein Gefühl für Recht und Unrecht geht. Leicht einzusehen, woher Susan ihre Macken hat. Die geradezu sadistische Selbstgerechtigkeit, mit der er früher seine Töchter, selbst als sie achtzehn oder neunzehn waren, noch körperlich züchtigte, und das auch bei kleinen Übertretungen, wenn sie etwa abends nach zehn nach Hause kamen. Die unerhörte Regelmäßigkeit ihrer Lebensführung, die auch die samstagabendlichen Betätigungen im elterlichen Schlafzimmer bestimmt. Das hat gereicht, ihr in dieser Hinsicht Angst fürs Leben einzujagen. Wie ein junger, knospender Baum, der durch einen Spätfrost dauernden Schaden davongetragen hat, nie wieder ganz offen erblühen kann.

Sie sind seit Samstag morgen hier. Heute wieder abgefahren. Einweihung eines neuen Industrieunternehmens in Vanderbijlpark.

Gestern morgen zogen die Damen sich sehr auffällig zurück und ließen mich und meinen Schwiegervater voller Unbehagen im Wohnzimmer zurück. Er schenkte sich das Glas voll. Ich fingerte an meiner Pfeife herum.

»Würde gern was mit dir besprechen, Ben.« Trank sich mit einem Schluck Whisky Mut an. »Zuerst dachte ich, man redet nicht weiter darüber. Aber Susan scheint zu meinen, daß du ein offenes Gespräch darüber begrüßen würdest.«

»Worum geht's denn?« fragte ich voller Mißtrauen in bezug auf die Rolle, die sie in der Sache gespielt haben mochte.

»Ach, weißt du, es geht um das Foto in der Zeitung neulich.«
Schweigend sah ich ihn an.

»Verstehst du, nun, wie soll ich es ausdrücken?« Noch ein Schluck. »Ich finde, jeder hat ein Recht auf seine eigene Meinung. Aber weißt du, so was wie das kann für einen Mann in meiner Stellung schon ziemlich peinlich sein.«

»Du hast die Armen scheint's immer auf deiner Seite«, sagte ich.

»Es ist kein Witz, Ben. Es ist ein schlimmer Tag, wenn die eigene Familie sich zwischen einen Mann und seine Pflicht dem Vaterland gegenüber stellt.«

»Machst du es mir etwa zum Vorwurf, daß ich versuche, diesen Menschen zu helfen?«

»Nein, nein, ganz und gar nicht. Ich rechne es dir hoch an, habe das selbst mein Leben lang getan, mich für meine Nächsten aufgeopfert, gleichgültig, ob sie weiß oder schwarz waren. Aber daß jemand in der Öffentlichkeit mit einer Kaffernfrau gesehen worden wäre – so was hat es in unserer Familie noch nie gegeben, Ben.«

Er ging, um sich nachzuschenken. Da ich die Symptome erkannte, versuchte ich, ihm in die Rede zu fallen, ehe er sich zu einer regelrechten Standpauke aufschwang.

»Gut, daß du es erwähnst, Vater. Ich würde mich gern mit dir darüber unterhalten.«

»Ja, das hat Susan mir gesagt.«

»Zunächst ist da mal die Sache mit Emily Ngubenes Haus. Jetzt, da ihr Mann tot ist, hat sie kein Anrecht mehr auf ein eigenes Haus.«

Ihm schien ein Stein vom Herzen zu fallen, daß es sich um etwas so Einfaches handelte.

»Ben« – er vollführte eine weitausholende Geste und schaffte es, keinen Tropfen Whisky zu verschütten –, »ich verspreche dir, daß ich mich der Sache annehme.« Er holte sein kleines schwarzes Notizbuch hervor. »Gib mir nur die Einzelheiten. Sobald ich nächste Woche wieder zurück in Kapstadt bin…«

Kurz und schmerzlos. Ich beschloß, es nicht einfach dabei bewenden zu lassen, sondern die großmütige Stimmung, in der er sich befand, auszunutzen.

»Außerdem ist da noch die Sache mit Gordon Ngubene selber.«

Er erstarrte. »Was soll denn mit ihm sein? Ich denke, der Fall ist abgeschlossen?«

»Wenn er das nur wäre, Vater. Aber das Verfahren hat nicht mal die Hälfte dessen geklärt, was sich wirklich zugetragen hat.«

»Ach, wirklich?« Voller Unbehagen rutschte er hin und her.

Ich setzte ihn kurz ins Bild, nicht nur in bezug auf die Fragen, die beim Verfahren zur Sprache gekommen waren, sondern auch über die wenigen Tatsachen, die ich hatte aufdecken können, mochten sie an sich auch noch so unbedeutend sein.

»Das ist aber alles nichts, was vor Gericht standhalten würde«, sagte er geradezu blasiert. Er zog seine Taschenuhr hervor und betrachtete das Zifferblatt, als wollte er überschlagen, wie lange ich ihn noch von seinem Mittagsschläfchen abhalten würde.

»Das weiß ich nur allzu gut«, sagte ich. »Deshalb wollte ich ja gerade mit dir darüber sprechen. Wir haben keine endgültigen, unwiderlegbaren Beweise. Aber wir haben genug, um deutlich zu machen, daß hier etwas Schwerwiegendes vertuscht wird.«

»Jetzt ziehst du vorschnelle Schlüsse, Ben.«

»Ich weiß, wovon ich rede!« Das kam schärfer, als ich beabsichtigt hatte. Er fuhr zusammen und nahm noch einen Schluck Whisky.

»Schön, ich höre«, sagte er und seufzte auf. »Vielleicht kann ich meinen Einfluß geltend machen. Aber zuerst mußt du *mich* überzeugen.«

»Wenn sie wirklich nichts zu verbergen haben«, sagte ich, »warum macht das Sonderdezernat sich dann die Mühe, mich einzuschüchtern?«

Das Wort allein schien ihn augenblicklich zu ernüchtern und aus seiner Selbstgefälligkeit herauszreißen. »Was ist mit dem Sonderdezernat?«

Ich berichtete ihm von der Durchsuchung meines Hauses, der Anzapfung meines Telefons und von Stolz' unverhohlener Warnung.

»Ben«, sagte er, und das klang plötzlich sehr förmlich, »tut mir leid, aber mit so was möchte ich nichts zu tun haben.« Er erhob sich vom Sofa und ging auf die Tür zu.

»Dann hast also auch du Angst vor ihnen?«

»Sei nicht albern! Warum sollte ich vor irgendwem Angst haben?« Mit funkelnden Augen sah er mich an. »Aber eines kann ich dir sagen: Wenn das Sonderdezernat damit zu tun hat, liegen gute Gründe dafür vor. Und da halte ich mich lieber raus.«

Es gelang mir, ihm den Weg abzuschneiden, bevor er die Tür erreicht hatte. »Soll das heißen, daß du bereit bist, die Hände in den Schoß zu legen und zuzulassen, daß die Ungerechtigkeit ihren Lauf nimmt?«

»Die Ungerechtigkeit!« Er lief puterrot an. »Wo ist Ungerechtigkeit? Ich sehe keine.«

»Was ist mit Jonathan Ngubene geschehen? Und warum ist Gordon umgekommen? Warum tun sie alles, um das Ganze zu vertuschen?«

»Ben, Ben, wie kannst du dich nur mit den Feinden unseres Volkes zusammentun? Mit denen, die in allem, was geschieht, nur Munition sehen, um eine freigewählte Regierung anzugreifen? Mein Gott, Mann, in deinem Alter sollte man wirklich etwas Besseres von dir erwarten! Du bist doch sonst nie ein Heißsporn gewesen!«

»Ist das nicht Grund genug, mir jetzt einmal zuzuhören?«

»Nun mach aber mal einen Punkt!« Er hatte seine Fassung wiedergewonnen. »Kennst du denn dein eigenes Volk nicht? Wir haben uns immer an die Zehn Gebote gehalten. Wir sind Christen, oder etwa nicht? Schau, ich behaupte nicht, daß es nicht ein paar schwarze Schafe unter uns gibt. Aber es ist lächerlich, sich in Verallgemeinerungen über ›Ungerechtigkeit‹ und so weiter zu ergehen.«

»Du bist also nicht bereit, mir zu helfen?«

»Ich hab's dir doch gesagt, Ben.« Er trat von einem Fuß auf den anderen. »Hättest du mir etwas eindeutig Beweisbares vorgetragen, etwas, das über jeden Zweifel erhaben ist – ich wäre der erste gewesen, das aufzugreifen. Aber ein Haufen von vagen Verdächtigungen und Anspielungen und aufgestautem Groll bringen dich nicht weiter.« Er schnaufte ärgerlich. »Ungerechtigkeit! Wenn du über Ungerechtigkeit reden willst, dann sieh dir nur an, was unser Volk gelitten hat. Wie viele von uns sind in den vierziger Jahren ins Gefängnis geworfen worden, bloß weil uns unsere Heimat wichtiger war, als in einen Krieg hineingezogen zu werden, der nur die Engländer etwas anging – dieselben Engländer, die nichts weiter getan hatten, als uns zu unterdrücken!«

»Wir hatten doch damals auch eine frei gewählte Regierung, oder? An deren Spitze ein Bure stand, ein Afrikaner.«

»Du nennst Smuts einen Afrikaner?!«

»Jetzt weichst du dem Problem aus!« mahnte ich ihn.

»Du bist es doch, der angefangen hat, von Ungerechtigkeit zu sprechen. Du, ein Mann, der in der Schule Geschichte unterrichtet. Du solltest dich was schämen, Mann! Jetzt, wo wir endlich in unserem eigenen Land an die Macht gekommen sind.«

»Steht es uns denn jetzt frei, anderen anzutun, was zuvor uns angetan wurde?«

»Wovon redest du, Ben?«

»Was würdest du tun, wenn du heute ein Schwarzer in unserem Lande wärest, Vater?«

»Du erstaunst mich«, sagte er voller Verachtung. »Begreifst du denn nicht, was die Regierung alles für die Schwarzen tut? Es wird nicht mehr lange dauern, und der ganze verdammte Haufen wird in eigenen Ländern frei und unabhängig sein. Und da hast du den Nerv, von Ungerechtigkeit zu reden!« Väterlich legte er mir eine zitternde Hand auf die Schulter und schob mich geschickt aus dem Weg, so daß er sich an mir vorbei in den Flur drücken und nach oben ins Schlafzimmer gehen konnte. »Denk noch mal gründlich darüber nach, Ben«, rief er zurück. »Es gibt nichts, wofür wir uns vor den Augen der Welt schämen müßten, mein Junge!«

Jetzt weiß ich, daß es hoffnungslos ist, irgendwelche Hilfe von ihm zu erwarten. Nicht, weil er böswillig oder abgestumpft wäre; nicht einmal, weil er Angst hätte. Sondern einzig und allein, weil er unfähig ist, auch nur für einen Moment die Möglichkeit in Betracht zu ziehen, daß ich recht haben könnte. Sein Wohlwollen, sein freudloses Christentum, sein fester Glaube an die Rechtschaffenheit seines Volkes: das alles sind heute abend viel größere Hindernisse für mich als irgendwelche Feinde, die sich mir offen in den Weg stellen.

5

In diesem Winter schien es manchmal vorwärtszugehen, manchmal aber auch alles stillzustehen.

Henry Maphuna kam mit seiner Beschwerde über die Vergewaltigung seiner Schwester durch ihren Arbeitgeber nicht durch. Da der Mann durch das Gericht bereits von jeder Schuld freigesprochen worden war, gab es auch keine Möglichkeit, den Fall neu aufzunehmen. Dan Levinson schlug zwei Verfahrensmöglichkeiten vor. Wenn das Mädchen bereit sei auszusagen, daß sie in den Geschlechtsverkehr eingewilligt habe, könne nach dem *Immorality Act* – dem Unsittlichkeitsgesetz – neu Anklage erhoben werden; sonst bleibe nur eine Zivilklage wegen Sachschaden. Das Unsittlichkeitsgesetz kam für die Familie nicht in Frage, da so nur Schande über Henrys Schwester kam. Und was den Sachschaden betraf, so war dieser nur geringfügig. Ihnen ging es einzig und allein darum, daß ihr guter Name reingewaschen und der Schuldige

vor Gericht gebracht wurde. Man hätte das Ergebnis vielleicht vorher-
sehen können, trotzdem traf es Ben wie ein Schock, als die betagte Mutter eines Tages zu ihm kam und um Hilfe bat. Henry hatte vor zwei Tagen das Recht selbst in die Hand genommen, war zum Haus des Ex-Ar-
beitgebers seiner Schwester – Lower Houghton – gegangen und hatte
diesem den Schädel eingeschlagen. Jetzt war er festgenommen worden
und stand unter Mordanklage.

Wieder zu Dan Levinson, der wohlgepflegt hinter seinem imposanten
Schreibtisch saß und die Männlichkeit ausstrahlte, die man mit der Wer-
bung für ein Sportler-Deodorant in Verbindung bringen würde. Abermals die Parade von geschmeidigen Blondinen mit Aktenordnern oder
Kaffeetassen.

Doch das war nur einer der Fälle, für die Ben Zeit finden mußte. Melanies Prophezeiung bewahrheitete sich: in diesen Wintermonaten
klopften immer mehr Fremde bei ihm an und baten um Hilfe. Leute, die
Jobs in der Stadt suchten und Schwierigkeiten mit ihren Pässen und Be-
hördenstempeln hatten. (Diese Zauberworte: *Ist berechtigt, sich im
Stadtbereich von Johannesburg aufzuhalten nach Abschnitt 10 (1) des
Gesetzes Nr. 25 aus dem Jahre 1945...*) Es war nicht weiter schwierig,
sie zu Stanley zu schicken; diejenigen, denen Stanley nicht persönlich
helfen konnte, wurden an irgendeinen Fälscher in den *townships* verwiesen. Es gab andere, die aus ihren Häusern hinausgeworfen worden
waren, entweder weil sie mit der Mietzahlung in Verzug geraten waren
oder aber weil sie keine Erlaubnis hatten, in dem betreffenden Gebiet zu
wohnen. Männer, die strafrechtlich verfolgt wurden, weil sie ihre Familien aus dem fernen *homeland* zu sich geholt hatten. Eine alte Witwe,
deren sechzehnjähriger Sohn wegen ›Terrorismus‹ angeklagt wurde; er
war beim Milchholen von der Polizei verhaftet worden, die sich auf der
Suche nach Jugendlichen befand, welche eine Stunde zuvor an anderer
Stelle in Soweto eine Schule in Brand gesteckt hatten. Zahllose andere,
die berichteten, daß ihre Väter oder Brüder oder Söhne vor Tagen, Wochen oder Monaten ›aufgegriffen‹ worden waren und sie immer noch
nicht mit ihnen in Verbindung treten durften. Einige, die ohne Anklage
wieder entlassen worden waren und mit Geschichten über körperliche
Mißhandlung oder Folter heimkamen. Ein junges Paar – der Mann
weiß, die junge Frau farbig –, die anfragten, ob Ben nicht dafür sorgen
könne, daß sie getraut würden. Ein ehrwürdiger alter Vater, der sich
darüber beschwerte, daß der Mann, dem er seine Tochter zur Frau gege-

ben hatte, sich nun weigerte, die nach Stammestradition fällige *lobola* zu zahlen. Bei einigen der Fälle standen Ben die Haare zu Berge; andere hingegen waren einfach lächerlich. Und zwischen den echten Bittstellern kam noch ein ständiger Strom von Glücksrittern oder gewöhnlichen Bettlern.

Zu Anfang erschienen sie vereinzelt, im Abstand von einer Woche oder noch länger. Später verging kaum ein Tag, an dem sich nicht irgend jemand um Hilfe an ihn wandte. Sie kamen zu zweit oder zu dritt, in ganzen Gruppen. Mehr als einmal mußte Ben sich regelrecht überwinden, wegen der unvermeidlichen Forderungen, die ihn erwarteten, von der Schule nach Hause zu fahren. Susan drohte sogar, einen Hund anzuschaffen, um der Invasion in ihrem Hinterhof ein Ende zu bereiten.

Allein das Ausmaß der Verantwortung, die im aufgebürdet wurde – und die Unmöglichkeit, den anderen etwas abzuschlagen, nachdem er den ersten Hilfe angeboten hatte –, drohte, ihn krank zu machen. Es gab Anzeichen dafür, daß er ein Magengeschwür bekam. Er fing an, seine Pflichten in der Schule zu vernachlässigen. Sein Verhalten den Schülern gegenüber wurde ziemlich schroff, und während der Pausen kamen weniger zu ihm, um sich mit ihm zu unterhalten oder um seinen Rat zu suchen.

Hätte er genug Zeit gehabt und wären da nicht noch tausend andere Sorgen gewesen, vielleicht wäre er damit fertig geworden. Doch seit jenem Tag, an dem Stolz ihn zum zweitenmal besucht hate, hatte er ständig das Gefühl, beobachtet zu werden und gegen unsichtbare Hindernisse angehen zu müssen, die sich ihm überall in den Weg stellten.

Oft geschah das so unmerklich, daß es ihm unmöglich war, zu sagen, wann es angefangen oder die Sache sich gewendet hatte. Doch mochte ein Widerstand auch noch so subtil eingeführt worden sein, es mußte eine Reihe von ›ersten Malen‹ geben: das erste Mal, daß sein Telefon angezapft worden war; das erste Mal, daß man seine Post geöffnet hatte; das erste Mal, daß ihm ein unbekannter Wagen auf dem Weg in die Stadt folgte; das erste Mal, daß ein Fremder gegenüber seinem Haus Posten bezog, um zu überprüfen, wer bei ihm aus und ein ging; das erste Mal, daß mitten in der Nacht das Telefon klingelte und am anderen Ende nichts weiter zu hören war als heftiges Schnaufen und erbarmungsloses Gekicher; das erste Mal, daß ein Freund Ben mitteilte: »Weißt du, gestern abend war jemand bei mir, der dauernd Fragen nach dir gestellt hat…«

Zwischendurch gab es freundlichere Tage. Stanley kehrte mit einer von Wellington Phetla unterschriebenen eidesstattlichen Erklärung aus Botswana zurück; jetzt, da er außer Landes war, war der Junge bereit, von der gesamten gemeinsam mit Jonathan verbrachten Haftzeit zu reden. Außerdem war es Stanley gelungen, ein paar von Wellingtons Kameraden ausfindig zu machen, die bereit gewesen waren, seine schriftliche Zeugenaussage zu bestätigen. Was er über Gordons zweiten Sohn, Robert, zu berichten hatte, war weniger ermutigend. Als Stanley ihn endlich gefunden hatte, war er gerade im Begriff, in ein Militärlager nach Mozambique zu gehen; er ließ sich nicht davon abbringen und schwor Stein und Bein, er werde niemals zurückkehren, es sei denn, mit der Waffe in der Hand.

Doch die Niedergeschlagenheit über Robert wurde durch etwas anderes verdrängt, das Stanley bald nach seiner Rückkehr berichtete. Zum erstenmal, erklärte er, schienen sie vor einem echten Durchbruch zu stehen: Er hatte einen alten Putzmann aufgetrieben, der im Leichenschauhaus der Polizei arbeitete, und dieser Mann hatte ihm erzählt, an jenem Vormittag, an dem die Autopsie vorgenommen worden sei, habe Captain Stolz ihm ein Bündel Kleider übergeben und ihm aufgetragen, sie zu verbrennen.

In Soweto war der schwarze Rechtsanwalt, Julius Nqakula, dabei, beharrlich, aber ohne jeden Aufhebens seine alten Klienten aufzustöbern, um ihre Aussagen über Jonathan und Gordon aufzuschreiben. Sogar die Krankenschwester, die allen Mut verloren hatte, nachdem sie ihnen von Jonathans Krankenhausaufenthalt erzählt hatte, ließ sich dazu bewegen, eine neue eidesstattliche Erklärung zu unterschreiben. All diese kleinen Beweisstücke brachte Stanley zu Ben, damit dieser sie in dem verborgenen Fach seines Werkzeugschranks verwahrte.

Es gab auch Rückschläge. Nur zwei Tage, nachdem die Krankenschwester ihre neue eidesstattliche Erklärung unterschrieben hatte, wurde sie vom Sonderdezernat festgenommen. Julius Nqakula wurde Ende August verhaftet, als er gegen den von der Polizei verhängten Bann verstieß und seine Schwester in Maelodie besuchte. Das bedeutete ein Jahr Gefängnis, was Stanley mit erstaunlichem Gleichmut hinnahm:

»Der alte Julius verrät absolut nichts, keine Angst. Außerdem hat er in der letzten Zeit wieder viel zuviel zur Flasche gegriffen. Dies Jahr im Knast wird ihn wieder schön nüchtern machen.«

»Ein Jahr Knast, bloß weil er seine Schwester besucht hat?«

»Das Risiko hat er nun mal auf sich genommen, *Lanie*. Julius ist der letzte, der sich darüber beklagte.«

»Meinst du nicht, daß sie ihn eigentlich deshalb verhaftet haben, weil sie dahintergekommen sind, daß er uns geholfen hat?«

»Ja, und?« – Falls es einen Ausdruck gibt, der die ganze Wirklichkeit von Stanley Makhaya zusammenfaßte, so war es die Art, wie er immer sagte: *Ja und?* – »*Lanie*, du bekommst doch jetzt nicht etwa Schuldkomplexe? Das ist ein Luxus, den sich nur Liberale leisten können. Vergiß es!« Ein Schlag zwischen die Schulterblätter ließ Ben ein paar stolpernde Schritte nach vorn machen. »Julius kommt wieder raus, Mann. Und zwar rundum erfrischt durch diesen kurzen Aufenthalt im Tiefkühlfach.«

»Wir können doch nicht einfach achselzuckend über das Schicksal eines Mannes hinweggehen, mit dem wir zusammengearbeitet haben!«

»Wer behauptet denn, daß wir achselzuckend darüber hinweggehen? Die beste Möglichkeit, die Erinnerung an jemanden wachzuhalten, ist immer noch, den Kampf fortzusetzen. Wir tun es schließlich für Emily, oder?«

Auch Emily klopfte eines späten Nachmittags bei Ben an. Er war schon ganz erschöpft von den vielen Besuchern. Obendrein war auch noch Sonntag. Susan war nach Pretoria gefahren, um den Tag bei Suzette und Chris zu verbringen, etwas, das sie in letzter Zeit immer häufiger tat. Johan war mit irgendwelchen Freunden weg. Eigentlich wollte Ben diesmal so tun, als hätte er das Klopfen nicht gehört, doch als es andauerte, blieb ihm keine andere Wahl, als abgespannt den langen Korridor hinunterzuschlurfen; als er aufmachte, stand Emily auf dem *stoep*. Hinter ihr, im Schatten eines Pfeilers, stand ein ihm unbekannter Schwarzer in braungestreiftem Anzug. Er mochte um die dreißig gewesen sein, hatte ein angenehmes, aber sehr angespanntes Gesicht und blickte sich die ganze Zeit über nervös um, als ob jeden Augenblick unsichtbare Feinde vor ihm auftauchen würden.

»Das ist Johnson Seroke, *Baas*«, sagte Emily bescheiden. »Der Mann, von dem ich dir erzählt habe; der mit den Briefen.«

In seinem Arbeitszimmer, hinter zugezogenen Vorhängen, fragte Ben: »Arbeitest du wirklich für die Polizei, Johnson?«

»Es ist mir nichts anderes übriggeblieben«, sagte der Mann mit verhaltener Feindseligkeit.

»Und doch hast du Briefe zu Emily rausgeschmuggelt?«

»Was bleibt einem anderes übrig, wenn jemand, der in größten Schwierigkeiten steckt, einen darum bittet?« Johnson Seroke saß auf der Kante seines Stuhls und zog immer wieder nacheinander an den Fingern der linken Hand, daß es in den Gelenken nur so knackte.

»Johnson kommt in Teufels Küche, wenn sie dahinterkommen, *Baas*«, sagte Emily.

»Johnson, was weißt du über Gordon?« fragte Ben.

»Ich habe ihn nur wenig gesehen.« Johnsons Sprechweise war abgehackt und geziert.

»Aber von Zeit zu Zeit hast du mit ihm gesprochen?«

»Er hat mir die Briefe gegeben.«

»Wann hast du ihn das letztemal gesehen?«

»Kurz vor seinem Tod.«

»Bist du dabeigewesen, als sie ihn verhörten?«

»Nein.« Er zog nochmals an allen fünf Fingern seiner linken Hand. »Ich war drei Büros weiter. Aber ich habe ihn gesehen, als sie in den Gang runtertrugen.«

»Wann war das?«

»Am Donnerstag. Dem 24. Februar.«

»Erinnerst du dich noch, um welche Zeit das war?«

»Am Spätnachmittag.«

»Wie hat er ausgesehen?«

»Das konnte ich nicht sehen. Er war ganz schlaff.«

Ben mußte sich überwinden, um zu fragen: »War er tot?«

»Nein. Er gab noch Laute von sich.«

»Hat er etwas gesagt, was du verstehen konntest?«

»Nein, nichts.«

»Was hast du getan?«

»Was sollte ich tun? Ich war in dem Dienstzimmer und tat so, als hätte ich was zu tun. Sie haben ihn zu den Zellen runtergebracht.«

»Haben sie hinterher irgend etwas dazu gesagt?«

Johnson Seroke sprang auf, kam zu dem Schreibtisch und lehnte sich mit ausgestreckten Armen darauf vor. Das Weiße in seinen Augen war gelblich; zarte Äderchen schimmerten rot hindurch. »Wenn du irgend jemandem sagst, daß ich heute hier war, werde ich das leugnen. Klar?«

»Das verstehe ich. Du kannst dich drauf verlassen, daß ich nichts sage.« Er blickte angestrengt zu dem Mann auf, der sich mit schreckensgeweiteten, blutunterlaufenen Augen über seinen Schreibtisch lehnte.

»Kein Mensch wird je erfahren, daß du hiergewesen bist.«

»Ich bin nur gekommen, weil Emily mich darum gebeten hat.«

»Ich habe ihm gesagt, daß der *Baas* gut zu uns ist«, sagte Emily voller Unbehagen.

»Und du hast Gordon nie wiedergesehen?« Ben blieb hartnäckig.

»Ich war da, als sie ihn in die Leichenhalle schafften.«

»Wann?«

»Am nächsten Tag.«

»Und bist du ganz sicher, daß du wirklich nichts über die Nacht weißt, die dazwischen lag, Johnson?«

»Woher soll ich was wissen? Ich halte mich möglichst von solchen Sachen fern, wenn sie passieren.«

»Warum bleibst du bei der Polizei?« fragte Ben rundheraus. »Du gehörst doch eigentlich nicht dorthin.«

»Wie kann ich weggehen? Ich liebe meine Familie.«

Nachdem sie weggegangen waren, der nervöse junge Mann und die füllige Frau, machte sich Ben für seine Unterlagen über das Gespräch kurze Notizen.

Am nächsten Morgen, am hellichten Tag, wurde in sein Arbeitszimmer eingebrochen, während er in der Schule war und Susan in der Stadt. Soweit er feststellen konnte, war nichts gestohlen worden; aber die Bücher waren einzeln aus den Regalen herausgenommen und der Inhalt der Schubladen auf den Boden gekippt und die Polster der Stühle mit einem scharfen Gegenstand aufgeschlitzt worden.

»Das waren bestimmt diese Taugenichtse, die den ganzen Tag um das Haus rumlungern«, sagte Susan verächtlich. »Wenn du nicht bald mit all dem aufhörst, passiert noch etwas ganz Schlimmes. Das hast du dir dann selbst zuzuschreiben. So blind kannst du doch gar nicht sein, Ben! Siehst du denn nicht, was sie an die Wand geschmiert haben?«

Er gab keine Antwort. Er wartete, bis sie ein Beruhigungsmittel genommen und sich hingelegt hatte; dann eilte er in die Garage. Der Werkzeugschrank war unberührt.

6. September. Melanie gestern abend über Malawi nach Rhodesien geflogen. Das ist zumindest die offizielle Version. In Wirklichkeit fliegt sie nach Lusaka. Muß deshalb ihren britischen Paß benutzen. Ich habe sie gewarnt, daß sie sich damit Schwierigkeiten einhandeln kann. Hat das achselzuckend abgetan. »Das ist der einzige Gefallen, den meine Mutter mir je getan hat. Deshalb benutze ich ihn, wann immer es mir paßt.«

Als ihr südafrikanischer Paß vor einem Monat abgelaufen war, hatte sie Angst, er könnte womöglich nicht erneuert werden. Aber es gab keinerlei Schwierigkeiten. Hat ihn vorigen Freitag zurückbekommen. Lachend zeigte sie mir das neue Paßfoto darin. Sie findet es abscheulich; mir hingegen gefällt es recht gut. Sie hat mir einen Abzug geschenkt, den ich während ihrer Abwesenheit hüte wie meinen Augapfel; komme mir vor wie ein Schuljunge. Nur zehn Tage, versuchte sie mich zu beruhigen. Dabei umgibt mich eine merkwürdige Leere, als hätte sie mich völlig schutzlos zurückgelassen.

Am Wochenende eine weitere kleine Information von ihrer Kontaktperson am Square. Der Mann scheint für das Austeilen des Abendessens an die Häftlinge zuständig zu sein. Am dritten Februar war ihm eingeschärft worden, in Zukunft hätten nur weiße Wärter Zutritt zu Gordons Zelle. Das war der Tag mit den »Kopf-« und »Zahnschmerzen«. Am nächsten Morgen der Besuch von Dr. Herzog.

Noch wichtiger: Als die Wärter am Abend des 24. Februars zu den Zellen hinuntergingen, sah er Leute an Gordons Zellentür. Einer seiner schwarzen Kollegen sagte zu ihm: »Der Mann ist krank, der Arzt ist bei ihm.«

Damit hat sich mein Verdacht erhärtet: Herzog weiß viel mehr, als er zuzugeben bereit ist. Aber wer könnte es aus ihm rausbekommen?

In der plötzlichen Einsamkeit heute setzte ich mich ins Auto und fuhr zu Phil Bruwer. Spielte gerade Klavier, als ich kam. Machte immer noch den Eindruck, als hätte er in den Kleidern geschlafen. Roch nach Alkohol, Tabak und Fürzen. Außer sich vor Freude, als er mich sah. Da der Tag kalt war, spielten wir Schach vorm Kamin. Steckte seine Pfeife mit einem langen Fidibus an, wie er sie eigens zu diesem Zweck in einem Eisentopf stehen hat.

»Wie kommt Sherlock Holmes voran?« fragte er, und seine Augen blitzten unter den buschigen Brauen.

»Er kommt ein bißchen voran, Professor. Ich nehme an, Melanie hat Ihnen von dem Wärter erzählt?«

»Hm. Wie wär's mit einer Partie Schach?«

Erstaunlich, wie lange wir spielten, ohne daß ein Wort zwischen uns gefallen wäre; hatte jedoch keinen Augenblick das Gefühl, isoliert zu sein. Umgeben von diesen Tausenden von Büchern. Katzen, die auf der Brücke vorm Kamin schliefen. Bildete alles irgendwie ein Ganzes. Das ist das einzige Wort, das mir dazu einfällt. Ein *Ganzes* im Gegensatz zu den vielen Einzelheiten meines Puzzles.

Da war mir vorher nie so bewußt gewesen, doch als ich es aussprach, leuchtete es mir augenblicklich ein; folglich muß es vorhanden gewesen sein wie das Futter einer Jacke, die man täglich anhat:

»Wissen Sie, was mir wirklich Angst macht, Professor?« Ruhig blickte er mich durch den Rauch seiner Pfeife an und wartete, daß ich es erklärte. »Da sind wir dabei, all die vielen Einzelinformationen zusammenzutragen. Manchmal scheint es nicht weiterzugehen, und doch machen wir Stück für Stück ständig weiter Fortschritte. Aber mal angenommen, eines Tages ist das Bild vollständig, und wir wissen bis in die kleinste Einzelheit genau, was ihm widerfahren ist – über sein Leben weiß ich dann immer noch nichts.«

»Verlangen Sie da nicht zuviel?« sagte er. »Was kann ein Mensch schon über einen anderen wissen? Wissen Sie, darüber habe ich oft schon selbst nachgedacht...« Der Furz hatte fast etwas Bestätigendes, als er kam. »Meine Frau. Unsere Ehe. Schön, ich war viele Jahre älter als sie, und ich nehme an, daß die Ehe genaugenommen von Anfang an zum Scheitern verurteilt war. Trotzdem habe ich damals gedacht, wir kennten einander. War fest davon überzeugt. Bis sie ihre Siebensachen packte und mich verließ. Und da ging mir zum erstenmal auf, daß ich praktisch vierundzwanzig Stunden am Tag neben einem anderen Menschen gelebt hatte, ohne auch nur die leiseste Ahnung zu haben, was in ihm vorging. Ähnlich war's mit den Burschen, mit denen ich in Deutschland im Lager war: teilten alles, kamen uns richtig nahe. Und dann, plötzlich, passierte irgendwas – es konnte noch so unbedeutend sein –, und es ging einem auf, daß wir uns in Wirklichkeit vollkommen fremd waren und jeder verzweifelt allein in der Welt. Der Mensch ist ganz auf sich selbst gestellt, Ben. Immer.«

»Vielleicht liegt das daran, daß man dazu neigt, vieles für selbstverständlich zu halten«, sagte ich. Seine Worte hatten mich nicht überzeugt. »Was aber Gordon angeht, so ist er mir jetzt Tag und Nacht gegenwärtig. Es ist keine passive Beziehung; ich befasse mich jeden Augenblick meines Lebens aktiv mit ihm. Aber wenn alles gesagt und bedacht ist – was habe ich denn wirklich in Händen? Fakten, Fakten, Einzelheiten. Und was verraten die mir von *ihm*, diesem Menschen, Gordon Ngubene, den es doch hinter all diesen Fakten irgendwo geben muß? Und was ist mit all den vielen Menschen, die jetzt in Scharen hilfesuchend zu mir kommen? Was weiß ich von denen? Wir reden miteinander, wir berühren einander, und doch sind wir Fremde aus verschiedenen Welten. Es ist wie mit Leuten in zwei verschiedenen Zügen, die aneinander vorbeifahren. Man hört einen Ruf, man ruft zurück, aber es ist nur ein Laut, man hat keine Ahnung von dem, was der andere gesagt hat.«

»Sie haben ihn zumindest rufen hören.«

»Das ist kein großer Trost.«

»Wer weiß?« Er machte einen Zug mit einem seiner Läufer.

»Die meisten Menschen haben sich so sehr an die vorbeifahrenden Züge gewöhnt, daß sie nicht einmal mehr aufsehen, wenn sie es rufen hören.«

»Manchmal beneide ich sie geradezu darum.« Boshaft und freudig zugleich leuchtete es in seinen Augen auf. »Das kann man sich aussuchen«, sagte er. »Wer will, kann ja auch anhalten und Fragen stellen, oder? Das einzige, womit man sich abfinden muß, ist, daß so was passiert.«

»Hat man wirklich die Freiheit zu wählen? Oder wird man gewählt?«

»Finden Sie, daß das ein großer Unterschied ist? Haben Adam und Eva sich frei entschieden, den Apfel zu essen? Oder hat der Teufel für sie entschieden? Oder lag es von Anfang an in Gottes Willen? Ich meine: Vielleicht hat Er sich das so vorgestellt: Wenn der Baum genauso aussah wie alle anderen, wäre er ihnen vielleicht nie aufgefallen; aber dadurch, daß Er ihnen ausdrücklich verbot, davon zu essen, sorgte Er praktisch dafür, daß sie es ausprobieren *mußten*. Vielleicht ist das der Grund, warum Gott am siebten Tage ruhig und zufrieden schlafen konnte.«

»Ich gehe aber davon aus, daß sie zumindest wußten, was sie taten.«

»Wissen *Sie* das denn nicht?«

»Früher dachte ich, ich wüßte es. War ich überzeugt, mich mit offenen Augen darauf einzulassen. Allerdings hatte ich mir wohl nicht vorgestellt, daß es dabei so dunkel um mich herum sein würde.«

Ohne direkt zu antworten, als sei ihm gerade ein neuer Gedanke gekommen, schob Bruwer den Stuhl zurück und kletterte, auf der Suche nach einem Buch auf einem der obersten Regale, eine kleine Trittleiter hinauf. Von dort sagte er über die Schulter hinweg: »Sie wissen vermutlich mehr darüber als ich, denn schließlich ist es Ihr Fachgebiet. Aber würden Sie mir nicht zustimmen, daß die Bedeutung, die eigentliche Bedeutung von Zeitaltern wie dem des Perikles oder der Medici in der Tatsache liegt, daß eine ganze Gesellschaft, ja, eine ganze Kultur am selben Strang zog und sich in dieselbe Richtung bewegte?« Das vertraute und beruhigende Geräusch eines Furzes begleitete diese Worte. »In einem solchen Zeitalter besteht eigentlich kaum die Notwendigkeit, selber eine Entscheidung zu fällen: Das tut die Gesellschaft, in der man lebt, und man steht völlig im Einklang mit ihr. Andererseits gibt es Zeiten wie die unsere, wo die Geschichte sich noch nicht auf einen klaren neuen Kurs festgelegt hat. In solchen Zeiten ist jeder auf sich allein gestellt. Jeder muß seine eigenen Definitionen finden, und die Freiheit eines jeden bedroht die aller anderen. Und das Ergebnis? Terrorismus. Ich denke dabei keineswegs nur an die Aktionen ausgebildeter Terroristen, sondern auch an die des organisierten Staates, dessen Institutionen das eigentlich Menschliche in uns gefährden.« Er nahm seine Suche wieder auf.

»Ah, hier ist es.« Nachdem er heruntergestiegen war, reichte er mir das Buch, das er gefunden hatte. Merleau-Ponty. Leider auf französisch, das ich nicht lesen kann. Er schien enttäuscht, doch ich versprach ihm, mich um eine englische Übersetzung zu bemühen.

Dabei die ganze Zeit über – Tag für Tag – das Gefühl, beschattet zu werden. Beim Einkauf im Supermarkt am Samstag morgen erkennt er plötzlich ein kariertes Sportjackett wieder: Lieutenant Venter mit dem jungenhaften Gesicht und dem krusseligen Haar; oder Vosloo, den breitschultrigen Mann mit der dunklen Gesichtshaut; oder Koch, den großen, athletisch aussehenden Mann mit den großen Händen. Für gewöhnlich nichts weiter als ein flüchtiger Blick, oft zu flüchtig, um ganz sicher zu sein, daß es wirklich einer von ihnen war. Vielleicht bildete er sich das alles auch bloß ein. Er erreichte ein Stadium, in dem er sie überall erwartete, sogar in der Kirche.

Die Briefe im Briefkasten, deren Umschläge aufgeschlitzt waren, als ob die Geringschätzung dessen, der sie geöffnet hatte, zu groß war, sich auch noch die Mühe zu machen, sie wieder zu verschließen – es sei denn, versteht sich, es geschah absichtlich, um ihm deutlich zu machen, daß seine Post von anderen gelesen wurde. Nie etwas wirklich Bedeutungsvolles: Wer sollte ihm schon Briefe schicken, in denen etwas stand, was die staatliche Sicherheit gefährdete? Was ihn ärgerte, war das Gefühl – wie an dem Tag in seinem Arbeitszimmer, als sie sogar das Kästchen mit seinen Schachfiguren und die Schale mit den geschliffenen Steinen durchsucht hatten –, daß nichts, was ihm gehörte, mit Achtung behandelt wurde; ihnen war nichts heilig, für sie gab es keinen Privatbereich. »Als ob man in einem Aquarium lebte«, notierte er einmal auf einem aus einem Schulheft herausgerissenen Blatt. »Jede Bewegung von Augen verfolgt, die einen durch Glas und Wasser hindurch beobachten und selbst noch die Kiemenbewegungen beim Atmen prüfen.«

Oder an anderer Stelle (unter dem Datum des 14. September): »Erst wenn einem bewußt wird, daß man auf diese Weise beobachtet wird, lernt man, sich selbst mit neuen Augen zu sehen. Man kommt zu einem ganz anderen Urteil über sich und entdeckt, was von den eigenen Bedürfnissen wirklich wichtig ist und worauf man verzichten kann. Vielleicht sollte man dankbar sein! – Man lernt, sich zu läutern, alles Überflüssige abzustreifen und sich weniger auf die eigene Kraft und das eigene Urteil zu verlassen als vielmehr auf die Gnade. Alles, was einem gestattet wird, beruht auf Gnade. Denn schließlich können sie zu jeder Tages- und Nachtzeit auf die Idee kommen zuzupacken. Selbst im Schlaf ist man ihnen ausgeliefert. Allein die Tatsache, daß man sich von Tag zu Tag, ja, von einer Stunde auf die andere, sagen kann: *Dieser Tag, diese Stunde ist mir noch gewährt…* wird zu einer so wunderbar intensiven Erfahrung, daß man lernt, den Herrn auf eine neue Weise zu loben. Ob so wohl ein Leprakranker fühlt, wenn er von einem seiner Gliedmaßen nach dem anderen Abschied nehmen muß? Oder jemand, der unter unheilbarem Krebs leidet? Ach, es ist eine Trockenzeit. Allerdings auf ihre Weise unendlich kostbar.«

Nicht immer reagierte er so positiv. In den meisten Aufzeichnungen aus diesen Monaten ist von Depression, Sorge, Zweifel und Unsicherheit die Rede. Spannungen daheim mit Susan. Streit am Telefon mit Suzette. Kleine Meinungsverschiedenheiten mit Kollegen.

Es war möglich, sich an diese kleinen Einschüchterungsversuche zu gewöhnen, zu denen es immer wieder kam, war möglich, mit ihnen zu leben, sie sogar langweilig zu finden. Aber es gab auch andere. So entdeckte er zum Beispiel eines Morgens, daß jemand Hammer und Sichel an seine Haustür gemalt hatte. Oder an einem anderen Tag, als er sich ins Auto setzen wollte, um nach der Schule nach Hause zu fahren, daß man ihm sämtliche vier Reifen aufgeschlitzt hatte. Die anonymen Anrufe, häufig um zwei, drei Uhr nachts. Susan war völlig mit den Nerven herunter, und es kam zu hysterischen Ausbrüchen oder Weinkrämpfen, über die sie beide hinterher völlig entsetzt waren.

Was Ben am meisten unter die Haut ging, war, daß er in seiner Klasse manchmal irgendwelchen in großen Buchstaben an die Wandtafel gemalten Parolen gegenüberstand, Albernheiten, die die Klasse in Gekicher ausbrechen ließen. Irgendwie wußten immer auch seine Kollegen davon, und einmal fragte Koos Cloete in Gegenwart des gesamten Lehrkörpers scharf: »Wie kann ein Lehrer erwarten, daß seine Schüler zu ihm aufsehen, wenn sein eigenes Verhalten nicht über jeden Zweifel erhaben ist?«

18. September. Mir fiel auf, daß Johan nach der Schule übel aussah. Zerrissenes Hemd, blaues Auge, geschwollene Lippen. Erst wollte er nichts sagen. Schließlich gelang es mir, es aus ihm rauszuholen. Ein paar Jungen aus Stufe Neun, sagte er, hänselten ihn seit Wochen, nannten seinen Vater einen *nigger-lover*. Heute morgen sei das Faß übergelaufen. Er habe es ihnen tüchtig gegeben, doch seien sie zu viele gewesen. Das Schlimmste von allem: Als sie sich prügelten, sei einer der Lehrer vorbeigekommen und habe so getan, als sähe er nichts.

Trotzdem hatte er sich nicht einschüchtern lassen. »Dad, wenn sie morgen wieder davon anfangen, hau' ich ihnen die Fresse ein.«

»Was hat das für einen Sinn, Johan?«

»Ich lass' nicht zu, daß sie dich beleidigen.«

»*Mir* tut das nicht weh.«

Johan hatte der geschwollenen Lippe wegen Mühe zu sprechen, war jedoch zu aufgebracht, um den Mund zu halten. »Ich habe versucht, vernünftig mit ihnen zu reden, aber sie wollten nicht zuhören. Sie wissen ja nicht mal, was du zu tun versuchst.«

»Weißt *du* das denn genau?« Ich mußte ihm diese Frage stellen, so schwer es mir auch fiel.

Er wandte den Kopf, so daß er mich mit seinem heilen Auge offen ansah. »Ja, ich weiß es«, sagte er heftig. »Und nur, wenn du aufhörst, habe ich Grund, mich deiner zu schämen.«

Er schien peinlich berührt von dem, was ihm da herausgerutscht war. Vielleicht hätte ich ihn nicht fragen sollen. Wollte zu seinem Unbehagen nicht dadurch noch beitragen, daß ich ihm dankte. So saßen wir nebeneinander und schauten auf der Heimfahrt starr geradeaus. Und doch wußte ich in diesem erschreckenden, doch wunderbaren Augenblick, daß es sich lohnte: und sei es nur, um diese Worte von meinem Sohn zu hören. Als wir vor dem Haus hielten, sah er mich nochmals an und zwinkerte mit seinem heilen Auge: »Am besten sagen wir Mutter nicht, worum es gegangen ist. Ich nehme an, es würde ihr nicht gefallen.«

Ganz anders der Schock, den Ben erlebte, als er Dan Levinson in seinem Büro aufsuchte, um mit ihm über die Leute zu sprechen, die sich hilfesuchend an ihn gewandt hatten. Levinson war kurz angebunden und beschäftigt wie immer – was Ben jedoch aufbrachte, waren Levinsons Besucher: die beiden Anwälte, die beim Ermittlungsverfahren über Gordons Tod dabeigewesen waren, De Villiers, der die Familie, und Louw, der die Polizei vertreten hatte.

»Sie kennen sich, nicht wahr?« sagte Levinson.

»Natürlich.« Freundlich begrüßte Ben De Villiers, um sich dann stirnrunzelnd Louw zuzuwenden. Zu seiner Überraschung gab dieser sich sehr herzlich. Die drei Rechtsanwälte plauderten noch eine Viertelstunde, ehe die beiden Verteidiger sich verabschiedeten.

»Das hätte ich nie gedacht – daß ich Louw einmal in Ihrem Büro treffe«, meinte Ben voller Unbehagen.

»Warum nicht? Wir kennen uns seit Jahren.«

»Aber… nach dem Verfahren wegen Gordon…?«

Levinson lachte und klopfte ihm geradezu kumpelhaft auf die Schulter. »Mein Gott, Mann, wir sind doch alle Profis. Sie erwarten doch wohl nicht von uns, daß wir Beruf und Privatleben miteinander vermischen, oder? Nun, um was geht es denn heute? Übrigens, haben Sie meine letzte Rechnung bekommen?«

6

Anfang Oktober wurden vier oder fünf von Bens Kollegen vom Sonderdezernat vorgeladen und nach ihm befragt. Wie lange sie ihn kannten, was sie über seine politische Einstellung, seine Arbeit und Interessen wüßten, sein Kontakt zu Gordon Ngubene; ob sie sich darüber im klaren seien, daß er »regelmäßig« nach Soweto fahre; ob sie jemals zu Besuch bei ihm gewesen seien und ob sie bei der Gelegenheit auch Schwarze in seinem Haus getroffen hätten usw.

Der junge Viviers war der erste, der auf Ben zuging und ihm alles von dieser Unterredung berichtete. »Aber ich habe ihnen auf den Kopf zugesagt, daß sie nur ihre Zeit verschwendeten, Ohm Ben. Ich habe ihnen ganz gehörig die Meinung gesagt; das hätte schon längst mal jemand tun sollen.«

»Ich bin Ihnen sehr dankbar, Viviers. Aber...«

Der junge Mann war viel zu erregt, um ihn ausreden zu lassen. »Und dann fingen sie auch noch an, sich eingehend nach mir zu erkundigen! Ob ich mit Ihnen ›kooperierte‹. Was ich über den *African National Congress* wisse und so weiter. Zum Schluß gaben sie sich dann ganz väterlich und sagten zu mir: ›Mr. Viviers, Sie kommen aus einer guten Afrikaner-Familie. Wir sehen, daß Sie sich ernstlich Gedanken über vieles machen. Nun, wir leben in einem freien Land, und jeder hat das Recht auf seine eigene Meinung. Über eines sollten sie sich jedoch klar sein. Genau nach solchen Leuten wie Ihnen halten die Kommunisten Ausschau. Sie begreifen nicht, wie leicht es ist, ihnen in die Hände zu spielen. Ehe Sie wissen, wie Ihnen geschieht, werden Sie von ihnen für ihre eigenen Ziele eingespannt.«

»Das tut mir leid, Viviers«, sagte Ben. »Ich wollte wirklich nicht, daß Sie mit hineingezogen würden.«

»Warum sollte Ihnen das leid tun? Wenn die glauben, sie könnten mich einschüchtern, können die was erleben!« Und mit einem Lächeln der Zufriedenheit setzte er noch hinzu: »War vielleicht gar nicht so schlecht, daß sie ausgerechnet mich vorgeladen haben. Ein paar von den anderen hätten ihnen vielleicht sehr häßliche Dinge über Sie erzählt. Ich weiß, wie die sind.«

Doch bald stellte sich natürlich heraus, daß Viviers nicht der einzige war, der eine Vorladung bekommen hatte. Ben war es bereits gewohnt, von Freunden zu hören, daß man diskrete Erkundigungen nach ihm anstellte. Doch das bewußt methodische Vorgehen diesmal und die Tatsache, daß man seine Kollegen mit hineingezogen hatte, war ein Schlag für ihn; ebenso der Verdacht, daß man absichtlich alles so eingerichtet hatte, um auch sicherzugehen, daß es ihm zu Ohren kam. Dabei beunruhigte ihn keineswegs der Gedanke, daß möglicherweise etwas von Bedeutung bei der ganzen Sache herausgekommen war, was ihn jedoch fuchste, war die Tatsache, daß er überhaupt nichts dagegen tun konnte und ein Gegenzug für ihn völlig ausgeschlossen war.

Die anderen Lehrer, die man vorgeladen hatte, taten es keineswegs so ohne weiteres ab wie Viviers. Für den jovialen Carelse war das Ganze wie fast alles andere in seinem sorglosen Leben ein Riesenjux gewesen. Er sprach offen im Lehrerzimmer darüber und fand in der ganzen Angelegenheit wochenlang Stoff für seine keineswegs bösartigen, aber völlig albernen Bemerkungen: »Wie geht's unserem Terroristen denn heute morgen?« – »Ach, Ohm Ben, können Sie mir nicht mal eine von Ihren Bomben leihen? Ich würde gern die Stufe Sieben in die Luft jagen.« – »Wie ist denn das Wetter heute in Moskau?«

Ein paar von den anderen gingen ihm nun bewußter als zuvor aus dem Weg. Ohne ihn anzusehen, ließ Ferreira, einer der Englischlehrer, Andeutungen fallen über »gewisse Leute, die sich noch mal die Finger verbrennen werden«.

Koos Cloete brachte das Ganze auf seine übliche aggressive Weise zur Teezeit im Lehrerzimmer aufs Tapet:

»In all den Jahren, die ich jetzt als Lehrer tätig bin, mußte die Polizei nie kommen, um über einen aus dem Kollegium mit mir zu reden. Ich habe das kommen sehen, vergessen Sie das nicht. Aber ich habe nie gedacht, daß es wirklich so weit kommen würde.«

»Ich bin durchaus bereit, die ganze Angelegenheit mit Ihnen zu klären«, sagte Ben und hatte Schwierigkeiten, seinen Zorn zu unterdrücken. »Es gibt nichts, weshalb ich mich schämen müßte.«

»Es läßt sich alles so drehen, daß es einen guten Eindruck macht, Mr. Du Toit. So wie die Dinge stehen, kann ich nur darauf hinweisen, daß die Schule strikte Anweisungen für solche Angelegenheiten hat. Und das wissen Sie so gut wie ich.«

»Wenn Sie mir in Ihrem Zimmer eine halbe Stunde Gehör schenken wollten, würde ich Ihnen alles erklären.«

»Gibt es denn etwas, bei dem Sie nicht möchten, daß Ihre Kollegen es hören?«

Ben mußte tief Luft holen, um nicht aus der Haut zu fahren. »Ich bin bereit, alles zu sagen, was Sie hören möchten. Überall. Falls Sie sich wirklich meinetwegen Sorgen machen.«

»Es ist wichtiger, daß Sie das mit ihrem eigenen Gewissen ausmachen«, sagte Cloete. »Ehe Sie für die Schule untragbar werden.«

Um nicht aus der Rolle zu fallen, kehrte Ben in sein Klassenzimmer zurück. Gott sei Dank, daß er eine Freistunde vor sich hatte. Lange saß er reglos da, saugte an seiner Pfeife und starrte über die Reihen der leeren Tische. Allmählich verebbte sein Zorn, sah er wieder klar. Die ganze Sache war so offensichtlich, daß er kaum begreifen konnte, wieso er nicht schon früher daran gedacht hatte.

Am frühen Nachmittag ging er wieder zum John Vorster Square. Von der Tiefgarage aus nahm er den Lift. Er schrieb Colonel Viljoens Namen auf das Formular, das die Aufsicht ihm zuschob. Zehn Minuten später stand er wieder vor demselben Schreibtisch, vor dem er schon vor so vielen Monaten gestanden hatte. Diesmal war Viljoen allein; trotzdem blieb Ben bewußt, daß unter der Tür hinter ihm lautlos und unsichtbar Menschen auftauchten, ihn anstarrten und dann wieder auf den Fluren verschwanden. Er hatte keine Ahnung, wo sich in dem großen blauen Gebäude Stolz befand; vielleicht war er heute nicht einmal da. Dennoch war er sich der Gegenwart dieses Mannes bewußt. Seine dunklen, eindringlich forschenden Augen, die schmale weiße Narbe auf der Backe. Und irgendwo hinter diesem Bewußtsein tauchte mit der Heftigkeit eines Schlags in die Magengrube die Erinnerung an Gordons Gesicht und seinen schmächtigen Körper auf, wie er mit beiden Händen den Hut vor die Brust gedrückt hielt. *Wenn ich es wäre, na schön. Aber er ist mein Kind, und ich muß es wissen. Gott ist heute mein Zeuge: Ich kann nicht aufhören, ehe ich nicht weiß, was mit ihm geschehen ist und wo sie ihn begraben haben. Sein Leichnam gehört mir. Es ist der Leichnam meines Sohnes.*

Das liebenswürdige, gebräunte Gesicht ihm gegenüber. Das kurzgeschnittene graue Haar. Ein Mann im mittleren Alter. Wie er sich auf seinem Stuhl zurücklehnte und auf den beiden hinteren Beinen kippelte.

»Was kann ich für Sie tun, Mr. Du Toit? Es ist mir wirklich eine Ehre.«

»Colonel, ich denke, es ist an der Zeit, daß wir uns einmal offen aussprechen.«

»Das freut mich zu hören. Worüber würden Sie gern sprechen?«

»Ich denke, das wissen Sie sehr wohl.«

»Bitte, drücken Sie sich genauer aus.« Die Andeutung eines kleinen Muskels, der auf seiner Backe zuckte.

»Ich weiß nicht recht, wie Sie und Ihre Leute vorgehen. Aber Sie müssen sich doch darüber im klaren sein, daß Ihre Leute jetzt seit Monaten eine Einschüchterungskampagne gegen mich führen.«

»Sie übertreiben wohl, Mr. Du Toit.«

»Sie wissen, daß eine Haussuchung bei mir durchgeführt wurde, nicht wahr?«

»Reine Routine. Ich hoffe doch, sie waren nicht unhöflich?«

»Selbstverständlich nicht. Darum geht es nicht. Was ist mit all dem anderen. Zum Beispiel die Befragung meiner Kollegen.«

»Warum beunruhigt Sie das? Sie haben doch nichts zu verbergen, oder?«

»Das ist es nicht, Colonel. Es geht darum, daß... nun ja, Colonel, Sie wissen doch, wie die Leute sind. Sie fangen an zu reden. Es werden alle möglichen Gerüchte in Umlauf gesetzt. Und am meisten hat die eigene Familie darunter zu leiden.«

Leises In-sich-hinein-Glucksen. »Mr. Du Toit, ich bin zwar kein Arzt, aber mir scheint, Sie brauchen einen richtigen Urlaub.« Um mit einer kaum merklichen Andeutung von drohendem Unterton hinzuzufügen: »Einfach um mal eine Zeitlang von allem wegzukommen.«

»Es sind auch noch andere Dinge.« Ben ließ sich nicht beirren. »Mein Telefon. Meine Post.«

»Was ist mit Ihrem Telefon und Ihrer Post?«

»Sie wollen mir doch nicht weismachen, Sie wüßten es nicht, Colonel?«

»Was soll ich nicht wissen?«

Ben spürte, wie das Blut in seinen Schläfen klopfte. »Wenn ich meine Klasse betrete, ist die ganze Wandtafel mit Beleidigungen vollgeschmiert. Jemand hat Hammer und Sichel an meine Haustür gemalt. Man hat mir die Reifen aufgeschlitzt. Und jede Nacht werden wir von anonymen Anrufen belästigt.«

Der Colonel ließ seinen Stuhl wieder nach vorn kippen. Er lehnte sich vor. »Haben Sie all dies der Polizei gemeldet?«

»Wozu?«

»Für so was ist sie schließlich da, oder?«

»Ich will ja nur wissen, warum Sie mich nicht in Ruhe lassen, Colonel.«

»Moment mal, Mr. Du Toit. Sie wollen dies alles doch wohl nicht mir in die Schuhe schieben, oder?«

Es blieb keine andere Wahl; er mußte hart bleiben. »Colonel, warum ist es für Sie und Ihre Leute so wichtig, daß ich mit meinen Nachforschungen über Gordon Ngubene aufhöre?«

»Stellen Sie denn Nachforschungen an?«

Es schien, als ob er ihm keine Möglichkeit gäbe, einen Eröffnungszug zu machen. Und doch hatte Ben sich eingeredet, daß er mit diesem Mann – anders als mit den anderen – ein offenes Wort reden könnte und eine ebenso offene Antwort auf seine Fragen bekäme. Er hatte gedacht, sie sprächen die gleiche Sprache. Eine Zeitlang saß er da und starrte das gerahmte Foto der beiden blonden Kinder an, das schräg zwischen ihnen auf dem Schreibtisch stand.

»Colonel«, sagte er plötzlich heftig, »läßt es Sie denn manchmal einfach nicht in Ruhe? Wachen Sie nicht nachts auf und denken darüber nach, was Gordon zugestoßen ist?«

»Sämtliches verfügbare Beweismaterial ist einem kompetenten Magistrat vorgelegt worden, der alles gründlich untersucht und die Ergebnisse seiner Untersuchung bekanntgegeben hat.«

»Und was ist mit dem Beweismaterial, das dem Ermittlungsausschuß absichtlich vorenthalten worden ist?«

»Nun, Mr. Du Toit. Wenn Sie im Besitz von Informationen sind, die uns von Nutzen sein könnten – Sie sollten nicht zögern, mit mir darüber zu sprechen.« Ben sah ihn an; wie erstarrt saß er auf seinem Stuhl mit der geraden Rückenlehne. Der Colonel lehnte sich vor, kam näher an ihn heran; seine Stimme wurde dunkler. »Denn falls es Fakten gibt, die Sie uns absichtlich vorenthalten, Mr. Du Toit – falls Sie uns Grund zu der Annahme geben, daß Sie in Aktivitäten verwickelt sind, die sowohl für uns als auch für Sie selbst gefährlich werden könnten –, dann allerdings sehe ich Probleme voraus.«

»Soll das eine Drohung sein, Colonel?« fragte er und biß die Zähne aufeinander.

Colonel Viljoen lächelte. »Nennen wir es eine Warnung«, sagte er. »Eine gutgemeinte Warnung. Manchmal tut man nämlich etwas mit den besten Absichten; da man aber so tief darin verstrickt ist, begreift man nicht, was es alles für Folgen haben kann.«

»Sie wollen andeuten, daß ich von den Kommunisten benutzt werde?« Es fiel ihm nicht leicht, den Sarkasmus in seiner Stimme zu unterdrücken.

»Warum sagen Sie das?«

»Das haben Ihre Leute einem meiner Kollegen gesagt.«

Viljoen machte sich eine kurze Notiz auf einem Blatt liniierten Papiers, das auf dem Schreibtisch vor ihm lag. Von dort, wo er saß, konnte Ben es nicht entziffern, doch mehr als alles andere, was während des Gesprächs geschehen war, brachte dies sein Herz dazu, daß es sich zusammenzog.

»Dann haben Sie mir also wirklich nichts zu sagen, Colonel?«

»Ich hatte gehofft, von *Ihnen* etwas zu hören, Mr. Du Toit.«

»Dann will ich Ihre Zeit nicht länger in Anspruch nehmen.«

Ben stand auf. Als er die Tür erreicht hatte, sagte der Colonel leise hinter ihm: »Ich bin sicher, wir sehen uns wieder, Mr. Du Toit.«

An diesem Abend, als bis auf Johan, der in seinem Zimmer noch lernte, schon alle schliefen, wurden von der Straße aus drei Schüsse in Bens Wohnzimmer abgefeuert. Der Bildschirm des Fernsehers wurde zertrümmert, sonst entstand jedoch glücklicherweise kein weiterer Schaden. Ben erstattete Anzeige bei der Polizei, doch der Schuldige wurde niemals gefunden. Der Arzt mußte gerufen werden und sich um Susan kümmern.

7

Er hatte Hemmungen, sich an die Presse zu wenden, selbst nachdem er mit Melanie darüber gesprochen hatte.

»Ich glaube, dir bleibt gar nichts anderes übrig, Ben«, sagte sie. »Es hat eine Zeit gegeben, wo du es möglichst für dich behalten mußtest. Das heißt: wir drei, du und Stanley und ich, es für uns behalten mußten. Aber es gibt einen Punkt, an dem es kein Zurück mehr gibt. Wenn du es jetzt für dich behältst, könnten sie versuchen, dich vollends zum Schweigen zu bringen. Du bist sicher, wenn du an die Öffentlichkeit gehst. Und falls du wirklich etwas für Gordon tun willst, mußt du dich eben der Presse bedienen.«

»Und wie lange dauert es, bis die sich *meiner* bedient?«

»Das zu entscheiden, bleibt letztlich dir überlassen.«

»Ich bin überzeugt, deine Zeitung würde sich die Finger nach diesem Knüller lecken!« sagte er mit plötzlich aufwallender Aggressivität.

»Nein, Ben«, sagte sie leise. »Ich weiß, ich bin da im Moment eine sehr schlechte Journalistin, aber ich möchte nicht, daß in meiner Zeitung zuerst darüber geschrieben wird. Wende dich an eines der Buren-Blätter. Das ist nämlich der einzige Ort, wo so was mit Nachdruck wirkt. Du weißt doch, was die Regierung von der englischsprachigen Presse hält.«

Selbst als ihre Überlegungen so weit gediehen waren, versuchte er es hinauszuschieben und erst einen Termin mit George Ahlers auszumachen, den seine Schwester Helena geheiraet hatte. Er war im Aufsichtsrat einer Firma.

Das Büro von der Größe eines Ballsaals lag im obersten Stock eines hypermodernen Gebäudes, von dem aus man einen prächtigen Blick auf den größten Teil der Stadt hatte. Schwere Sessel, niedriger Glastisch, Mahagonischreibtisch mit einer Schreibfläche aus Kalbsleder. Langer Konferenztisch, umgeben von nachgemachten antiken Stühlen; vor jedem Stuhl eine Wasserkaraffe aus Kristall und eine in Leder gefaßte Schreibunterlage. Elefantenohrfarne und Philodendren in großen Tonkübeln. Und der ganze Raum beherrscht von der gebieterischen Gegenwart von George Ahlers; langgliedrig und sportlich, weit über einsachtzig groß, in marineblauem Anzug und hellblauem Hemd und mit einem Schlips, der einen überwältigend guten Geschmack verriet. Er hatte eine Glatze und nur einen Kranz ziemlich langer grauer Haare über den Ohren. Gerötetes Gesicht. Zigarre und Siegelring. Ben in seinem abgetragenen braunen Anzug kam sich vor wie der arme Verwandte, der um einen Gefallen bittet – ein Gefühl, das durch Georges weltmännisches Gebaren noch verstärkt wurde.

»Nun, Ben, was verschafft mir die Ehre? Haben uns ja seit Jahren nicht mehr gesehen. Nimm Platz. Zigarre?«

»Nein, vielen Dank, George.«

»Und wie geht's Susan?«

»Danke, gut. Ich möchte über Geschäftliches mit dir reden.«

»Wirklich? Hast du ein Vermögen geerbt, oder was?«

Nachdem er erklärt hatte, worum es ging, kühlte Georges Herzlichkeit merklich ab. »Ach, Ben, du weißt, ich würde dir mit Freude helfen. Eine scheußliche Geschichte. Aber was stellst du dir denn vor, könnte ich tun?«

»Ich dachte, ein bedeutender Geschäftsmann wie du hätte vielleicht Zugang zur Regierung. Und da habe ich überlegt…«

»Dein Schwiegervater ist schließlich Parlamentsabgeordneter, oder?«

»Der hat mir bereits die kalte Schulter gezeigt. Und ich brauche jemanden, der Kontakte nach ganz oben hat.«

»Es ist hoffnungslos, Ben. Du machst einen beklagenswerten Fehler, wenn du ernstlich annimmst, den Unternehmern in diesem Lande stünden die Türen der Regierung offen. Das mag in einem Industrieland wie den Vereinigten Staaten vielleicht so sein. Aber nicht bei uns. Es führt eine Einbahnstraße von der Regierung zur Geschäftswelt. Verkehr in die andere Richtung gibt's nicht.« Er blies eine kleine Wolke Zigarrenrauch aus und genoß das. »Selbst mal angenommen, ich hätte Zugang zu einem Minister – nur, um das mal auszuspinnen –, was, meinst du wohl, passiert? In meiner Position bin ich abhängig von Genehmigungen, Konzessionen, gutem Willen.« Genau im richtigen Moment ließ er die Asche von der Zigarre in den Aschenbecher fallen. »Sobald ich mich auf so eine Sache einlasse, ist es für mich aus.« Er setzte sich bequemer hin und lehnte sich zurück. »Aber sag, wann besuchst du uns mal zusammen mit Susan? Wir haben uns so viel zu erzählen.«

6. *Oktober*. Heute: Andries Lourens. Einer der angenehmsten Menschen, mit denen ich je zu tun hatte. Suchte ihn auf Melanies Rat hin auf, weil seine Zeitung ausgesprochen fortschrittlich ist und er persönlich den Ruf eines fairen und klarsichtigen Mannes hat. Kommt beim Establishment nicht immer gut an; aber sie hören auf ihn. Obwohl ich das alles schon vorher wußte, war ich von dem Mann angenehm überrascht. Steckte offensichtlich bis über den Hals in Arbeit, da die Wochenendausgabe jeden Augenblick in Druck gehen sollte, nahm sich aber sofort Zeit für mich. Verbrachten über eine Stunde in seinem vollgestopften Büro, das ganz nach Arbeit und nicht nach Bequemlichkeit aussah. Überall Zigarettenkippen. Hinter ihm an einer Pinwand hingen an Metall- und Wäscheklammern Bündel von Zeitungsausschnitten und getippten oder handgeschriebenen Blättern.

Als ich ihm sagte, woran ich arbeitete und ihm die Zusammenfassung überreichte, die ich gestern abend aufgestellt hatte, zeigte er augenblicklich tiefes Interesse. Falten zwischen den Augen; sah aus der Nähe wesentlich älter aus, als ich angenommen hatte. Bleiche Gesichtsfarbe. Schweiß auf der Stirn. Infarktgefährdet?

Doch gerade als ich anfing, Hoffnung zu schöpfen, schüttelte er plötzlich den Kopf, fuhr sich mit der Hand mehrmals durch das schwarze Haar und sah mich eindringlich aus seinen müden Augen an: »Mr. Du Toit… Ich kann wirklich nicht behaupten, daß mich das in den Grundfesten erschüttert. Wissen Sie, wieviel ähnliche Informationen dieser Art uns in den letzten Monaten zugegangen sind? Manchmal hat man das Gefühl, das ganze Land wäre wahnsinnig geworden.«

»Sie haben es in der Hand zu helfen, daß dem ein Ende bereitet wird. Sie erreichen Tausende von Lesern.«

»Wissen Sie, wie viele Leser uns in der letzten Zeit verlorengegangen sind? Unsere Auflagenziffern…« Er streckte die Hand nach einem überquellenden Drahtkorb auf seinem Schreibtisch aus, doch dann ließ er den Arm fast hoffnungslos sinken. »Lassen Sie es mich so sagen«, fuhr er fort. »Ich weiß genau, wieviel Ungerechtigkeit um uns herum geschieht. Aber wenn wir im falschen Augenblick etwas Drastisches unternehmen, erreichen wir genau das Gegenteil von dem, was wir wollen. Unsere Leser werfen der afrikaanssprachigen Presse bereits vor, sich gegen sie zu stellen. Dabei müssen wir sie mitreißen, nicht sie uns entfremden, Mr. Du Toit.«

»Dann... wollen Sie also lieber nichts unternehmen?«

»Mr. Du Toit.« Seine Hand lag auf meinem kleinen Stapel Papier. »Wenn ich diese Geschichte morgen veröffentliche, könnte ich den Laden gleich zumachen.«

»Das glaube ich nicht.«

»Sehen Sie denn nicht, was in diesem Land passiert?« fragte er müde. »Die Anfänge einer Stadt-Guerilla. Rußland und Kuba an unseren Grenzen. Selbst die Vereinigten Staaten sind drauf und dran, uns in den Rücken zu fallen.«

»Soll das bedeuten, daß wir lernen müssen, mit dieser Schande in unserer Mitte zu leben? Bloß, weil es unsere eigene Schande ist?«

»Nicht damit leben, indem wir sie verdammen. Wir müssen lernen, mehr Verständnis aufzubringen. Und einen geeigneten Moment abwarten. Und dann versuchen, es Schritt für Schritt von innen heraus in Ordnung zu bringen.«

»Und in der Zwischenzeit müssen die Gordon Ngubenes einer nach dem anderen sterben?«

»Verstehen Sie mich nicht falsch, Mr. Du Toit. Aber Sie müssen begreifen« – wie oft hatte ich diesen Ausdruck in der letzten Zeit nicht gehört? –, »Sie müssen begreifen, daß es falsch wäre, gerade jetzt loszulegen. Ich meine, versuchen Sie doch mal, die Dinge objektiv zu sehen. Welche andere Partei in diesem Land ist in der Lage, uns friedlich in die Zukunft zu führen? Ich will keineswegs behaupten, daß in der Nationalpartei alles so ist, wie es sein sollte. Aber sie ist das einzige Vehikel, das wir haben, um etwas zu erreichen. Wir können es uns nicht leisten, unseren Feinden noch mehr Munition in die Hand zu geben.«

Und so weiter und so fort. Alles, wie ich glaube, in der besten Absicht. Immer mehr geht mir auf, daß die größten Probleme für mich Wohlwollen, Christentum, Verständnis und Redlichkeit sind. Nicht offene Feindseligkeit: um dagegen anzugehen, kann man eine Strategie entwickeln. Aber dieser dicke, zähe Brei aus guten Absichten bei Menschen, die einem ›zum eigenen Besten‹ den Wind aus den Segeln nehmen, die versuchen, einen ›vor sich selbst zu schützen‹.

»Bitte, Mr. Du Toit«, sagte er am Schluß. »Tun Sie mir einen Gefallen: Gehen Sie mit Ihren Unterlagen nicht zur englischsprachigen Presse. Damit würden Sie ganz sicher nur Ihrer eigenen Sache schaden und sich Ihr eigenes Grab schaufeln. Ich verspreche Ihnen: Sobald das Klima besser ist, werde ich persönlich auf Sie zurückkommen.«

Er wandte sich nicht an Melanies Zeitung. Sie war selbst dagegen – es könnte ja sein, daß irgendwer sie in der Vergangenheit mit Ben zusammen gesehen hatte. Wie leicht wäre es dann, zwei und zwei zusammenzuzählen; und ihr war alles daran gelegen, ihn zu beschützen.

Die Sonntagszeitung war nicht nur bereit, sondern geradezu begierig darauf, die Geschichte zu veröffentlichen. Auf der ersten Seite. Und versprach überdies auch, keinen Hinweis auf die Quelle zu bringen. Gezeichnet werden sollte der Artikel von einem der leitenden Redakteure, das Ganze als das Ergebnis von Nachforschungen hingestellt werden, ›die die Zeitung von sich aus angestellt‹ habe.

Der Artikel erregte beträchtliches Aufsehen an diesem Sonntag. Aber nicht alle Auswirkungen waren vorhersehbar. Nach wenigen Tagen erhob das Justizministerium eine Verleumdungsklage gegen die Zeitung. Der Polizeipräsident verlangte, daß die Informationsquelle preisgegeben werde; der Redakteur, Richard Harrison, erhielt eine Vorladung; als er sich weigerte, seinen Informanten vor Gericht preiszugeben, wurde er zu einem Jahr Gefängnis verurteilt.

Auch Ben selbst bekam die unmittelbaren Folgen zu spüren. Es lag auf der Hand, daß keiner, der ihn näher kannte, große Zweifel darüber hatte, welche Rolle er bei der Sache gespielt hatte. Bereits am Montag morgen hing der aus der Zeitung ausgeschnittene Artikel an der Wandtafel. Suzette rief an. Zwei Mit-Älteste seiner Gemeinde schauten vorbei, um einen Hinweis fallen zu lassen, daß es wohl an der Zeit sei, sich aus dem Ältestenrat zurückzuziehen. Pastor Bester bekundete denn auch kaum mehr als einen Anschein von Widerstand, als Ben etwas später in der Woche dann zurücktrat.

Am Mittwoch ging der Schulleiter sogar so weit, ihn zu sich in sein Dienstzimmer zu bestellen; offenbar war die Sache diesmal zu ernst, um sie offen im Lehrerzimmer zu besprechen. Vor ihm auf dem Schreibtisch lag die Titelseite der letzten Sonntagszeitung. Ohne erst drum herumzureden, fragte Cloete:

»Ich nehme an, Sie kennen dies?«

»Ja, ich hab's gelesen.«

»Ich habe Sie nicht gefragt, ob Sie es gelesen haben, Mr. Du Toit. Ich möchte wissen, ob Sie etwas damit zu tun haben.«

»Wie kommen Sie darauf?«

Mr. Cloete hatte keine Lust, irgendwelche Ausflüchte zu machen. »Nach meinen Informationen waren Sie es, der dies der englischsprachigen Presse zugespielt hat.«

»Dürfte ich fragen, woher Sie diese Information haben?«

»Ich möchte mal wissen, wieviel sie Ihnen dafür bezahlt haben.« Mr. Cloete rang asthmatisch nach Atem. »Dreißig Silberlinge, Mr. Du Toit?«

»Eine solche Behauptung ist widerwärtig.«

»Sich vorzustellen, daß ein Afrikaner auf diese Weise seine Seele verkauft!« Unfähig, sich zurückzuhalten, fuhr Mr. Cloete fort: »Für Geld und billige Publicity!«

»Mr. Cloete, ich weiß nicht, von was für einer Publicity Sie reden. Mein Name taucht in dem ganzen Bericht nicht auf. Und was das Geld betrifft – so ist das reine Verleumdung.«

»Sie beschuldigen mich der Verleumdung?« Einen Moment dachte Ben, der Schulleiter würde einen Schlaganfall bekommen. Eine ganze Zeitlang saß Cloete da und fuhr sich mit einem großen weißen Taschentuch über das schweißüberströmte Gesicht. Schließlich sagte er mit erstickter Stimme: »Ich möchte, daß Sie dies als eine letzte Warnung betrachten, Mr. Du Toit. Die Schule kann politische Agitatoren in ihrem Lehrkörper nicht dulden.«

Am Nachmittag desselben Tages fand er ein Paket in seinem Briefkasten. Mißtrauisch betrachtete er es von allen Seiten, denn er hatte nichts bestellt, und es hatte in der nächsten Zeit auch niemand Geburtstag in der Familie. Der Poststempel war so undeutlich, daß er ihn nicht entziffern konnte. Die Briefmarke stammte aus Lesotho. Schon wollte er es aufmachen, da entdeckte er glücklicherweise ein kleines Ende Draht, das aus dem Papier hervorschaute. Er wußte augenblicklich Bescheid und brachte das Paket aufs Polizeirevier. Am nächsten Tag bestätigte man ihm, es habe sich um eine Bombe gehandelt. Kein Mensch wurde in diesem Zusammenhang jemals festgenommen.

26. Oktober. Am Spätnachmittag Stanley; seit Wochen das erstemal. Keine Ahnung, wie er es fertigbringt, ungesehen zu kommen und zu gehen. Wahrscheinlich kommt er durch den Garten unserer Nachbarn hinten und steigt über den Zaun. Aber das spielt wohl keine Rolle.

Stanleys Neuigkeit: der alte Putzmann, der ihm von Gordons Kleidern erzählt hatte, war verschwunden. Einfach verschwunden. Schon vor einer Woche, es gibt noch kein Lebenszeichen.

Sah mich gezwungen, im Kopf eine Bilanz aufzustellen. Auf der einen Seite all die Kleinigkeiten, die wir bisher haben zusammentragen können. Durchaus beeindruckend – zumindest auf den ersten Blick. Doch auf der Soll-Seite: Wird der Preis dafür nicht zu hoch? Ich denke nicht an das, was ich selbst durchgemacht habe, die Sorgen und Mißhelligkeiten und das Gefühl, Tag und Nacht gehetzt zu werden. Aber die *anderen*! Besonders die anderen. Denn zumindest teilweise haben sie unter meiner Einmischung zu leiden.

Der Putzmann: »verschwunden«.

Dr. Hassiem: nach Pietersburg verbannt.

Julius Nqakula: im Gefängnis.

Die Schwester: festgenommen.

Richard Harrison: zu einer Haftstrafe verurteilt – wenn er auch in die Berufung geht.

Und wer noch? Wer ist als nächster dran? Stehen alle unsere Namen auf einer Geheimliste, so daß sie nur abgehakt zu werden brauchen, sobald unsere Zeit gekommen ist?

Ich wollte Gordons Namen von jeder Schuld »reinwaschen«, wie Emily es ausgedrückt hat. Bisher habe ich aber nichts weiter getan, als andere ins Unglück zu stürzen. Gordon inbegriffen? Es ist wie ein Alptraum. Da wache ich nachts auf und überlege schweißgebadet: Angenommen, ich hätte mich nach seiner Festnahme nie für ihn verwendet – wäre er dann mit dem Leben davongekommen? Bin ich wie ein Aussätziger, der alle ansteckt, mit denen ich in Berührung komme?

Und wenn ich mir genauer ansehe, was wir da im Laufe der Monate unter so vielen Mühen zusammengetragen haben – was läßt sich *wirklich* damit beweisen? Ein großer Teil kann höchstens als Indizienbeweis gelten, das versteht sich von selbst. Material, durch das unser Verdacht oder unsere Vermutungen, die wir zu Anfang hatten, bestätigt werden. Aber gibt es wirklich etwas, was als unumstößlich gelten kann? Nehmen wir einfach mal an, alles deutete auf ein Verbrechen hin, das hier verübt wurde. Oder noch genauer: auf ein von Captain Stolz verübtes Verbrechen. Trotzdem haben wir nichts Festes in der Hand, nichts Endgültiges, nichts Unbestreitbares, nichts, was »über jeden Zweifel erhaben« wäre. Es gibt nur einen einzigen Menschen auf der ganzen Welt, der uns die Wahrheit über Gordons Tod erzählen könnte, und das ist Stolz selbst. Und an den ist nicht heranzukommen; der wird beschützt von dem ganzen Bollwerk seines schreckenerregenden Systems.

Es hat einen Zeitpunkt gegeben, da dachte ich: *So, Stolz, jetzt geht es nur um dich und mich. Jetzt weiß ich, wer mein Feind ist. Jetzt können wir offen kämpfen, Mann gegen Mann.*

Wie naiv das von mir war, wie einfältig!

Heute bin ich mir darüber im klaren, daß das das Allerschlimmste ist: daß ich nicht mehr mit dem Finger auf einen einzelnen Menschen zeigen und sagen kann: Du bist mein Feind. Ich kann ihn nicht zu einem Zweikampf herausfordern. Was sich mir entgegenstellt, ist nicht ein Mann oder eine Gruppe von Leuten, sondern eine Sache, ein unbestimmtes, schwammiges Etwas, eine unsichtbare, allgegenwärtige Macht, die meine Post liest, mein Telefon anzapft, meine Kollegen gegen mich einnimmt, meine Schüler gegen mich aufhetzt, mir die Autoreifen aufschlitzt, meine Haustür mit Symbolen beschmiert, in mein Wohnzimmer schießt, mir mit der Post eine Bombe schickt, mir Tag und Nacht auf Schritt und Tritt folgt, mich frustriert und mich einschüchtert und nach Regeln mit mir spielt, die diese Macht selbst aufstellt und verändert, wie es ihr gerade paßt.

Es gibt also nichts, was ich wirklich ausrichten könnte, keinen wirksamen Gegenzug; ich weiß ja nicht einmal, wo mein dunkler, unsichtbarer Feind lauert oder wann er mich das nächstemal anfällt. Dabei kann er mich, wenn er Lust dazu hat, jederzeit vernichten. Alles hängt einzig und allein davon ab, wonach ihm gerade der Sinn steht. Vielleicht kommt er zu dem Schluß, daß er mir nur angst machen wollte, daß er es jetzt überdrüssig ist, mit mir zu spielen, und daß er mich in Zukunft in Ruhe lassen will; vielleicht meint er aber auch, alles bisher sei nur ein Anfang und daß er mich weitertreiben will, bis ich nicht mehr aus noch ein weiß. Wann und wo wird das soweit sein?

»Ich kann nicht weitermachen«, sagte ich zu Stanley. »Es gibt nichts, was ich noch tun könnte. Ich bin müde. Ich spüre überhaupt nichts mehr. Ich will Ruhe, um meinen Standpunkt wiederzugewinnen und ein bißchen Zeit für meine Familie und mich zu finden.«

»Aber Himmel, Mann – wenn du jetzt aussteigst, tust du doch genau das, was sie von Anfang an gewollt haben, verstehst du das denn nicht? Dann spielst du ihnen doch direkt in die Hände.«

»Woher soll ich wissen, was sie wollen? Ich weiß überhaupt nichts mehr. Ich *will* es auch gar nicht wissen.«

»Scheiße! Dabei hatt' ich gedacht, du hättest mehr Mumm als die anderen.« Diese zermalmende Verachtung in seiner Stimme! »*Lanie*, was du jetzt durchmachst, das machen Leute wie ich ihr ganzes Leben lang durch, verdammt noch mal! Von dem Tag an, wo wir den ersten Laut von uns geben, bis zu dem Tag, wo sie uns verscharren. Und da kommst du an und erzählst mir, du kannst nicht mehr? Komm schon!«

»Was kann ich denn tun? Sag's mir!«

»Wie meinst du das, was du tun kannst? Einfach weitermachen, nicht aufhören. Das ist genug. Wenn du überlebst – da kannst du Gift drauf nehmen –, sind da noch verdammt viel andere, die auch überleben werden. Aber wenn du jetzt klein beigibst, ist alles Scheiße! Du *mußt*, Mann! Du mußt es beweisen!«

»Es wem beweisen?«

»Spielt das eine Rolle? Ihnen. Dir selbst. Mir. Jedem gottverdammten Scheißer, der in ihren Händen eines unnatürlichen Todes sterben wird, wenn du nicht weitermachst.« Er hatte mich mit seinen Pranken bei den Schultern gepackt; so außer sich hatte ich ihn noch nie gesehen; er schüttelte mich, bis mir die Zähne klapperten. »Hörst du mich? *Lanie?* Hörst du mich? Du *mußt*, du elender Scheißkerl! Willst du mir etwa sagen, ich hätte all meine Zeit mit dir für nichts und wieder nichts verschwendet? Ich hab' 'n Haufen Geld auf dich gesetzt, *Lanie*. Und wir werden zusammenhalten, du und ich. *Okay?* Und wir werden's schaffen, Mann. Laß dir das von mir gesagt sein!«

8

31. Oktober. Ein auf seine eigene, geheimnisvolle Weise entscheidendes Wochenende – obwohl es mit Gordon oder mit dem, was ich die letzten Monate getan habe, nicht das geringste zu tun hatte. Aus was für einem Grund? Ich weiß nur, daß ich sofort ja sagte, als Melanie mitten in der großen Niedergeschlagenheit der vorigen Woche den Vorschlag machte.

Früher bin ich oft übers Wochenende weggefahren; selbst eine ganze Woche lang, wenn gerade Ferien waren. Ganz allein oder mit einer Gruppe von Schülern oder guten Freunden, gelegentlich auch mit Johan. Susan begleitete uns nie. Sie mag das *veld* nicht und macht keinerlei Hehl aus ihrer Verachtung für derlei ›primitive‹ Bedürfnisse, wie sie es nennt.

In den letzten paar Jahren habe ich es nicht mehr gemacht. Warum, weiß ich nicht. Infolgedessen war es vielleicht verständlich, daß Susan ärgerlich war, als ich das Thema anschnitt. (»Ich habe mich verabredet, übers Wochenende zum Magaliesberg zu fahren«, sagte ich so beiläufig wie möglich. »Mit einem Freund. Professor Phil Bruwer. Du hast hoffentlich nichts dagegen.«)

»Ich dachte, diesen kindischen Drang hättest du endlich überwunden.«

»Es wird mir unendlich guttun, mal von hier wegzukommen.«

»Meinst du nicht, mir würde es auch guttun, mal von hier wegzukommen?«

»Aber du hast dir nie was aus Bergsteigen, Wandern und Campen gemacht.«

»Davon rede ich ja auch gar nicht. Wir könnten doch irgendwo anders hinfahren – zusammen.«

»Warum fährst du nicht übers Wochenende zu Suzette?«

Schweigend sah sie mich an. Es versetzte mir einen Stich, als ich bemerkte, wie alt sie um die Augen geworden ist. Außerdem hatte ihre Erscheinung irgendwie etwas Schlampiges – und das, nachdem sie sich jahrelang um ein betont gepflegtes Aussehen bemüht hatte.

Wir sprachen nicht wieder darüber. Und so kamen sie vor zwei Tagen, Samstag morgen, als Susan in der Stadt war, vorbei, um mich abzuholen. Professor Bruwer und Melanie und ich zwängten uns vorn in den alten Land Rover, der einmal bessere Tage gesehen hatte – ein Spiegelbild seines Besitzers und ähnlich unverwüstlich, wie es schien. Melanie klappte das Verdeck zurück. Sonne und Wind. Das Spinnwebmuster eines Sprungs in der Windschutzscheibe. Polstermaterial, das aus den Sitzen quoll.

Ein weißer, warmer Tag, nachdem wir die Stadt erst mal hinter uns hatten. Bis jetzt nicht viel Regen in diesem Jahr; das Gras hatte seit dem Winter noch nicht getrieben. Spröde wie Stroh. Versengte rote Erde. Hier und dort, wo das Land bewässert wurde, Flecken unterschiedlichen Grüns. Dann wieder das kahle *veld*. Schließlich die felsigen Bergzüge des Vorgebirges. Eine Landschaft, älter als der Mensch, kahlgebrannt von der Sonne, leergefegt vom Wind, alle Geheimnisse dem Himmel offengelegt. Die etwas fruchtbareren, langgestreckten engen Täler zwischen den Hügelketten machen mit ihren Bäumen und Feldern und rotgedeckten Häusern einen geradezu anachronistischen Eindruck. Hier hat der Mensch noch nicht richtig Wurzeln geschlagen; das hier ist immer noch Land, auf das niemand Anspruch erhebt. Daß überhaupt Menschen da sind, hat etwas Vorübergehendes; sollte die Erde sich entschließen, sie wieder abzuschütteln, so würde das ziemlich leicht geschehen; der Mensch würde keinerlei Spuren hinterlassen. Das einzig Bleibende hier sind Felsen, die versteinerten Knochen riesiger Skelette. Uraltes Afrika.

Von Zeit zu Zeit kamen wir an etwas oder an jemandem vorbei. Einer eingestürzten Windmühle. Einem Damm aus verrosteten Wellblechplatten. Dem Wrack eines alten Autos. Einem Kuhhirten mit durchlöchertem Hut auf dem Kopf, der einen flatternden roten Lappen um den Stock in seiner Hand gewunden hatte und einer kleinen Rinderherde folgte. Einem Mann auf einem Fahrrad.

Erinnerungen an meine Kindheit. Mit Pa im leichten Kutschwagen oder dem kleinen grünen Ford, während Helena und ich das ewige Spiel spielten, das für uns zu beanspruchen, was jeder als erster gesehen hatte: »Mein Damm!« – »Meine Schafe!« Und jedesmal, wenn wir an einem schwarzen Mann, einer schwarzen Frau oder einem schwarzen Kind vorüberkamen: »Mein Diener!« – »Meine Dienerin!« Wie selbstverständlich uns das damals vorgekommen war. Wie unmerklich sämtliche Lebensmuster in uns und um uns herum erstarrt waren! – Du bist schwarz – folglich bist du mein Dienstbote. Ich bin weiß und damit dein Herr. *Verflucht sei Kanaan; ein Diener der Diener soll er sein seinen Brüdern.*

Der alte Land Rover ratterte und rumpelte dahin; noch mehr wurden wir durchgerüttelt, nachdem Bruwer von der Teerstraße abgebogen war und einem Gewirr von staubigen Fahrspuren folgte, die tiefer in die Berge hineinführten. Es klapperte so sehr, daß es unmöglich war, sich zu unterhalten. Nicht, daß das notwendig oder auch nur wünschenswert gewesen wäre. Man ergab sich nahezu fatalistisch dem Prozeß, sich nun von allem zu entblößen, was überflüssig war, um sich auf diese Weise ganz dem Wesentlichen hinzugeben. Selbst Gedanken waren ein

Luxus, der aus dem Gehirn geschüttelt und gepustet wurde. Was aus meiner Kindheit zu mir herüberkam, waren denn auch nicht die Gedanken, sondern spontane, grundlegende Bilder, Dinge und Wirklichkeiten.

Tief in den zerklüfteten Bergen machten wir auf einer Farm Rast, die Freunden von Bruwer gehörte. Ein tiefgeschnittenes, fruchtbares Tal, ein Pappelhain, eine gepflasterte Rinne, durch die von einem Damm auf dem Hang hinter dem soliden Steinhaus Wasser heruntergeflossen kam. Ein mit Fliegendraht geschützter *stoep*. Eine riesige Voliere, voll mit Kanarienvögeln und Wellensittichen. Blumenbeete. Hühner, die auf dem Hof scharrten und glucksten und gackerten. In einem Verschlag ein einzelnes Kalb, das in regelmäßigen Abständen herzerweichend muhte. Zwei reizende alte Leute, Mr. und Mrs. Greyling. Die Hände des alten Mannes schwarz von Wagenschmiere und Erde; abgebrochene Nägel; ein weißer Streifen oben auf der Stirn, wo der Hut die Sonne ferngehalten hatte. Die alte Frau, groß und unförmig, wie eine mit Daunen ausgestopfte Matratze; einen breitkrempigen Strohhut auf dem dünnen Haar, ein großer Leberfleck mit einem Büschel spröder schwarzer Haare am Kinn; schlecht eingepaßtes Gebiß, das sie mit der Zunge immer nach vorn schob, wenn sie nicht sprach. Kaum, daß wir haltgemacht hatten, kam sie von den etliche hundert Schritt entfernten Häusern der schwarzen Arbeiter herbeigewatschelt. Eines der Kinder habe Fieber, sagte sie, und sie sei die ganze Nacht über dagewesen, um es zu pflegen.

Wir saßen auf dem weiträumigen kühlen *stoep*, tranken Tee und plauderten zwanglos. Nichts von Bedeutung. Über die Trockenheit und die Aussichten auf Regen; darüber, daß man sich nicht mehr so auf die Arbeiter verlassen könne wie früher und sie immer ›frecher‹ würden; über die Erdbeerernte; über die Radionachrichten gestern abend. Es hatte etwas Wohltuendes, wieder in solche Belanglosigkeiten hineingezogen zu werden.

Sie wollten uns nicht ohne warmes Essen gehen lassen. Geschmorte Lammkeule, Reis und Bratkartoffeln, Erbsen und Bohnen und Karotten aus dem eigenen Garten, selbstgemahlenen Kaffee. Es war bereits nach drei Uhr, als wir endlich unsere Rucksäcke schultern und uns aufmachen konnten, den Pfad zu erklimmen, der den steilen Hang hinterm Haus in Phil Bruwers Bergwildnis hinaufführte.

Die schweren Bergschuhe an den Füßen, mit grauen Strümpfen und weiten Khakishorts, die ihm um die dünnen Schenkel flatterten, ging er voran. Braune, sehnige Kniekehlen. Vornübergebeugt unter der Last des altersfleckigen, verschossenen Rucksacks. Die Baskenmütze mit der übermütigen Perlhuhnfeder. Ein durch vielen Gebrauch glattgeschliffener Buchenstecken. Schweißperlen auf dem wettergegerbten Gesicht, der Bart von Tabaksaft verfärbt. Hinter ihm Melanie in einem alten Hemd ihres Vaters, dessen Enden sie sich auf dem nackten Bauch zusammengeknotet hatte; abgeschnittene Bluejeans mit ausgefransten Beinlingen; geschmeidige braune Beine; Tennisschuhe. Und ich neben ihr, wenn ich auch manchmal hinter ihr zurückblieb.

Die Berge sind dort nicht besonders hoch, dafür aber steiler, als man von unten hätte meinen sollen. Ein merkwürdiges Gefühl: nicht du bist es, der an Höhe gewinnt, sondern die Welt, die unter dir zurückweicht, einfach wegrutscht, so daß du nur um so einsamer in der dünnen und durchsichtigen Luft zurückbleibst. Nur ein Hauch von einer Brise, gerade so viel, daß gelegentlich ein wenig Kühle auf deinem Gesicht prikkelt, wenn du verschwitzt stehenbleibst. Das trockene Rascheln des Grases. Ab und zu ein kleiner Vogel oder eine Eidechse.

Wir blieben wiederholt stehen, um uns auszuruhen oder umzuschauen. Der alte Mann ermüdete schneller, als ich vermutet hatte. Auch Melanie entging das nicht, ja, es muß ihr ganz schön Sorgen gemacht haben, denn einmal hörte ich, wie sie ihn fragte, ob auch alles in Ordnung mit ihm sei. Darüber war er verärgert. Immerhin merkte ich, daß sie danach häufiger einen Vorwand fand, um den Aufstieg zu unterbrechen, stehenblieb, um uns auf eine besondere Felsformation, auf einen Kaktus, einen Baumstumpf oder irgend etwas unten im Tal aufmerksam zu machen.

Auf einem besonders zerklüfteten Hang kamen wir an einer Gruppe von Hütten und einer kleinen Ziegenherde vorüber; unter den kärglichen Büschen spielten schwarze Kinder, und ein einsamer alter Mann, der vor seiner Tür hockte und rauchte, hob grüßend den dünnen Arm.

»Warum bauen nicht auch wir uns hier oben eine kleine Hütte?« sagte ich unbekümmert und wehmütig zugleich. »Ein Gemüsegarten, ein paar Ziegen, ein Feuer, ein Dach überm Kopf, eine Lehmwand, um Wind und Regen abzuhalten. Dann könnten wir alle friedlich hier sitzen und zusehen, wie die Wolken vorübertreiben.«

»Ich sehe geradezu vor mir, wie ihr beide hier sitzt und Pfeife raucht, während ich all die Arbeit zu machen habe«, sagte Melanie.

»Das patriarchalische System ist gar nicht so schlecht«, erwiderte ich lachend.

»Keine Bange, von mir bekommst du mehr als genug zu tun, damit du beschäftigt bist«, versprach sie. »Du kannst die Kinder unterrichten.«

Ich bin überzeugt, das war völlig arglos von ihr gemeint. Trotzdem, als sie es sagte – *die Kinder* – herrschte plötzlich eine andere Art von Schweigen zwischen uns, ein anderes Bewußtsein. Im reinen Licht der Sonne sah sie mich an, und ich erwiderte den Blick. Die Zartheit der Züge, die großen weit auseinanderstehenden dunklen Augen, die sanft geschwungenen Lippen, das im leisen Windhauch wehende Haar, die schmalen Schultern, die sich unter dem Gewicht des Rucksacks bogen, das verschossene Khakihemd mit den zusammengeknoteten Enden, so daß ihr Bauch freilag, der Nabel ein verworrener kleiner Knoten, der genau in seine kleine Höhlung hineinpaßte. Für den Augenblick war alles, was wichtig war, einfach da, ließ die Welt fahren und war isoliert in dem unendlichen Raum.

Wie nicht anders möglich, mußte ihr Vater unsere alberne und unsinnige Romantik im Keim ersticken.

»Es ist unmöglich, der Welt den Rücken zu kehren«, sagte er. »Dazu leben wir im falschen Zeitalter. Wir haben von einer verbotenen Frucht gekostet, und so bleibt uns keine andere Wahl, als zurückzukehren.« Ein zeitlich fein berechnetes Ausrufungszeichen, und schon war er bei einer seiner geliebten Anekdoten, die nie direkt, wohl aber immer indirekt etwas mit dem Vorangegangenen zu tun hatten. »Ein alter Freund von mir, Helmut Krueger, Deutscher aus Süd-West, wurde während des Krieges interniert. War aber schon immer ein schlauer Fuchs gewesen, und so gelang es ihm eines Tages zu fliehen, indem er sich unter dem Laster festklammerte, der das Lager mit Gemüse versorgte.« Außer Atem nahm er auf einem Felsen Platz. »So weit so gut. Doch als er nach Süd-West zurückkam, stellte er fest, daß all seine Freunde und Nachbarn das Land entweder verlassen hatten oder interniert worden waren; er selbst konnte sich nirgends blicken lassen aus Angst, wieder eingefangen zu werden. Folglich war das Leben ziemlich langweilig.« Er machte sich daran, seine Pfeife zu reinigen.

»Und was geschah dann?« drängte ich ihn weiterzuerzählen.

Bruwer lächelte verschmitzt. »Was sollte er schon machen? Eines Tages kehrte er einfach in das Lager zurück – und zwar mit demselben Gemüse-LKW, mit dem er sich rausgeschmuggelt hatte. Stellt euch das Gesicht des Lagerkommandanten vor, als er beim nächsten Appell einen Gefangenen zuviel hatte.« Weithinhallender Furz! »Verstehst du, was ich meine? Letzten Endes muß jeder zurück in sein Lager. So ist das nun mal mit dem Menschen. Rousseau irrte, als er dachte, der Mensch wäre frei geboren und legte sich die Fesseln erst hinterher an. Es ist genau umgekehrt. Wir werden in Fesseln geboren. Und von denen befreit sich, wer entweder genug Gnade erfährt oder aber verrückt oder mutig genug ist. Bis einem dann ein Licht aufgeht und man ins Lager zurückkehrt. Verstehst du, wir haben es immer noch nicht gelernt, mit der Freiheit umzugehen, wir elenden Wichte.« Er erhob sich. »Kommt! Wir können nicht den ganzen Tag auf unserem Hintern sitzenbleiben.«

»Du bist sehr blaß«, sagte Melanie.

»Das bildest du dir nur ein.« Als er sich die Schweißperlen von der Stirn wischte, sah auch ich die Blässe unter seiner sonnengebräunten Haut. Doch ohne auf uns zu achten, warf er sich den Rucksack wieder auf den Rücken, nahm seinen schweren Stab und schritt aus.

Doch Melanie sorgte dafür, daß wir uns lange vor Sonnenuntergang einen Platz suchten, um unser Lager aufzuschlagen: ein von mächtigen Felsen geschütztes freies Rund. Wir sammelten Holz. Dann blieb ich bei ihm zurück, während Melanie sich aufmachte, trockenes Gras und Reisig zu suchen, um es sich unter den Schlafsack zu legen. Ich saß da und sah ihr zu, bis sie hinter einem Grat verschwand, der so höckerig war wie die Wirbelsäule eines Urtiers. Wie gern ich mit ihr gegangen wäre; doch der ›Anstand‹, wie ich ihn ein Leben lang gelernt hatte, zwang mich, dem alten Mann Gesellschaft zu leisten.

»Warum bist du so niedergeschlagen?« fragte er, und mir ging auf, daß er mich schon seit geraumer Zeit eingehend beobachtet hatte. »Du bist jetzt in den Bergen, Ben. Vergiß die Welt draußen.«

»Wie sollte ich?« Ich fing an, ihm von den Enttäuschungen und Sackgassen der letzten Wochen zu erzählen, vom Verschwinden des alten Putzmannes, meinem Besuch im John Vorster Square. »Wenn man nur mit ihnen über alles reden könnte!« sagte ich. »Aber es kommt mir vor, als ob ich blindlings vorwärts stolperte. Sie geben mir einfach keine Möglichkeit, Fragen zu stellen, etwas zu erklären oder zu diskutieren.«

»Hast du etwas anderes erwartet?« Der vertraute knatternde Laut. »Begreifst du denn nicht: Diskussion, Dialog, nenn es, wie du willst, ist doch genau das, was sie nicht zulassen dürfen. Denn wenn sie dir erlauben, Fragen zu stellen, sind sie gezwungen, die Möglichkeit des Zweifels einzuräumen. Aber die Möglichkeit des Zweifels nicht zuzulassen, ist gerade ihre Daseinsberechtigung.«

»Und warum *muß* das so sein?«

»Weil es um Gewalt geht. Um nackte Gewalt. Die hat sie hierherge-bracht, und die hält sie hier. Außerdem hat Gewalt die Eigenschaft, zum Selbstzweck zu werden.« Er häufte das Holz an der Stelle aufeinander, die er für das Feuer ausgesucht hatte. »Wenn du erst mal ein Bankkonto in der Schweiz hast, eine Farm in Paraguay, eine Villa in Frankreich und Kontakte in Hamburg, Bonn und Tokio – sobald eine Handbewegung von dir über das Schicksal von anderen bestimmt –, brauchst du schon ein sehr kräftig ausgebildetes Gewissen, um gegen die eigenen Interes-sen zu handeln. Und so ein Gewissen kann extreme Hitze oder extreme Kälte nur schlecht vertragen; es ist ein sehr zartes Gewächs.«

»Dann wäre es ja Wahnsinn, auch nur auf das geringfügigste bißchen Veränderung zu hoffen.«

Er hockte auf Händen und Knien wie ein Buschmann und kümmerte sich ums Feuer. Die Sonne war untergegangen, und das Zwielicht ver-dichtete sich zu größerer Dunkelheit. Das Gesicht vom Pusten gerötet und nach Luft schnappend, setzte er sich nach einer Weile auf und fuhr sich über die Stirn.

»Es gibt nur zwei Arten von Wahnsinn, vor denen man sich hüten sollte, Ben«, sagte er ruhig. »Das eine ist der Glaube, wir könnten alles tun. Und der andere, wir könnten überhaupt nichts tun.«

In der tiefen Dämmerung sah ich sie auf uns zukommen; mein Herz machte einen Satz. Durch welche unergründlichen Wege kündigt sich so etwas an? – Es ist wie die Saat, die man in die Erde legt; eines Tages bricht wie ein Wunder ein Keim aus dem Boden hervor, und plötzlich läßt sich von niemandem mehr leugnen, daß es die Pflanze gibt. Ge-nauso wußte auch ich in dem Augenblick, da ich sie winzig im Zwi-schenbereich zwischen Dämmer und Nacht näher kommen sah, daß ich sie liebte. Und wußte gleichzeitig, daß das Ganze ein Ding der Unmög-lichkeit war, etwas, das allem wider den Strich ging, das mich geformt hatte, allem, an das ich glaubte.

Ich fing fast bewußt an, sie zu meiden. Nicht, weil ich vor ihr, son-dern weil ich vor mir selbst auf der Hut sein mußte. Dabei war es selbstverständlich nicht möglich, ihr ganz und gar aus dem Weg zu gehen. Das ging noch, solange wir alle drei damit beschäftigt waren, das Abendessen vorzubereiten; hinterher jedoch nicht mehr. Der alte Mann verließ uns sehr bald, um sich in seinen Schlafsack zu verkrie-chen.

Besorgt setzte sie sich eine Weile neben ihn. »Dad, ist auch wirklich alles in Ordnung mit dir?«

Ärgerlich schüttelte er den Kopf. »Ich bin nur ein bißchen abgespannt, das ist alles. Ich bin nicht mehr so jung wie früher, vergiß das nicht.«

»Ich habe nicht gewußt, daß du so leicht müde wirst.«

»Ach, hör auf damit. Mir ist ein bißchen übel, irgendwas, das ich gegessen habe. Jetzt laß mich in Ruhe, ich will schlafen.«

Und so waren wir beide uns am Feuer selbst überlassen. Von Zeit zu Zeit wandte sie den Kopf, um in seine Richtung zu blicken; ein- oder zweimal stand sie sogar auf, um nach ihm zu sehen, doch er schlief. Jedesmal, wenn die Flammen zu erlöschen drohten, legte ich neues Brennholz in die Glut, so daß ein roter Funkenregen in die Höhe stob. Gelegentlich regte sich ein trockener Windhauch. Dann wirbelte Rauch in die Höhe und verdunkelte vorübergehend die Sterne.

»Weshalb machst du dir so große Sorgen um ihn?« fragte ich sie einmal.

Sie starrte in die Glut. Sie hatte sich eine Strickjacke um die Schultern gelegt, um die kühle Nachtluft fernzuhalten, die von hinten herankroch. »Ach, morgen früh ist bestimmt alles wieder in Ordnung mit ihm.« Lange Pause. Dann wandte sie plötzlich den Kopf, um mich anzusehen. »Was mich so beunruhigt, ist die Art, wie man an jemandem hängt. Da packt einen dann Entsetzen, wenn einem plötzlich aufgeht, daß...« Heftiges Kopfschütteln, so daß ihr schwarzes Haar nach hinten über die Schulter fiel. »Aber das ist jetzt albern von mir. Wahrscheinlich ist es die Nacht, die einen dazu bringt. Nachts erlahmt die Abwehr.«

»Du liebst ihn sehr, nicht wahr?«

»Selbstverständlich tu' ich das. Er ist immer bei mir gewesen. Damals, als ich mit Brian Schluß machte, war er der einzige, der das wirklich verstand – selbst als ich nur blind um mich schlug und gar nicht richtig wußte, was eigentlich geschah. Aber das ist nicht der Grund, warum ich zurückgekehrt bin, um wieder mit ihm zusammen unter einem Dach zu leben: Es konnte nicht einfach eine Bindung gegen eine andere ausgetauscht werden. Wenn man sich einmal zu einer solchen Entscheidung durchgerungen hat wie ich damals, sollte man eigentlich imstande sein, allein weiterzumachen. Das ist eine Grundvoraussetzung. Sonst –« Wieder blickte sie sich nach dorthin um, wo er schlief; ein dunkles Bündel im Dunkel; dann kehrten ihre Augen zum Feuer zurück.

»Kann der Mensch denn wirklich ganz auf sich allein gestellt überleben?« fragte ich. »Ist es denn möglich, total unabhängig zu sein und auf jede Hilfe zu verzichten? Und ist das klug?«

»Ich will mich ja von nichts lösen. So gesehen hast du recht. Aber – von jemand anders *abhängen*, auf ihn *angewiesen* zu sein und Sinn und Erfüllung nur durch einen anderen zu finden…«

»Aber ist das nicht gerade das Wesen der Liebe?«

»Als ich mich von Brian trennte«, sagte sie, »liebte er mich, und ich liebte ihn. Sofern wir überhaupt wußten, was Liebe ist.« Schweigen. Ihr Blick, der nichts auswich. »Wenn man Journalist sein will, wenn einem wirklich ernst damit ist, muß man Sicherheit und Stabilität aufgeben und sich für das Unvorhersehbare offenhalten. Heute hier, morgen woanders. Kreuz und quer durch ganz Afrika. Ab und zu begegnest du jemandem, der dir das Gefühl gibt, daß auch du ein Mensch bist, menschliche Bedürfnisse, Hunger hast. Aber du wagst es nicht, dem nachzugeben. Nicht ganz. Irgendwas hältst du immer zurück. Ob du nun ein paar Tage mit ihm verbringst oder nur eine Nacht.« Diesmal verfiel sie in ein längeres Schweigen, und ich spürte den Ekel in mir wie ein sprachloses Tier. »Und dann geht's wieder weiter.«

»Was willst du erreichen?« fragte ich. »Ist es wirklich nötig, sich dermaßen selbst zu bestrafen?«

Impulsiv legte sie ihre Hand auf meine. »Ben, glaub nicht, daß nicht auch ich es herrlich fände, eine kleine Hausfrau zu sein und einen Mann zu haben, dem ich an der Tür entgegentrete, wenn er abends nach Haus kommt! Besonders, wenn man dreißig ist und eine Frau und weiß, daß die Zeit knapp wird, wenn man Kinder haben möchte.« Zornig schüttelte sie den Kopf. »Aber ich habe dir schon einmal gesagt: Dies Land erlaubt es mir einfach nicht, solchen Sehnsüchten nachzugeben. Es ist unmöglich, ein eigenes, privates Leben zu leben, wenn man sein Gewissen nicht abwürgen will. Dieses Land reißt alles Intime und Persönliche auf. Da ist es schon besser, so wenig wie möglich zu haben, das zerstört werden könnte.«

Ich sah nicht sie an, sondern starrte in die Glut, als gälte es, durch sie hindurchzudringen, bis hinein ins Herz der schwarzen Erde; und dann sagte ich, was ich nicht mehr für mich behalten konnte: »Melanie, ich liebe dich.«

Langsam, vernehmlich holte sie Atem. Ich sah sie immer noch nicht an. Aber ich war mir bewußt, daß ich verstand, wie ich noch nie einen Menschen verstanden hatte: Ich kannte ihr Gesicht und Haar und den schmächtigen Körper, ihre Schultern, Arme und Hände mit den feinfühligen Fingern, ihre kleinen Brüste unter dem lockeren Hemd und die gespannte Wölbung ihres Bauches, alles, was sie ausmachte; und köstlicher noch als ihr Körper war mir ihre Gegenwart, und alles in mir verlangte schmerzlich nach ihr, so wie es die Erde nach Regen verlangt.

Nach einiger Zeit lehnte sie den Kopf an meine Schulter. Das war die einzige Zärtlichkeit, die wir austauschten. Vermutlich wäre es durchaus möglich gewesen, unser Verlangen und unsere Entdeckung inniger zum Ausdruck zu bringen. Wir hätten uns in dieser Nacht auf der harten Erde lieben können, Leib an Leib im Dunkeln. Doch ich hatte Angst und sie wahrscheinlich auch. Wir hatten Angst vor all dem, was durch einen solchen Akt festgelegt und umrissen werden würde; alles, was bis dahin nur als Möglichkeit existiert hatte. Wir waren einander jenes innige Verständnis schuldig, das forderte, nichts zu tun, womit wir nicht fertig werden konnten, oder mehr, als uns erlaubt war.

Es muß ziemlich spät gewesen sein, als wir uns erhoben. Die Glut war weit heruntergebrannt, ihr Schein ein schwacher roter Schimmer auf ihrem Gesicht. Sie wandte sich mir zu, stellte sich auf die Zehen und drückte mir kurz die Lippen auf den Mund. Dann wandte sie sich rasch ab und ging zu ihrem Schlafsack neben dem alten Mann, der tief und unregelmäßig atmete.

Ich legte Holz nach, ging kurz hinaus in die Nacht und kroch dann in meinen eigenen Schlafsack. Schlief unruhig ein paar Stunden, ehe ich wieder wach wurde und, den Kopf auf den Armen, liegenblieb und zu den Sternen hinaufschaute. Unheimlich sprangen in der Ferne Schakale umher. Ich stützte mich auf den Ellbogen und betrachtete die beiden dunklen Gestalten, die neben mir im flackernden Licht der Flammen lagen. Erst den näher bei mir liegenden alten Mann. Dann sie, Melanie. Aus sehr großer Ferne kamen ihre mutwilligen, theatralischen Worte zu mir zurück: *Wenn ein Mensch sich unverhofft an der Seite eines anderen wiederfindet – meinst du nicht, das ist das Gefährlichste, was einem zustoßen kann?*

Aber ich konnte nicht mehr liegenbleiben. Die Schakale hatten aufgehört zu heulen. Aber Melanies Nähe und ihr fast unhörbares Atmen machten mich unruhig. Ich zerrte ein paar größere Scheite in das glimmende Feuer und brachte es mit einigen Reisern dazu, wieder aufzuflammen. Dann setzte ich mich, in meinen Schlafsack gehüllt, daneben und steckte meine Pfeife in Brand. Ein- oder zweimal hörte ich den alten Mann im Schlaf stöhnen. Von Melanie kein Laut. Es kam mir vor, als wachte ich neben einem schlafenden Kind.

Das also hatte sich daraus entwickelt. Nur – was bedeutete dieses ›Das‹? Frieden, Ausgeglichenheit, ein Moment des Durchblicks oder noch größere Verwirrung? Nacht um uns her, pechschwarze Nacht.

Meine Gedanken wanderten in die Vergangenheit zurück, ganz bis zum Anfang. Kindheit. Universität. Lydenburg. Krugersdorp. Dann Johannesburg. Susan. Unsere Kinder. Verantwortung und Verpflichtung. Die leeren, voraussagbaren Gezeiten meines Daseins. Und dann die Richtungsänderung, die sich so langsam anbahnte, daß ich sie anfangs kaum wahrgenommen hatte. Jonathan. Gordon. Emily. Stanley. Melanie. Hinter jedem Namen eine Unendlichkeit wie die der Nacht. Mir war, als tastete ich mich am Rand eines merkwürdigen Abgrunds entlang. Mutterseelenallein.

Ich dachte: Da liegst du zwei Schritt von mir entfernt da und schläfst; trotzdem traue ich mich nicht, dich zu berühren. Und doch: weil du da bist, weil wir beide in derselben Nacht allein sind, ist es mir möglich weiterzumachen und weiter an die Möglichkeit von etwas Ganzem und Notwendigem zu glauben.

Die bittere Kälte kurz vor Morgengrauen. Ein Wind kommt auf. Die Sterne verblassen und werden grau. Das dunstige Frühlicht, das sich über den Horizont heraufschiebt. Eine Landschaft, die sich nach und nach entfaltet. Die einfachen Geheimnisse der Nacht, die plötzlich verworren und unanständig im Licht daliegen.

Bei Sonnenaufgang machte ich mich daran, Kaffee aufzusetzen; ich war noch nicht fertig, als der alte Mann sich bleich und zitternd neben mich ans Feuer setzte.

»Was ist denn los, Prof?«

»Keine Ahnung. Immer noch dieses Gefühl von Übelkeit. Kann nicht richtig atmen.« Er rieb sich die Brust und reckte die Arme, um die Lungen zu dehnen; dann blickte er sich beklommen um. »Sag bloß Melanie nichts. Die regt sich nur auf, und ich weiß, daß es nichts weiter ist – wirklich.«

Es war gar nicht nötig, ihr etwas zu sagen. Sie erkannte es auf den ersten Blick, als sie sich nach ein paar Minuten zu uns gesellte. Und nach dem Frühstück, das keiner von uns genoß, bestand sie trotz seines entrüsteten Widerspruchs darauf, sofort zurückzukehren. Keiner von uns spielte auf die vergangene Nacht an. Bei hellem Tageslicht nahm sich alles unsinnig und absurd aus. Während der letzten ein, zwei Kilometer mußten wir ihn zwischen uns stützen. Von der Farm der Greylings aus fuhr Melanie zurück. Ich wollte mit zu ihnen nach Hause, um ihnen zu helfen, doch sie bestand darauf, erst mich heimzufahren.

Besorgt wartete ich den ganzen Tag. Am Abend rief sie an. Er lag auf der Intensivstation des Krankenhauses. Herzanfall.

Am späten Nachmittag fuhr ich heute zu ihnen, doch es war niemand daheim. Abends hat sie wieder angerufen. Er schwebe nicht mehr in Gefahr, sei aber noch ziemlich schwach. Werde wohl mehrere Wochen im Krankenhaus bleiben müssen.

»Soll ich rüberkommen?« fragte ich.

»Nein, lieber nicht.« Vorübergehend war da wieder die friedliche Wärme, die uns für so kurze Zeit in den Bergen umfangen hatte. »Wirklich, es ist besser so.«

Ich quäle mich mit einem beunruhigenden und doch lächerlichen Gedanken herum: Ist Phil Bruwer das letzte Opfer meines Aussatzes?

Aber ich wage es nicht, mich einer neuen Depression zu überlassen. Was auch immer geschieht, ich muß mich daran halten, daß wir eine Nacht zusammen in den Bergen waren. Das ist die Wahrheit, so unwirklich sich das in der Rückschau auch ausnimmt. Und um dieser Erinnerung willen, auch wenn ich dafür keine logische Erklärung habe, muß ich weitermachen. Stanley hatte doch recht. Wir müssen durchhalten. Wir müssen überleben.

9

Ende September wurde Phil Bruwer aus dem Krankenhaus entlassen. Ben fuhr ihn heim; Melanie saß hinten. Der alte Mann sah erschreckend schwach und weiß aus, doch nichts konnte seine überschäumende Lebhaftigkeit bändigen.

»Ich beschloß, nicht gerade jetzt zu sterben«, sagte er. »Mir wurde klar, daß ich für den Himmel noch nicht ganz bereit bin. Dazu muß ich noch mit viel zu vielen schlechten Gewohnheiten fertig werden.« Mit einiger Mühe und keineswegs mit der sorglosen Virtuosität früherer Tage ließ er einen fahren, um das Gesagte zu unterstreichen. »Ich meine, mal angenommen, ich tät' meinen letzten Atemzug am verkehrten Ende. Wer weiß, wie ungehalten Petrus ist, wenn da plötzlich auf diese Weise ein Engel angedüst kommt!«

Obwohl die Sorge um Bruwers Gesundheit jetzt nicht mehr ganz so schwer auf ihm lastete, hatte Ben alle Hände voll zu tun. Der Strom derer, die sich hilfesuchend an ihn wandten, riß nicht ab. Bescheinigungen über Arbeitserlaubnis. Die Ausweise. Scherereien mit der Polizei oder städtischen Behörden; verheiratete Männer, die sich weigerten, in Junggesellenunterkünften mit *tsotsis* zusammenzuleben, und ihre Familien in die Stadt nachkommen lassen wollten; Kinder, die wegen Brandstiftung und Sabotage angeklagt waren; Frauen, die in Verzweiflung gerieten, wenn ihre *townships* systematisch gesäubert wurden, nachdem man ein Munitionslager entdeckt hatte. Einmal ein rührendes altes Ehepaar in abgetragenem Sonntagsstaat: vor einem Monat hatte man ihren fünfzehnjährigen Sohn nach Robben Island geschickt, und jetzt hatten sie die Nachricht von seinem Tod bekommen – ein Herzanfall, wie die Gefängnisbehörden sagten; wie das denn möglich sei, fragten sie, wo er doch immer ein kerngesunder Junge gewesen sei? Außerdem hatten sie die Anweisung, die Leiche vor dem nächsten Mittwoch in Kapstadt abzuholen, sonst werde sie von der Regierung bestattet. Sie hatten aber kein Geld: Der alte Mann war krank und hatte keine Arbeit, und der Lohn der Frau als Hausangestellte – zwanzig Rand pro Monat – reichte einfach nicht.

Die meisten der Besucher beriefen sich entweder auf Stanley oder auf Dan Levinson; einige der komplizierten Fälle kamen auf Anraten Melanies zu ihm. Das alte Ehepaar, dem es um den Leichnam des Sohnes ging, erwähnte Ben sogar in einem Telefongespräch mit seinem Schwiegervater. Dieser ließ augenblicklich seine Beziehungen spielen und sorgte dafür, daß der Leichnam auf Staatskosten nach Johannesburg überführt wurde. Damit war die Sache jedoch nicht zu Ende: Der ›Herzanfall‹ wurde nie aufgeklärt, und abgesehen von Melanies Zeitung wurde in der Presse nicht darüber berichtet.

So deprimierend es war – daß er sich ständig mit neuen Problemen herumschlagen mußte, half Ben weiterzumachen. Solange noch Leute hilfesuchend zu ihm kamen, hatte er jedenfalls etwas zu tun – auch wenn all dies nur am Rande mit dem zu tun hatte, was ihm wirklich am Herzen lag: der verbissene Versuch, neue Erkenntnisse über den Tod von Gordon und Jonathan zu gewinnen. Die Informationen, die er in diesen

Monaten zusammentrug, waren weniger dramatisch als einige der vorherigen Entdeckungen. Trotzdem ergänzte er seinen Bestand mit jeder kleinen Information. Und vorausgesetzt, daß man nicht zuviel erwartete und nicht versuchte, schon daran zu denken, was man im einzelnen damit anfangen wollte, ergab der langsame Fortschritt seiner Ermittlungen sogar einen Sinn. Ben hoffte nach wie vor, daß Emilys Polizist, Johnson Seroke, eines Tages wiederkommen würde, denn er war überzeugt, daß dieser Mann den Schlüssel für den endgültigen Durchbruch in Händen hielt. Bis dahin mußte er sich mit den schleppenden Fortschritten begnügen, die sie nur schrittweise voranbrachten. Richtete man den Blick nach vorn, konnte man leicht den Mut verlieren. Blickte man jedoch zurück, konnte man einfach nicht leugnen, daß man bereits eine gewaltige Strecke zurückgelegt hatte.

Dann, in der ersten Dezemberwoche, kam es zu einem unerwarteten Rückschlag, als berichtet wurde, daß Dan Levinson aus dem Land geflohen und über die Grenze nach Botswana gegangen war (wobei er, wie die Zeitung behauptete, sein Leben bei den unwahrscheinlichsten Widrigkeiten aufs Spiel gesetzt habe); von dort aus war er nach London weitergeflogen und hatte politisches Asyl erhalten. In London hatte er eine Reihe von Presseinterviews gegeben, um zu erklären, wie seine Stellung in Südafrika unerträglich geworden und sein Leben bedroht gewesen war. Er verkündete, er habe einen Stoß Akten mitgebracht, aus denen er ein Buch zusammenstellen wolle, um die Schandtaten der Polizei aufzudecken. Die Zeitungen waren gepflastert mit Fotos von ihm, die in Nachtklubs und bei pompösen Empfängen aufgenommen worden waren und ihn zumeist in Begleitung von Starlets und Verlegersgattinnen zeigten. Er leugnete nachdrücklich Berichte aus Südafrika, daß er Tausende von Rand ihm – auch von schwarzen Klienten – anvertrauter Gelder hinausgeschmuggelt habe. Doch eine Reihe von Leuten, die Ben an Levinson verwiesen hatte, wandten sich, als seine Flucht bekannt wurde, an Ben und beklagten sich über die maßlosen Honorare, die der Anwalt ihnen abgeknöpft hatte; dabei hatte Ben selbst aus eigener Tasche oder mit Geld, das aus dem Fonds von Melanies Zeitung stammte, für ihre Konsultationen bezahlt.

Der Verlust von so vielen beeideten und beglaubigten Aussagen und Originalunterlagen traf Ben tief. Glücklicherweise hatte er im Geheimfach seines Werkzeugschranks unterschriebene Kopien von fast allem aufgehoben, und das ließ ihn den Schlag leichter ertragen. Trotzdem war er in den Grundfesten erschüttert, als er zuerst von Stanley davon erfuhr.

»Mein Gott!« sagte er. »Wie hat er uns das bloß antun können? Ich habe ihm *vertraut*!«

Stanley krümmte sich vor Lachen, was vielleicht vorherzusehen gewesen war. »Na, na, *Lanie*, gib's doch zu: Er hat uns reingelegt, weil wir zu blauäugig waren. Ich hab' ihn von Anfang an für einen Aasgeier gehalten. Nur hab' ich nie gedacht, daß er auch noch ein guter Schauspieler war.« Genüßlich breitete er nochmals die Zeitung aus, um laut den ganzen Artikel darüber vorzulesen, wie Levinson bei Nacht und bei einem tobenden Sturm auf allen vieren meilenweit durch vermintes und schwerbewachtes Gelände gekrochen war, ehe er die Grenze nach Botswana hatte überqueren können. »Ich sag' dir, er ist ein gemachter Mann. Mit dem, was er jetzt aus der Sache rausholt, kommt er jahrelang aus. Und sieh dir uns zwei an; uns hat er doch die Hosen runtergezogen, daß sie uns um die Fußgelenke schlackern. Warum machen wir's ihm nicht nach? Dann suchen wir uns drüben zwei leckere Blondinen« – mit den Händen malte er die entsprechenden Kurven nach –, »und wenn sie nicht gestorben sind, dann leben sie noch heute. Wie steht's, he? Keine Lust?«

»Ich finde das nicht komisch, Stanley.«

Unerbittlich starrte Stanley ihn eine Weile an. Dann sagte er: »Du irrst, *Lanie*. Was du brauchst, ist eine richtige *stokvel*.«

»Was ist das?« fragte Ben mißtrauisch.

»Siehst du? Du weißt nicht mal, was das ist. Warum kommst du am Freitag nicht mit mir, dann machen wir mal richtig durch bis Sonntag abend.« Als er Bens verständnislosen Blick bemerkte, erklärte Stanley und konnte sich dabei vor Lachen wieder nicht halten: »Eine Party ist das, *Lanie*. Aber nicht irgendeine Party, sondern eine, bei der man ohne Pause durchtanzt, bis man umfällt. Dann bringen wir dich mit *popla* wieder auf die Beine, du kriegst ein richtiges Stück Fleisch zwischen die Zähne, und weiter geht's. Das versprech' ich dir, *Lanie*: Wenn es Sonntag abend wird – falls du solange durchhältst –, hängen wir dich 'ne Woche lang zum Auslüften auf die Wäscheleine, und danach bist du ein neuer Mensch. Fühlst du dich wie neugeboren. Das ist es, was du brauchst.«

Steif verzog Ben das Gesicht und fragte: »Ist das das einzige Heilmittel, das du zu bieten hast?«

»Immer noch besser als Rizinusöl, *Lanie*. Du lachst zuwenig. Das brauchst du aber, Mann. Wenn man nicht mehr lachen kann, um alles loszuwerden, wenn man der Welt nicht mehr sagen kann, sie soll einen am Arsch lecken, kann man sich begraben lassen.« Ein weithin hallender Schlag auf Bens Schulter. »Und ich will nicht, daß sie dich zur Schnecke machen, Mann. Wir haben noch einen langen gemeinsamen Weg vor uns.«

Ben gelang es, ein schiefes Lächeln aufzusetzen. »Na schön, Stanley«, sagte er. »Ich lass' dich nicht im Stich.« Um nach einer kurzen Pause hinzuzusetzen: »Was gibt's denn noch für mich zu tun?«

Sein Schwiegersohn, Suzettes Mann Chris, war nicht bereit, ihm direkt zu helfen, doch nutzte er seinen Einfluß in »inneren Kreisen«, ein Gespräch mit einem Minister für Ben zu arrangieren. So fuhr Ben eines Nachmittags Anfang Dezember nach Pretoria.

Ein funktional eingerichtetes, holzgetäfeltes Büro in den *Union Buildings*. Vollgepackter Schreibtisch. In einer Ecke, unter einer farbenprächtigen Karte Südafrikas, ein kleiner Tisch mit einer Wasserkaraffe und einer aufgeschlagenen Familienbibel darauf. Der Minister war ein stets zu Späßen aufgelegter stiernackiger Mann mit breiten runden Schultern, großen Händen und glattem Haar. Er trug eine Nickelbrille mit dicken Gläsern. Ein paar Minuten plauderten sie unverbindlich. Der Minister erkundigte sich nach seiner Arbeit und seiner Familie, erging sich über die Berufung zum Lehrerberuf, über die vielversprechende jüngere Generation und die gesunde Einstellung der *boys* an der Grenze, die die Nation gegen die Schrecken des Kommunismus verteidigten. Dann – unvermittelt und ohne irgendeine Änderung im Tonfall – sagte er:

»Soviel ich weiß, ist da etwas, was Sie gern mit mir besprechen würden, Mr. Du Toit.«

Und wieder – zum wievieltenmal jetzt? Und wie oft sollte er es noch tun? – gab Ben eine Zusammenfassung von Gordons Geschichte bis zum Tag seines Todes.

»Jeder Mensch hat das demokratische Recht zu sterben«, sagte der Minister lächelnd.

Schweigend blickte Ben ihn an. »Glauben Sie wirklich, er hat Selbstmord verübt?« fragte er dann knapp.

»Das ist gängige Praxis unter Kommunisten, um sich dem Verhör zu entziehen.«

»Herr Minister, Gordon Ngubene wurde ermordet.« So gedrängt wie möglich, breitete er die Ergebnisse seiner Nachforschungen aus.

Nichts deutete mehr auf die bisherige Leutseligkeit des riesigen Mannes hin, als er Ben mit einem langen, kalten Blick bedachte. »Mr. Du Toit, ich hoffe, Sie sind sich darüber im klaren, welche gefährlichen Anschuldigungen Sie gegen Leute vorbringen, die unter sehr schwierigen Umständen eine undankbare, aber unverzichtbare Aufgabe übernommen haben.«

»Ich habe Gordon gekannt«, sagte Ben. Die Kehle schnürte sich ihm zu. »Ein ganz normaler, anständiger Mann, der keiner Fliege was zuleide getan hätte. Und als sie seinen Sohn umbrachten...«

»Der Sohn wurde, soweit ich weiß, zusammen mit anderen Aufrührern bei einer gewalttätigen Demonstration erschossen.«

»Jonathan starb nach zwei Monaten Haft in einer Gefängniszelle. Ich habe Beweise dafür, daß man ihn kurz vor seinem Tod in höchst bedenklichem Zustand im Krankenhaus gesehen hat.«

»Sind Sie absolut sicher, daß Sie nicht von Leuten mit zweifelhaften Absichten manipuliert werden, Mr. Du Toit?«

Ben legte die Hände auf die Armlehne seines Sessels und machte Anstalten, sich zu erheben. »Soll das heißen, daß Sie nicht bereit sind, die Angelegenheit untersuchen zu lassen?«

»Übrigens«, sagte der Minister, »das waren doch Sie, der die Geschichte vor einiger Zeit an die englischsprachige Presse weitergegeben hat, nicht wahr?«

Ben spürte, wie sein Gesicht zu glühen begann. »Ja«, sagte er mit zusammengepreßten Lippen. »Mir blieb keine andere Wahl, nachdem unsere eigene Presse mich abgewiesen hatte.«

»Wozu sie sehr gute Gründe hatte, würde ich meinen. Vermutlich waren sie sich darüber im klaren, welcher Schaden der Partei zugefügt würde, wenn so etwas in alle Welt hinausposaunt wird. Besonders von Leuten, die kaum wissen, wovon sie reden.«

»Ich habe dabei an das Interesse des Landes gedacht, nicht an das der Partei«, sagte Ben.

»Glauben Sie wirklich, beides sei voneinander zu trennen, Mr. Du Toit?«

Ben schob sich in die Höhe, ließ sich aber gleich darauf wieder fallen. »Herr Minister.« Er bot das Äußerste an Selbstbeherrschung auf, doch seine Stimme zitterte. »Sind Sie sich darüber im klaren, daß, wenn Sie mich heute mit leeren Händen fortschicken, keinerlei Hoffnung mehr besteht, die Angelegenheit offiziell untersuchen zu lassen?«

»Oh, ich werde Sie nicht mit leeren Händen fortschicken«, sagte der Minister mit einem Lächeln, das seine Zähne sehen ließ. »Ich werde die Polizei bitten, die Sache zu untersuchen und mir Bericht zu erstatten.«

10

26. Dezember. Furchtbares Weihnachtsfest, gestern. Bin niedergeschlagen, seit Melanie und ihr Vater vorige Woche ans Kap gefahren sind. Ganz auf mich allein gestellt in einem Haus, daß voll ist von Verwandten. Sogar Linda war verbiestert und hatte rote Augen, weil wir sie über die Festtage von ihrem Pieter ferngehalten haben: Es war ihre letzte Weihnacht zu Hause, denn nächstes Jahr wird sie verheiratet sein, und so waren wir so selbstsüchtig, sie noch einmal ganz für uns haben zu wollen. Susans Eltern sind schon vor ein paar Tagen gekommen. Suzette und Chris kamen morgens von Pretoria herüber; kurz vorm Abendessen dann auch noch Helena und George. Zum erstenmal, seit was weiß ich wie langer Zeit, war die gesamte Familie wieder zusammen.

Schaffte es aber nicht, meine Verdrossenheit abzuschütteln. Hatte mich darauf gefreut, mein altes mottenzerfressenes Weihnachtsmannkostüm aus dem Schrank zu holen, um meinem Enkel eine Freude zu machen, doch Suzette wollte davon nichts hören.

»Du meine Güte, Dad, so altmodisch sind wir doch nicht mehr. Hennie weiß, daß das mit dem Weihnachtsmann alles Unsinn ist. Wir halten nun mal nichts davon, unsere Kinder mit Lügen großzuziehen.«

Mit Rücksicht auf Weihnachten schluckte ich meinen Ärger herunter. Ich hatte auch so schon alle Hände voll zu tun, die unterschwelligen Spannungen in der Familie unter Kontrolle zu halten. Helena – in ihr Korsett eingezwängt und auf Stromlinienform getrimmt, das Haar getönt und in einem Kleid, das von einem Franzosen mit einem unaussprechlichen Namen für eine wesentlich jüngere Figur entworfen worden war – war jederzeit bereit, Susan unter Andeutungen zusammenzucken zu lassen, wieviel sich die Frau eines armen Lehrers doch im Leben entgehen lassen müsse. Suzette versetzte Linda ständig kleine Stiche, weil sie wegen eines farblosen kleinen Mannes schmollte, den ihre Schwester biestig nie anders als Seine Heiligkeit nannte. George, ständig eine Zigarre im Mund, ärgerte mit seiner Besserwisserei unablässig Chris. Susan verkrampft und nervös, schimpfte, weil Johan sich weigerte, Sachen zu bringen und zu tragen. Schwiegervater nahm jüngeren Männern wie George und Chris ihren Erfolg übel und konnte es nicht verwinden, daß ihm für die vielen Jahre, die er für die Partei gekämpft und gelitten hatte, nicht der entsprechende Lohn zuteil geworden war. Und sie alle gegen mich vereint, weil ich die Familie auf irgendeine geheimnisvolle Weise »verriet«; ich war für sie der Sündenbock, auf den sich all ihr Groll entlud.

Schließlich saßen wir jedoch alle eng gedrängt um den Tisch herum (der durch einen viel niedrigeren Teetisch vom *stoep* verlängert worden war), so daß uns zum Essen nur sehr wenig Ellbogenfreiheit blieb. Dabei brauchte man eigentlich viel Platz, um Susans Truthahn, Lammkeule und Rindsbraten, safrangelben Reis mit Rosinen, Erbsen, Süßkartoffeln mit Zimt, geschmorte Früchte, Zuckerbohnen und die von Linda und Suzette beigesteuerten Salate (Avokado, Karotten, Spargel und Gurken in Aspik, wie Plastikkränze bei einer Beerdigung) wirklich genießen zu können. Dazu kamen noch zwei japanischem Ikebana nachempfundene Blumengestecke, die ohnehin manchen Tellern den Platz streitig machten; ein paar Wachskerzen, die kleine Messingengelchen an einem leise klirrenden Karussell in Bewegung setzten; und eine ziemlich merkwürdige Zusammenstellung von Weingläsern. (Susan: »Ben beteuert mir immer wieder, daß er einmal einen richtigen Satz für uns anschaffen will, aber ihr wißt ja, wie er ist.« Helena zuckersüß: »Als George von seinem letzten Europaflug nach Haus kam, brachte er uns aus Stockholm eine ganze Kiste Kristallgläser mit; aber er hat natürlich auch die richtigen Verbindungen.«)

»Sprichst du das Tischgebet, Vater?«

Die Köpfe in Einklang mit Schwiegervaters endlosem Gebet fromm gesenkt: Da er es nicht geschafft hat, in der Politik ganz bis nach oben zu kommen, besteht seine einzige Kompensation darin, dem Allmächtigen alles in das geduldige Ohr zu flüstern.

Es kam zu einer unseligen Unterbrechung, als mitten im Gebet der kleine Hennie im Garten den Händen seiner schwarzen Nannie entwischte und aus Leibeskräften forderte, ein natürliches Bedürfnis befriedigen zu dürfen. Schwiegervater geriet nur kurz ins Stocken, schaffte aber ein bewundernswertes Comeback und nahm das Gebet wieder auf, während das Essen im selben Verhältnis abkühlte, wie Susans Blutdruck anstieg. Nachdem die letzten Formalitäten vorüber waren, die Knall-bonbons geknallt und die Papierhütchen aufgesetzt worden waren, wurden die Teller bis zum Rand gefüllt, und George brachte einen be-redten Trinkspruch aus.

Ein allgemeines Gebrüll verhaltener Großmut machte sich breit, als wir in der sommerlichen Bruthitze, eingezwängt in unsere Sonntags-kleider, schwitzend dasaßen und kauten und ungeheure Mengen Essen in unser gequältes Inneres hineinstopften. Susan und ich waren die ein-zigen, die sich von dem Füllhorn nicht in Versuchung bringen ließen: sie wegen ihres Nervenzustandes und ich, weil ich einfach keinen Appetit hatte.

Die Teller waren gerade abgeräumt und durch Schalen mit dem ge-waltigen altmodischen Weihnachtspudding ersetzt worden, den Schwiegermutter schon vor Monaten gebacken hatte, als laut an die Haustür geklopft wurde.

Johan machte auf.

Und ins Zimmer stürmte unversehens Stanley wie ein großer schwar-zer Stier in weißem Anzug und weißen Schuhen, braunem Hemd und knallrotem Schlips und einem dazu passenden Taschentuch, das ihm aus der Brusttasche herausschaute. Einen Moment stand er schwankend mitten im Raum; auf den ersten Blick war zu sehen, daß er mehr als ge-nug zu trinken gehabt hatte.

Dann krächzte er: »*Lanie!*« Diesem Ausruf folgte eine weitausho-lende Geste, die ein Blumengesteck auf dem langen Tisch umwarf, und eine Begrüßung in breit ausgesprochenem, nachgeäfftem Amerika-nisch: »*Hi, folks.*«

Um den Eßtisch herum herrschte Totenstille; nicht einmal ein silber-ner Löffel klirrte gegen Porzellan.

Wie ein Schlafwandler stand ich auf und näherte mich ihm auf Su-sans neuem weichen Langhaarteppich. All die Augen, die mir folg-ten.

»Stanley! Was machst du hier?«

»Es ist doch Weihnachten, oder? Ich bin gekommen, um zu feiern. Allen eine fröhliche Weihnacht.« Wieder vollführte er eine weitausho-lende Geste, diesmal, als wollte er die ganze Familie umarmen.

»Bist du aus einem bestimmten Grund zu mir gekommen, Stanley?« Ich bemühte mich, leise zu sprechen, damit nur er mich hören sollte. »Gehen wir rüber in mein Arbeitszimmer?«

»Hol der Teufel dein Arbeitszimmer!« Die Worte hallten im Raum wider.

Ich blickte mich um und sah dann wieder ihn an. »Nun, wenn du lieber hier Platz nehmen willst...?«

»Klar.« Er steuerte auf den nächststehenden Sessel zu und ließ seinen massigen Körper hineinplumpsen, sprang jedoch gleich darauf mit überraschender Behendigkeit wieder auf und legte mir den Arm um die Schultern: »Im glücklichen Familienkreis, was? Wer ist das denn alles?«

»Du hast zuviel getrunken, Stanley.«

»Natürlich. Warum nicht? Wir feiern schließlich das Fest des Guten Willens. Frieden auf Erden und all der Quatsch.«

Bedrohlich erhob sich eine schwarze Gestalt vom Eßtisch. »Wer ist dieser Kaffer?« fragte Schwiegervater.

Ein Augenblick tiefsten Schweigens. Dann krümmte Stanley sich vor Lachen. Puterrot im Gesicht, kam Schwiegervater auf uns zu, und ich mußte mich zwischen sie stellen.

»Warum sagst du diesem Buren nicht, wer dieser Kaffer ist?« fragte Stanley und wischte sich die Lachtränen aus dem Gesicht.

»Ben?« sagte Schwiegervater.

»Sag ihm, daß wir alte Kumpels sind, *Lanie*.« Wieder legte Stanley mir den Arm um die Schultern und ließ mich unter seinem Gewicht unwillkürlich wanken. »Oder sind wir das etwa nicht, he?«

»Selbstverständlich sind wir das, Stanley«, sagte ich begütigend. »Vater, wir können später darüber sprechen. Ich werde dir alles erklären.«

In tödlichem Schweigen sah Schwiegervater sich um. »Mutter«, sagte er, »laß uns gehen. Wir scheinen hier nicht mehr willkommen zu sein.«

Und dann brach unversehens die Hölle los. Susan versuchte, ihren Vater vom Gehen abzuhalten. Helena stichelte. George bemühte sich sanft, seine Frau zu bremsen, woraufhin Suzette ihn anschrie. Johan wandte sich gegen seine Schwester. Linda brach in Tränen aus und lief schluchzend hinaus auf den Korridor. Allgemeiner Aufbruch in Richtung Haustür.

Ohne Vorwarnung war der Raum um uns her plötzlich leer. Nur die Engelchen drehten sich noch klirrend über den nahezu heruntergebrannten Kerzen. Auf den Tellern lagen die Überreste von Schwiegermutters Weihnachtspudding. In der Mitte des Zimmers wankte Stanley hin und her, hilflos seinem immer wieder anschwellenden, krächzenden Lachen preisgegeben.

»Himmel, *Lanie!*« Er schluchzte fast. »Hast du je in deinem Scheißleben schon mal so eine wilde Flucht gesehen?«

»Du findest das vielleicht komisch, Stanley, aber ich nicht. Bist du dir darüber im klaren, was du gemacht hast?«

»Ich? Ich bin bloß hergekommen, um zu feiern, das sag' ich dir.« Wieder ein Lachanfall.

Aus dem Zimmer nebenan drangen das Schluchzen von Schwiegermutter und die Stimme ihres Mannes, beschwichtigend erst, dann in dem Maß, wie sein Ärger wuchs, immer lauter werdend.

»Nun?« sagte Stanley, der sich vorübergehend wieder gefaßt hatte. »Jedenfalls fröhliche Weihnachten.« Er streckte die Hand aus.

Ich hatte keine Lust, sie zu ergreifen, tat es aber doch, um ihn nicht zu verärgern.

»Wer war denn dieser alte Arsch mit dem Schmerbauch und dem schwarzen Anzug? Sieht aus wie ein Beerdigungsunternehmer.«

»Mein Schwiegervater. – Parlamentsabgeordneter«, fügte ich dann mit Bedacht hinzu.

»Machst du Witze?« Ich schüttelte den Kopf. Wieder fing er an zu lachen. »Himmel, du hast wirklich die richtigen Verbindungen. Und ich hab' dir alles vermasselt. Tut mir leid, Mann.« Er sah aber nicht so aus, als ob es ihm leid täte.

»Möchtest du was zu essen?«

»Hast du die Reste für mich aufbewahrt?«

Das brachte mich nun wirklich in Rage. »Jetzt nimm dich zusammen, Stanley! Sag, was du mir zu sagen hast. Und sonst scher dich zur Hölle!«

Sein Lachen verwandelte sich in ein breites Grinsen. »Recht so!« sagte er. »Wirklich recht so! Zeig dem Kaffer nur, wo er hingehört.«

»Was hast du denn heute bloß? Ich versteh' dich einfach nicht.«

»Mach dir nichts vor, *Lanie*. Was verstehst du denn überhaupt?«

»Bist du hergekommen, um mir was zu sagen oder um mich anzuschreien?«

»Wie kommst du darauf, daß ich dir was sagen möchte?«

Obwohl ich wußte, wie lächerlich es war – Stanley ist sicherlich doppelt so groß wie ich –, packte ich ihn an den Schultern und schüttelte ihn.

»Wirst du jetzt reden?« sagte ich. »Was ist los mit dir?«

»Laß mich los!« Stanley stieß mich zurück, so daß ich nach hinten stolperte, während er, die Beine auf dem zottigen Teppich gespreizt, hin und her schwankte.

»Es ist eine Schande mit dir«, sagte ich. »Statt Emily an einem Tag wie heute Gesellschaft zu leisten, bringst du andere Leute in Schwierigkeiten. Meinst du nicht, sie braucht dich?«

Unvermittelt hörte er auf zu schwanken und faßte sich; funkelnd sah er mich aus blutunterlaufenen Augen an und schnaufte. »Was weißt du schon von Emily?« sagte er spöttisch.

»Stanley, bitte!« Ich verlegte mich aufs Bitten. »Ich will doch nichts weiter sagen, als daß…«

»Emily ist tot«, sagte Stanley.

Die Engelchen drehten sich leise klirrend weiter. Doch das war der einzige Laut, den ich wahrnahm, und die einzige andere Bewegung im ganzen Haus.

»Was hast du gesagt?«

»Bist du taub?«

»Was ist passiert! Um Gottes willen, Stanley, sag es mir!«

»Nein. Du willst feiern.« Er fing an zu singen: »Kommt her, all ihr Gläubigen…« Doch mitten in einem Vers brach er ab und starrte mich an, als hätte er vergessen, wo er war. »Hast du denn das von Robert nicht gehört?«

»Von welchem Robert?«

»Ihrem Sohn. Dem, der nach Gordons Tod weggelaufen ist.«

»Was ist mit ihm?«

»Er wurde zusammen mit zwei Freunden erschossen, als er gestern versuchte, von Mozambique aus die Grenze zu überschreiten. Mit Gewehren und Ausrüstung beladen. Lief direkt einer Armee-Patrouille in die Arme.«

»Und dann?« Ich hatte das Gefühl, ganz allein in einer großen dröhnenden Leere zu sein.

»Hab' das heute morgen erfahren und bin daraufhin zu Emily, um es ihr beizubringen. Sie war sehr gefaßt. Kein Ausbruch, keine Tränen, nichts. Dann schickte sie mich nach Haus. Wie sollte ich das ahnen? Ich hatte das Gefühl, ich könnte sie allein lassen. Und dann hat sie sich…« Plötzlich brach seine Stimme.

»Was ist passiert, Stanley? Wein doch nicht! Oh, mein Gott, Stanley, bitte!«

»Sie ist zum Bahnhof. Zum Orlando-Bahnhof. Den ganzen Weg zu Fuß. Sie sagen, sie muß wohl eine ganze Stunde dort gesessen haben, weil ja heute Weihnachten ist und nur wenige Züge fahren. Und dann warf sie sich vor einen auf die Geleise. Bäng, aus und vorbei.«

Einen Moment sah es aus, als ob er wieder in lautes Lachen ausbrechen würde; doch diesmal war es Weinen. Ich mußte die Füße in den dicken Teppich stemmen, um den massigen, von Schluchzen geschüttelten Mann zu halten.

Die Arme um ihn gelegt, stand ich immer noch so da, als die beiden alten Leute mit ihrem Gepäck aus dem Gästezimmer kamen. Susan folgte ihnen. Sie verließen das Haus durch die Vordertür und gingen zu ihrem Wagen, der neben dem Haus geparkt war.

Am Abend sagte sie: »Ich habe dich mal gefragt, ob du weißt, was du tust und worauf du dich einläßt?«

Ich sagte: »Ich weiß nur, daß ich jetzt nicht aufhören kann. Wenn ich nicht weiterhin an das glauben kann, was ich tue, werde ich verrückt.«

»Es scheint dich nicht zu bekümmern, wie viele andere Menschen du im Lauf der Zeit in den Wahnsinn treibst.«

»Bitte, versuch's!« Es war schwierig, Worte zu finden. »Ich weiß, wie durcheinander du bist, Susan. Aber versuch doch, nicht zu übertreiben.«

»Übertreiben? Nach dem, was heute passiert ist?«

»Stanley wußte doch nicht, was er tat. Emily ist tot. Verstehst du das denn nicht?«

Langsam und tief holte sie Atem; lange rieb sie sich irgendwelche Creme in die Wangen. »Meinst du nicht, es haben jetzt genug Menschen den Tod gefunden?« fragte sie schließlich. »Wirst du denn nie klüger?«

Hilflos saß ich da und starrte ihr Spiegelbild an. »Willst du jetzt mich für ihren Tod verantwortlich machen?«

»Das habe ich nicht gemeint. Aber nichts, was du getan hast, hat auch nur irgend etwas geändert. Es gibt nichts, was zu tun du hoffen kannst. Wann wirst du dich damit abfinden?«

»Nie.«

»Und welchen Preis willst du dafür bezahlen?«

Vorübergehend schloß ich unter Schmerzen und völlig ausgepumpt die Augen. »Ich *muß*, Susan.«

»Ich glaube, du hast den Verstand verloren«, sagte sie kalt und abgehackt. »Du bist völlig aus dem Gleichgewicht und siehst die Dinge nicht mehr richtig. Du bist allem anderen in der Welt gegenüber blind.«

Ich schüttelte den Kopf.

»Und soll ich dir sagen, warum?« fuhr sie fort.

Ich machte nicht den Versuch, etwas zu sagen.

»Weil der einzige, um den es dir geht, Ben Du Toit ist… Die ganze Sache hat schon lange nichts mehr mit Gordon oder Jonathan oder irgend jemand sonst zu tun. Du willst einfach nicht aufgeben, das ist alles. Du hast angefangen zu kämpfen, und jetzt weigerst du dich, dir deine Niederlage einzugestehen; dabei weißt du schon lange nicht mehr, gegen wen du eigentlich kämpfst oder wofür.«

»Du verstehst nicht, Susan.«

»Ich weiß sehr wohl, daß ich nicht verstehe. Und verdammt noch mal, ich will auch gar nicht mehr versuchen, zu verstehen. Mir geht es jetzt einzig und allein noch darum, dafür zu sorgen, daß ich nicht mit dir kaputtgehe.«

»Was willst du damit sagen?«

»Daß es nichts mehr gibt, was ich noch für dich tun könnte, Ben. Ich kann für unsere Ehe nichts mehr tun. Und die hat mir, weiß Gott, mal was bedeutet. Aber jetzt ist es an der Zeit, daß ich mich um mich selbst kümmere. Und dafür sorge, daß ich nicht noch die wenigen Dinge verliere, die mir geblieben sind, nachdem du heute mein letztes bißchen Würde zerbrochen hast.«

»Dann willst du also fortgehen?«

»Es ist völlig bedeutungslos, ob ich bleibe oder gehe«, sagte sie. »Wenn ich gehen muß, gehe ich. Im Augenblick habe ich das Gefühl, ich kann genausogut auch bleiben. Aber irgendwas ist aus zwischen uns, und ich möchte, daß du das weißt.«

Das erstarrte weiße Gesicht im Spiegel. Es muß eine Zeit gegeben haben – Jahre sind es her –, da haben wir einander geliebt. Doch ich kann mich nicht einmal mehr danach zurücksehen, denn ich habe vergessen, wie es überhaupt war.

I I

Mit Beginn des neuen Schuljahres schien wieder Schwung in die Ereignisse zu kommen. Eine neue Welle von anonymen Anrufen, sein Wagen wieder demoliert, die gesamte Vorderfront seines Hauses mit Slogans besprüht, grobe Beleidigungen an der Wandtafel und nachts der Klang von Schritten ums Haus. Bis auch er einsah, daß es notwendig war, einen Wachhund anzuschaffen, der jedoch binnen vierzehn Tagen nach der Anschaffung vergiftet wurde. Susans Zustand erreichte einen neuen und beunruhigenden Tiefpunkt; der Arzt ließ Ben kommen, um sich ernsthaft mit ihm über ihren Zustand zu unterhalten. Selbst wenn nichts Besonderes geschah, war da immer noch das nagende Bewußtsein, daß eine unsichtbare und ungreifbare Macht ihn verfolgte. Zum erstenmal im Leben hatte er abends Schwierigkeiten mit dem Einschlafen; stundenlang lag er im Dunkeln wach, und die Gedanken kreisten. Wann würden sie das nächstemal zuschlagen und in welcher Form diesmal?

Zerschlagen stand er morgens auf, kam erschöpft aus der Schule nach Hause und ging erschöpft ins Bett, bloß um wieder wach zu liegen. Die Schule erlegte ihm ein gewisses Maß an gesunder Disziplin auf; gleichzeitig wurde es zunehmend schwieriger für ihn, dort zurechtzukommen, immer unkontrollierbarer; machte ihn beklommen und reizbar und manchmal geradezu ängstlich. Die Mißbilligung seiner Kollegen. Cloetes schweigende Feindseligkeit. Carelses plumpe Scherze. Die begeisterte Loyalität des jungen Viviers erwies sich manchmal als schwerer zu ertragen als die Verachtung der anderen.

Dann war da noch Stanley, der kam und ging wie früher. Wie um alles auf der Welt er es fertigbrachte, sich dabei nicht sehen und von niemandem verfolgen zu lassen, ging über Bens Vorstellungsvermögen hinaus. Wenn man es sich genau überlegte, hätte man ihn schon vor Monaten aufgreifen und zum Schweigen bringen müssen. Aber Stanley, das mußte Ben daraus schließen, war ein Künstler des Überlebens; hinter dem Steuer seines Taxis, des großen Dodge, seiner *etembalami* sitzend, die ihm näher war als Frau und Familie, ging er ohne mit der Wimper zu zucken seine geheimnisvollen Wege. Weihnachten war das einzige Mal, daß Ben ihn je die Beherrschung hatte verlieren sehen. Doch nie wieder. Das komplizierte Rätsel seines Lebens, das die spannungsgeladenen Augenblicke umgab, wenn er unvermutet in Bens Leben einbrach, aus der Nacht auftauchte und sich wieder darin auflöste, gab er nicht preis.

Von Zeit zu Zeit unternahm er eine seiner »Fahrten« nach Botswana, Lesotho oder Swaziland. Um zu schmuggeln vermutlich. (Aber was? Hasch, Geld, Waffen oder Männer…?)

In der letzten Januarwoche mußte Phil Bruwer wieder ins Krankenhaus. Zwar hatte er keinen weiteren Anfall erlitten, doch sein Zustand hatte sich dermaßen verschlechtert, daß die Ärzte meinten, er müsse ständig beobachtet werden. Melanie mußte eigens von Kapstadt zurückfliegen und ein Projekt aufgeben, an dem sie gearbeitet hatte. Ein paarmal besuchten sie und Ben den alten Mann gemeinsam, doch das war deprimierend, denn es sah ganz so aus, als ob sein unbändiger Geist nun doch aufgegeben hätte.

»Ich habe nie Angst gehabt zu sterben«, vertraute Melanie Ben an. »Was mich selbst betrifft, kann ich mich mit allem abfinden; außerdem bin ich dem Tod schon nahe genug gewesen und weiß daher, daß es so schlimm nicht ist.« Ihre großen schwarzen Augen wandten sich ihm zu. »Aber um seinetwegen habe ich Angst. Ich habe Angst, ihn zu verlieren.«

»Dabei hast du doch nie zuvor Angst vor dem Alleinsein gehabt.« Nachdenklich schüttelte sie den Kopf. »Darum geht es nicht. Es ist die enge Beziehung als solche. Die Vorstellung von Kontinuität. Von einer Art beruhigender Stabilität. Ich meine: Alles, was außerhalb von einem liegt, kann sich verändern; man kann sich sogar selber verändern, aber solange man weiß, daß da irgend etwas ist, das unwandelbar weitergeht, wie ein Fluß, der ins Meer fließt, solange hat man auch ein Gefühl von Sicherheit oder Vertrauen, oder wie immer du es sonst nennen magst. Manchmal glaube ich, das ist der Grund, warum ich ein so überwältigendes Bedürfnis danach habe, ein Kind zu haben.«

Bewußt spöttisches Auflachen. »Verstehst du, jeder klammert sich an sein eigenes kleines bißchen Hoffnung auf Ewigkeit. Selbst wenn er längst nicht mehr an den Weihnachtsmann glaubt.«

12. Februar. Und jetzt zu Susan. Etwas ist mir in den letzten paar Tagen an ihr aufgefallen. Hielt das trotz der Beruhigungsmittel, die sie in immer größeren Dosen schluckt, für nichts weiter als eine neue Phase in ihrem Nervenzustand. Erwies sich aber diesmal als etwas anderes und Schlimmeres. Ihr Vertrag mit Radio Südafrika endgültig gekündigt. Überzeugende Argumente von wegen ›frisches Blut‹ und ›Sparmaßnahmen‹ usw. Aber der Regisseur, mit dem sie für gewöhnlich zusammenarbeitete, hat ihr bei einer Tasse Tee die Wahrheit gesagt. Die Tatsache, daß sie meine Frau sei, werde für sie zunehmend peinlich. Man könne ja nie wissen, ob nicht mein Name irgendwann mit irgendeinem Skandal in Zusammenhang gebracht würde. Woher das komme, wisse er nicht. Sein Vorgesetzter hatte ihm nichts weiter gesagt, als daß sie »Informationen« hätten.

Das alles kam gestern abend heraus. Als ich ins Schlafzimmer kam, saß sie da und wartete auf mich. Am Tag nach Weihnachten war sie in das Zimmer gezogen, in dem früher die Mädchen geschlafen hatten, und so ließ mich dieses neue und unerwartete Angebot aufmerken. Im Nachthemd ohne Morgenrock am Fußende meines Bettes. Nervöses Lachen, das um ihre Mundwinkel zuckte.

»Du schläfst noch nicht?« fragte ich.

Sie schüttelte den Kopf. »Ich habe auf dich gewartet.«

»Ich hatte noch zu tun.«

»Macht nichts.«

Die Banalitäten, das leere Geschwätz, auf das wir uns einlassen!

»Ich dachte, du wolltest heute abend ins Theater?« sagte ich.

»Nein, ich hab' abgesagt. Ich hatte keine Lust.«

»Dabei hätte es dir gutgetan, mal rauszukommen.«

»Ich bin zu müde.«

»Du bist in letzter Zeit immer zu müde.«

»Überrascht dich das?«

»Es ist meine Schuld. Ist es das, was du mir zu sagen versuchst?«

Unversehens ein Aufglimmen von Panik in ihren Augen: »Tut mir leid, Ben. Bitte, ich bin nicht hergekommen, um dir irgendwelche Vorwürfe zu machen. Es ist nur... es kann einfach nicht so weitergehen.«

»Das wird es auch nicht. Ich bin überzeugt, daß bald etwas passieren wird. Man muß das bloß durchstehen.«

»Jedesmal glaubst du, daß ›etwas passiert‹. Kannst du denn nicht begreifen, daß es immer nur schlimmer wird. Einfach immer nur schlimmer und schlimmer?«

»Nein.«

Dann erzählte sie mir die Sache mit dem Funk.

»Das war das einzige, was mich noch aufrechtgehalten hat, Ben.« Sie fing an zu weinen; ich sah sehr wohl, daß sie sich bemühte, dagegen anzugehen. Eine Weile stand ich da und sah sie hoffnungslos an. Wenn etwas wie das Tag für Tag langsam weitergeht, nimmt man die Unterschiede zum Schluß kaum noch wahr. Aber gestern abend – ich weiß auch nicht, warum – warf ich plötzlich einen Blick auf unser Hochzeitsfoto über dem Frisiertisch, und da fuhr mir der Schrecken in die Glieder, als mir aufging, daß dies dieselbe Frau war. Dieses strahlende, selbstsichere, kräftige, gesunde blonde Mädchen und diese erschöpfte alte Frau in einem Nachthemd, das für jemand viel Jüngeres gemacht war: die rührenden weißen Spitzen, die die Arme freiließen, die schlaffe Haut an den Oberarmen, der faltige Hals, die nicht länger kaschierten grauen

Strähnen im Haar, das vom Weinen verquollene Gesicht. Dieselbe Frau. Meine Frau. Und meine Schuld?

Nach einiger Zeit setzte ich mich neben sie und nahm sie in die Arme, damit sie sich richtig ausweinen konnte. Ihre schlaffen Brüste. Sie versuchte nicht einmal, sie zu verbergen: sie, die sich ihres Körpers immer so geschämt hatte, als er noch jung und schön gewesen war. Jetzt, da sie alt geworden war, machte es ihr nichts aus, daß ich ihn sah. War das nun Gleichgültigkeit oder Verzweiflung?

Wie ist es nur möglich, daß man, selbst wenn man von Schmerz übermannt ist und sich abgestoßen fühlt, doch erregt und von Verlangen gepackt werden kann? Oder wollte ich mich für irgend etwas an ihr rächen? Für all die Jahre der Verklemmtheit; die Leidenschaft, die ich in einigen seltenen und unvergeßlichen Nächten unseres gemeinsamen Lebens in ihr entdeckt hatte und die hinterher nur um so aggressiver unterdrückt worden war. Sünde, Unrecht, das Böse. Immer beschäftigt, immer emsig hinter etwas her, um etwas zu erreichen, Erfolge einzuheimsen, hektisches Bemühen, den Körper und das, was er wirklich forderte, zu unterdrücken. Und jetzt auf einmal an mich gepreßt, entblößt, dargeboten, erreichbar! Blind nahm ich sie, und in unserem qualvollen Ringen hinterließ sie die Kratzspuren ihrer Fingernägel auf meinen Schultern und weinte und schluchzte an mich geschmiegt; und dieses eine Mal war ich es, der sich hinterher schamvoll abwandte und ihr den Rücken zukehrte. Sehr lange.

Als sie schließlich sprach, hatte sie ihre Stimme vollständig in der Gewalt.

»Es hat nicht geklappt, nicht wahr?«

»Tut mir leid. Ich weiß nicht, was in mich gefahren ist.«

»Ich spreche nicht von heute abend. Sondern von all den Jahren.«
Ich gab ihr keine Antwort; es widerstrebte mir zu streiten.

»Vielleicht haben wir uns nie genug Mühe gegeben. Vielleicht habe ich dich nie richtig verstanden. Keiner von uns den anderen verstanden, oder?«

»Susan. Wir haben drei Kinder großgezogen. Wir sind immer gut miteinander ausgekommen.«

»Vielleicht ist das das Schlimmste daran. Daß man in der Hölle miteinander auskommen kann.«

»Du bist erschöpft. Du siehst die Dinge nicht so, wie du sie sehen solltest.«

»Ich glaube vielmehr, ich sehe sie zum erstenmal so, wie ich sie sehen sollte.«

»Und was willst du tun?«

Ich drehte mich nach ihr um. Sie hatte sich aufgesetzt und die Bettdecke trotz der Hitze schutzsuchend um sich gezogen.

»Ich möchte für einige Zeit zu meinen Eltern. Einfach, um wieder ins Lot zu kommen. Und um dir eine Chance zu geben. Damit wir klar und ruhig darüber nachdenken können. Das hat ja keinen Zweck, solange wir beide so tief drinstecken, daß wir nicht richtig atmen können.«

Was blieb mir anderes übrig? Ich nickte. »Du mußt wohl mal richtig ausspannen.«

»Dann bist du also einverstanden?« Sie erhob sich.

»Aber es war doch deine Idee.«

»Du meinst aber auch, ich sollte es tun?«

»Ja, um mal hier rauszukommen. Und um uns eine Chance zu geben, wie du gesagt hast.«

Sie ging bis an die Tür. Ich saß immer noch auf dem Bett.

Sie drehte sich um: »Du versuchst nicht mal, mich zurückzuhalten«, sagte sie, und dabei war ihre Stimme nackter, als ihr mißbrauchter Körper es vorhin gewesen war.

Das Schlimmste war, daß ich nichts zu sagen wußte. Zum erstenmal begriff ich, wie vollkommen fremd sie mir war. Und wenn schon sie mir fremd war, die Frau, mit der ich so viele Jahre zusammengelebt hatte – wie sollte ich da glauben, jemals etwas anderes verstehen zu können?

25. Februar. Meine Aufzeichnungen werden immer spärlicher und seltener. Es gibt immer weniger zu sagen. Aber heute ist es gerade ein Jahr her. Kommt mir vor, als wäre es gestern gewesen: stand abends in der Küche und aß meine Ölsardinen aus der Büchse. *Ein nach dem Terroristengesetz Verhafteter, ein gewisser Gordon Ngubene, wurde heute morgen tot in seiner Zelle aufgefunden. Wie der Sprecher der Polizei mitteilte, etc. etc....*

Und was habe ich in diesem Jahr erreicht? Alles zusammengezählt ergibt es, Gott sei's geklagt, praktisch immer noch nichts. Ich bemühe mich durchzuhalten. Ich versuche mir einzureden, daß wir Fortschritte machen. Doch wieviel ist daran Illusion? Gibt es etwas, was ich wirklich weiß, etwas, dessen ich absolut sicher sein kann? In weniger guten Augenblicken fürchte ich, Susan könnte recht haben: Bin ich dabei, den Verstand zu verlieren?

Bin ich verrückt – oder ist es die Welt? Wo fängt der Wahnsinn der Welt an? Und wenn es Wahnsinn ist, warum wird er dann erlaubt? Wer läßt ihn zu?

Stanley vor zwei Tagen schon: Johnson Seroke von Unbekannten erschossen. Emilys Mann vom Sonderdezernat, die einzige mir noch verbliebene Hoffnung. Jetzt auch er. Laut Stanley geschah es spät abends. Ein Klopfen an der Tür. Als er aufmachte, eröffneten sie blindlings das Feuer auf ihn. Gesicht, Brust, Leib. Leitartikel in mehreren Zeitungen gestern. Interviews mit Polizeibeamten: »All die vielen Stimmen, die für gewöhnlich aufschreien, wenn jemand im Gewahrsam stirbt, schweigen jetzt merkwürdigerweise, wo ein Mitglied der Polizei im Dienst für sein Land den Tod gefunden hat. Das Schicksal dieses Schwarzen, der angesichts eines sinnlosen Terrorismus sein Leben für unser Land geopfert hat, sollte jene nachdenklich machen, die nie ein gutes Wort für die Polizei und ihr unablässiges Bemühen übrig haben, Stabilität und Wohlstand unserer Heimat zu gewährleisten…«

Aber ich weiß, warum Johnson Seroke starb. Dazu bedarf es keiner großen Phantasie.

Wie lang muß die Liste derer noch werden, die den Preis für meine Bemühungen bezahlen, Gordons Namen reinzuwaschen?

Oder ist das nur ein weiteres Symptom meines Wahns? Daß ich nicht mehr imstande bin, etwas anderes als das Schlimmste von meinen Gegnern zu erwarten? Daß ich die ganze verworrene Lage sträflich vereinfache, wenn ich in denen ›von der anderen Seite‹ Verbrecher sehe, von denen ich nur Böses erwarte? Daß ein bloßer Verdacht für mich schon eine Tatsache ist, um sie im schlechtesten Licht erscheinen zu lassen? Wenn das stimmt, stehe ich ihnen in nichts nach. Ein würdiger Gegner!

Aber wenn ich nicht mehr glauben kann, daß das Recht auf meiner Seite ist, wenn ich nicht mehr daran glaube, daß es meine Pflicht ist weiterzumachen – was soll dann aus mir werden?

7. März. Anfang, Ende, der Punkt, von dem aus es kein Zurück mehr gibt: Was war es? Zweifellos entscheidend. Völlig unabhängig von allem, was bis jetzt geschehen ist – oder darin verwurzelt? Bewege mich jetzt seit Tagen im Kreis, unfähig, darüber zu schreiben, und doch von dem verzweifelten Wunsch beseelt, es zu tun. Erschrocken angesichts seiner Endgültigkeit? Angst vor mir selbst? Ich kann dem nicht länger ausweichen. Sonst schaffe ich es nie, es zu überwinden.

Sonnabend, 4. März.

Einsamer kann kein Mensch sein. Seit der Nachricht über Johnson Seroke kein Zeichen von Stanley. Ich weiß, er muß vorsichtiger sein denn je, aber trotzdem. Kein Wort von Susan. Johan mit Freunden auf einer Farm. Das hier ist kein Leben für einen Jungen seines Alters. (Und doch, wie rührend, als er sagte: »Bist du sicher, daß auch alles in Ordnung mit dir ist, Dad? Wenn du mich brauchst, bleib' ich hier.«) Ist jetzt über eine Woche her, daß ich Phil Bruwer im Krankenhaus besucht habe. Melanie arbeitet den ganzen Tag über. Wenn man so lange ausschließlich auf die eigene Gesellschaft angewiesen ist, gerät man in einen gefährlichen Zustand. Die Versuchung, sich selbstquälerisch zu betrachten.

Doch wohin gehen, an wen sich wenden? Wer hat mich bis jetzt noch nicht zurückgewiesen? Der junge Viviers? Der gutmütige Carelse? Bis auch sie den Preis zu bezahlen haben. Möglich, daß vielleicht Pastor Bester mich willkommen geheißen hätte. Aber die Aussicht, über meinen Seelenzustand mit ihm zu diskutieren, war mir unerträglich. Ich glaube auch nicht mehr, daß meine Seele wirklich so wichtig ist.

Habe versucht zu arbeiten. Zwang mich, alle meine Notizen noch einmal durchzugehen, und machte den Vorgang des Sichtens zu einer Art Solitär-Spiel. Verstaute dann alles wieder im falschen Boden des Werkzeugschranks und setzte mich ins Auto.

Aber das alte Haus mit der gewölbten Veranda war dunkel und leer. Bin drum herumgegangen. Untertassen für die Katzen hinten auf dem *stoep*. Vorhänge zwar nicht vorgezogen, doch drinnen alles dunkel. Welches mochte ihr Zimmer sein? Als ob das von Bedeutung wäre! Nur, um es zu wissen und einen gewissen Trost daraus zu ziehen. Pubertär. Das ist der Grund, warum ältere Männer sich aus der Liebe heraushalten sollten. Macht sie lächerlich.

Saß lange auf den Stufen des *stoep* vorn, rauchte. Nichts geschah. Geradezu erleichtert, als ich schließlich aufstand und zur Gartenpforte hinunterging. Hatte das Gefühl, ›gerettet‹ zu sein. Mein Gott, wovor oder von was? Einem Schicksal, das schlimmer ist als der Tod? Ben Du Toit, du solltest mal deinen Kopf durchleuchten lassen. Trotzdem wesentlich ruhiger geworden. Hatte mich damit abgefunden, nach Hause zu fahren und mich meinem Alleinsein zu stellen.

Doch ehe ich die Gartenpforte erreichte – ich muß sie ihnen wirklich irgendwann mal reparieren, die Latten fallen schon raus –, bog ihr kleines Auto in die Auffahrt. Im ersten Augenblick empfand ich sogar Bedauern. Es hätte sich so leicht vermeiden lassen. (Wie komme ich dazu, von ›vermeiden‹ zu reden? In diesem Augenblick hatte ich bestimmt nicht die geringste Ahnung, noch Hoffnung oder Vorstellung davon, was geschehen sollte. Und doch muß es irgendein unterschwelliges Gespür dafür geben, was auf einen zukommt.)

»Ben?« Als sie mich um die Ecke des Hauses herumkommen sah. »Bist du das? Hast du mich aber erschreckt!«

»Ich bin schon eine ganze Zeitlang hier. War gerade drauf und dran zu gehen.«

»Ich habe Dad im Krankenhaus besucht.«

»Wie geht es ihm?«

»Unverändert.«

Sie schloß die Küchentür auf und ging, ohne zu zögern, durch den dunklen Flur bis zum Wohnzimmer voran – ich hingegen stolperte über eine Katze. Das fahle gelbe Licht schien mehr als nur das Zimmer zu erhellen. Sie trug ein Kleid mit einem züchtigen Stehkragen.

»Ich mache uns einen Kaffee.«

»Soll ich dir helfen?«

»Nein. Mach's dir nur bequem.«

Ohne sie wurde das Zimmer bedeutungslos. Aus der Küche das Klappern von Tassen, das Summen des Kessels. Dann kam sie wieder. Ich nahm ihr das Tablett ab. Schweigend saßen wir da und tranken. War auch sie verlegen? Aber warum? Ich kam mir vor wie ein Fremder bei einem Höflichkeitsbesuch.

Als sie ausgetrunken hatte, legte sie eine Platte auf und stellte die Musik ganz leise.

»Noch Kaffee?«

»Nein danke.«

Wieder schnurrten die Katzen. Die Musik machte das Zimmer wohnlicher und gastlicher; die Bücherregale ein Bollwerk gegen die Welt.

»Hast du eine Ahnung, wann dein Vater wieder nach Hause kommt?«

»Nein. Die Ärzte schienen zwar einigermaßen zufrieden, wollen aber kein Risiko eingehen. Und er wird ungeduldig.«

Es war eine Erleichterung, über ihn zu reden. Dadurch, daß wir über ihn sprachen, konnten wir sagen, was wir über uns verschweigen mußten. Der erste Abend in diesem Zimmer. Die Nacht in den Bergen.

Wieder Schweigen.

»Hoffentlich halte ich dich nicht von deiner Arbeit ab.«

»Nein«, sagte sie. »Im Moment ist nichts Wichtiges da. Und nächsten Freitag bin ich wieder weg.«

»Wohin diesmal?«

»Nach Kenia.« Sie lächelte. »Ich muß mich wieder auf meinen britischen Paß verlassen.«

»Hast du denn keine Angst, daß sie dich eines Tages erwischen?«

»Ach, ich werde es schon schaffen.«

»Ist es denn nicht ermüdend, immer so weiterzumachen, sich auf eine Sache nach der anderen einzulassen und niemals wirklich zur Ruhe zu kommen?«

»Manchmal schon. Aber es hält mich in Schwung.«

Ich konnte nicht umhin zu sagen: »Zumindest hast du für deine Bemühungen mehr vorzuweisen, als ich in den letzten Monaten erreicht habe.«

»Wie mißt du denn Ergebnisse?« Ihre Augen waren warm und voller Mitgefühl. »Ich glaube, in vieler Hinsicht sind wir uns sehr ähnlich. Wir scheinen beide mehr die Fähigkeit zu haben, Dinge durchzustehen, als sie zu verstehen.«

»Vielleicht ist das ebenso gut. Manchmal habe ich das Gefühl, wirklich zu verstehen, würde einen um den Verstand bringen.«

Es war spät geworden. Eine warme Nacht, lind wie nur im Frühherbst. Je später es wurde, desto weniger sprachen wir; trotzdem war es leichter, sich mitzuteilen. Die alte Intimität war in das gemütliche Zimmer zurückgekehrt, das trotz des muffigen Geruchs von Büchern, Katzen und abgetretenen Teppichen immer noch leicht nach dem Tabak ihres Vaters duftete.

Mitternacht mußte schon vergangen sein, als ich mich widerstrebend erhob. »Es ist wohl Zeit für mich zu gehen.«

»Hast du ›Verpflichtungen‹?« Das Wort leicht ironisch unterstrichen.

»Nein, es ist niemand zu Hause.«

Warum hatte ich ihr das mit Susan nicht schon vorher erzählt? Um mich zu schützen? Ich bin mir nicht sicher. Auf jeden Fall lag kein Grund vor, ihr gegenüber noch länger ein Geheimnis daraus zu machen. So sagte ich es ihr. Sie äußerte sich zwar nicht dazu, doch in ihren dunklen Augen veränderte sich etwas. Nachdenklich, geradezu ernst, erhob sie sich von ihrem Sessel und sah mich an.

Die Schuhe hatte sie schon vorher von den Füßen gestreift, was sie noch kleiner machte; fast wie ein Teenager, ein zartes Mädchen; und doch reif und ernüchtert, ohne alle Illusionen und erfüllt von jenem tieferen Mitleid, das die Jugend entweder nicht kennt oder das von ihr unterschätzt wird.

»Warum bleibst du dann nicht hier?« sagte sie.

Ich zögerte, bemühte mich zu ergründen, was wirklich damit gemeint war. Als ob sie meine Gedanken erriete, fügte sie ruhig hinzu: »Ich mach' dir im Gästezimmer ein Bett zurecht. Dann brauchst du zu dieser unmenschlichen Stunde nicht mehr nach Hause zu fahren.«

»Ich würde gern bleiben. Die Aussicht auf ein leeres Haus ist wirklich mehr, als ich ertragen kann.«

»Wir werden uns beide an leere Häuser gewöhnen müssen.«

Lautlos ging sie auf ihren schmalen Füßen vor mir her. Wir sprachen kein Wort mehr. Ich half ihr, das Bett im Gästezimmer zu beziehen; ein schöngeschnitztes altes hölzernes Bettgestell. Alles Denken ausgesetzt.

Als wir fertig waren, sahen wir uns über das Bett hinweg an. Ich war mir bewußt, wie verkrampft mein Lächeln war.

»Ich lege mich jetzt auch hin«, sagte sie und schickte sich an zu gehen.

»Melanie.«

Wortlos drehte sie sich um und sah mich an.

»Bleib hier bei mir.«

Einen Moment dachte ich, sie würde ja sagen. Ich hatte einen Kloß im Hals. Wollte die Hand ausstrecken und sie berühren, doch das breite Bett war zwischen uns.

Dann sagte sie: »Nein. Ich glaube, besser nicht.«

Ich wußte, daß sie recht hatte. Wir waren einander so nahe. Alles war möglich. Doch wenn es wirklich geschah: was dann? Was sollte aus uns werden? Wie sollten wir damit jemals in unserer völlig verdrehten Welt zurechtkommen?

So war es schon besser, wenn auch trostloser. Sie kam nicht um das Bett herum, um mir einen Gutenachtkuß zu geben. Mit einem kleinen, gequälten Lächeln ging sie an die Tür. Zögerte sie dort? Wartete sie darauf, daß ich sie zurückrief? Verzweifelt drängte es mich danach. Doch schon mit meiner Aufforderung war ich zu weit gegangen. Ich konnte nicht noch mehr riskieren.

Wohin sie ging, konnte ich nicht hören, denn ihre Füße machten keinen Laut. Hier und da knarrte von Zeit zu Zeit ein Dielenbrett in dem großen dunklen Haus, doch das konnte auch am Alter des Hauses liegen, ließ nicht unbedingt darauf schließen, wo sie sich aufhielt. Sehr lange blieb ich neben dem Bett mit der zurückgeschlagenen Bettdecke stehen, prägte mir alles ein, als ob eine Bestandsaufnahme lebenswichtig für mich wäre. Das Muster der altmodischen Tapete. Der Nachttisch mit dem Stoß Bücher im oberen Fach. An der Wand ein kleines Bücherregal. Ein Frisiertisch mit ovalem Spiegel darüber. Ein ausladender viktorianischer Schrank mit mehreren übereinandergestapelten Koffern darauf.

Nach einiger Zeit trat ich ans Fenster. Die Vorhänge waren nicht zugezogen; eines der Seitenfenster stand offen. Blickte hinaus über den Garten. Gras und Bäume. Dunkelheit. Die Stille noch erfüllt von der duftenden Wärme des Tages. Grillen und Frösche.

Es überwältigte mich, wie friedlich Trauer und Einsamkeit sein können. Denn ihr Ablehnen und ihr Fortgehen hatten sehr endgültig etwas besiegelt. Etwas Hoffnungsvolles, und wenn es noch so übertrieben und anmaßend gewesen war, war jetzt behutsam und gelassen ausgeschlossen worden; als ob eine Tür zugefallen wäre, ehe ich hatte eintreten können.

Und dann kam sie zurück. Als ich den Kopf wandte, stand sie neben mir, so nah, daß ich sie berühren konnte. Sie war nackt. Völlig stumm starrte ich sie an. Sie war offensichtlich scheu; wahrscheinlich, glaubte ich, hatte sie Angst, ich könnte sie herausfordernd finden. Aber sie machte nicht den Versuch, sich abzuwenden. Sie muß gewußt haben, daß es für mich ebenso notwendig war, sie anzusehen, wie es für sie notwendig war, sich ansehen zu lassen. Ich war zu dem Spiegel geworden, von dem sie einmal gesprochen hatte. *Du siehst dich nackt. Ein Gesicht, einen Körper, den du an jedem Tag deines Lebens im Spiegel gesehen*

hast. Nur, daß du beides nie richtig gesehen hast. Man hat niemals rich-
tig hingesehen. Und jetzt, plötzlich …

Alle Augenblicke, die wir zuvor erlebt hatten, schienen in diesem einen zu verschmelzen. Chronologie und Folgerichtigkeit wurden unwesentlich. Die Zeit wurde von uns abgestreift, so wie man die Kleider ab-
streift, um sich zu lieben.

Die Aufrichtigkeit ihres Körpers. Sie war da, ganz und gar, und überwältigend. Ich komme mir jetzt, bei dem Versuch, alles in nichts anderes
als Worte zu fassen, ganz lächerlich vor. Wie blaß es klingt, fast harmlos,
zu reiner Beschreibung reduziert. Aber was bleibt mir anderes? Schweigen hieße, es zu leugnen.

Ihr Haar gelöst, locker und schwer auf ihren Schultern. Ihre Brüste so
unglaublich klein, nichts weiter als Schwellungen mit dunklen, spitz zu-
laufenden, erigierten Brustwarzen. Der glatte Bauch mit der köstlichen
kleinen Vertiefung in der Mitte. Darunter das klarkonturierte drei-
eckige Dickicht schwarzer Haare zwischen den Beinen.

Doch das ist es nicht. Nichts, das ich aufzählen oder mit der passenden Bezeichnung aufzählen könnte. Entscheidend war, daß sie sich mir
in ihrer Nacktheit darbot. Sich mir – unfaßlich – zum Geschenk machte.
Was sonst haben wir zu geben?

Jene Worte, vor Monaten gesprochen, damals, als alles erst anfing:
Einmal im Leben, nur ein einziges Mal, sollte man genug Vertrauen zu
etwas haben, um alles dafür aufs Spiel zu setzen.

Wir zogen die Bettdecke nicht über uns. Sie wollte nicht einmal, daß
ich das Licht löschte. Wie zwei Kinder, die das Spiel zum erstenmal
spielen, wollten wir alles sehen, alles berühren, alles entdecken. Etwas
ganz Neues, wie bei einer Geburt. Die geschmeidigen Bewegungen ihrer Glieder. Der Duft ihres Haars. Mein ganzes Gesicht davon bedeckt,
mein Mund damit gefüllt. Die Schwerelosigkeit ihrer Brüste an meiner
Backe. Ihre Brustwarzen, die sich zwischen meinen Lippen versteiften.
Ihre zupackenden Hände. Ihr Geschlecht, daß sich weitete und sich in
feuchter, heimlicher Wärme tief meiner Berührung öffnete. Unsere Leiber, die am Rande unseres Abgrunds miteinander verschmolzen. Wunder und Geheimnis des Fleisches. Ihre Stimme in meinem Ohr. Ihr heftiges Atmen. Ihre Zähne, die mir in die Schulter bissen. Die behaarte
Wölbung ihres Venushügels, eine fleischige Faust, die unter meinem
Druck nachgab und mich in sich hineinsaugte.

Doch das war es nicht. War es ganz und gar nicht. Das, was mir bewußt war, was ich mir auch jetzt vergegenwärtigen kann, war das, was ich fühlen und sehen, berühren und hören und schmecken konnte. Aber darum ging es nicht. Nicht um die Gliedmaßen, die ich bei dem Versuch, wirklich zu begreifen, was geschah, jetzt nacheinander aufzählen kann. Es ging um etwas anderes, etwas vollkommen anderes. Körper, durch Ekstase gereinigt, in Licht und Dunkelheit. Bis wir schließlich außer Atem wieder zur Ruhe kamen. Erschöpft lag ich an ihrer Seite, lauschte dem tiefen Rhythmus ihres Atems, der durch den noch halboffenen Mund kam, sah hinter ihren feuchten Lippen den matten Glanz ihrer Zähne, sah ihre mitgenommenen kleinen Brüste, die runzeligen Brustwarzen erschlafft, auf ihrem Bauch die Schneckenspuren unserer Liebe; das eine Knie angewinkelt und nach außen gebogen, das andere Bein entspannt und im dunklen, verwühlten Vlies die preisgegebene und entstellte Spalte, die immer noch von unsichtbarem Blut angeschwollenen feuchten Schamlippen. Das rückhaltlos offene Wunder ihres Körpers, selbst noch in diesem Schlaf der Erschöpfung und der Erfüllung voller Leben. Ich konnte mich an ihr nicht sattsehen, versuchte, den Durst vieler Jahre in einer einzigen Nacht zu stillen. Ich mußte mich so mit ihr vollstopfen, daß, nachdem alle fünf Sinne ganz und gar von ihr erfüllt waren, überhaupt nichts mehr von mir selbst übrigblieb. Die letzte Erfüllung konnte nur darin bestehen, einfach aus meinen Sinnen auszubrechen und mich in das Dunkel dahinter zu stürzen, in jene Liebe, für die unsere Leidenschaft nur ein Fest, ein Zeugnis gewesen war. *Siehe, meine Freundin, du bist schön! Siehe, schön bist du!*

Nachdem meine dringendste Begierde gestillt war, überkam mich eine neue, heitere Klarheit. Auf einen Ellbogen gestützt, lag ich da und betrachtete sie in Ruhe und Ehrfurcht, berührte sie, streichelte sie sehr sanft, immer noch unfähig, meinen Augen, meinen Händen oder meiner Zunge zu trauen. Ich war nicht müde. Es wäre vermessen gewesen, auch nur an Schlaf zu denken, solange sie hier neben mir lag und ich sie ansehen, sie berühren und mich immer aufs neue der unfaßlichen Wirklichkeit ihres Körperes vergewissern konnte. Ich mußte wach bleiben und Wache halten und jede Möglichkeit dieser kurzen Zärtlichkeit ausloten, solange sie uns, gefährdet und unglaublich, gehörte.

Glück? Es war eine der traurigsten Nächte meines Lebens, von einer alterslosen Traurigkeit, die sich bis ins Herz dieser neuen Welt hineinstahl und langsam zu Schmerz und Qual wurde. Da schlief sie, mir näher, als mir jemals ein Mensch gewesen war, nackt und hingegeben, voller Vertrauen, für mich da, um sie zu lieben, zu betrachten, zu berühren, zu erforschen und in sie einzudringen; und doch in diesem friedlichen tiefen Schlaf weiter entfernt als ein Stern, unerreichbar, für immer von mir getrennt. Ich kannte ihre Augen und das Innere ihres Mundes, ihre Brustwarzen in Ruhe und Erregung, kannte jedes Glied ihres zarten, glatten Körpers, jeden einzelnen Finger und Zeh; wenn ich wollte, konnte ich jedes einzelne Haar untersuchen. Und doch ergab das nichts, gar nichts. Unsere Körper hatten sich vereinigt, sich umeinandergedreht und sich umschlungen und gemeinsam die Zuckungen der Lust und des Schmerzes durchlebt. Doch nachdem wir zueinander gekommen waren, waren wir wieder getrennt; und während sie im Schlaf lächelte oder leise seufzte oder nur dalag und ruhig atmete – war sie so fern von mir, als ob wir einander niemals begegnet wären. Mir war zum Weinen zumute. Aber der Schmerz saß zu tief, als daß Tränen ihn hätten beschwichtigen können.

Kurz vor Sonnenaufgang muß ich neben ihr eingeschlafen sein. Als ich erwachte, war es heller Tag, und die Vögel sangen draußen in den Bäumen. Die Nachttischlampe brannte noch, ein unscheinbarer und völlig sinnloser gelber Schimmer im strahlenden Morgenlicht. Was mich geweckt hatte, war die Bewegung einer ihrer Hände auf mir, die Art, wie ich sie in der Nacht gestreichelt hatte, während sie so fern von mir im Schlaf versunken gewesen war. Wir brauchten uns nicht zu beeilen; es war Sonntag und nichts und niemand konnte irgendwelche Forderungen an uns stellen; sehr langsam erlaubte sie mir, aus dem Schlaf wieder aufzutauchen und noch einmal ihren Körper mit meinem zu bedecken, und in die verborgene Wärme ihres Körpers einzubrechen – eine Empfindung, als tauchte ich ein in lauwarmes Wasser, als ob nicht nur mein Glied, sondern mein ganzes Ich, alles, was ich jemals gewesen war oder hoffen konnte zu sein, von ihr eingesogen würde, in ihr versänke; bis nach der Vereinigung allmählich das Bewußtsein zurückkehrte und dumpf und schmerzlich pulsierte und ich abermals erfuhr, was es bedeutete, zu fühlen und lebendig zu sein, preisgegeben und Angst zu haben.

Denn ich weiß nur zu gut – wußte es in diesem Augenblick, in diesem völlig unpassenden Licht, mit dem die Lampe sich so mutig gegen die unbarmherzige Grelle des Tages zu behaupten versuchte –, daß wir uns zwar lieben, aber keiner den anderen erlösen kann. Und daß wir durch die körperliche Liebe, die uns verbindet, in den historischen Ablauf hineingezogen wurden. Wir sind nicht mehr losgelöst von allem, sondern tief verstrickt in alles, was greifbar und berechenbar ist nach Monaten oder Jahren, lenkbar, verletzbar und zerstörbar. Und in dieser Traurigkeit, die tiefer ging als alles, was ich je erlebt hatte, verließ ich sie schließlich.

Drei Wochen später kam Susan aus Kapstadt zurück. Zwar war sie immer noch nicht ganz die alte, wohl aber entspannter, bereiter und entschlossener, es nochmals zu versuchen. Zwei Tage nach ihrer Rückkehr, am Donnerstag dem 30. März, fand Ben, als er von der Schule nach Hause kam (Johan war in der Schule zurückgeblieben), einen großen braunen, an sie adressierten Umschlag im Briefkasten. Er nahm ihn zusammen mit seiner eigenen Post mit hinein.

Der Umschlag enthielt keinen Brief, sondern nur ein Foto. Ein gewöhnliches Hochglanzfoto im Format 18 mal 22. Keine besonders scharfe Aufnahme, als ob die Beleuchtung schlecht gewesen wäre. Im Hintergrund eine undeutliche, verschwommene Tapete, ein Nachttisch, ein verwühltes Bett; ein Mann und eine Frau, die einander innig streichelten und sich offensichtlich darauf vorbereiteten, miteinander zu schlafen.

Susan wollte das Foto schon angewidert zerreißen, als irgend etwas sie veranlaßte, noch einmal genauer hinzusehen. Die junge Frau, eine Brünette, war ihr unbekannt. Der Mann, der bei ihr war, war in mittleren Jahren und trotz der groben Körnung deutlich zu erkennen. Der Mann war Ben.

Vier

I

Als er die Tür öffnete, stand Captain Stolz auf dem *stoep*. Monatelang hatte er darauf gewartet, daß sie wiederkämen; da er annahm, daß es nur eine Frage der Zeit sei. Zumal nachdem das Foto mit der Post gekommen war. Die Notizen lassen freilich keinen Zweifel über den Schock, den es ihm versetzte, als es an diesem Nachmittag dann geschah. Es war der 3. April, ein Tag, ehe Melanie aus Kenia zurückkommen sollte. Der Captain war allein. Schon das mußte etwas zu bedeuten haben.

»Können wir reden?«

Am liebsten hätte Ben ihm den Eintritt verwehrt, er war jedoch viel zu durcheinander, um zu reagieren. Mechanisch trat er beiseite und gestattete so dem Mann in der ewigen Sportjacke einzutreten. Vielleicht war es – rein gefühlsmäßig – auch eine Erleichterung, endlich wieder einem Gegner in Fleisch und Blut gegenüberzustehen, jemandem, den er erkennen, festnageln, mit dem er reden konnte, und sei es in blindem Haß.

Zumindest zuerst gab Stolz sich wesentlich zuvorkommender als früher und erkundigte sich nach dem Gesundheitszustand von Ben und seiner Frau sowie nach seiner Arbeit in der Schule.

Schließlich wurde es Ben zuviel, und er sagte schroff: »Sie sind doch sicher nicht gekommen, um sich nach meiner Familie zu erkundigen, Captain, oder?«

Belustigt glomm es in Stolz' dunklen Augen auf. »Warum nicht?«

»Ich hatte nie den Eindruck, daß Sie sich besonders für meine Privatangelegenheiten interessierten.«

»Mr. Du Toit, ich bin heute zu Ihnen gekommen, weil ich« – und bei diesen Worten schlug er bequem die langen Beine übereinander – »überzeugt bin, daß wir uns verständigen können.«

»Wirklich?«

»Meinen Sie nicht, daß diese Sache jetzt lange genug so weitergegangen ist?«

»Das zu entscheiden, ist schließlich Ihre Sache, oder?«

»Jetzt doch mal ehrlich: Haben all die Beweise, die Sie im Zusammenhang mit Gordon Ngubene gesammelt haben, Sie auch nur einen Schritt näher an die Art von Wahrheit herangebracht, nach der Sie suchen?«

»Ja, das glaube ich.«

Eine kurze Pause. »Ich hatte wirklich gehofft, wir könnten uns von Mann zu Mann unterhalten.«

»Das, glaube ich, ist nicht mehr möglich, Captain. Falls es das jemals gewesen ist. Nicht zwischen Ihnen und mir.«

»Schade.« Stolz setzte sich anders hin. »Wirklich sehr schade. Haben Sie was dagegen, wenn ich rauche?«

Ben machte eine Geste.

»Die Dinge scheinen sich doch nicht so zu entwickeln, wie Sie es sich erhoffen, nicht wahr?« sagte Stolz, nachdem er sich seine Zigarette angesteckt hatte.

»Das ist Ihre Meinung, nicht meine.«

»Sagen wir mal so: Gewisse Dinge sind geschehen, die Sie in beträchtliche Verlegenheit bringen könnten, falls etwas davon durchsickerte.«

Ben wurde ganz steif; seine Gesichtshaut spannte sich. Ohne die Augen von Stolz zu wenden, fragte er: »Wie kommen Sie darauf?«

»Nun hören Sie mal zu«, sagte Stolz. »Ganz unter uns: Wir sind doch alle aus Fleisch und Blut, und jeder von uns hat seine kleinen Fehler. Und wenn jemand es sich in den Kopf setzt – nun, sagen wir: Äpfel aus Nachbars Garten zu holen –, nun ja, so ist das seine Sache. Vorausgesetzt, es wird nicht darüber geredet, versteht sich. Denn schließlich wäre es höchst unangenehm, wenn die Leute dahinterkämen, oder etwa nicht? Ich meine, besonders dann, wenn er mitten im öffentlichen Leben steht. Lehrer ist, zum Beispiel.«

In dem scheinbar endlosen Schweigen, das dieser Eröffnung folgte, saßen sie einander gegenüber und maßen ihre Kräfte.

»Warum rücken Sie nicht mit der Sprache heraus?« fragte Ben schließlich. Obwohl er es nicht vorgehabt hatte, holte er seine Pfeife heraus, damit seine Hände etwas zu tun hatten.

»Mr. Du Toit, was ich Ihnen jetzt sage, ist streng vertraulich...« Er schien eine Reaktion zu erwarten, doch Ben zuckte nur mit den Achseln. »Ich nehme an, Sie wissen, daß Fotos in Umlauf sind, die Ihnen einige Unannehmlichkeiten bereiten könnten«, sagte Stolz. »Zufällig ist mir selbst eins in die Hände gekommen.«

»Das überrascht mich nicht, Captain. Schließlich wurden sie in Ihrem Auftrag gemacht, nicht wahr?«

Stolz lachte, es klang nicht besonders angenehm. »Das meinen Sie doch nicht im Ernst, Mr. Du Toit! Wirklich, als ob ich nicht genug zu tun hätte.«

»Es hat mich auch überrascht. Wenn ich an die viele Arbeit, das viele Geld und die viele Zeit denke, die Sie auf jemand wie mich verwenden. Es muß größere und ernstere Probleme geben, mit denen Sie sich herumzuschlagen haben.«

»Freut mich, daß Sie das so sehen. Deswegen bin ich ja heute hier. Zu einem freundlichen Besuch.« Er unterstrich seine Worte ein wenig, während er dasaß und dem dünnen Rauchfaden nachsah, der aus seinem Mund quoll. »Sehen Sie, ich wurde auf dieses Dreckszeug aufmerksam gemacht, und da hielt ich es für meine Pflicht, Ihnen davon zu erzählen.«

»Warum?«

»Weil ich was dagegen habe, daß ein normaler, anständiger Mann wie Sie das Opfer so schmutziger Machenschaften wird.«

Gegen seinen Willen lächelte Ben steif. »Wirklich meinen Sie doch, nehme ich an: wenn ich bereit bin mitzumachen, wenn ich aufhöre, Sie in Verlegenheit zu bringen oder eine Bedrohung für Sie darzustellen, werden die Fotos irgendwo abgelegt, wo sie keinen Schaden anrichten können.«

»Nun, ich würde es vielleicht etwas anders ausdrücken. Sagen wir mal, ich könnte meinen Einfluß geltend machen, daß eine private Indiskretion auf keinen Fall gegen Sie verwendet wird.«

»Und als Gegenleistung muß ich den Mund halten?«

»Nun ja, meinen Sie nicht auch, es ist höchste Zeit, daß wir die Toten in Frieden ruhen lassen? Was für einen Sinn könnte es denn noch haben, weiter Zeit und Energie zu verschwenden, wie Sie es das vergangene Jahr hindurch getan haben?«

»Und wenn ich mich weigere?« Der Rauch wurde sehr langsam ausgestoßen. »Ich versuche nicht, Sie zu beeinflussen, Mr. Du Toit. Aber überlegen Sie sich's.«

Ben erhob sich. »Ich lasse mich nicht erpressen, Captain. Nicht einmal von Ihnen.«

Stolz auf seinem Stuhl rührte sich nicht. »Sie sollten nichts überstürzen. Ich biete Ihnen eine Chance.«

»Sie meinen: meine allerletzte Chance?«

»Wer will das wissen?«

»Ich habe immer noch nicht die ganze Wahrheit aufgedeckt, nach der ich suche, Captain«, sagte Ben leise. »Aber ich habe eine recht gute Vorstellung davon, wie sie aussehen wird. Und ich werde nicht zulassen, daß irgendein Mensch oder irgendeine Sache sich zwischen mich und diese Wahrheit stellt.«

Langsam und mit vollem Bedacht drückte Stolz seine Zigarette im Aschenbecher aus. »Ist das Ihr letztes Wort?«

»Sie haben doch wohl nichts anderes von mir erwartet, oder?«

»Vielleicht doch.« Stolz sah ihm in die Augen. »Sind Sie sich auch wirklich darüber im klaren, wessen Sie sich da aussetzen? Diese Leute – egal, wer sie sind – können Ihnen das Leben verteufelt schwermachen.«

»Dann werden diese Leute eben mit ihrem eigenen Gewissen leben müssen. Ich bin überzeugt, Sie richten ihnen das aus, Captain.«

Dem Polizeibeamten stieg eine leichte Röte ins Gesicht, so daß die weiße Narbe auf seinem Backenknochen nur um so deutlicher hervortrat.

»Nun, das wär's dann ja wohl. Auf Wiedersehen.«

Ben übersah Stolz' Hand und machte die Tür seines Arbeitszimmers auf. Keiner von beiden sprach noch ein Wort.

Was Ben überwältigte, war die Entdeckung, daß er keine Wut mehr auf den Mann in sich verspürte. Er tat ihm vielmehr augenblicklich leid. *Du bist ein Gefangener, genauso wie ich. Der Unterschied ist nur, daß du es nicht weißt.*

Als Ben am nächsten Nachmittag zum Flughafen fuhr, um Melanie abzuholen, war sie nicht zu entdecken. Die Stewardeß, an die er sich hilfesuchend wandte, drückte auf die Tasten eines Computers und bestätigte, Melanies Name stehe tatsächlich auf der Passagierliste; doch nachdem sie gegangen war, um weitere Nachforschungen anzustellen, kam ein Angestellter in Uniform auf Ben zu und sagte ihm, die Stewardeß habe sich geirrt. Einen Fluggast dieses Namens auf dem Flug von Nairobi habe es nicht gegeben.

Phil Bruwer nahm diese Nachricht mit erstaunlichem Gleichmut auf, als Ben ihn am Abend desselben Tages im Krankenhaus besuchte. Darüber brauche man sich keine Sorgen zu machen, sagte er. Melanie stoße ihre Pläne oft im allerletzten Augenblick um. Vielleicht sei sie etwas Neuem auf der Spur. Ein, zwei Tage, und sie werde bestimmt zurück sein. Er fand Bens Besorgtheit belustigend, weiter nichts.

Am nächsten Tag kam ein Telegramm aus London: *Sicher hier. Bitte mach dir keine Sorgen. Rufe an. Herzlichst, Melanie.*

Es war fast Mitternacht, als der Anruf durchkam. Die Verbindung war sehr schlecht, ihre Stimme klang sehr fern und war fast nicht zu erkennen.

Ben warf einen Blick über die Schulter, um sicherzugehen, daß Susans Tür auch wirklich geschlossen war.

»Was ist passiert? Wo bist du, Melanie?«

»In London.«

»Wie bist du denn dorthin gekommen?«

»Hast du am Flugplatz auf mich gewartet?«

»Natürlich. Was ist passiert?«

»Sie haben mich nicht durchgelassen.«

Einen Moment war er dermaßen betroffen, daß er sprachlos war. Dann fragte er: »Du meinst – du warst auch da?«

Ein Lachen aus weiter Ferne, gedämpft und höchst beunruhigend: »Ja, natürlich.«

Es traf ihn mit voller Wucht. »Der Paß?«

»Ja. Unerwünschte Einwanderin. Die mit der nächsten Maschine zurückgeflogen wurde.«

»Aber du bist doch gar keine Einwanderin. Du bist genauso Südafrikanerin wie ich.«

»Nicht mehr. Man verliert bei einem solchen Vergehen seine Staatsbürgerschaft, hast du das nicht gewußt?«

»Das glaube ich nicht.« Seine Gedanken schienen sich angesichts der Entdeckung, daß sie nie zurückkommen würde, auf idiotische Weise zu verwirren.

»Würdest du das bitte Dad sagen? Aber bring's ihm schonend bei. Ich möchte nicht, daß er sich in seinem Zustand aufregt.«

»Melanie, gibt es irgendwas, das ich…«

»Im Augenblick nicht.« Eine merkwürdige Nüchternheit in ihrer Stimme. Als ob sie sich bereits entzogen hätte. Vielleicht hatte sie Angst, Gefühle zu zeigen. Besonders am Telefon. »Kümmere dich nur um Dad, Ben. Bitte!«

»Keine Sorge.«

»Alles andere können wir später regeln. Vielleicht. Ich hab' noch keine Zeit gehabt, darüber nachzudenken.«

»Wo kann ich dich erreichen?«

»Durch die Redaktion. Du hörst von mir. Vielleicht fällt uns was ein. Im Moment ist alles schrecklich vermasselt.«

»Aber mein Gott, Melanie…«

»Red jetzt nicht, bitte, Ben!« Die ungeheure Entfernung zwischen uns. Ozeane. Erdteile. »Es wird sich schon einrenken.« Für eine Weile war die Leitung tot.

»Melanie, bist du noch da?«

»Ja, ich bin da. Hör zu…«

»Sag mir, um Gottes willen…«

»Ich bin müde, Ben. Ich habe seit sechsunddreißig Stunden nicht mehr geschlafen. Im Moment fällt mir nichts Rechtes mehr ein.«

»Kann ich dich morgen irgendwo anrufen?«

»Ich schreibe.«

»Bitte!«

»Paß nur du gut auf dich auf. Und sag es Dad.« Kurz und bündig, verkrampft, fast verärgert. Oder lag es nur an der schlechten Verbindung?

»Melanie, bist du ganz sicher…« Die Verbindung wurde unterbrochen, noch während er den Hörer in der Hand hielt.

Zehn Minuten später klingelte das Telefon wieder. Diesmal Schweigen auf der anderen Seite. Und dann das glucksende Lachen eines Mannes, ehe er den Hörer wieder auflegte.

2

Ihm war, als ob ihr Brief nie käme. Die Spannung des Wartens, die tägliche Enttäuschung am Briefkasten kosteten ihn genausoviel Nervenkraft wie alles andere, was ihm widerfahren war. War der Brief abgefangen worden? Allein diese Möglichkeit machte ihm noch übelkeitserregender als die Entdeckung der Fotos bewußt, wie ohnmächtig sein Zorn war. Mochte der Druck, der auf verschiedene Weise auf ihn ausgeübt worden war, auch noch so bösartig gewesen sein, er hatte doch immer im Zusammenhang mit seinen Bemühungen wegen Gordon gestanden. Doch jetzt war auch Melanie hineingezogen worden und damit das Allerintimste seines Daseins.

Endlose Nächte, die er wach lag. In denen er sich in jene unglaubliche Nacht zurücktastete, die in seinen Erinnerungen so weit entfernt schien, daß er sich manchmal fragte, ob nicht alles eine Halluzination gewesen sei. Das einzige, was ihn noch aufrechthielt, war die Lebendigkeit dieser Erinnerungen. Die schmerzlich verletzliche, kaum merkliche Schwellung ihrer Brüste. Die länglichen dunklen Brustwarzen und der sie umgebende goldene Hof. Der Geschmack ihres Haars in seinem Mund. Ihre quecksilbrige Zunge. Ihre lauter werdende Stimme. Die Weichheit ihres Geschlechts, das sich unter dem sanft federnden Schamhaar öffnete. Doch die starke Körperlichkeit eben dieser Erinnerungen verstörte ihn. Es war doch so viel mehr gewesen als das, oder? Es sei denn, ihre Liebe war nur eine Illusion gewesen, ein Fiebertraum in einer Wüste?

Andererseits dann die schmerzlichen Phantasien: daß sie absichtlich nicht schrieb, weil sie sich von ihm zurückziehen wollte; daß sie die Gelegenheit beim Schopf ergriffen hatte, sich von ihm abzusetzen, weil er für sie zur Belastung geworden war. Und am schlimmsten von allem: daß sie selbst von ihnen bei ihm eingeschleust worden war und von Anfang an den Auftrag gehabt hatte, Katz und Maus mit ihm zu spielen, um herauszufinden, was er wußte und wer seine Helfer waren. Dieser Gedanke war selbstverständlich Wahnsinn! Und doch war es so mühselig, sich von einem Tag zum anderen dahinzuschleppen, daß überhaupt nichts mehr unmöglich schien, auch das Ungeheuerlichste nicht.

Vielleicht gehörte alles zu einer riesigen Fata Morgana. Vielleicht hatte er sich die ganze Verfolgung überhaupt nur eingebildet. Vielleicht war sein Gemüt krank, hatte er einen krebsartigen Turmor im Gehirn, eine bösartige Zellwucherung, die dafür verantwortlich war, daß er die Beziehung zu allem verlor, was wirklich geschah. Was war ›wirklich‹, was war Wahn? Aber wenn es so war – war es einem Wahnsinnigen möglich, sich seines eigenen Wahnsinns bewußt zu sein?

Wenn es doch nur eine richtige Wüste gewesen wäre und er ein richtiger Flüchtling, der vor einem richtigen Feind in Hubschraubern oder Jeeps oder auch nur zu Fuß floh! Wenn es nur eine richtige Wüste gewesen wäre, in der man an Durst oder zuviel Sonne zugrunde gehen konnte, in der das unerträglich grelle Sonnenlicht einen blind machen, wo man zusammenschrumpfen und bleichen konnte wie ein Gerippe; dann wüßte man wenigstens, was geschah; es wäre möglich, das Ende vorauszusehen, sich darauf einzustellen, was vor einem lag, seinen Frieden mit Gott und der Welt zu machen. Doch so – so war gar nichts. Nur diese blinde, unkontrollierbare Bewegung, die ihn mit sich trug und bei der er sich nicht einmal sicher war, ob sich überhaupt etwas bewegte; so unmerklich wie die Bewegung der sich drehenden Erde unter seinen Füßen.

Die Ereignisse und kleineren Mißhelligkeiten jeden Tages dienten nicht länger mehr als Marksteine, waren sie doch Teil der allgemeinen blinden Bewegung geworden. Die Anrufe. Das Auto, das ihm bei der Fahrt in die Stadt folgte. Selbst die ernsthafteren Zwischenfälle: die roh zusammengebastelte Bombe, die eines Abends durch das Fenster seines Arbeitszimmers geworfen wurde, während er Phil Bruwer im Krankenhaus besuchte (Susan war Gott sei Dank für ein paar Tage zu Suzette gefahren, und Johan hatte es geschafft, das Feuer zu löschen, ehe es Schaden anrichten konnte). Die Kugeln, die die Windschutzscheibe seines Autos durchschlugen, als er an einem anderen Abend bei einer ziellosen Zickzackfahrt durch die Straßen gebraust war. Hatte er nur Glück gehabt, daß er nicht getroffen worden war; oder hatten sie absichtlich vorbeigeschossen?

Zu Anfang waren die Osterferien eine Erleichterung gewesen, denn er brauchte sich nun keine Sorgen mehr um die kräftezehrenden Pflichten zu machen, die der Tagesablauf in der Schule ihm auferlegte. Bald jedoch fing er an, die Schule zu vermissen, fehlte ihm die Sicherheit, die ihm gerade diese sich täglich wiederholenden Pflichten boten und die dem schwindelerregenden, unberechenbaren Verlauf der Tage bei weitem vorzuziehen waren. Die blassen Herbsttage, die immer winterlicher wurden. Das Laub fiel, die Bäume wurden kahl, immer trockener. Der ganze Lebenssaft der Pflanzen unsichtbar, unfaßlich. Alles Weiche, alles Zärtliche und Weibliche, alles sanft Menschliche und Mitfühlende weggebrannt. Trocken, trocken und farblos. Ein unwirtlicher Herbst.

Und die ganze Zeit über ein stetiges, endloses Kommen und Gehen von Menschen, die seine Hilfe wollten. Das reichte, um ihm vollends den Verstand zu rauben. Was konnte er denn schon wirklich für sie tun? Die so unterschiedlichen Bitten, die an ihn herangetragen wurden: herzzerreißend, ernst, verlogen, banal: Der junge Schwarze aus dem Freistaat, der illegal Arbeit suchte, weil seine Familie auf der Farm hungerte: vier Rand bar auf die Hand und einen halben Sack Maismehl pro Monat. Schon zweimal habe er versucht davonzulaufen, doch sei er jedesmal zurückgebracht und von seinem Herrn fast zu Tode geprügelt worden; jetzt, beim dritten Versuch, sei es ihm gelungen, und nun müsse der

Baas ihm helfen. – Die Frau, der man im Supermarkt den ganzen Lohn gestohlen hatte. – Der Mann, der gerade acht Monate im Gefängnis gewesen war und sechs Stockhiebe erhalten hatte, die tiefe Striemen hinterlassen hatten; und das alles bloß, weil er die Unverschämtheit besessen hatte, der halbwüchsigen Tochter seines weißen Herrn zu sagen: »Du bist ein hübsches Mädchen.«

Es wurde ihm lästig. Er konnte das nicht weitermachen. Doch er wurde von ihrer kollektiven Qual überrollt. *Der Baas muß mir helfen. Es gibt niemanden sonst.* Manchmal fuhr er aus der Haut. »Um Gottes willen, hört auf, mich zu belästigen. Dan Levinson ist außer Landes gegangen. Melanie ist fort. Stanley bekomme ich kaum noch zu sehen. Es gibt niemanden, zu dem ich euch schicken könnte. Laßt mich in Ruhe. Ich kann einfach nicht mehr.«

Eines Tages, spätabends, kam Stanley wieder einmal vorbei; Ben saß in seinem Arbeitszimmer, unfähig ins Bett zu gehen und wieder einer schlaflosen Nacht ins Auge zu sehen.

»Na, na, *Lanie.* Warum siehst du denn aus wie ein blöder Fisch auf dem Trockenen?«

»Stanley! Was führt dich zu mir?«

»Komm' nur mal so vorbei.« Mächtig und von Männlichkeit strotzend füllte seine Anwesenheit das kleine Zimmer. Wie schon so oft in der Vergangenheit wirkte er wie ein Dynamo, der alles Leblose rings um ihn her – Teppich, Schreibtisch, Lampe, Bücher, alles – mit einer geheimen, unbezähmbaren Energie aufzuladen schien.

»Hab' wieder mal 'n Stück von deinem Puzzle. Nichts Besonderes, aber was soll's?«

»Was denn?«

»Den Fahrer des Polizeiwagens, mit dem Jonathan damals ins Krankenhaus geschafft wurde.«

Ben seufzte. »Und du meinst, es hilft uns weiter?«

»Ich dachte, du wolltest alles haben.«

»Ich weiß. Aber ich bin müde.«

»Du mußt mal richtig über die Stränge schlagen! Warum suchst du dir nicht ein Mädchen? Fick sie, bis sie nicht mehr kann! Glaub mir, das hilft.«

»Es ist nicht die rechte Zeit, Witze zu machen, Stanley.«

»Tut mir leid. Dachte nur, das könnte helfen.«

Sie saßen da und sahen einander an; jeder wartete darauf, daß der andere etwas sagte. Schließlich seufzte Ben auf. »Na schön, gib mir den Namen des Fahrers.«

Nachdem er sich die Einzelheiten notiert hatte, schob er den Zettel schwunglos fort und sah auf. »Glaubst du immer noch, daß wir letztlich siegen, Stanley?« fragte er mißmutig.

»Natürlich nicht.« Schon die Vorstellung schien Stanley zu wundern. »Aber darum geht es doch nicht, Mann.«

»Geht es denn überhaupt um etwas?«

»Gewinnen können wir nicht, *Lanie*, aber wir brauchen auch nicht zu verlieren. Wichtig ist nur, dranzubleiben.«

»Wenn ich doch nur auch so sicher sein könnte, wie du es zu sein scheinst.«

»Ich hab' Kinder, *Lanie*. Das hab' ich dir schon vor langer Zeit erzählt. Was mit mir geschieht, ist nicht von Belang. Aber wenn ich jetzt Schluß mache, können auch sie sich die Nase wischen.« Den machtvollen Oberkörper auf die Arme gestützt, lehnte er sich über den Schreibtisch. »Irgendwas *muß* ich unternehmen, Mann. Selbst wenn meine Leute mich anspucken würden, wenn sie wüßten, daß ich heute abend bei dir bin.«

»Warum denn das?« fragte Ben erschrocken.

»Weil ich so altmodisch bin, hier zu sitzen und mit einem Weißen Pläne auszuhecken. Mach dir nichts vor, *Lanie*, meine Leute sind in einer verdammt miesen Stimmung. Meine Kinder auch. Sie sprechen eine andere Sprache als du und ich.« Er erhob sich. »Es wird nicht leicht sein, noch mal hierherzukommen. Überall hocken Spitzel. Es ist eine schreckliche Zeit, *Lanie*.«

»Verläßt jetzt auch du mich?«

»Ich lass' dich nicht im Stich, *Lanie*. Aber wir müssen vorsichtig sein.« Er streckte ihm die Hand hin. »Bis dann.«

»Wohin willst du denn diesmal?«

»Nur ein kleiner Trip.«

»Dann kommst du also irgendwann wieder.«

»Klar.« Er lachte und nahm Bens Hand in seine beiden. »Wir kommen wieder zusammen, da kannst du Gift drauf nehmen. Und weißt du was? Der Tag wird kommen, an dem ich den Hunden deiner Nachbarn nachts kein Schnippchen mehr schlagen muß. Wir werden bei hellem Tageslicht hier rausgehen, Mann. Die Straße runter, links, rechts, bis an unser Ziel. Arm in Arm, sag' ich dir. Durch die ganze Welt, *Lanie*. Und niemand hält uns auf. Stell dir das doch bloß mal vor!« Heiter und ent-spannt neigte er sich vor. »Du und ich, Mann. Und kein Arschloch hält uns an und sagt: ›He, du da, wo ist dein *domboek*?‹«

Er lachte noch immer, ein mächtiger, dröhnender, trauriger Laut. Und plötzlich war er dann fort, und es war sehr still im Zimmer. Es war das letztemal, daß sie einander sahen.

Distanziert und ungebunden ging Susan neben ihm ihren eigenen Weg. Sie sprachen nur wenig miteinander, wechselten nur bei Tisch die unbedingt notwendigen Worte, mehr nicht. Wenn er den Versuch machte, eine Unterhaltung zu beginnen, eine Frage stellte oder sich er-bot, etwas zu erklären, saß sie mit gesenktem Blick da und betrachtete so angelegentlich ihre Nägel, wie eine Frau es tut, die einem zu verstehen geben will, daß sie einen langweilig findet.

Die einzige, mit der er überhaupt noch sprach, war Linda, die er von Zeit zu Zeit anrief; dabei geschah es freilich, daß er mitten im Gespräch plötzlich geistesabwesend wirkte und nicht mehr wußte, warum er sie überhaupt angerufen hatte.

Und selbstverständlich Phil Bruwer, obwohl Melanie unausgespro-chen ein Hindernis zwischen ihnen war. Der alte Mann redete ständig über sie, doch Ben fand es schwierig, darauf einzugehen. Obwohl der alte Mann ihr Vater war – oder vielleicht gerade deswegen? –, bildete sie ein zu schmerzlich persönliches Thema, als daß er darüber hätte reden können.

Ihre Zeitung hatte an auffälliger Stelle einen Bericht über die Be-schlagnahmung ihres südafrikanischen Passes gebracht und anklingen lassen, daß dies vielleicht im Zusammenhang mit »privaten Nachfor-schungen« gesehen werden müsse, die sie »im Zusammenhang mit dem vor einem Jahr in der Haft ums Leben gekommenen Gordon Ngubene« angestellt habe. Merkwürdig war nur, daß sie die Sache nicht weiterver-folgten. Das Sonntagsblatt kam in unregelmäßigen Abständen immer wieder auf Gordons Geschichte zurück, was vornehmlich auf die Hart-näckigkeit von ein oder zwei jungen Reportern zurückzuführen war, die deswegen mit Ben in Verbindung geblieben waren; doch selbst das verlor an Nachdruck. In einigen Leserbriefen wurde die Redaktion aus-drücklich aufgefordert, diese »langweilige Sache« endlich auf sich beru-hen zu lassen.

»Du kannst ihnen das nicht mal übelnehmen«, sagte Professor Bru-wer. »Das Gedächtnis der Menschen ist kurz, weißt du. Sie meinen es ja gut. Aber in einer Welt, die Hitler und Biafra, Vietnam und Bangladesch erlebt hat, bedeutet das Leben eines einzelnen nicht viel. Die Menschen lassen sich nur durch Quantität beeindrucken. Es muß alles größer und besser sein.«

Das war an dem Tag, als Ben den alten Mann nach Hause brachte. Die Ärzte waren immer noch nicht besonders glücklich mit den Fortschritten, die er machte, aber er war auch nicht mehr krank genug, als daß man ihn im Krankenhaus hätte behalten können. Außerdem war er seit Melanies Abreise immer reizbarer und unruhiger geworden. Er würde keine Ruhe finden, bis er nicht wieder in seinem eigenen Haus sei und in seinem eigenen Garten herumpütschern könne. Ben hatte eine Krankenschwester engagiert, die sich – sehr gegen den Willen des alten Mannes – den ganzen Tag um ihn kümmern sollte; nachdem er sich dieser Sorge entledigt hatte, hielt er sich von Phil Bruwer fern, bis dieser ihn ein paar Tage vor Schulanfang anrief und bat, zu ihm zu kommen. Ein Brief von Melanie war für ihn da. Das kam so unerwartet, daß er den ungestempelten Umschlag nur ungläubig anstarren konnte.

»Steckte in meinem eigenen Brief«, erklärte der alte Mann und glucks te befriedigt. »Sie hat ihn an einen alten Freund von mir geschickt, und der hat ihn mir heute morgen gebracht. Nimm dir Zeit, ich werde dich nicht stören.«

Es war kein langer Brief, und noch dazu erstaunlich nüchtern im Ton. Fast fieberhaft überflog er ihn auf der Suche nach irgendwelchen tieferen Bedeutungen, irgendwelchen feinen, nur ihm verständlichen Anspielungen in dem sonst prosaischen Bericht darüber, wie sie auf dem Jan-Smuts-Flughafen vom Zoll aufgehalten, in ein Privatbüro gebracht und in eine noch am selben Abend nach London abgehende Maschine der *British Airways* gesetzt worden war. Kurz und emotionslos erklärte sie, daß sie sich um ihn und ihren Vater Sorgen machte. Versicherte, daß sie ihrerseits sich keinerlei Sorgen zu machen brauchten; mit ihr werde schon alles klargehen; so sei sie zum Beispiel bereits offiziell in die Londoner Redaktion ihres Blattes versetzt worden. Und dann, am Schluß:

Was jetzt kommt, ist nur für Dich allein bestimmt. Bitte sag Dad nichts. Ich hatte angefangen, einen Artikel über Gordon zu schreiben, weil ich mir dachte, es täte ganz gut, hier mal ein bißchen aus der Schule zu plaudern. Doch bevor ich damit fertig war, erhielt ich unerwarteten Besuch. Distinguierter Herr, dem Aussehen nach sehr britisch, aber sein Akzent verriet ihn. (Es sei denn, ich bilde mir die Dinge ein; man traut ja nicht einmal mehr seinem eigenen Urteil.) Äußerst verbindlich sagte er, ich würde doch wohl nicht so töricht sein, hier in England etwas über Gordon zu veröffentlichen. »Was sollte mich daran hindern?« fragte ich. »Nun, allgemeine Rücksichtnahme«, meinte er: »Sie würden doch Ihrem alten Vater keine Schwierigkeiten bereiten wollen, nicht wahr?«

Tja, da bin ich nun hier und ein bißchen ratlos. Aber wir dürfen den Mut nicht verlieren, Ben. Bitte, laß Dich durch das, was mir widerfahren ist, nicht von dem abhalten, was Du zu tun hast. Verzweiflung wäre nur Zeitverschwendung. Dad ist auf Deine Hilfe angewiesen. Du mußt weitermachen. Mußt durchhalten. Um Gordons und um Jonathans willen. Aber auch um Deiner selbst willen. Um meinet-, um unseretwillen. Bitte. Was mich betrifft, so sollst Du wissen, ich bedaure nicht einen Moment, was je zwischen uns gewesen ist.

Lange saß er da und starrte den Brief auf seinem Schoß an; schließlich faltete er ihn zusammen und steckte ihn sorgsam wieder in den Umschlag.

»Zufrieden?« fragte der alte Mann, dessen Augen amüsiert funkelten.

Er traf seine Entscheidung sehr schnell. Eigentlich war es gar keine bewußte Entscheidung, vielmehr akzeptierte er das Sich-Abfinden mit etwas Unausweichlichem.

»Prof, da ist etwas, was ich dir erzählen muß.«

»Daß du und Melanie euch liebt?«

»Woher weißt du das?«

»Ich bin doch nicht blind, Ben.«

»Es ist mehr als bloßes Verliebtsein. Ich möchte, daß du es weißt. Eines Abends, ehe sie nach Kenia abflog...«

»Warum erzählst du mir das?«

»Weil das der Grund ist, warum sie ihr die Staatsbürgerschaft entzogen haben. Nicht, um sie für irgendwas zu bestrafen, sondern um *mich* zu treffen. Sie haben Fotos von uns gemacht und versucht, mich damit zu erpressen. Und als ich nicht so wollte wie sie, haben sie es an Melanie ausgelassen. Weil sie wußten, wie mich das treffen würde.«

Sehr ruhig und mit gebeugtem Kopf saß der alte Mann ihm gegenüber.

»Ich möchte nicht, daß du mich weiter in Ihrem Haus empfängst, da ich für das verantwortlich bin, was passiert ist.«

»Sie haben sie schon sehr lange im Auge, Ben.«

»Aber ich war das Tüpfelchen aufs i.«

»Spielt es eine Rolle, was für einen Vorwand sie benutzt haben?«

»Wie kann ich dir je wieder in die Augen sehen?«

»Sich Selbstvorwürfe zu machen, kann ein verdammt steriles Vergnügen sein.«

»Aber wie sollte ich mir keine Vorwürfe machen?«

»Wir sind es uns schuldig, über das, was bisher geschehen ist, hinauszusehen, Ben. Und ich glaube, das sind wir auch Melanie schuldig.« Er nahm die Pfeife, die der Arzt ihm ausdrücklich verboten hatte, und kratzte den Pfeifenkopf sauber. »Weißt du, eigentlich fasse ich es nicht, was für eine Welt das ist, was für eine Gesellschaft, in der es dem Staat möglich ist, einen Menschen so zu verfolgen und zu versuchen, ihn auf solche Weise zu zerbrechen. Wie entsteht ein solches System eigentlich? Wo fängt es an? Und wer läßt ihm seinen Lauf?«

»Genügt es denn nicht zu wissen, was geschieht?«

»Was wird aus uns werden, wenn wir jemals aufhören, Fragen zu stellen?«

»Aber wohin führen diese Fragen?«

»Egal wohin, zum Teufel. Wichtig ist nur, nie aufzuhören zu fragen, verdammt noch mal!« Er holte tief Atem und war aufgeregter, als ich ihn in letzter Zeit erlebt hatte; er riß ein Zündholz nach dem anderen an, um seine Pfeife in Brand zu setzen. »Und wichtig ist auch, so lange weiterzufragen, bis wir uns auch darüber klargeworden sind, inwiefern wir selbst dafür verantwortlich sind, daß es so weit gekommen ist.«

»Wie sollen wir für das verantwortlich sein, was geschehen ist?« fragte Ben. »Wir lehnen uns doch dagegen auf.«

»Es geht nicht um irgend etwas Bestimmtes, das wir getan haben.« Er inhalierte den Rauch, genoß es, wurde etwas entspannter. »Vielleicht ist es sogar etwas, das wir *nicht* getan haben. Etwas, das wir unterlassen haben, als es noch an der Zeit war, den Zerrüttungsprozeß aufzuhalten. Als wir nicht hinsahen, gerade weil es ›unsere Leute‹ waren, die die Verbrechen begingen.«

Lange saßen sie schweigend da.

»Dann machst du mich also nicht für das verantwortlich, was Melanie geschehen ist?«

»Ihr seid doch keine Kinder mehr.« Mit ärgerlicher Geste fuhr er sich mit der Hand übers Gesicht. Die Tränen waren Ben im Zwielicht vorher gar nicht aufgefallen. »Ist es zu fassen«, sagte der alte Mann, »daß der Tabak nach all den vielen Jahren jetzt zu stark für mich wird?«

Montag, den 24. April. Heute morgen kurzer Anruf von Cloete. Will mich unbedingt sprechen. Hat mich gewundert, daß er es so eilig hatte. Warum konnte er denn nicht warten, bis die Schule morgen wieder anfängt? Als es dann soweit war, war ich ganz ruhig. Es sei denn, ich bin von den vielen Schlägen, die ich in den letzten Monaten habe einstecken müssen, ganz benommen. Trotzdem: Mir fiel ein Stein vom Herzen, als mir wieder etwas abgenommen wurde, eine Bürde, die ich nicht mehr zu tragen brauche. Man faßt es kaum, wie bescheiden die wirklichen Bedürfnisse des Menschen sind. Man findet sich mit der eigenen Bedeutungslosigkeit ab. Eine gesunde und ernüchternde Erfahrung.

Brauner Umschlag auf seinem Schreibtisch. Machte ihn in meiner Gegenwart nicht auf. War auch nicht nötig. Hatte ja Susans gesehen.

»Mr. Du Toit, ich brauche Ihnen wohl nicht ausdrücklich zu sagen, wie entsetzt ich war. Die ganzen Monate über bin ich zuversichtlich gewesen – ich meine, ich war immer bereit, mich hinter Sie zu stellen. Aber unter den gegenwärtigen Umständen…« Er schnaufte, und es klang wie das Pfeifen eines Blasebalgs in Vaters primitiver Schmiede vor so vielen Jahren auf der Farm; die Wintermorgen, weiß von Rauhreif; die Schafe draußen; der Hund, der vorm Feuer liegt; das Aufstieben der Funken. Erbarmungslos ging seine Stimme weiter: »…zunächst die Verantwortung, finden Sie nicht auch? Die Schule, die uns anvertrauten Schüler. Sie sind sich gewiß darüber im klaren, daß Sie mir keine andere Wahl in der Sache lassen. Ich habe Kontakt mit der Schulbehörde aufgenommen. Selbstverständlich wird ein förmliches Ermittlungsverfahren eingeleitet werden. Doch bis dahin…«

»Das ist nicht nötig, Mr. Cloete. Wenn Sie wünschen, kann ich gleich hier schriftlich um meine Entlassung bitten.«

»Ich hatte gehofft, daß Sie das anbieten würden. Das macht es für alle Beteiligten leichter.«

Hatte er es unbedingt mit allen Kollegen besprechen müssen? Oder ist es sinnlos zu hoffen, daß einem auch die schlimmste Demütigung erspart bleibt? Vier oder fünf Kollegen waren im Lehrerzimmer, als ich aus dem Direktorzimmer herauskam.

Carelse ganz groß in Form: »Wirklich, ich ziehe meinen Hut vor Ihnen. Sie sollten eine Deckstation aufmachen.«

Viviers unerwartet mürrisch; wich mir bis zum letzten Augenblick aus. Dann folgte er mir hinaus, als hätte er sich im letzten Augenblick zu einem Entschluß durchgerungen. »Mr. Du Toit« – nicht mehr *Ohm*

Ben– »bitte, nehmen Sie's mir nicht übel, aber ich finde, Sie haben mich schrecklich im Stich gelassen. Ich habe immer zu Ihnen gehalten, vom ersten Tag an. Ich dachte wirklich, es ginge Ihnen um eine sehr wichtige Sache, um etwas sehr Grundlegendes. Aber was Sie jetzt getan haben…«

Ich wollte nicht mit Susan darüber sprechen. Nicht sofort, nicht gleich heute. Aber beim Abendessen – Gott sei Dank waren wir beide allein –, als sie etwas über die Sachen sagte, die ich morgen anziehen sollte, konnte ich es nicht mehr aufschieben.

»Ich gehe morgen nicht in die Schule.«

Verwundert sah sie mich an.

»Ich habe heute morgen gekündigt.«

»Hast du denn völlig den Verstand verloren?«

»Cloete hatte sich darauf eingestellt, mir diese ehrenhafte Alternative anzubieten.«

»Willst du mir etwa sagen…«

»Auch er hat mit der Post ein Foto erhalten.«

Ich mußte sie einfach ansehen; so wie man zwanghaft hinsieht, wenn unmittelbar vor einem ein Unglück passiert. Es wird einem ganz elend, aber gleichzeitig ist man fasziniert, wie gebannt, und kann den Blick nicht abwenden.

»Dann wissen sie es jetzt also alle.« Eine Feststellung, keine Frage. »Die ganze Zeit über habe ich mich gezwungen zu glauben, es wäre etwas, worüber du und ich uns einigen könnten. Es war weiß Gott auch so schon schlimm genug. Aber zumindest blieb es zwischen uns beiden.«

Das war alles, was sie sagte. Nach dem Essen ging sie in ihr Zimmer, ohne den Tisch abzuräumen. Ich ging in mein Arbeitszimmer. Es ist schon nach Mitternacht. Vor einer halben Stunde kam sie zu mir. Sehr gefaßt. Ihre überwältigende Selbstbeherrschung.

»Ich habe einen Entschluß gefaßt, Ben. Wenn du nichts dagegen hast, bleibe ich heute nacht noch hier. Aber morgen ziehe ich aus.«

»Tu es nicht!«

Warum habe ich das gesagt? Gab es denn eine Alternative? Warum war es mir plötzlich so wichtig, sie zurückzuhalten, mich an sie zu klammern? Das war meiner nicht würdig. Denn als ich sie zurückzuhalten versuchte, ging es mir nicht um sie, sondern ganz allein um mich. Diese furchtbare Qual. Nicht auch das noch. Nicht diese vollkommene Einsamkeit.

Sie setzte ein schmerzliches Lächeln auf. »Wirklich Ben, wie kindisch du doch sein kannst.«

Ich wollte aufstehen und zu ihr gehen, hatte jedoch Angst, die Beine würden mir den Dienst versagen. Ich blieb, wo ich war. Und ohne sich noch einmal umzusehen, ging sie fort.

3

Wie nicht anders zu erwarten, ging der Schock in Wellen durch die ganze Familie.

Nach einem heftigen Streit mit Susan blieb Johan zusammen mit Ben weiter im Haus. Ob sie ihm die volle Wahrheit gesagt hatte, ist schwer zu entscheiden; auf jeden Fall hatte der Junge völlig die Fassung verloren.

»Du bist von Anfang an gegen Dad gewesen. Aber er ist mein Vater, und ich bleibe hier. Mir kann die ganze Welt gestohlen bleiben.«

Lindas Reaktion hingegen verstörte Ben zutiefst. Sie besaß die Gedankenlosigkeit, ihren Pieter zu der unangenehmen, leidenschaftlichen letzten Aussprache mitzubringen. Daß Ben ihnen allen das Leben so schwergemacht hätte, könne sie noch hinnehmen, sagte sie; schließlich habe sie sich ihren Glauben an seine Integrität und an seine guten Absichten bewahrt. Zwar sei sie mit seinen Methoden und ganz allgemein mit der Richtung, in der er sich bewegt hatte, nicht einverstanden gewesen, doch an seinen Motiven habe sie nie gezweifelt. Er sei ihr Vater; sie liebe und achte ihn. Und sei bereit gewesen, ihn bis zuletzt gegen alle Angriffe zu verteidigen. Doch das, was jetzt geschehen sei, sei zuviel. So etwas Abscheuliches und Widerwärtiges! Und wenn man bedachte, daß die Spatzen es jetzt von den Dächern pfiffen! Wie solle sie denn jemals wieder den Kopf hochtragen und anderen in die Augen sehen? Was denn aus den Werten geworden sei, die er ihnen allen gepredigt hätte? Der Tempel Gottes! Und jetzt dies. Wie er sich denn vorstelle, daß sie jemals wieder Achtung vor ihm haben könne? Gut, es sei ihre Christenpflicht zu verzeihen. Aber vergessen, das werde sie nie können. Nie. Nachts liege sie wach oder weine sich in den Schlaf. So etwas Entsetzliches. Die einzige Möglichkeit, sich ihre Selbstachtung zu bewahren, bestehe darin, sich hier und jetzt von ihm loszusagen.

Pieter versicherte Ben, er werde weiterhin für ihn beten. Hinterher fuhren sie im Volkswagen des jungen Mannes – einem Gebrauchtwagen – zurück nach Pretoria.

Ganz anders Suzettes Reaktion, die Ben überhaupt nie erwartet hätte. Nur einen Tag nachdem Susan ausgezogen war, kam sie in ihrem schnittigen neuen Sportwagen vorgefahren. In einem Zustand, der fast an Panik grenzte, dachte Ben zuerst daran, so schnell wie möglich fortzukommen. Ihre Feindschaft war das allerletzte, was er im Moment gebrauchen konnte. Doch kaum stand er ihr gegenüber, entdeckte er in ihr etwas, das ganz anders war als die Feindseligkeit, an die er bei ihr schon gewöhnt war. Groß und blond und wunderbar gepflegt kam sie auf ihn zu, doch diesmal ohne das aggressive Selbstbewußtsein, das ihm so oft auf die Nerven gegangen war. Sich auf die Lippen beißend, sah sie nervös auf, drückte ihm impulsiv und vage einen Kuß auf die Backe und fingerte an ihrer Schlangenlederhandtasche herum. So als ob sie die Schuldige wäre, die Vorwürfe zu erwarten hätte. Angespannt, aufgeregt, ausweichend. »Bist du ganz allein hier?«

Ganz auf der Hut, sah er sie an. »Ich dachte, du wüßtest Bescheid?«

»Was ich meinte, war…« Abermals der verstohlene Blick in seine Richtung; ihr ganzes Verhalten entschuldigend. »Brauchst du denn nicht irgendwas?«

»Ich komme ganz gut allein zurecht.«

Nervös stand sie auf. »Soll ich uns einen Tee machen?«

»Laß nur.«

»Ich habe Durst. Und ich bin überzeugt, er tut dir gut.«

»Suzette.« Er konnte sein Spiel nicht weiterspielen. »Wenn du hergekommen bist, um über das zu reden, was geschehen ist…«

»Ja, das bin ich.« Mit ihren kühlen blauen Augen sah sie ihn an, allerdings nicht vorwurfsvoll, sondern eher besorgt.

»Meinst du nicht, ich hätte in der letzten Zeit genug davon gehabt? Von allen Seiten?«

»Ich bin nicht hergekommen, um dir Vorwürfe zu machen, Dad.«

»Wozu dann?« Offen blickte er sie an.

»Ich wollte dir sagen, daß ich das verstehe.«

Er konnte nicht umhin, bitter zu denken: »*Oh, ich habe Verständnis für dein Verständnis. Du hast nie viel Achtung vor der Heiligkeit der Ehe gehabt.*« Aber er sagte nichts, sondern wartete darauf, daß sie fortfuhr.

Das fiel ihr schwer; er sah, wie sie mit sich kämpfte. »Dad, was ich meine, ist… Nun, ich mache Mum keine Vorwürfe, daß sie fortgegangen ist. Ich weiß ja, es ist ihr sehr dreckig gegangen. Aber in den letzten Wochen habe ich mich Tag und Nacht damit herumgeschlagen. Und jetzt weiß ich wohl zum erstenmal« – wieder dieser zögernde Blick, als ob sie erwartete, daß er sie verdamme – »was auch du hast durchmachen müssen. Das ganze vergangene Jahr. Und noch länger. Und da dachte ich… ich bin ja nicht mit allem einverstanden, und ich bin mir auch nicht sicher, ob ich dich immer richtig verstanden habe, aber ich achte dich als der, der du bist. Und so kann ich nur hoffen, daß ich nicht zulange gewartet habe, um dir das zu sagen.«

Er senkte den Kopf. Wie vor den Kopf geschlagen und ganz benommen sagte er: »Komm, laß uns Tee kochen.«

Sie erwähnten die Sache an diesem Vormittag nicht mehr, sondern beschränkten ihre Unterhaltung auf harmloses Geplauder über sein Enkelkind und ihre Arbeit für die Zeitschrift, auf Johans Leistungen in der Schule, Klatsch und sogar aufs Wetter. Doch als sie an anderen Tagen wiederkam, fiel es ihm leichter, von den Dingen zu sprechen, die ihn mehr beschäftigten; auch über Gordon und was geschehen war und noch geschah. Ganz gegen seinen Willen – obwohl er auch ein kindisches Bedürfnis hatte, darüber zu sprechen – ging sie auch auf Melanie ein. Allmählich wurden ihre Besuche Teil seiner Routine. Einen um den anderen Tag kam sie morgens vorbei, um aufzuräumen, Tee zu machen und mit ihm zu plaudern. Eine neue Suzette, die er immer noch nicht ganz für möglich halten konnte, wenn er auch die Veränderung mit einer geradezu sentimentalen Dankbarkeit hinnahm.

Es gab Tage, da ihre Anwesenheit ihn irritierte – er war jetzt geradezu eifersüchtig auf seine Einsamkeit, auf die Stunden, die er im leeren Haus verbrachte, auf sein Schweigen –, doch wenn sie wieder fort war, entdeckte er, daß sie ihm fehlte. Vielleicht nicht so sehr um ihrer selbst willen, als vielmehr wegen der Möglichkeit, mit jemandem zu reden und Gesellschaft zu haben. Es war etwas ganz anderes als die blinde Treue seines Sohnes. Der Kontakt zu Johan beschränkte sich auf unverbindliche Bemerkungen bei Tisch oder auf den Besuch eines Cafés oder eines Restaurants und die Teilnahme an einem Rugby-Spiel. Vor allem spielten sie Schach, was ermöglichte, mit ihm zusammenzusein, ohne reden zu müssen. Doch Ben war nicht recht bei der Sache, verließ sich auf phantasielose Standard-Züge bei der Eröffnung eines Spiels; er versäumte es, sich wirklich auf das Spiel zu konzentrieren, so daß er gewöhnlich bei den Mittelspielen schwer dafür bezahlen mußte und die Endspiele häufig verlor. Suzette bot ihm dagegen das Verständnis und das Mitgefühl einer redegewandten, reifen Frau, die ihm gerade dann den Rücken stärkte, als er jede Zuversicht verloren hatte. Auch der junge Dominee Bester kam ihn besuchen, aber nur einmal. Er machte ihm den Vorschlag, aus der Bibel vorzulesen und ein Gebet zu sprechen, doch Ben lehnte ab.

»Ohm Ben, sehen Sie denn nicht ein, daß es keinen Zweck hat, wider den Stachel zu löcken? Warum versuchen wir nicht lieber, die ganze Sache auf sich beruhen zu lassen?«

»Man kann sie nicht auf sich beruhen lassen, solange Gordon und Jonathan ungerächt im Grab liegen.«

»Rache ist Gottes Sache, nicht unsere.« Der junge Mann legte sich mit großem Ernst ins Zeug. »Sie sind auf eine Weise verbittert, die mich sehr unglücklich macht. Ich spüre eine Härte in Ihnen, die ich nie zuvor bei Ihnen gekannt habe.«

»Wie gut haben Sie mich denn überhaupt gekannt, Dominee?« fragte er und starrte mit schmerzenden Augen durch den Rauch. Sie rauchten beide; und er hatte in der Nacht kein Auge zugetan.

»Ist es denn nicht weit genug gegangen, Ohm Ben?« fragte der Pastor. »In Ihrer aller Leben hat es schon so viel Zerstörung und Vernichtung gegeben.«

Er schien in sich hineinzusehen, das Schlachtfeld seines eigenen Lebens zu betrachten. »Das Ganze hätte ja keinen Sinn, wenn ich nicht bereit wäre, den vollen Preis zu bezahlen, Dominee.«

»Aber sehen Sie denn nicht den Hochmut, die schreckliche Vermessenheit in Ihrem Drang, rücksichtslos weiter- und immer weiterzumachen und dabei mehr und mehr zu leiden? Begreifen Sie denn nicht, daß das Ganze etwas von der Perversion jener mittelalterlichen Katholiken hat, die sich durch Selbstkasteiung in Ekstase versetzten? Darin liegt keine Demut, Ohm Ben. Das ist nackte Hoffart.«

»Wer ist es denn jetzt, der geißelt, Dominee?«

»Aber verstehen Sie denn nicht? Ich versuche, Ihnen zu helfen. Noch ist es nicht zu spät.«

»Wie wollen Sie mir denn helfen? Was wollen Sie tun?« Seine Gedanken schweiften ab, und es fiel ihm schwer, sich zu konzentrieren.

»Als erstes könnten wir dafür sorgen, daß diese Scheidung nicht weiterbetrieben wird.«

Er schüttelte den Kopf.

»Nach all den Jahren, die ihr beiden zusammengelebt habt? Ich kann einfach nicht glauben, daß eine Beziehung auf diese Weise enden soll.«

»Susan und ich haben einander nichts mehr zu sagen, Dominee. Es ist alles vorbei. Sie ist erschöpft. Ich mache ihr keinerlei Vorwürfe.«

»Man kann immer versuchen, das eigene Herz zu erforschen.«

Gespannt und voller Argwohn saß er da und lauschte, wartete darauf, daß es kommen sollte.

»Diese andere Frau, Ohm Ben.«

»Ich lasse nicht zu, daß sie da hineingezogen wird!« explodierte er und verlor augenblicklich jede Selbstbeherrschung. »Sie haben keine Ahnung von ihr.«

»Aber wenn dieses Gespräch irgendeinen Sinn haben soll.« Seine Stimme zitterte vor liebevoller Güte.

»Sie wollen etwas erreichen, das mich nicht mehr interessiert«, sagte er mit erstickter Stimme. »Mein Leben gehört mir.«

»Wir alle gehören Gott.«

»Wenn das stimmt, dann hat Er mein Leben ganz schön durcheinandergebracht!« sagte er. Nach einer Weile beruhigte er sich. »Und ich möchte Ihm lieber nicht die Schuld dafür geben. Ich nehme die Verantwortung lieber allein auf mich.«

»Erinnern Sie sich noch an den Abend, da Sie zu mir kamen – kurz nach dem Ermittlungsverfahren? Wenn Sie nur damals auf mich gehört hätten.«

»Wenn ich damals auf Sie gehört hätte, hätte ich heute abend kein Gewissen mehr. Und alles andere habe ich weiß Gott verloren. Immerhin bleibt mir noch mein Gewissen.«

»Es gibt so vieles, was unter dem Namen ›Gewissen‹ läuft«, erklärte Pastor Bester ruhig. »Vielleicht ist es auch eine Sache des Stolzes. Vielleicht ist es auch eine Art, Gott die Arbeit aus den Händen zu nehmen und zu versuchen, sie selbst zu machen.«

»Vielleicht macht gerade die Tatsache, daß das Gewissen so oft mißbraucht worden ist, es zu einer so kostbaren Sache, Dominee. Ein Außenstehender kann das nie verstehen. Ich weiß nichts über Ihr Gewissen, und Sie wissen nichts von meinem. Ich habe oft darüber nachgedacht, ob das nicht die eigentliche Bedeutung des Glaubens ist. Zu wissen, im Angesicht Gottes zu wissen, daß man keine andere Wahl hat, als das zu tun, was man tut. Und die Verantwortung dafür auf sich zu nehmen.« Durch den noch dichteren Tabaksqualm starrte er blinzelnd den jungen Mann an; die Pfeife zitterte in seiner Hand, als er schließlich sagte: »Ich bin bereit. Ob ich recht oder unrecht habe, weiß ich nicht. Aber ich bin bereit.«

<h1 style="text-align:center">4</h1>

5. Mai. Ob ich wohl den Mut dazu gehabt hätte, wenn nicht Phil Bruwer eilends ins Krankenhaus zurückgebracht worden wäre? Aber wozu sich den Kopf darüber zerbrechen?

Gestern rief die Oberin an. Offenbar hat er vom Innenministerium erfahren, daß sein Paß nicht erneuert würde und er infolgedessen auch Melanie nicht in London besuchen könne. Gleich nach dem Mittagessen hat er einen neuen Anfall gehabt. Keinen besonders schweren, doch liege er jetzt auf der Intensivstation, und sie könnten nicht gestatten, daß ich ihn besuchte. »Nur nahe Angehörige.«

Habe Johan gesprochen. Aber sein glühender Wunsch zu »helfen« bringt mich nur in Verlegenheit. Was versteht er wirklich? Was kann ich wirklich mit ihm besprechen? Wie soll ich ihm dieses bedrückende Gefühl in mir erklären, das droht, mich zu ersticken? Ich kann nicht mehr essen oder schlafen. Fühle mich in die Ecke gedrängt, eingeschlossen, so daß ich Platzangst bekomme. Wie eine Hummel in einer Flasche.

Versuchte, Kontakt mit Stanley aufzunehmen; wußte jedoch, daß das unklug war. Natürlich nicht von zu Hause aus, nicht mal von der Telefonzelle ein paar Straßen weiter, sondern aus einem ganz anderen Viertel. Wahnsinn! Keine Antwort. Versuchte es im Laufe des Abends noch dreimal. Schließlich meldete sich eine Frau, die mir sagte, er sei »geschäftlich« unterwegs. Sie versprach mir, ihm zu bestellen, daß der *Lanie* angerufen habe, aber bis jetzt nichts. Gegen elf heute vormittag konnte ich es nicht mehr aushalten. Nur eine menschliche Stimme hören! Und wenn es die von Dominee wäre! Doch nur seine Frau war im Pfarrhaus. Kind-Frau, blond und verstört – weil sie zu schnell zu viele Kinder bekommen hat? –, aber mit einem gewissen blutlosen Charme. Bot mir Tee an, was ich aus lauter Verzweiflung annahm. Fühlte mich von Kleinkindern bedrängt. Floh dann wieder.

Dachte daran, zu Suzette nach Pretoria zu fahren. Inneres Widerstreben. Ihr Mitgefühl und ihre töchterliche Fürsorglichkeit sind im Moment mein einziger Trost; trotzdem ist mir in ihrer Nähe unbehaglich zumute. Werde mit der Veränderung in ihr einfach nicht fertig, sosehr ich sie auch begrüße. Hab's aufgegeben, sie oder irgendeinen Menschen sonst zu ergründen. Müde.

Und so fuhr ich nach Soweto.

Gipfel des Wahnsinns? Es war mir so egal wie nur irgend etwas. Ich mußte einfach hin. In der Hoffnung, Stanley dort zu finden. Oder irgendwen, den ich kannte. Lächerlich, vermutlich, aber mir kam es wahrscheinlicher vor, *dort* jemanden zu finden als hier in meinem eigenen Wohnviertel.

Fuhr zuerst im Kreis herum und hielt von Zeit zu Zeit, um mich zu vergewissern, daß mir auch niemand folgte. Dies Räuber-und-Gendarm-Spiel schafft eine gewisse Befriedigung. Man stellt die eigene Schläue auf die Probe, es hält einen wach, hilft einem, sich zu konzentrieren, zu überleben. Und durchzuhalten. Nicht durchzudrehen.

Als ich beim Kraftwerk angelangt war, ging ich mit dem Tempo runter. War nur zweimal mit Stanley hiergewesen, und einmal davon nachts. Das ganze Viertel ist ein regelrechter Irrgarten aus Wegen und Pfaden. Schaffte es, einigermaßen den Kurs zu halten. Über die Gleise hinweg und hinein in das Häusergewirr. Dann verirrte ich mich. Fuhr in diese und in jene Richtung, verlor in der dichten Rauchwolke, die die Sonne verdunkelte, jedes Orientierungsvermögen. Hielt zweimal an, um nach dem Weg zu fragen. Beim erstenmal erstarrte eine Schar von spielenden Kindern zu Salzsäulen, als sie mich sahen; stumm schauten sie an mir vorbei, wollen mir keine Auskunft geben. Fand dann vor einer offenen Tür einen Friseur, sein Kunde – ein schmuddeliges Tuch um die Schultern – saß auf einem Holzstuhl auf der staubigen Straße. Er erklärte mir, wie ich weiterfahren mußte.

Als ich vor Stanleys Haus hielt, standen ein paar Halbwüchsige an der Straßenecke. Sie taten, als hörten sie mich nicht, als ich sie fragte, ob er zu Hause sei. Vielleicht hätte mir das eine Warnung sein sollen, aber ich konnte an nichts anderes denken als daran, zu ihm zu kommen.

Klopfte. Nichts rührte sich. Klopfte nochmals. Schließlich öffnete eine Frau. Jung, attraktiv, mit Afro-Look. Starrte mich einen Moment mißtrauisch an und versuchte, die Tür wieder zuzumachen, doch ich hielt sie offen.

»Ich muß Stanley sprechen.«

»Er ist nicht da.«

»Ich bin Ben Du Toit. Er kommt oft zu mir.«

Durchdringend und immer noch voller Abwehr sah sie mich an, doch schien es bei dem Namen bei ihr geklingelt zu haben.

»Ich hab' gestern ein paarmal angerufen. Habe eine Nachricht hinterlassen, er solle sich mit mir in Verbindung setzen.«

»Er ist nicht hier«, wiederholte sie mürrisch.

Hilflos blickte ich mich um. Die Halbwüchsigen, die Hände in den Taschen, standen immer noch an der Straßenecke und starrten herüber.

»Du mußt jetzt gehen«, sagte sie. »Sonst gibt's Schwierigkeiten.«

»Was für Schwierigkeiten?«

»Für dich. Für Stanley. Für uns alle.«

»Bist du seine Frau?«

Ohne die Frage zu beantworten, sagte sie. »Sie sind hinter ihm her.«

»Wer?«

»Sie.«

»Weiß er das?« fragte ich besorgt. Nicht auch noch Stanley! Er ist der einzige, der noch bleibt. Er muß einfach überleben.

»Er ist weggegangen«, sagte sie barsch. »Ich glaube, nach Swaziland. Er wird nicht so bald zurückkommen. Er weiß, daß sie auf ihn warten.«

»Und was ist mir dir?« fragte ich. »Und mit seinen Kindern? Brauchst du irgendwas?«

Sie schien diese Frage belustigend zu finden, denn ihr Gesicht verzog sich zu einem breiten Lächeln. »Wir brauchen nichts. Er hat für uns vorgesorgt.« Dann, wieder ernst: »Du mußt jetzt gehen. Du kannst nicht reinkommen. Das finden sie raus.«

Ich drehte mich um, zögerte und sah noch einmal zurück: »Aber – wenn er zurückkommt – sagst du es ihm dann?«

Eine kurze Bewegung des Kopfes, doch ob Nicken oder Kopfschütteln, konnte ich nicht erkennen. Sie schloß die Tür.

Verloren und abgewiesen, blieb ich draußen stehen. Was jetzt? Wohin sollte ich gehen? Zurück nach Hause, als ob nichts geschehen wäre? Und dann?

Ich war so in meine eigenen verwirrenden Gedanken verloren, daß ich überhaupt nicht gesehen hatte, wie sie näher gekommen waren. Als ich aufblickte, standen sie dichtgedrängt zwischen mir und dem Auto. Weiter hinten sah ich andere gleichmütig näher kommen. Aber gerade die Langsamkeit ihrer Bewegungen machte mich stutzig. Als ob sie es nicht nötig hätten, sich zu beeilen, als ob sie den Ausgang des Ganzen genau kennten.

Ich machte ein paar Schritte auf den Wagen zu und blieb dann unsicher stehen. Immer noch starrten sie mich an und gaben keinen Laut von sich; ihre jungen schwarzen Gesichter waren bar jeden Ausdrucks.

»Stanley ist nicht zu Hause«, sagte ich und kam mir komisch bei dem Versuch vor, jedenfalls einen zufälligen Kontakt herzustellen. Meine Kehle war trocken.

Sie regten sich nicht. Die anderen, weiter hinten, kamen näher. Wie um alles auf der Welt hatten sie von meiner Anwesenheit erfahren?

»Ich bin Stanleys Freund«, sagte ich.

Keine Antwort.

Bemüht, mir meine Furcht nicht anmerken zu lassen, machte ich noch einen Schritt nach vorn und holte die Autoschlüssel heraus.

Dann ereignete sich alles sehr schnell, in einem großen Durcheinander von Bewegungen und Lauten. Irgend jemand schlug mir den Schlüsselbund aus der Hand. Als ich mich danach bückte, wurde ich von hinten gestoßen und landete mit ausgestreckten Armen im Staub, hielt aber die Schlüssel fest. Eine Welle von Leibern ging über mich hinweg. Ich versuchte, auf allen vieren davonzukriechen, doch als ich mich am Auto hochziehen wollte, wurde ich wieder gepackt. Ein Tritt in den Bauch. Ich knickte zusammen. Knie in den Nieren. Einen Moment schwindelte mir vor Schmerz. Eines jedoch wußte ich: Wenn ich hierblieb, bedeutete das mein Ende. Ich kann immer noch nicht erklären, wie ich es machte, doch schaffte ich es im Kampfgewoge, um das Auto herumzukommen und die Tür auf der Fahrerseite aufzumachen. Die anderen waren gottlob verschlossen. Als ich mich auf den Sitz fallen ließ, wurde die Tür wieder aufgerissen. Ich trat blindlings zu. Klemmte jemand die Hand in der Tür ein. Merkte, daß sich weiter weg eine große dunkle Menschenansammlung näherte, und drehte mit zitternder Hand den Zündschlüssel um.

Dachte an Melanie, die – von genauso einer schwarzen Menge umgeben – den Arm zum *Black-Power*-Gruß erhoben hatte und damit unbehelligt davongekommen war. Aber ich war nicht so geistesgegenwärtig.

Ich kurbelte nur das Fenster zwei Finger breit herunter, um ihnen zuzuschreien: »Kapiert ihr denn nicht? Ich bin doch auf eurer Seite.« Meine Stimme überschlug sich vor Hysterie.

Dann traf der erste Stein die Karosserie. Zahlreiche Hände packten den Wagen hinten, brachten ihn zum Schaukeln und versuchten, die Räder vom Boden zu heben. Weitere Steine flogen gegen die Seiten. Dagegen half nur eines. Ich legte den Rückwärtsgang ein und gab voll Gas, was sie aus dem Gleichgewicht brachte und zu Boden warf. Dann vorwärts, mit kreischenden Reifen, wirbelte eine Wolke aus Staub und kleinen Steinen hoch.

An der erste Ecke standen ein paar und warteten auf mich. Das Fenster neben mir wurde durch einen Ziegelstein zertrümmert, der mich ums Haar am Kopf getroffen hätte und auf dem Beifahrersitz landete. Einen Moment verlor ich die Kontrolle über den Wagen und fuhr schlingernd die Straße hinunter; Kinder und Hühner stoben auseinander; ein wahres Wunder, daß ich keines erwischte.

Es konnte nicht länger als ein, zwei Minuten gedauert haben, doch mir kam es endlos vor. Dann war ich in einer anderen *township*. Kinder spielten mit abgefahrenen Autoreifen oder den Rahmen von Fahrrädern. Frauen riefen sich aus vollem Hals von einer Straßenecke zur nächsten etwas zu. Autowracks auf ödem *veld*. Müllhaufen, darauf dicht gedrängt Menschen, die in den Abfällen suchten und herumstocherten. Nur diesmal hatte das Ganze nichts Alltägliches und Friedliches. Alles war feindselig, fremd, unheimlich. Ich hatte keine Ahnung, wohin ich fahren sollte, gleichzeitig aber auch noch viel zuviel Angst anzuhalten. Ich fuhr einfach weiter und weiter, egal, wohin, brach fast die Wagenachsen in den Schlaglöchern oder Rinnen der Straße; ich fuhr haarscharf an Fußgängern vorbei und ließ sie fluchend und faustschüttelnd und in die Höhe springend in einer Wolke aus Staub zurück. Die Straßen hin und her, von einer *township* in die andere.

Nach langer Zeit zwang ich mich, auf einem heruntergebrannten Stück offenem *veld* anzuhalten. Saß einfach da, bemühte mich, tief durchzuatmen und mich zu beruhigen. Ich war völlig zerschlagen. Der Schädel brummte mir. Meine Kleider waren zerrissen und verschmutzt. Die Hände abgeschürft. Der kalte Schweiß war mir ausgebrochen, und ich zitterte an allen Gliedern. Ich wartete, bis ich meinte, mich wieder einigermaßen in der Gewalt zu haben; dann ließ ich den Motor an und fuhr bis zu einem Einkaufszentrum, wo ich nach dem Weg fragen konnte. Dort stellte sich heraus, daß ich am anderen Ende von Soweto in der Nähe des Friedhofs gelandet war. Wo Gordon begraben war.

Erst da ging es mir richtig auf: wie der Mensch so merkwürdig in Kreisen lebt und immer wieder an den bereits verfallenden Wahrzeichen früherer Zeiten vorüberkommt. Ein Kreis war jetzt geschlossen. Hier, in Stanleys Sofasonke City, bei einem ähnlichen Tumult, wie ich ihn eben erlebt hatte, war Jonathan verhaftet worden. Das war für mich der Anfang von allem gewesen. Plötzlich hatte das Ganze etwas sehr Gesetzmäßiges: Es schien vorherbestimmt, daß ich an diesem Tag an diesen Ort zurückkehren mußte.

Wieder daheim, nahm ich ein Bad und zog etwas anderes an. Schluckte ein paar Tabletten. Legte mich hin. Konnte jedoch nicht einschlafen. Ab und zu fing ich wieder an zu zittern, ohne etwas dagegen tun zu können.

Nie zuvor war ich dem Tod so nahe gewesen.

Lange lag ich nur so da und versuchte, mir über alles klarzuwerden, konnte jedoch nicht zusammenhängend denken und war mir nur einer schrecklichen, blinden Verbitterung bewußt. Warum hatten sie es ausgerechnet auf mich abgesehen? Begriffen sie denn nicht? War denn alles, was ich ihretwegen durchgemacht hatte, völlig umsonst gewesen? Zählte es überhaupt nicht? Was war denn mit der Logik geschehen, mit Absicht und Sinn des Ganzen?

Aber ich bin jetzt viel ruhiger. Es hilft durchaus, sich Disziplin aufzuerlegen und es niederzuschreiben, es schwarz auf weiß vor sich zu sehen, den Versuch zu machen, alles genau abzuwägen und eine Bedeutung darin zu suchen.

Professor Bruwer: *Es gibt zwei Arten von Wahnsinn, vor denen man sich hüten sollte, Ben. Der eine ist der Glaube, daß wir alles tun könnten. Und der andere der Glaube, wir könnten überhaupt nichts tun.*

Ich hatte helfen wollen. Richtig. Hatte das sehr aufrichtig gemeint. Nur hatte ich es zu meinen Bedingungen tun wollen. Und ich bin nun mal Weißer, und sie sind Schwarze. Trotzdem hielt ich es immer noch für möglich, über unser Weiß-Sein oder Schwarz-Sein hinauszugelangen. Glaubte, die Hand auszustrecken und über den Abgrund hinweg die des anderen zu ergreifen, genüge schon an sich. Aber ich habe so wenig begriffen, wirklich: als ob es mit guten Absichten von meiner Seite aus getan wäre. Das war anmaßend und überheblich von mir. In einer normalen, in einer natürlichen Welt, hätte es mir vielleicht gelingen können. Aber nicht in unserer aus den Fugen geratenen, zerrissenen Zeit. Ich kann alles, was ich nur kann, für Gordon und Dutzende von anderen tun, die zu mir gekommen sind; ich kann mich an ihre Stelle versetzen, kann mir ihr Leiden zu eigen machen. Aber nie, nie, kann ich ihr Leben für sie leben. Was sollte anderes dabei herauskommen als ein Fehlschlag?

Ob es mir gefällt oder nicht, ob mir danach ist, meine eigenen Bedingungen zu verfluchen oder nicht – es wäre doch zu nichts weiter nütze, als meine Ohnmacht zu bestätigen –, *ich bin Weißer*. Das ist die kleine, endgültige, erschreckende Wahrheit meiner zusammengebrochenen Welt. Ich bin Weißer. Und weil ich Weißer bin, bin ich in einen privilegierten Zustand hineingeboren. Selbst wenn ich das System bekämpfe, das uns so eingeschränkt hat, bleibe ich immer noch Weißer und gerade von jenen Umständen begünstigt, die mich entsetzen. Selbst wenn ich gehaßt und ausgestoßen und verfolgt und zuletzt vernichtet werde – nichts kann mich zu einem Schwarzen machen. Und deshalb kann ich denen, die schwarz sind, nur verdächtig sein. In ihren Augen haben alle meine Bemühungen, mich mit Gordon, mit all den Gordons zu identifizieren, etwas Obszönes. Jede Geste von mir, alles, was ich unternehme, um ihnen zu helfen, macht es für sie um so schwieriger, ihre echten Bedürfnisse zu erkennen, selber ihre Identität zu entdecken und ihre eigene Würde zu bestätigen. Wie sonst sollten wir jemals hoffen, über die Vorstellung von Jäger und Gejagtem, Geber und Nehmer, Weißen und Schwarzen hinauszugelangen – und Erlösung finden?

Auf der anderen Seite: was kann ich tun außer dem, was ich getan habe? Es steht mir nicht frei, *nicht* einzugreifen; das wäre eine Absage und reiner Hohn nicht nur auf alles, woran ich glaube, sondern auch an die Hoffnung, daß das Mitleid bei den Menschen weiterbestehen möge. Nicht so zu handeln, wie ich es getan habe, hieße, die Möglichkeit leugnen, daß man den Abgrund überbrücken kann.

Wenn ich handle, kann ich nur verlieren. Doch wenn ich nicht handle, bedeutet das nur eine andere Art von Niederlage, genauso einschneidend, vielleicht noch schlimmer. Denn dann bliebe mir nicht einmal mehr ein gutes Gewissen.

Das Ende scheint unvermeidlich: Fehlschlag, Niederlage, Verlust. Die einzige Wahl, die mir noch bleibt, ist bereit zu sein, ein bißchen Ehre, ein bißchen Anstand, ein bißchen Menschlichkeit zu retten – oder gar nichts. Es sieht so aus, als ließe sich ein Opfer nicht vermeiden, mag man es drehen und wenden, wie man will. Zumindest bleibt einem die Wahl zwischen einem völlig sinnlosen Opfer und einem, das möglicherweise auf lange Sicht eine, wenn auch noch so geringfügige oder zweifelhafte Aussicht auf etwas Besseres, Edleres und weniger Abscheuliches für unsere Kinder eröffnet. Für meine eigenen, für die von Gordon und von Stanley.

Sie leben weiter. Wir, die Väter, haben verloren.

Wie kann ich mir anmaßen zu sagen: *Er ist mein Freund* oder – vorsichtiger – auch nur: *Ich glaube, ich kenne ihn?* Wir sind doch bestenfalls nur wie zwei Fremde, die sich auf dem weißen, winterlichen Feld begegnen, sich eine Zeitlang zusammensetzen, um eine Pfeife zu rauchen, ehe jeder seines Weges geht. Mehr nicht.

Allein. Allein bis zum Ende. Ich. Stanley. Melanie. Jeder einzelne von uns. Doch der Gnade teilhaftig geworden zu sein, einander zu begegnen und sich flüchtig zu berühren – ist das nicht das Erschreckendste und Schönste, worauf man in dieser Welt hoffen darf?

Wie merkwürdig, diese ungewöhnliche Stille. Selbst diese von allem Menschlichen entblößte winterliche Landschaft mit den Geiern, die darüber ihre Kreise ziehen, ist auf ihre Weise wunderschön. Wir haben noch viel über die Feinheiten zu lernen, mit denen Gottes unendliche Gnade wirkt.

Am Anfang steht Aufruhr. Dann vergeht er, und was zurückbleibt, ist Schweigen; doch ist es ein Schweigen der Verwirrung und der Verständnislosigkeit, keine echte Stille, sondern die Unfähigkeit, richtig zu hören, eine unruhige Stille. Und erst wenn man mal tiefer ins Leiden vordringt, so scheint es mir, kann man lernen, sie als unerläßlich zur Erlangung einer wahrhaft heiteren Stille zu akzeptieren. Die habe ich bis jetzt noch nicht erreicht. Aber ich glaube, ich bin jetzt nah daran. Und diese Hoffnung hält mich aufrecht.

5

Wäre Ben nicht so erschöpft und völlig am Ende seines Durchhaltevermögens gewesen, er hätte bestimmt Verdacht geschöpft. Und hätte er es rechtzeitig gewußt, er hätte irgendwelche Vorsichtsmaßnahmen treffen können. Doch es hat keinen Sinn, sich in Mutmaßungen zu ergehen. Schließlich war sie sein eigenes Kind, und wie hätte man von ihm erwarten können, daß er nach dem wirklichen Grund für das entwaffnende Mitgefühl gesucht hätte, das sie ihm so unerwartet entgegenbrachte?

Am Sonntag fuhr er zusammen mit Johan nach Pretoria zum Abendessen mit Suzette und ihrer Familie. Nicht, daß er besonders erpicht gewesen wäre, diese Fahrt zu machen, doch sie hatte am Telefon keinen Einwand gelten lassen, und so hatte er schließlich einwilligen müssen. Im übrigen hatte er das überwältigende Bedürfnis, mit jemandem zusammenzusein, mit dem er reden konnte.

Die Wagenfenster waren noch nicht erneuert worden, und so hatte er Angst, von der Verkehrspolizei angehalten zu werden, doch glücklicherweise geschah nichts dergleichen.

»Ja, was ist denn mit deinem Auto passiert?« fragte Suzette entsetzt, gleich als sie ihn sah. »Das sieht ja aus, als ob du im Krieg gewesen wärest.«

»So was Ähnliches war's auch.« Er lächelte matt. »Glücklicherweise bin ich unversehrt herausgekommen.«

»Was ist denn passiert?«

»Ach, nur eine Menschenansammlung an der Straße, vor ein paar Tagen.« Es widerstrebte ihm, in Einzelheiten zu gehen.

Nach einem üppigen Abendessen, das von Suzettes Ganztags-Köchin bereitet worden war, war Ben etwas entspannter. Das gute Essen, der Wein, die geschmackvolle Inneneinrichtung, geradewegs aus den Seiten ihrer auf Hochglanzpapier gedruckten Illustrierten, die Aussicht, noch mit seinem Enkel spielen zu können, ehe dieser von seiner *Nanny* ins Bett gebracht wurde – all das trug zu einem neuen und dankbar empfundenen Gefühl von Behagen und Wärme bei. Suzette führte ihn hinaus ins Freie, wo sie sich in der spätherbstlichen Wärme neben dem Swimmingpool auf Liegestühlen ausstrecken konnten und der Kaffee serviert wurde. Chris hatte Johan mit in sein Arbeitszimmer hinaufgenommen, um ihm irgend etwas zu zeigen. Erst hinterher ging Ben auf, daß das absichtlich so eingerichtet worden sein konnte.

Sie sprach nochmals von dem Zustand seines Wagens. »Bitte, Dad, du mußt dich wirklich vorsehen! Überleg doch mal, was alles hätte passieren können! Man weiß doch heutzutage nie!«

»Um mich loszuwerden, braucht es schon mehr als ein paar Steine«, sagte er leichthin; er wollte sich nicht in eine Auseinandersetzung verwickeln lassen.

»Warum hast du ihn denn nicht reparieren lassen? So kannst du doch nicht rumfahren.«

»Dem Motor fehlt nichts. Außerdem laß ich's diese Woche in Ordnung bringen. Hab' bis jetzt bloß keine Zeit dazu gehabt.«

»Was hast du denn alles zu tun?«

»Alles mögliche.«

Vermutlich erriet sie, daß er auswich, denn plötzlich war ihre Stimme ganz von Mitgefühl erfüllt, und sie fragte: »Oder liegt es am Geld?«

»O nein, durchaus nicht.«

»Versprich mir, daß du's mir sagst, wenn Chris und ich in irgendeiner Weise helfen können.«

»Mach' ich.« Er sah sie an, verzog langsam den Mund zu einem Lächeln. »Weißt du, für mich ist es immer noch unfaßlich, so wie wir beide uns immer in den Haaren gelegen haben – und jetzt, die letzten Wochen…«

»Manchmal muß man wohl einen Stoß versetzt bekommen, damit einem die Augen aufgehen. Es gibt so viel, was ich wiedergutmachen möchte, Dad.«

Sie hatte die Sonne hinter sich. Eine schlanke, elegante, blonde junge Frau: jedes Haar an seinem Platz, nirgends eine Falte in dem teuren, betont schlichten und bestimmt aus Paris oder New York stammenden Kleid. Die festen Linien ihrer hohen Wangenknochen, das Eigensinnige ihres Kinns. Das Ebenbild Susans, von vor Jahren.

»Findest du die Einsamkeit zu Hause nicht unerträglich, Dad? Wenn Johan in der Schule ist…«

»Ach, eigentlich nicht.« Er schlug die Beine anders übereinander und mied ihren Blick. »Man gewöhnt sich daran. Da habe ich Zeit nachzudenken. Und außerdem sind da all meine Papiere und die Sachen, die ich auf den neuesten Stand bringen muß.«

»Über Gordon?«

»Ja, auch das.«

»Du erstaunst mich.« Ihre Stimme klang nicht im geringsten bissig, eher bewundernd. »Wie du so dabei bleibst, egal, was passiert.«

Voller Unbehagen sagt er: »Ach, man tut wohl nur, was man kann.«

»Die meisten anderen Leute hätten schon längst aufgegeben.« Eine berechnete Pause. »Aber ist es das wirklich wert, Dad?«

»Es ist alles, was mir geblieben ist.«

»Ich mache mir Sorgen um dich, Dad. Die Bombe neulich. Was, wenn Johan nicht dagewesen wäre, um das Feuer zu löschen? Das ganze Haus hätte herunterbrennen können.«

»Nicht unbedingt. Das Arbeitszimmer liegt doch ziemlich weit vom Haus entfernt.«

»Aber angenommen, deine ganzen Unterlagen wären vernichtet worden? Alles, was du über Gordon zusammengetragen hast?«

Lächelnd stellte er die Tasse auf das niedrige Tischchen neben dem Liegestuhl; er war jetzt ganz entspannt in dem trägen Schein der Maisonne. »Keine Angst«, sagte er, »die bekommen sie nie in die Hand.«

»Wo um alles ist der Welt hast du denn das ganze Zeug versteckt?« fragte sie beiläufig.

»Ich habe einen falschen Boden in meinen Werkzeugschrank eingebaut, verstehst du? Schon vor langer Zeit. Auf die Idee dort nachzusehen, kommt nie jemand.«

»Noch Kaffee?«

»Nein, danke.«

Sie schenkte sich selbst ein, war unversehens merkwürdig energisch. Liebevoll sah er sie an, genoß voll Wohlbehagen den Luxus ihrer Aufmerksamkeit, überließ sich ihrem Mitgefühl, den Strahlen der Herbstsonne, die ihn umspielten, dem dumpfen Nachglühen des Rotweines.

Erst auf der Rückfahrt, am Spätnachmittag des nächsten Tages, dachte er in plötzlicher Panik: Wenn nun Suzette etwas ganz Bestimmtes im Sinn gehabt hätte, als sie ihn so sorgfältig und mit so viel berechnetem Gleichmut ausfragte?

Ärgerlich wies er den Gedanken von sich. Wie konnte man so etwas nur von seinem eigenen Kind denken? Was für einen Sinn hatte denn alles noch, wenn man nicht einmal mehr das Recht hatte, seinem eigenen Fleisch und Blut zu vertrauen?

Er überlegte, ob er mit Johan darüber reden sollte. Aber der Wind pfiff so laut durch die zerbrochenen Fenster, daß eine Unterhaltung fast unmöglich war. Ohne es zu merken, fuhr er immer schneller.

»Denk dran, daß sie Geschwindigkeitskontrollen machen!« schrie Johan.

»Ich fahre nicht schneller als sonst auch«, brummelte er und nahm den Fuß vom Gas. Aber er war ungeduldig, brütete vor sich hin und war tief beunruhigt.

Obwohl er sich seines eigenen Argwohns wegen verachtete, daß er einen solchen Gedanken auch nur dachte, wußte er, daß er keine Ruhe finden würde, ehe er nicht etwas getan hätte, um seine Befürchtungen zu beschwichtigen. Und während Johan abends in der Kirche war, schraubte er die kleine Klappe an der Holzverkleidung der Badewanne ab, verstaute sämtliche Unterlagen in dem neuen Versteck und schraubte die Klappe hinterher sorgfältig wieder fest.

Später in dieser Woche, wurde nachts so lautlos und professionell in der Garage eingebrochen, daß weder Ben noch Johan durch das geringste Geräusch gestört wurden. Erst am nächsten Morgen, als Ben sein Auto aus der Garage holen wollte, entdeckte er, was geschehen war. Der gesamte Werkzeugschrank war systematisch auseinandergenommen und der Inhalt auf dem Garagenboden verstreut worden.

Epilog

Es bleibt nur noch wenig zu berichten, ehe ich wieder dort bin, wo ich mit Bens Geschichte angefangen habe. Ein sinnloser Kreis – oder eher eine Spirale, die schließlich nach innen führt? Geradezu leichtfertig habe ich mich an das Leben eines anderen Mannes geklammert, um meinen eigenen Problemen aus dem Weg zu gehen oder sie auszutreiben. Sehr bald bin ich dahintergekommen, daß mit Halbheiten nichts zu machen war. Entweder mußte ich ausweichen oder vollkommen eintauchen. Und doch: Jetzt, wo fast alles aufgeschrieben ist – wie weit habe ich das Rätsel gelöst, das mich dermaßen gequält hat? Ben: mein Freund, der Fremde. Die beunruhigende Wahrheit ist, daß er mich nicht einmal jetzt, da ich mich anschicke, die Sache abzuschließen, loslassen wird. Ich kann ihn nicht packen, aber ihn mir vom Hals schaffen kann ich auch nicht. Niemand kann einen von der Schuld freisprechen, das versucht zu haben.

Ein Gefühl der Hoffnungslosigkeit bleibt in mir zurück. Vielleicht habe ich bei dem Bemühen, ihm Gerechtigkeit widerfahren zu lassen, gerade das Gegenteil erreicht. Wir gehören verschiedenen Dimensionen an: Ein Mann hat gelebt, der andere geschrieben; der eine hat vorwärts geblickt, der andere zurück; er war dort, und ich bin hier.

Was Wunder, daß er sich meinem Zugriff entzieht. Es ist, als streifte man mit einer Lampe im Dunkeln umher und sähe im schmalen Lichtkegel grobe Umrisse von irgendwelchen Dingen auftauchen und wieder verschwinden, brächte es jedoch nicht fertig, sich eine Vorstellung von dem Gelände als solchem zu machen. Es ist immer noch eine Wildnis. Aber entweder war es dies – oder überhaupt nichts.

Unmittelbar nachdem er entdeckt hatte, daß in seine Garage eingebrochen worden war, fuhr Ben in die Stadt und rief mich von einer Telefonzelle am Bahnhof an. Eine Stunde später traf ich mich vor der Buchhandlung Bakker mit ihm. Das fremde, schmächtige, gehetzte Geschöpf war so ganz anders als der Mann, den ich früher gekannt hatte.

Der Rest läßt sich ableiten oder erraten. Möglich, daß ich mich dabei

317

von dem gleichen Wahn beeinflussen lasse, von dem er geschrieben hat; trotzdem muß es erzählt werden.

Er schickte seine Unterlagen und Notizbücher von Pretoria aus ab. Mir gefällt die Vorstellung, daß er sich wenigstens einmal einen Hauch von Ironie leistete, indem er Suzette anrief und sagte: »Bitte, tu mir einen Gefallen, mein Liebes. Erinnerst du dich noch an die Unterlagen, von denen wir gesprochen haben – all die Sachen im Zusammenhang mit Gordon, weißt du. Nun, je mehr ich drüber nachdenke, desto größer werden meine Zweifel, ob sie bei mir sicher aufgehoben sind. Könnte ich sie nicht zu dir bringen, damit du sie für mich aufhebst?«

Man kann sich vorstellen, daß sie Mühe hatte, ihre Erregung zu verbergen, als sie eifrig sagte: »Aber natürlich, Dad. Nur, warum willst du dir die Mühe machen, sie erst herzubringen? Ich kann doch kommen und sie abholen.«

»Nein, nur keine Umstände. Ich werde sie dir selber bringen.«

Auf diese Weise konnte er selbstverständlich das Risiko ausschalten, daß man ihm folgte: Da sie wußten, daß alles bei Suzette deponiert werden sollte, brauchten sie sich nicht erst die Mühe zu machen, ihm bis nach Pretoria zu folgen. Etwa eine Stunde später mag er dann ruhig, bleich und zufrieden sein Paket am Paketschalter des Postamts von Pretoria aufgegeben haben und dann zu Suzettes Haus am Waterkloof Ridge hinausgefahren sein.

Wie sie herauskam, ihn zu begrüßen. Eifrig suchend ins Auto hineinspähte. Und ihr Gesicht lang und länger wurde, als er beiläufig erklärte: »Ach, weißt du, ich hab's mir doch noch mal überlegt. Ich habe jetzt schon so viele Menschen ins Unglück gestürzt, daß ich dich lieber nicht kompromittieren möchte. Und da habe ich beschlossen, das ganze Zeugs zu verbrennen. Ich muß zugeben, mir ist dabei eine Zentnerlast von der Seele gefallen.«

Selbstverständlich würde sie es nicht wagen, ihre wahren Gefühle zu zeigen; ihr bezauberndes Make-up war wie eine Maske für ihren Schock und ihre Wut.

Ein paar Tage später wurde mir das Paket von der Post ins Haus gebracht. Und dann wurde er umgebracht.

Und das, dachte ich, war das Ende von allem.

Aber eine volle Woche nach seiner Beerdigung erreichte mich sein letzter Brief. Er war vom 23. Mai datiert, seinem Todestag.

Eigentlich hatte ich nicht vor, Dich noch einmal zu belästigen, aber ich

muß es tun. Hoffentlich zum letztenmal. Soeben habe ich wieder einen
anonymen Anruf erhalten. Eine Männerstimme, die sagte, heute nacht
würden sie mich holen oder so ähnlich. Ich habe so viele anonyme An-
rufe bekommen, daß ich gelernt habe, sie achselzuckend abzutun. Doch
diesmal habe ich das Gefühl, es ist ernst. Vielleicht liegt alles nur an mei-
nem nervlichen Zustand, doch bezweifle ich das. Bitte verzeih mir, falls
ich Dir unnötig Mühe mache. Doch falls es diesmal wirklich ernst ist,
möchte ich Dich rechtzeitig warnen. Johan ist heute abend nicht hier.
Und außerdem möchte ich ihn nicht unnötig aufregen.

Der Anrufer sprach englisch, allerdings mit Afrikaans-Akzent. Ir-
gendwie kam mir die Stimme sehr vertraut vor, obwohl er sich Mühe
gab, sie zu dämpfen, vermutlich, indem er ein Taschentuch über die
Sprechmuschel legte. Er war es. Da bin ich ganz sicher.

Letzte Woche ist noch zweimal bei mir eingebrochen worden. Ich
weiß, wonach sie suchen. Sie sind nicht bereit, noch länger zu warten.

Wenn ich mit meinem Verdacht recht habe, mußt Du unbedingt dar-
über Bescheid wissen.

In einem Augenblick wie diesem überkommt einen eine merkwürdige
Ruhe. Endspiele habe ich immer am liebsten gespielt. Wäre es nicht auf
diese Weise passiert, sie hätten eine andere Möglichkeit gefunden. Ich
weiß, ich hätte unmöglich noch lange weitermachen können. Die einzige
Genugtuung, die mir noch bleibt, ist die Hoffnung, daß nicht alles mit
mir zu Ende geht. Dann werde ich wahrhaftig mit Melanie sagen kön-
nen: »Ich bedaure nicht einen Moment, was zwischen uns gewesen ist.«

Gegen elf Uhr an diesem Abend wurde er von einem Auto überfahren. Dem Zeitungsbericht zufolge ereignete sich der Unfall, als er auf
dem Weg zum Briefkasten war. Aber woher sollte der Reporter das wissen? Es sei denn, Ben hätte den Brief noch bei sich gehabt, als es geschah? Und wenn er ihn noch bei sich gehabt hatte – wer hatte ihn dann
hinterher eingeworfen? Und warum?

Erklärt das die Verspätung von einer Woche, mit der der Brief bei mir
eintraf? Natürlich kann das einfach an den notorisch schlechten Johannesburger Postverhältnissen liegen. Andererseits ist es aber auch denk-
bar, daß sie, nachdem sie den Brief bei der Leiche gefunden und durch-
gelesen hatten, beschlossen, ich sollte ihn noch erhalten. In diesem Fall
gäbe es für sie nur ein Motiv: mich unter Bewachung zu halten und die
Spur von mir aus weiterzuverfolgen.

So beschränkt können sie nun auch wieder nicht sein, daß sie nicht von sich aus auf die Idee kommen, diese verspätete Zustellung könne meinen Argwohn erregen. Und wenn das so ist, dann wollten sie mir mit vollem Bedacht eine Warnung oder eine Drohung zukommen lassen, um zu gewährleisten, daß ich mir des Beschattet-Werdens bewußt bin.

Warum habe ich mir also die Mühe gemacht, alles aufzuschreiben? Aus sentimentaler Treue einem Freund gegenüber, den ich jahrelang vernachlässigt hatte? Oder um irgendwelche Gewissensbisse Susan gegenüber loszuwerden? Es ist besser, nicht zu tief in die eigenen Motive einzudringen.

Fängt wirklich alles mit mir noch einmal von vorn an? Und wenn es so wäre: Wie weit wird es gehen? Wird es irgendwann gelingen, den Teufelskreis zu durchbrechen? Oder ist das nicht so wichtig. Geht es nur schlicht und einfach darum weiterzumachen? Vielleicht gar aus irgendeinem dumpfen und schuldhaften Verantwortungsgefühl heraus, das ich gegenüber etwas hege, an das Ben vielleicht geglaubt hat: Etwas, wozu der Mensch fähig ist, wenn es ihm auch nicht oft gestattet ist, es zu leben?

Ich weiß es nicht.

Vielleicht ist alles, was man hoffen, alles, wozu ich berechtigt bin, nicht mehr, als es aufzuschreiben. Zu berichten, was ich weiß. Damit es keinem Menschen je wieder möglich ist zu sagen: *Ich habe nichts davon gewußt.*

1976. 1978–79.